6 december 1975

GOLDA
MEIR
mijn leven

GOLDA
MEIR
mijn leven

Fibula-Van Dishoeck • Bussum

Vertaling: Joke Westerweel-Ybema

© 1975 Golda Meir

Oorspronkelijke titel: *My Life*

Engelse editie: Weidenfeld and Nicolson, Londen

© 1975 Nederlandse editie: Unieboek bv, Bussum

ISBN 90 228 3523 5

Inhoud

Aan mijn zusters Sheyna en Clara,
aan onze kinderen
en aan de kinderen van onze kinderen.

Ik heb nooit een dagboek bijgehouden en ik was ook geen goede brief-schrijfster; het is dan ook nooit bij mij opgekomen om de geschiedenis van mijn leven op te schrijven. Maar thans heb ik een en ander vermeld over de mannen en vrouwen die ik gekend heb, enkele plaatsen beschre-ven die ik gezien heb en bovenal enige van de ongelooflijke gebeurtenis-sen verteld die ik mocht beleven, dit alles in de hoop dat misschien degenen die dit boek lezen iets meer van Israël, het zionisme en het joodse volk zullen begrijpen.

Ramat Aviv, juni 1975   G.M.

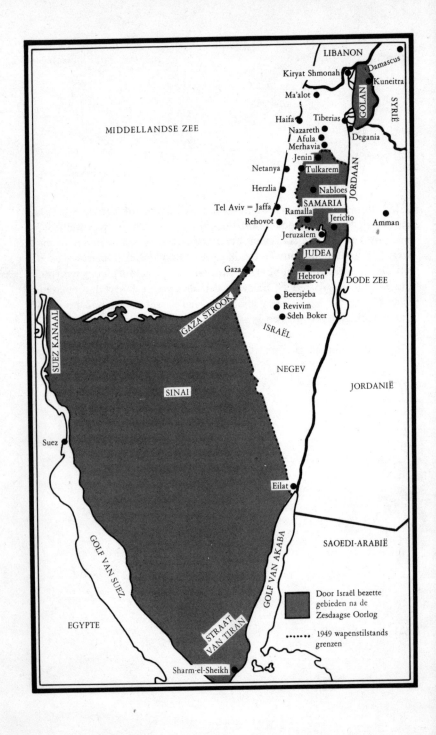

LIBANON

Kiryat Shmonah

Ma'alot

Haifa

Nazareth
Afula
Merhavia

Netanya

Herzlia

Tel Aviv = Jaffa

Rehovot

Gaza

Beersjeba
Revivim
Sdeh Boker

MIDDELLANDSE ZEE

Tiberias

Jenin

Tulkarem

Nabloes

SAMARIA

Ramalla

Jeruzalem

JUDEA

Hebron

Damascus

Kuneitra

GOLAN

SYRIË

Degania

JORDAAN

Jericho

Amman

DODE ZEE

ISRAËL

NEGEV

JORDANIË

SUEZ KANAAL

GAZA STROOK

SINAI

Suez

EGYPTE

GOLF VAN SUEZ

Eilat

GOLF VAN AKABA

STRAAT VAN TIRAN

Sharm-el-Sheikh

SAOEDI-ARABIË

Door Israël bezette
gebieden na de
Zesdaagse Oorlog

1949 wapenstilstands
grenzen

1
Mijn jeugd

Het is maar weinig dat ik mij van mijn prille jeugd in Rusland herinner. Toch waren het mijn eerste acht levensjaren en deze beginjaren worden tegenwoordig beschouwd als de belangrijkste vormingsjaren. Het is triest dat ik zo weinige blijde of zelfs maar aangename herinneringen aan die tijd heb. De verschillende gebeurtenissen die me in de afgelopen zeventig jaar zijn bijgebleven, hebben meestal betrekking op de verschrikkelijke ontberingen die mijn familie moest lijden, op armoede, kou, honger en angst. Ik geloof dat mijn herinnering aan angst het levendigst is. Ik moet nog heel klein geweest zijn, misschien een jaar of drie, vier. We woonden toen op de eerste verdieping van een huisje in Kiëv en ik weet nog heel goed dat ik hoorde dat er een pogrom zou plaatsvinden. Natuurlijk wist ik destijds nog niet wat een pogrom was, maar ik begreep wel dat het iets met joods-zijn te maken had en met het gepeupel dat zich in de stad verdrong, zwaaiend met messen en dikke stokken. Ze schreeuwden 'Christusmoordenaars' en zochten naar joden. Ze zouden mij en mijn familie vast vreselijke dingen aandoen.

Ik weet nog goed dat ik op de trap naar de tweede verdieping stond waar ook een joods gezin woonde. Ik stond hand in hand met hun dochtertje en we keken hoe onze vaders probeerden met houten planken de deur te barricaderen. Die pogrom ging niet door, maar ik herinner me nu nog hoe bang ik was en hoe boos dat het enige dat mijn vader kon doen om ons te beschermen erin bestond een paar planken aan elkaar te spijkeren terwijl wij wachtten totdat de straatschenders zouden komen. Hetgeen vooral tot me doordrong was dat dit mij overkwam omdat ik joods was en dus anders dan de overige kinderen op het erf. Het was een gevoel dat ik in mijn leven nog vaak zou kennen — angst, verwarring, het bewustzijn anders dan de rest te zijn en de diepe, instinctieve overtuiging dat, als je wilde blijven leven, je er zelf iets aan doen moest.

Ik weet ook nog heel goed hoe arm we waren. Er was nooit genoeg ergens van, nooit genoeg voedsel, nooit genoeg warme kleren, nooit genoeg verwarming thuis. Ik was altijd een beetje te koud van buiten en te leeg van binnen. Ondanks dat het zo lang geleden is, zie ik nog duidelijk een beeld voor me van mezelf terwijl ik in tranen in de keuken zit toe te kijken hoe mijn moeder een deel van de pap die mij toekwam aan mijn jongere zusje Zipke voert. Pap was in die dagen bij ons thuis een grote luxe en ik was woedend dat ik die moest delen, zelfs al was het maar met de baby. Jaren later maakte ik mee hoe verschrikkelijk de angst was dat mijn eigen kinderen honger zouden lijden en leerde zelf wat het betekent te beslissen welk kind meer te eten moet krijgen. Maar in die keuken in Kiëv wist ik alleen dat het leven hard was en dat er geen gerechtigheid meer bestond. Nergens. Ik ben blij dat niemand me ooit verteld heeft dat mijn oudere zusje Sheyna vaak op school van honger flauwviel.

Mijn ouders woonden nog niet zo lang in Kiëv. Ze hadden elkaar in Pinsk ontmoet en waren daar getrouwd; de familie van mijn moeder woonde er nog steeds en binnen een paar jaar gingen wij ook daarheen terug. Dat was in 1903 toen ik vijf jaar oud was. Mijn moeder was heel trots op haar liefdesgeschiedenis met mijn vader en ze heeft ons die vaak verteld. Ondanks dat ik het verhaal zo langzamerhand uit het hoofd kende, wilde ik het steeds opnieuw horen. Mijn ouders waren heel onconventioneel getrouwd, zonder de tussenkomst van een *sjadsjen*, de traditionele huwelijksmakelaar.

Ik weet eigenlijk niet precies hoe het kwam dat mijn vader die in de Oekraïne geboren was zich voor zijn militaire dienst in Pinsk moest melden, maar daar had mijn moeder hem op straat gezien. Hij was een lange, knappe jongeman en ze was meteen verliefd op hem geworden, maar ze durfde het niet aan haar ouders te vertellen. Tenslotte werd er toch een huwelijksmakelaar bijgehaald, maar alleen voor zogenaamde 'technische regelingen'. Het meest indrukwekkende was in haar én onze ogen dat ze er haar ouders van kon overtuigen dat liefde op het eerste gezicht voldoende was, zelfs hoewel mijn vader, wiens eigen vader gestorven was, geen geld had en zijn familie niets bijzonders presteerde. Maar er was iets dat er tegenop woog. Hij was niet ongeletterd. Al heel jong was hij een tijdje in een *jesjiva* geweest, een religieus joods seminarie. Daar had hij gestudeerd en hij kende ook de Torah.

Mijn grootvader hield daar rekening mee, hoewel ik altijd heb vermoed dat hij ook wel overwogen heeft dat mijn moeder over iets werkelijk belangrijks nooit van mening veranderde.

Mijn ouders waren heel verschillend: mijn vader, Mosje Yitshak Mabovitch, was een slanke man met fijne trekken en in wezen optimistisch. Hij was geneigd de mensen te geloven tenzij of totdat hij bewijs kreeg dat hij ongelijk had; een trek die zijn leven op materieel gebied tot een

10

mislukking zou doemen. Kortom, hij was te lichtgelovig, het soort man die waarschijnlijk meer succes zou hebben gehad als de omstandigheden ooit maar wat eenvoudiger waren geweest. Bluma, mijn moeder, met haar donkerrode haar, was knap, energiek, opgewekt en veel wereldwijzer en ondernemender dan mijn vader, maar net als hij was ze ook een geboren optimiste en gezellig in de omgang. Ondanks alles was ons huis op vrijdagavond altijd vol mensen, meestal familieleden. Ik herinner me nog goed zwermen neven en nichten, achterneven en -nichten, tantes en ooms. Geen enkele heeft de vreselijke slachting overleefd, maar ik zie ze nog voor me zoals ze daar om de keukentafel zaten en op de sabbat en op feestdagen glazen thee dronken. Ze zongen urenlang en ik weet nog hoe de heldere stemmen van mijn ouders boven alle andere uitklonken.

We waren bij ons thuis niet bijzonder godsdienstig. Natuurlijk namen mijn ouders de joodse traditie in acht. De keuken was koosjer en we vierden alle joodse feest- en gedenkdagen. Maar godsdienst als zodanig, voor zover die bij joden gescheiden kan worden van traditie, speelde geen grote rol in ons leven. Ik kan me niet herinneren dat ik als kind ooit veel over God heb nagedacht of dat ik tot een persoonlijke godheid heb gebeden. Wel heb ik, toen ik ouder was — we waren al in Amerika — soms met mijn moeder over godsdienst getwist. Ik weet nog dat ze me eens wilde bewijzen dat God bestond. Ze zei: 'Waarom regent of sneeuwt het bij voorbeeld?' Ik vertelde wat ik daarover op school had geleerd en toen zei ze tegen me: '*Nu, Goldele, du bist aza chachome, mach du zol gein a reigen!*' (Nou, Goldele, als jij dan zo knap bent, zorg jij dan voor regen!) In die tijd had nog nooit iemand gehoord van het uitstorten van chemicaliën op wolken, dus ik had geen antwoord klaar. Wat betreft dat de joden het Uitverkoren Volk zouden zijn, dat heb ik nooit helemaal kunnen aanvaarden. Het leek mij toe — en dat doet het nog — dat het redelijker is te geloven dat God niet de joden uitverkoren heeft, maar dat de joden de eerste mensen waren die God uitverkoren, het eerste volk in de geschiedenis dat iets werkelijk revolutionairs deed en dat feit heeft ze uniek gemaakt.

In elk geval leefden we in dit opzicht, evenals in alle andere, net zoals de meeste joden in de steden en dorpen van Oost-Europa. We gingen naar de *sjoel* (synagoge) en wel op feestdagen en vastendagen, we eerden de sabbat en we hadden twee kalenders: de ene was Russisch en de andere had betrekking op dat verre land waar we tweeduizend jaar geleden uit waren verdreven, maar in Kiëv en Pinsk tekenden we nog steeds de seizoenen en oude gewoonten ervan op.

Toen Sheyna nog heel klein was (ze was negen jaar ouder dan ik) waren mijn ouders naar Kiëv verhuisd. Mijn vader wilde zijn positie verbeteren

11

en hoewel Kiëv buiten het vestigingsgebied lag en in een deel van Rusland waar joden gewoonlijk niet mochten wonen, hoopte hij als handwerksman de kostbare vergunning om naar Kiëv te verhuizen te bemachtigen. Daarvoor moest hij zijn vakkennis bewijzen door als geschoold timmerman een examen af te leggen. Hij maakte dus een prachtig schaakbord, slaagde voor zijn examen en wij pakten onze koffers en verlieten (vol hoop) Pinsk. In Kiëv vond vader werk, voor de regering. Hij maakte meubels voor schoolbibliotheken en kreeg zelfs een voorschot. Met dat geld én geld dat mijn ouders geleend hadden, zette hij een kleine timmermanswerkplaats voor zichzelf op en het leek of alles goed zou gaan. Maar uiteindelijk ging het werk niet door. Misschien was het, zoals hij zei, omdat hij een jood was en Kiëv was berucht om zijn antisemitisme. In elk geval was er al heel gauw geen werk, geen geld en wel schulden die op een of andere manier betaald moesten worden. Het was een crisis zoals die tijdens mijn hele jeugd steeds weer terugkeerden. Mijn vader ging wanhopig overal werk zoeken; hij was de hele dag weg en vaak ook een deel van de avond. Als hij dan in de bittere duisternis van een Russische winteravond thuis kwam, was er zelden eten genoeg in huis om hem een maal voor te zetten. Brood en zoute haring was alles dat we hadden.

Maar mijn moeder had nog andere zorgen. Vier jongetjes en een meisje werden allemaal ziek en twee van hen stierven voor ze een jaar oud waren; twee gingen binnen een maand na elkaar heen. Mijn moeder rouwde met een gebroken hart om elke baby, maar als alle joodse moeders van die generatie aanvaardde ze Gods wil en leerde uit de rij van grafjes niets over het grootbrengen van kinderen. Maar vlak nadat de laatste baby was gestorven, bood een welgestelde familie die bij ons in de buurt woonde mijn moeder een baan als min aan voor *hun* baby. Ze stelden één voorwaarde: mijn ouders en Sheyna moesten uit hun ellendige, vochtige kamertje wegtrekken naar een lichter, luchtiger en groter vertrek, en een verpleegster zou komen om mijn arme, jonge moeder de grondbeginselen van kinderverzorging bij te brengen. Dank zij dit voedsterkind werd het leven voor Sheyna beter en ik werd geboren in betrekkelijke orde, reinheid en gezondheid. Onze weldoeners zorgden ervoor dat mijn moeder altijd genoeg te eten kreeg, en al gauw hadden mijn ouders weer drie kinderen: Sheyna, Zipke en ik.

In 1903, toen ik ongeveer vijf jaar was, gingen we naar Pinsk terug. Vader gaf niet gauw iets op en had nu een nieuwe droom. Vergeet die mislukking in Kiëv maar, zei hij, hij ging naar Amerika, naar de *Goldene Mediene*, het Gouden Land zoals de joden het noemden en daar zou hij zijn fortuin maken. Moeder, Sheyna, Zipke — het nieuwe zusje — en ik moesten in Pinsk op hem wachten. Hij zocht zijn schaarse bezittingen bij elkaar en vertrok naar het onbekende continent; wij verhuisden naar het huis van mijn grootouders.

Ik weet niet in hoeverre mijn grootouders invloed op me hebben gehad, maar we woonden lange tijd bij mijn moeders ouders in Pinsk. Het valt me in elk geval moeilijk te geloven dat mijn vaders vader enige rol in mijn leven heeft gespeeld; hij was al gestorven voordat mijn ouders elkaar leerden kennen. Maar op een of andere manier is hij toch iemand geweest die bij mijn jeugd hoorde, en nu, als ik aan het verleden denk, heb ik het gevoel dat hij ook bij dit verhaal hoort. Hij was een van de duizenden gestolen joodse kinderen in Rusland die gedwongen werden dienst te nemen in het leger van de tsaar om daar vijfentwintig jaar in door te brengen. Deze doodsbange, slecht geklede en ondervoede kinderen stonden voortdurend onder druk om zich tot het christendom te bekeren. Mijn grootvader Mabovitch was door het leger opgepikt toen hij pas dertien jaar was; hij kwam uit een heel religieus gezin en was grootgebracht door ouders die hem zelfs de kleinste kleinigheden van de orthodoxe joodse traditie in acht lieten nemen. Hij deed nog eens dertien jaar dienst in het Russische leger en nooit, ondanks dreigementen, bespotting en vaak straf, heeft hij *treife* (niet-koosjer) voedsel aangeraakt. Al die jaren hield hij zich in leven met ongekookte groenten en brood. Hoewel hij onder zware druk stond om van godsdienst te veranderen en vaak voor zijn weigering moest boeten door urenlang op een stenen vloer te knielen, heeft hij nooit toegegeven. Toen hij werd vrijgelaten en thuis kwam, werd hij toch nog vervolgd door de vrees dat hij misschien per ongeluk de Wet had geschonden. Om daarvoor te boeten, voor de zonde die hij misschien begaan had, sliep hij jarenlang op een bank in een niet verwarmde synagoge met alleen een steen als hoofdkussen. Geen wonder dat hij jong gestorven is.

Grootvader Mabovitch was niet mijn enige vasthoudende of, om een moderner woord te gebruiken dat veelvuldig op mij van toepassing wordt gebracht door mensen die geen grote bewonderaars van me zijn, 'intransigent' familielid. Daar had je ook mijn overgrootmoeder van moederskant die ik nooit gekend heb en naar wie ik genoemd ben. Ze stond bekend om haar sterke wil, en haar bazigheid. We hoorden dat niemand in de familie ooit iets durfde te doen zonder haar te raadplegen. Mijn Bobbe Golde was bijvoorbeeld degene aan wie het te danken was dat mijn ouders met elkaar mochten trouwen. Toen mijn vader bij mijn grootvader Naiditch om de hand van mijn moeder kwam vragen, schudde mijn grootvader somber het hoofd en zuchtte zwaar bij het idee dat zijn lieve Bluma met een doodgewone timmerman zou trouwen, zelfs al kon je die timmerman dan een schrijnwerker noemen. Maar mijn overgrootmoeder schoot meteen te hulp. 'Het belangrijkste is of hij een *mensch* is. Als hij dat is, dan kan een timmerman nog wel eens een koopman worden', zei ze vastberaden. Mijn vader zou zijn hele leven timmerman blijven, maar dank zij Bobbe Goldes opmerking gaf mijn grootvader zijn toestemming voor het huwelijk. Bobbe Golde is vierennegentig jaar geworden en een van de verhalen die ik me altijd van haar herinner is dat ze steeds zout in plaats van suiker in haar thee nam. Als reden gaf ze op: 'Ik wil de smaak van de *Golus* (diaspora) met me meenemen naar de volgende wereld'. Mijn ouders hebben me verteld dat zij en ik merkwaardigerwijze precies op elkaar lijken.

Ze zijn nu allen heengegaan natuurlijk; zij en hun kinderen en hun kindskinderen; zij en hun manier van leven. Het *sjtetl* van Oost-Europa is ook weg, vernield door de vlammen. De herinnering eraan blijft alleen voortbestaan in de Jiddische literatuur die hij deed ontstaan en waarin hij tot uitdrukking kwam. Dat *sjtetl*, weer opgebouwd in romans en films en die tegenwoordig bekend is als een oord waarvan mijn groot-ouders zelfs nooit hadden gehoord, dat vrolijke, hartverwarmende, heer-lijke *sjtetl* waar speellieden eeuwig sentimentele muziek ten beste geven op het dak, dat *sjtetl* heeft vrijwel niets te maken met hetgeen ik me ervan herinner. Met de armoedige, zielige, kleine gemeenschappen waar joden met moeite probeerden aan de kost te komen en zich troostten met de hoop dat het eens wel beter zou gaan en met hun geloof dat hun ellende enige zin had.

De meesten waren Godvrezende, brave mensen, maar hun leven, net als dat van mijn grootvader Mabovitch, was in wezen tragisch. En ikzelf heb nooit, zelfs geen minuut, verlangen gehad naar het verleden waarin ik geboren ben hoewel het kleur en overtuiging aan mijn leven gaf en beide beïnvloed heeft. Mijn overtuiging over de wijze waarop alle man-nen, vrouwen en kinderen overal ter wereld en wie ze ook zijn het recht hebben om hun leven te leven, produktief en zonder vernederingen, en in nog heviger mate over de wijze waarop vooral joden zouden moeten leven. Ik heb mijn kinderen, en de laatste tijd ook mijn kleinkinderen, vaak over het leven in het *sjtetl* verteld, zoals ik het me vaag herinner en niets maakt me gelukkiger dan de wetenschap dat het voor hen maar een geschiedenisles is. Een heel belangrijke les over een belangrijk stuk van hun erfdeel, maar niet iets waar zij zich mee kunnen identificeren omdat *hun* leven van het begin af zo totaal anders is geweest.

Hoe dan ook, vader bracht drie eenzame en moeilijke jaren in Amerika door. Hij had moeizaam geld bijeen geschraapt om er te komen, en net als de vele duizenden Russische joden die omstreeks de eeuwwisseling naar de *Goldene Mediene* stroomden, had hij zich Amerika voorgesteld als de enige plek waar hij zeker fortuin kon maken en dan zou hij naar huis kunnen terugkeren, naar Rusland, en daar een nieuw leven beginnen. Natuurlijk ging het niet zo, noch voor hem noch voor de duizenden met hem, maar het idee dat hij naar ons zou terugkeren maakte de drie jaren zonder hem gemakkelijker door te komen.

Hoewel het Kiëv van mijn geboortetijd voor mij in de mist der tijden is verdwenen, heb ik wel een soort eigen beeld van Pinsk bewaard, misschien omdat ik er zoveel over gehoord en gelezen heb. Vele mensen die ik later in mijn leven zou ontmoeten, kwamen oorspronkelijk uit Pinsk of van de stadjes eromheen, ook de familie van Chaim Weizmann en Mosje Sjarett.

Vele jaren later ben ik twee keer bijna naar Pinsk terug gegaan. In Polen, waar ik in 1939 met een opdracht van de Arbeiderspartij was, werd ik net ziek op de dag dat ik de stad zou bezoeken en de tocht werd afgelast. Daarna, in de zomer van 1948, toen ik tot gezant van Israël in de Sovjet-Unie was benoemd, werd ik door een plotseling verlangen overvallen om naar Pinsk terug te gaan en zelf te zien of familieleden van me de nazi's overleefd hadden, maar de Sovjet regering weigerde me toestemming erheen te gaan. Ik hoopte dat ik in de loop van de tijd de reis nog eens zou mogen maken, maar begin 1949 moest ik naar Israël terug en mijn bezoek aan Pinsk werd voor onbepaalde tijd uitgesteld. Misschien was het wél zo goed; later hoorde ik dat alleen één ver familielid van onze uitgebreide familie nog in leven was.

De stad die ik me herinner, was vol joden. Pinsk was een van de beroemdste centra van het Russisch-joodse leven en had zelfs enige tijd een joodse meerderheid. Het was aan twee grote rivieren gebouwd, de Pina en de Pripet, beide zijrivieren van de Dnjepr. En deze rivieren voorzagen de meeste joden van Pinsk van werk. Ze visten, losten scheepsladingen, deden kruiersdiensten, braken in de winter de reusachtige ijsvelden en sleepten het ijs naar de enorm grote voorraadkelders in de huizen van de welgestelden waar het gebruikt werd om de hele zomer koelmogelijkheden te hebben. Op een zeker tijdstip had mijn grootvader, die het – vergeleken met mijn ouders – betrekkelijk goed had, zo'n kelder waar de buren hun sabbatschotels en etenswaren voor feestelijkheden heenbrachten en waar ze ijs vandaan haalden voor zieken. De rijkere joden handelden in hout en zout; Pinsk had zelfs fabrieken voor spijkers, triplex en lucifers, die het eigendom van joden waren en ze gaven natuurlijk tientallen joden werk.

Maar ik herinner me het best de *Pinsker blotte* zoals we ze thuis noemden, de moerassen die mij modderoceanen toe schenen en waarvan me gezegd werd dat ik ze moest mijden als de pest. In mijn herinnering zijn die moerassen voor eeuwig verbonden aan mijn hardnekkige angst voor de kozakken. Op een winteravond speelde ik met andere kinderen in een smal steegje dichtbij de verboden *blotte* en opeens doken er uit het niets, of misschien uit de moerassen zelf, kozakken te paard op die letterlijk over onze in elkaar gedoken, sidderende lichaampjes galoppeerden. 'En, wat heb ik je gezegd?' zei mijn moeder later, maar ze sidderde en huilde zelf.

Kozakken en de zwarte bodemloze moerassen waren echter niet de enige verschrikkingen in Pinsk voor me. Ik herinner me nog een rij grote gebouwen langs een straat die naar de rivier leidde en het klooster dat tegenover de gebouwen op een heuvel stond. Daarvoor zaten of lagen de hele dag grote aantallen invaliden met verwilderde haren en verwilderde ogen die hardop baden en om aalmoezen smeekten. Ik probeerde altijd te vermijden er langs te moeten en als ik het toch moest doen, deed ik mijn ogen dicht en liep hard. Maar als moeder me werkelijk angst wilde aanjagen, hoefde ze het alleen maar over de bedelaars te hebben en al mijn verzet verdween.

Toch kan niet alles zo vreselijk geweest zijn. Ik was een kind en als alle andere kinderen speelde en zong ik en verzon verhaaltjes voor de baby. Met behulp van Sheyna leerde ik lezen en schrijven en zelfs een beetje rekenen, hoewel ik niet al in Pinsk naar school ben gegaan zoals eigenlijk had gemoeten. Mijn moeder zei: 'Ze noemden je een gouden kind, altijd ergens mee bezig'. Maar wat ik werkelijk het meest deed in Pinsk was leren hoe te leven, geloof ik. En dat leerde ik weer in hoofdzaak van Sheyna.

Sheyna was veertien toen vader naar Amerika ging. Ze was een opvallend fel en intelligent meisje dat een grote invloed op mijn leven uitoefende en dat ook is blijven doen. Afgezien van de man met wie ik trouwde, heeft zij misschien wel de meeste invloed op me gehad. Volgens gewone normen was ze al bijzonder en voor mij was ze een lichtend voorbeeld, mijn beste vriendin en leermeesteres. Zelfs later toen we volwassen waren, al grootmoeders, betekende de lof en goedkeuring van Sheyna, als ik die al veroverde, het meeste voor me. En zo'n verovering was niet gemakkelijk. Sheyna is in feite een integrerend deel van mijn leven. In 1972 is ze gestorven, maar ik denk nog steeds aan haar; haar kinderen en kleinkinderen zijn me even dierbaar als die van mezelf. In Pinsk weigerde Sheyna te gaan werken, hoewel we verschrikkelijk arm waren en moeder het maar net kon redden, met hulp van grootvader. De verhuizing terug naar Pinsk was haar heel zwaar gevallen. In Kiëv was ze op een heel prettige school geweest en ze wilde leren, kennis vergaren, ontwikkeling verkrijgen, niet alleen zodat ze zelf een beter en voller leven zou hebben, maar in hoofdzaak omdat ze dan kon helpen de wereld te veranderen en te verbeteren. Op veertienjarige leeftijd was Sheyna revolutionair gezind, een ernstig en toegewijd lid van de zionistisch-socialistische beweging en als zodanig dubbel gevaarlijk in de

16

ogen van de politie en strafbaar. Niet alleen waren haar vrienden en zij aan het 'samenzweren' om de almachtige tsaar van de troon te stoten, maar ze verkondigden ook hun droom om een joods-socialistische staat in Palestina in het leven te roepen. In het Rusland van het begin van de twintigste eeuw kon zelfs een schoolmeisje van veertien of vijftien jaar dat er een dergelijke mening op na hield, gearresteerd worden wegens ondermijnende activiteiten en ik herinner me nog steeds het gegil van de jonge mannen en vrouwen die wreed geslagen werden op het politie-bureau vlak bij ons in de buurt.

Mijn moeder hoorde dat gegil ook en smeekte Sheyna dagelijks om niets meer met de beweging te maken te hebben; daarmee kon ze haarzelf, ons en zelfs haar vader in Amerika in gevaar brengen! Maar Sheyna was koppig. Ze wilde niet alleen veranderingen zien, ze wilde er zelf aan deelnemen die tot stand te brengen. Nacht in nacht uit bleef mijn moeder wakker liggen totdat Sheyna van haar geheimzinnige vergaderin-gen thuis kwam en ik lag in bed en nam het allemaal stilletjes in me op: Sheyna's toewijding aan het ideaal waar ze zo vast in geloofde, moeders enorme angst en vaders (voor mij onbegrijpelijke) afwezigheid en af en toe het angstaanjagende geluid van de hoeven van de kozakkenpaarden buiten.

Op zaterdagen ging moeder naar de synagoge en Sheyna organiseerde dan vergaderingen bij ons thuis. Zelfs toen moeder erachter kwam en Sheyna smeekte ons niet in gevaar te brengen, kon ze er niet veel méér aan doen dan zenuwachtig voor het huis op en neer lopen als ze op die morgens thuis kwam, patrouilleren als een schildwacht zodat ze de jonge samenzweerders tenminste kon waarschuwen als er een politie-agent aankwam. Maar het was niet alleen de gedachte dat een gewone politieagent elk ogenblik kon komen om Sheyna te arresteren waar mijn arme moeder zich zo bezorgd over maakte. Aan haar hart knaagde al die maanden de vrees (die in het Rusland van die dagen overal aanwezig was) dat een van Sheyna's vrienden misschien een 'agent provocateur' kon zijn.

Natuurlijk was ik nog veel te jong om te begrijpen waar het bij al die twisten en dat slaan met deuren om ging, maar ik zat wel altijd in elkaar gedoken op de platte bovenkant van onze grote kolenkachel, die in de muur was ingebouwd, en bleef daar op die zaterdagmorgens uren zitten luisteren naar Sheyna en haar vrienden. Ik probeerde te begrijpen waar ze allemaal zo opgewonden over waren en waarom mijn moeder daarom moest huilen. Soms — terwijl ik deed alsof ik helemaal in beslag werd genomen door mijn pogingen om te tekenen of de vreemd gevormde letters in de *sidoer*, het Hebreeuwse gebedenboek dat een van de wei-nige boeken was die we bij ons thuis hadden, na te maken — trachtte ik te volgen wat Sheyna mijn moeder zo wanhopig aan het uitleggen was, maar alles dat ik eruit kon opmaken was dat ze bij een speciale strijd betrokken was die niet alleen het Russische volk aanging maar ook, en vooral, de joden.

Er is al veel geschreven, en er zal in de toekomst zeker nog veel meer worden geschreven, over de zionistische beweging. De meeste mensen hebben nu wel enig idee wat het woord zionisme betekent en weten dat het te maken heeft met de terugkeer van het joodse volk naar het land van hun voorvaderen — naar het Land Israël zoals het in het Hebreeuws wordt genoemd. Maar misschien weet zelfs heden nog niet iedereen dat deze merkwaardige beweging spontaan tot stand kwam in verschillende delen van Europa. Dit gebeurde vrijwel overal op dezelfde tijd, tegen het eind van de negentiende eeuw. Het leek wel een drama dat op verschillende manieren op verschillende tonelen in verschillende talen ten tonele werd gebracht, maar het thema was overal hetzelfde, d.w.z. dat het zogenaamde joodse probleem (natuurlijk was het eigenlijk een christelijk probleem) in wezen het resultaat was van de joodse dakloosheid en dat het niet kon en niet zou worden opgelost voordat de joden weer een eigen land zouden hebben. Het was duidelijk dat dit land alleen Zion kon zijn, het land waar de joden tweeduizend jaar geleden uit waren verdreven, maar dat door de eeuwen heen het geestelijk centrum van het jodendom was gebleven en dat een troosteloze en verwaarloosde provincie van het Turkse Rijk vormde toen ik nog een klein meisje in Pinsk was. Dat bleef het ook tot het eind van de Eerste Wereldoorlog, maar het zou spoedig bekend worden als Palestina.

De eerste joden die naar Zion terugkeerden arriveerden daar al in 1878 en zij stichtten een pioniersdorp dat ze Petach Tikvah noemden, de Poort der Hoop. In 1882 waren al kleine groepjes zionisten uit Rusland in het land aangekomen die zich *Hovevei Zion* noemden (Vrienden van Zion). Ze waren vastbesloten er bouwland van te maken, het te ontginnen en te verdedigen. Maar in 1882 was Theodor Herzl, die de stichter van de Zionistische Wereldorganisatie zou worden en dus in wezen de vader van de staat Israël, nog absoluut niet op de hoogte van hetgeen er met de joden in Oost-Europa gebeurde. Hij wist ook niets af van het bestaan van de *Hovevei Zion*. De succesvolle en wereldwijze Parijse correspondent van het belangrijke Weense blad *Neue Freie Presse*, Theodor Herzl, ging zich pas in 1894 voor het lot van de joden interesseren toen hij de opdracht had gekregen de rechtszaak tegen kapitein Dreyfus te verslaan. Hij was ontsteld over het onrecht dat deze joodse officier werd aangedaan en door het openlijke antisemitisme van het Franse leger. En ook Herzl begon te geloven dat er maar één blijvende oplossing voor de situatie van de joden mogelijk was. Zijn daarop volgende successen en mislukkingen, het hele verbazingwekkende verhaal van zijn poging om een joodse staat te scheppen, vormen deel van de geschiedenis die alle Israëlische schoolkinderen moeten leren. Dit verhaal zou door iedereen die wil begrijpen wat het zionisme eigenlijk betekent, moeten worden bestudeerd.

Hoewel mijn moeder en Sheyna van het bestaan van Herzl afwisten, herinner ik me dat de eerste keer dat ik zijn naam hoorde was toen een tante van me (die in hetzelfde huis als de familie Weizmann woonde en dus steeds belangrijke dingen te vertellen had, goede én slechte) op een dag met haar ogen vol tranen kwam binnenlopen. Ze kwam mijn moeder vertellen dat er iets onvoorstelbaars was gebeurd: Herzl was dood. Ik heb de verdrietige stilte die op deze aankondiging volgde nooit vergeten. Wat Sheyna betreft, zij besloot – en dat was typisch iets voor haar – om alleen maar zwarte kleren als rouw om Herzl te dragen, vanaf die zomermiddag in 1904 totdat we twee lange jaren later in Milwaukee aankwamen.

Hoewel het verlangen van de joden naar een eigen land niet het directe resultaat van de pogroms was (de gedachte dat de joden zich opnieuw moesten vestigen was al lang door joden en niet-joden gepropageerd voor het woord 'pogrom' in de woordenschat van het Europese jodendom voorkwam), maakten de Russische pogroms uit mijn jeugd de zaak wel dringender. Vooral toen het duidelijk werd dat de Russische regering de joden als zondebok gebruikte voor de strijd van het regime om de revolutionaire beweging te onderdrukken.

De meeste jonge revolutionairen in Pinsk waren in die tijd nog in twee groepen verdeeld, al waren ze dan ook één in hun vastbeslotenheid om aan te dringen op een eind van het tsarenregime én in hun enorme enthousiasme voor onderwijs als een middel om er de uitgebuite en verdrukte Russische massa's mee te bevrijden. Daar waren de leden van de *Bund* die geloofden dat er een oplossing voor de ellendige toestand waarin de joden in Rusland en elders zich bevonden, kon worden gevonden als het socialisme zou zegevieren. Als de economische en sociale omstandigheden van de joden veranderd werden, zeiden de aanhangers van de Bund, dan zou het antisemitisme totaal verdwijnen. In die betere, gelukkiger, socialistische wereld konden de joden nog altijd, als ze dat wensten, hun culturele identiteit behouden, doorgaan met Jiddisch spreken, alle zeden, gewoonten en tradities die ze wilden behouden, handhaven en het voedsel eten dat ze zelf wensten. Maar er zou absoluut geen reden meer zijn om aan het verouderde idee van het bestaan van een joodse natie vast te houden.

De *Poalei-Zion* (zionistische arbeiders) als Sheyna zagen het heel anders. Zij vonden dat het zogenaamde joodse probleem een heel andere grond

19

had, en de oplossing moest dus veel verder gaan en veel radicaler zijn dan alleen maar economische misstanden of sociale ongelijkheden uit de weg ruimen. Afgezien van het algemene sociale ideaal hingen zij een nationaal ideaal aan, gebaseerd op het bestaan van een joods volk en het herstel van de joodse onafhankelijkheid. In die tijd toen beide bewegingen geheim en onwettig waren, waren — merkwaardig genoeg — de bitterste vijanden van het zionisme de Bundisten en de meest verwoede debatten die over mijn hoofd bij ons thuis plaatsvonden als Sheyna en haar vrienden elkaar ontmoetten, hadden te maken met het conflict tussen de twee groepen.

Soms, als Sheyna en ik ruzie hadden en ik boos werd, dreigde ik haar alles over haar politieke activiteiten aan Maxim te vertellen. Maxim was de grote politieagent in onze buurt, een man met een rood gezicht. Natuurlijk heb ik het nooit gedaan en natuurlijk wist Sheyna dat het maar loze dreigementen waren, maar ze schrok er toch van. 'Wat wil je dan aan Maxim vertellen?' vroeg ze. 'Ik zal hem zeggen dat jij en je vrienden de tsaar weg willen hebben', schreeuwde ik dan. 'Weet je wat er dan met me gebeurt? Ik word naar Siberië gestuurd en daar ga ik dood van de kou en ik kom nooit meer terug', was altijd haar antwoord. 'Dat gebeurt met mensen die verbannen worden'. Om de waarheid te zeggen zorgde ik er altijd voor om bij Maxim uit de buurt te blijven. Als ik hem in mijn richting zag komen, lichtte ik de hielen en ging er vandoor. Jaren later heeft Sheyna me verteld dat, hoewel Maxim nooit iemand zelf had gearresteerd, zij ervan overtuigd was dat hij de autoriteiten geregeld van gegevens voorzag over de jonge mensen waar zij mee omging.

Bij nader inzien moet ik minstens één heel belangrijke niet-politieke les op de kachel hebben geleerd: dat niets in het leven zo maar gebeurt. Het is niet voldoende als je ergens in gelooft; je moet ook het uithoudingsvermogen hebben om moeilijkheden het hoofd te bieden en ze te overwinnen. Toen ik een jaar of zes, zeven was moet ik zijn begonnen de levensbeschouwing die de basis was van alles wat Sheyna deed, min of meer te begrijpen. Er is maar één manier om iets te doen: de goede manier. Sheyna was met vijftien jaar al een perfectioniste, een meisje dat heel edele principes had en daarnaar leefde, wat het haar ook kostte; een strenge leermeesteres, en een heel sobere.

Nadat we beiden al jaren in het land hadden gewoond dat eerst Palestina heette en daarna Israël en zij zich wel dingen had kunnen veroorloven die het leven wat gemakkelijker maken, kocht ze die dingen niet omdat ze vond dat ze hoorden bij een levensstandaard die voor ons land te hoog was. Pas in de jaren zestig, toen ze al oud was en niet meer zo gezond, bestond haar enige luxe uit een ijskast, verder niets. Ze had geen fornuis en kookte haar hele leven op een gasstel; ze vond dat een elektrische mixer meer was dan ze zich kon veroorloven, in aanmerking genomen waar ze woonde. Als zij soepeler was geweest, minder streng voor zichzelf en anderen, had ze misschien begrepen wat die vergaderingen van haar in Pinsk mijn moeder aan angst en verdriet kostten, en misschien had ze dan een compromis gezocht. Maar ze was onvermurwbaar wat de dingen betrof die haar werkelijk ter harte gingen, en de politieke vergaderingen in ons huis gingen door, ondanks de nooit eindigende ruzies erover. Eens is Sheyna zelfs het huis uitgegaan en is een tijdje bij een tante van ons gaan inwonen, maar daar bleken ze nog minder te nemen dan bij ons en ze kwam schoorvoetend terug.

Omstreeks die tijd heeft Sheyna Shamai Korngold ontmoet, haar toekomstige man, een sterke, verstandige, talentvolle jongen die zijn enthousiasme voor de studie en zijn hevige interesse in wiskunde opgaf om zich bij de revolutionaire beweging te voegen. Een bijna woordloze romance bloeide tussen hen op; en zo werd Shamai ook een deel van mijn leven en bleef dat. Hij was een van de leiders van de jonge zionistische socialisten en had als bijnaam in de beweging 'Copernicus'. Shamai was de enige kleinzoon van een bekende Torah-geleerde bij wie hij met zijn ouders inwoonde. Ze waren ook financieel van de grootvader afhankelijk. Shamai bezocht ons vaak en ik herinner me nog hoe hij met Sheyna zat te fluisteren over de toenemende revolutionaire gisting in de stad en over het regiment kozakken dat op weg was om Pinsk met hun flitsende zwaarden te onderwerpen. Uit deze gesprekken maakte ik op dat er iets vreselijks met de joden in Kishiniev gebeurd was en dat de joden in Pinsk van plan waren zich met wapenen en zelfgemaakte bommen te verdedigen.

Gezien de verslechtering van de toestand deden Sheyna en Shamai meer dan alleen maar samenzweerdersbijeenkomsten houden of bijwonen; ze deden hun best om meer jonge mensen tot de beweging te laten toetreden, zelfs de enige dochter van onze *sjocheet* met de witte baard, de ultra-orthodoxe slager van wie we de kamer gehuurd hadden waar we in woonden. De man raakte door deze daad in paniek. Uiteindelijk werden moeders zorgen om Sheyna, Zipke en mij ondraaglijk en ze begon wanhopige brieven aan mijn vader te schrijven. Er was geen sprake van dat we langer in Pinsk konden blijven, schreef ze. We moesten naar hem in Amerika toe.

Maar zoals met zoveel dingen in het leven was dat gemakkelijker gezegd dan gedaan. Mijn vader, die van New York naar Milwaukee was verhuisd, kon maar net zichzelf redden. Hij schreef terug dat hij hoopte werk bij de spoorwegen te kunnen krijgen en dan zou hij gauw geld bij elkaar hebben voor onze biljetten. Wij verhuisden uit het huis van de

21

sjocheet naar een kamer van een flat van een *bagel*-bakker. Die krakelingbroodjes werden 's nachts gebakken en daardoor was de flat altijd warm. De bakker gaf mijn moeder bovendien werk. Aan het eind van 1905 kwam er een brief uit Milwaukee. Mijn vader had werk en we konden dus beginnen om ons voor vertrek klaar te maken.

De voorbereidingen voor onze reis duurden lang en waren ingewikkeld. In die tijd was het niet eenvoudig voor een vrouw met drie dochters waarvan twee nog klein waren om zonder geleide helemaal van Pinsk naar Milwaukee te reizen. Mijn moeders opluchting moet vergezeld zijn gegaan met weer andere zorgen; voor Sheyna betekende Rusland verlaten Shamai achterlaten en al het andere waarvoor ze samen zo hard hadden gewerkt en zoveel gewaagd. Ik herinner me nog de herrie en drukte van die laatste weken in Pinsk, het afscheid van de familie, de omhelzingen en de tranen. Naar Amerika gaan was bijna zoiets als naar de maan reizen. Als mijn moeder of tantes hadden geweten dat ik eens in Rusland zou terugkomen als vertegenwoordigster van een joodse staat, of dat ik eens als premier van Israël met omhelzingen en tranen honderden en nog eens honderden Russische joden in Israël zou welkom heten, dan hadden ze misschien niet zo bitter gehuild, hoewel God weet dat de tussenliggende jaren de familie die wij achterlieten nog heel wat meer tranen zouden brengen.

En wellicht waren wij niet zo bang geweest als we geweten hadden dat overal in Europa duizenden gezinnen net als wij zich ook op weg begaven naar de Nieuwe Wereld waar ze geloofden een beter leven te vinden en dat inderdaad ook vonden. Maar we wisten niets over de vele vrouwen en kinderen die toen onder gelijke omstandigheden wegreisden uit Ierland, Italië en Polen om zich bij hun mannen en vaders in Amerika te voegen, en we waren erg bang.

Van de reis naar Milwaukee in 1906 is me niet zoveel bijgebleven. Het meeste dat ik nog weet is waarschijnlijk gebaseerd op verhalen die mijn moeder en Sheyna me verteld hebben. Het enige dat ik me herinner is dat we in het geheim de grens naar Galicië over moesten, omdat mijn vader drie jaar geleden een vriend had geholpen Amerika te bereiken door de vrouw en dochters van die man op zijn papieren mee te nemen en net te doen alsof zij bij hem hoorden. En toen onze beurt om te vertrekken kwam, moesten wij weer doen alsof we andere mensen waren. Hoewel we ons gehoorzaam de valse namen en allerlei details over onze zogenaamde identiteit inprentten en Sheyna die het er bij ons inhamerde totdat we ons niet meer vergisten, zelfs Zipke niet, kwamen we die grens tenslotte over omdat moeder de politie had omgekocht met geld dat ze op een of andere manier had gekregen. In de verwarring ging het grootste deel van onze 'bagage' verloren. Misschien werd het ook gestolen. Ik herinner me alleen dat we vroeg op een koude lentemorgen eindelijk Galicië binnenkwamen en de keet waarin we op de trein moesten wachten die ons naar de kust zou brengen. In die onverwarmde keet woonden we twee dagen, sliepen op de koude grond en ik weet nog dat Zipke vrijwel de hele tijd door huilde totdat de trein tenslotte kwam en haar afleidde. Eerst gingen we naar Wenen en toen naar Antwerpen. Daar bleven we achtenveertig uur in een immigratiecentrum en dit keer wachtten we op het schip dat ons naar Amerika en naar mijn vader zou brengen.

Het was geen plezierreisje, die veertien dagen aan boord. We werden met vier andere mensen in een donkere, benauwde hut gestopt en sliepen op kooien zonder lakens. Overdag brachten we de meeste tijd door met in de rij te staan voor eten dat ons toebedeeld werd alsof wij vee waren. Moeder, Sheyna en Zipke waren vrijwel steeds zeeziek, maar ik voelde me goed en herinner me nog dat ik urenlang naar de zee stond te staren en me afvroeg hoe Milwaukee eruit zou zien. Het schip zat vol immigranten uit Rusland, bleek, uitgeput en even bang als wij. Soms speelde ik met een paar andere kinderen, die − net als wij − tussendekspassagiers waren en dan vertelden we elkaar verhalen over de onmetelijke rijkdommen die ons in de *Goldene Mediene* wachtten. Maar ik denk dat zij ook wel wisten dat we allemaal in werkelijkheid naar een stad toegingen waar we totaal niets van af wisten en naar een land dat ons volkomen vreemd was.

2
Een politiek bewust jong meisje

Mijn vader haalde ons in Milwaukee af en hij leek zo veranderd. Hij had geen baard meer, hij zag er als een Amerikaan uit, eigenlijk als een vreemde. Hij had nog geen onderdak voor ons kunnen vinden, dus trokken we voorlopig en niet erg confortabel bij hem in de ene kamer van een huis dat toebehoorde aan een pas gearriveerd gezin Poolse joden. Milwaukee overstelpte me met indrukken, zelfs het kleine deel dat ik er de eerste dagen maar van zag. Ander eten, de vreemde geluiden van een volkomen onbekende taal, de moeilijkheden om weer gewend te raken aan mijn vader die ik bijna was vergeten. Het gaf me allemaal zo'n sterk gevoel van onwerkelijkheid dat ik me nog herinner dat ik ergens op straat stond en me afvroeg wie en waar ik was.

Ik denk dat het ook voor mijn vader niet gemakkelijk was om na zo lange tijd weer met zijn gezin samen te zijn. Hij deed in elk geval iets heel vreemds nog voor we de kans hadden gehad om van de reis bij te komen of om hem te leren kennen. Hij wilde niet naar rede luisteren en de morgen na onze aankomst nam hij ons allemaal vastbesloten mee uit winkelen in de stad. Hij was zich doodgeschrokken van ons uiterlijk, zei hij. We zagen er zo slordig en Europees uit, vooral Sheyna in haar ouwelijke zwarte japon. Hij stond erop om nieuwe kleren voor ons allemaal te kopen, alsof hij ons binnen vierentwintig uur in drie Amerikaans uitziende meisjes kon veranderen, door ons anders aan te kleden. Zijn eerste inkopen waren voor Sheyna: een blouse met strikjes en een strohoed met een brede rand vol klaprozen, madeliefjes en korenbloemen. 'Nu zie je er als een menselijk wezen uit', zei hij. 'Zo gaan wij in Amerika gekleed'. Sheyna barstte meteen in tranen van woede en schaamte uit. 'Misschien kleden ze zich in Amerika zo', riep ze, 'maar ik wil er niet zo bijlopen!' Ze weigerde pertinent de blouse of de hoed te dragen en ik geloof dat misschien die voortijdige tocht de stad in het begin is geweest van de gespannen jaren die er voor hen volgden.

Niet alleen waren hun persoonlijkheden zo verschillend, maar drie lange jaren had vader klaagbrieven van moeder ontvangen over Sheyna en haar egoïstische gedrag en in zijn hart heeft hij er Sheyna waarschijnlijk de schuld van gegeven dat hij niet in staat was weer naar Rusland terug te keren, maar zijn gezin naar Amerika moest laten komen. Niet dat hij in Milwaukee ongelukkig was. Integendeel; toen wij daar aankwamen was hij al helemaal in het immigrantenleven daar ingeburgerd. Hij was lid van de synagoge, hij was tot een vakbond toegetreden (hij werkte te hooi en te gras in de werkplaats van de spoorwegen in Milwaukee) en hij had een aantal goede vrienden. In zijn eigen ogen was hij op weg om een volslagen Amerikaanse jood te worden en dat vond hij fijn. Het laatste waar hij behoefte aan had was een ongehoorzame, pruilende dochter die het recht voor zich opeiste om in Milwaukee te leven en zich te kleden alsof ze nog in Pinsk was. De ruzie die eerste morgen in het warenhuis van Schuster zou al gauw ontaarden in een veel ernstiger conflict. Maar ik was verrukt van mijn mooie, nieuwe kleren, van de priklimonade en het ijs dat mijn vader voor me kocht en werd helemaal opgewonden door het idee om in een echte wolkenkrabber te zijn, het ёerste gebouw van vijf verdiepingen dat ik ooit gezien had. Eigenlijk vond ik heel Milwaukee fantastisch. Alles was er zo kleurig en fris alsof het net gemaakt was, en ik stond uren naar het verkeer en de mensen te staren. De auto waarmee mijn vader ons van de trein had afgehaald was de eerste waar ik ooit in had gezeten en de eindeloze rijen auto's, trolley-bussen en glanzende fietsen op straat boeiden me enorm.

We gingen wandelen en ik gluurde ongelovig bij een apotheek naar binnen waar een papier-maché visser stond als reclame voor levertraan, de kapperswinkel met die griezelige stoelen en de sigarenhandelaar waar een houten Indiaan te zien was. Ik weet nog hoe ik jaloers naar een meisje van mijn eigen leeftijd keek dat op haar zondags gekleed, pof-mouwtjes en hoge knooplaarsjes, trots een poppewagen voortduwde waarin een pop op een eigen kussen lag. Verwonderd keek ik naar de vrouwen in lange, witte rokken en mannen in witte overhemden en een das om. Het was allemaal zo vreemd en zo anders dan ik ooit gezien of gekend had, dat ik de eerste dagen in Milwaukee in een soort trance rondliep.

Al gauw verhuisden we naar een klein eigen flatje in Walnut Street, het arme joodse deel van de stad. Tegenwoordig wordt die wijk door negers bewoond die merendeels even arm zijn als wij toen. Maar in 1906 vond ik die houten huizen met hun aardige veranda's en trapjes gewoon paleizen. En volgens mij was onze flat (zonder elektriciteit of badka-mer) super luxueus. De flat had twee kamers, een heel klein keukentje en een lange gang die ergens heen leidde dat de grootste attractie voor mijn moeder vormde, hoewel niet voor een van ons: een lege winkel. Ze besloot meteen die weer te openen. Mijn vader was ongetwijfeld gekwetst door haar duidelijk gebrek aan vertrouwen in zijn vermogen ons te onderhouden en wilde zijn timmermanswerk niet opgeven; hij gaf dadelijk te kennen dat zij kon doen wat ze wilde maar hij wilde met die winkel niets te maken hebben. Hij werd de vloek van mijn leven. Moeder zette hem op als een zuivelwinkel, maar het werd al gauw een kruideniersbedrijf, maar hij liep nooit goed en hij heeft voor mij bijna de jaren in Milwaukee bedorven.

Nu ik aan mijn moeders beslissing terugdenk, kan ik me daar nog over verwonderen. We waren nog pas een week of twee in Milwaukee; ze kende geen woord Engels; ze had geen idee welke produkten wel en niet gemakkelijk verkoopbaar waren; ze had nog nooit een winkel gehad of erin gewerkt. Toch nam ze die enorme verantwoordelijkheid op zich zonder over de gevolgen na te denken, waarschijnlijk omdat ze doodsbang was dat we weer even rampzalig arm zouden worden als in Rusland. Het openen van die winkel betekende niet alleen dat ze voorraad op krediet moest inslaan (want we hadden natuurlijk geen contant geld daarvoor), maar ze zou elke dag bij het krieken van de morgen moeten opstaan om de nodige dingen op de markt te kopen en haar inkopen naar huis te slepen. Gelukkig waren de vrouwen uit de buurt haar ter wille. Velen waren zelf pas geïmmigreerd en hun natuurlijke reactie was lotgenoten te helpen. Ze leerden haar een paar zinnetjes Engels, hoe ze zich achter de toonbank moest gedragen, hoe ze met de kassa en de weegschaal moest omgaan, en aan wie ze veilig krediet kon verlenen.

Heel waarschijnlijk waren de voortijdige klereninkopen voor ons van mijn vader en mijn moeders overijlde besluit omtrent de winkel een reactie op de hun vreemde omgeving. Maar helaas zouden beide onbezonnen stappen een ernstige invloed hebben op Sheyna's leven en dat van mij, al was het dan op verschillende wijze. Sheyna, net als mijn vader, weigerde ook maar in het geringst te helpen. Haar socialistische principes maakten dat onmogelijk, verklaarde ze. 'Ik ben niet naar Amerika gekomen om een winkelier, een sociale parasiet, te worden', verklaarde ze. Mijn ouders werden erg boos op haar, maar natuurlijk deed ze wat haar principes haar voorschreven: ze vond een baan bij een kleermaker waar ze met de hand knoopsgaten moest maken. Het was moeilijk werk dat ze slecht deed en ze haatte het, zelfs al had ze dan nu het recht zich als een werkelijk lid van het proletariaat te beschouwen. Nadat ze in drie dagen de kolossale som van 30 dollarcent had verdiend, dwong mijn vader haar de baan op te geven en moeder te helpen. Toch speelde ze het klaar, als het maar even kon, uit de winkel weg te glippen en maandenlang moest ik elke morgen achter de toonbank staan totdat moeder van de markt terugkwam. Voor een meisje van een jaar of acht, negen was dat geen gemakkelijke taak.

Ik ging naar school in Fourth Street; het was een groot, fortachtig gebouw vlak bij de beroemde bierbrouwerij van Schlitz in Milwaukee; en ik vond het heerlijk. Ik weet niet meer hoe lang het duurde eer ik Engels sprak (thuis spraken we natuurlijk Jiddisch en gelukkig spraken de meeste anderen in Walnut Street dat ook), maar ik herinner me niet dat de taal ooit een probleem voor me vormde. Ik zal hem dus wel snel opgepikt hebben. Ik had ook al gauw vriendinnen. Twee van die vriendinnetjes uit de eerste of tweede klas zijn mijn leven lang mijn vriendinnen gebleven en beiden wonen nu ook in Israël. De een was Regina Hamburger (nu Medzini) die bij ons in de straat woonde en samen met mij uit Amerika vertrok; de ander was Sarah Feder die een van de leidsters van de zionistische arbeidersbeweging in Amerika werd. Maar het was vreselijk dat ik elke morgen te laat op school moest komen en de hele weg erheen huilde ik. Eens kwam een politieagent naar de winkel om tegen mijn moeder over mijn spijbelen te praten. Ze luisterde aandachtig, maar verstond nauwelijks een woord van wat hij zei. Dus bleef ik te laat op school komen, en soms kon ik er helemaal niet heen, een nog grotere schande. Mijn moeder scheen niet erg onder de indruk te zijn van mijn tegenzin tegen de winkel; niet dat ze veel keus had. 'We moeten leven, nietwaar?' beweerde ze, en als mijn vader en Sheyna, elk om hun eigen redenen, niet wilden helpen betekende dat nog niet dat ik ook van mijn taak ontheven werd. 'Dan duurt het wat langer eer je een *rebbetzin* (vrouw van een *rebbe*) bent', voegde ze eraan toe. Ik ben natuurlijk nooit een blauwkous geworden, maar ik heb heel wat op die school geleerd.

Meer dan vijftig jaar later, toen ik eenenzeventig was en premier, ben ik er een paar uur terug geweest. Hij was in al die jaren niet erg veranderd behalve dat nu de meeste kinderen zwart waren en niet joods, zoals in 1906. Ze verwelkomden me als een koningin. In rijen stonden ze op het krakende oude toneel dat ik me zo goed herinnerde, fris gewassen en keurig aangekleed. Ze brachten me een serenade met Jiddische en Hebreeuwse liederen en verhieven hun stemmetjes om het volkslied van Israël *Hatikwa* (Hoop) te doen weerklinken. Ik kreeg tranen in de ogen. Alle lokalen waren prachtig versierd met platen van Israël, overal stond 'Sjalom' en een van de kinderen dacht dat het mijn achternaam was. Toen ik de school binnenkwam boden twee kleine meisjes met haarbanden waarop de Davidster was aangebracht me plechtig een enorme witte roos aan gemaakt van vloeipapier en pijpewissers die ik de hele dag gedragen heb. Naderhand heb ik hem zorgvuldig mee teruggenomen naar Israël.

Nog een geschenk dat ik op die dag in 1971 van de Fourth Street school kreeg was een officieel afschrift van mijn cijfers die ik daar een jaar gehaald had: $9\frac{1}{2}$ voor lezen, $9\frac{1}{2}$ voor rekenen, 9 voor spellen, $8\frac{1}{2}$ voor muziek en een geheimzinnige 9 voor iets dat handenarbeid werd genoemd en waar ik me niets van herinner. Maar toen de kinderen me vroegen een paar minuten tegen ze te spreken, besloot ik het niet over boekenwijsheid te hebben. Ik heb in Fourth Street heel wat meer geleerd dan breuken en hoe ik moest spellen en ik besloot de gretig luisterende kinderen die evenals ik in een minderheidsgroep geboren waren en die net leefden als ik vroeger zonder veel overdaad (om het zachtjes uit te drukken), te vertellen wat de betekenis van dat leren was geweest. 'Het is niet echt belangrijk als je nog erg jong bent al te besluiten wat je wilt worden als je groot bent', zei ik tegen ze. 'Het is veel belangrijker te besluiten hóe je wilt leven. Of je eerlijk tegenover jezelf zult zijn en eerlijk tegenover je vrienden, of je je wilt inzetten voor dingen die goed voor anderen zijn, niet alleen voor jezelf. Het lijkt mij dat dat voldoende is en misschien is wat je wordt alleen maar een kwestie van geluk'. Ik had het gevoel dat ze me begrepen.

Hoe dan ook, ik denk aan die vijf jaar in Milwaukee met veel plezier terug, afgezien van de winkel en Sheyna's duidelijke ellende omdat zij thuis moest wonen en zo ver weg was van Shamai die nog altijd in Rusland woonde en die ze vreselijk miste. Er was zoveel te doen en te zien en te leren dat de herinnering aan Pinsk bijna verdween. Bijna, maar niet helemaal. In september, toen we net drie maanden in Amerika waren, vertelde mijn vader ons dat we ervoor moesten zorgen dat we naar de beroemde 'Labor Day' optocht gingen kijken. Hij zou daar ook in meelopen. Met onze nieuwe kleren aan gingen moeder, Zipke en ik op de hoek van een straat staan die hij ons had aangeraden en wachtten totdat de optocht zou komen. We wisten niet precies wat een optocht was maar verheugden ons er toch op. Opeens zag Zipke de bereden politie die voorop reed en ze werd doodsbang. 'Dat zijn de kozakken!! De kozakken komen!' gilde ze en snikte zo hard dat ze naar huis en naar bed moest worden gebracht. Toch symboliseerde die optocht: de menigte, de fanfarekorpsen, de praalwagens, de geur van 'popcorn' en 'hotdogs' voor mij de Amerikaanse vrijheid. Bereden politie begeleidde de deelnemers in plaats van ze te verspreiden en onder de voet te lopen, zoals in Rusland, en ik voelde met een schok dat dit een andere manier van leven was. Ik wist het toen nog niet en het kon me ook niet schelen, zelfs nog een tijd later niet, maar het komt nu bij me op dat Wisconsin in het algemeen en Milwaukee in het bijzonder gezegend waren met uiterst liberale autoriteiten. Milwaukee was een stad van immigranten en had een sterk socialistische inslag, jarenlang een socialistische burgemeester en de eerste socialistische afgevaardigde naar het Amerikaanse Congres, namelijk Victor Berger. Maar wij zouden natuurlijk op vrijwel dezelfde wijze gereageerd hebben op elke optocht in elke Amerikaanse stad, of misschien was het een bijzonder levendige 'Labor Day' toen in Milwaukee, de stad waar zo veel Duitse liberalen en intellectuelen na de onsuccesvolle revolutie van 1848 naar toe waren gevlucht en die bekend is om haar krachtige vakbonden en ook om haar biertuinen. In elk geval was het zien van mijn vader die daar op die septemberdag mee marcheerde zoiets alsof ik uit het donker het licht inkwam.

Het was natuurlijk beter geweest als moeder niet zo hard had hoeven te werken, als Sheyna beter met mijn ouders had kunnen opschieten, als we een klein beetje meer geld hadden gehad. Maar zelfs zoals het was, zelfs met mijn heimelijke verdriet om en afschuw van de winkel, waren die eerste jaren in Milwaukee goede jaren voor me. Ze waren het in mindere mate voor Sheyna. Voor haar liep bijna alles verkeerd: ze vond het heel moeilijk zich aan te passen, om Engels te leren en om vrienden te maken. Ze was vaak vreemd moe, zelfs lusteloos, en de eeuwige ruzies thuis hielpen niet. Vooral niet de vrij onhandige pogingen van mijn ouders om een man voor haar te zoeken alsof Shamai niet bestond. Op achttienjarige leeftijd was haar leven opeens op bijna niets uitgelopen.

Toen, als door een wonder, hoorde ze van een vacature in een grote herenkledingfabriek in Chicago en daar werd ze aangenomen. Maar op de een of andere manier ging het tenslotte niet door en ze ging als naaister in een kleinere fabriek voor dameskleding werken, een werkplaats eigenlijk. Daar bleef ze hangen. Maar na een tijdje kwam ze met een lelijk geïnfecteerde vinger in Milwaukee terug. Als ze minder uitgeput was geweest, was die vast sneller genezen, maar nu moest ze een paar weken thuis blijven. Mijn ouders deden heel triomfantelijk over haar terugkeer, maar ik had erg medelijden met haar en in de weken dat ik hielp voor haar te zorgen, haar haar kamde en aankleedde, kwamen we elkaar veel nader.

Op een dag vertelde Sheyna me dat ze een brief van een tante van ons in Pinsk had gekregen over Shamai. Hij was gearresteerd, maar was uit de gevangenis ontvlucht en was nu op weg naar New York. Onze tante had heel attent zijn adres bijgesloten en Sheyna schreef hem dadelijk. Tegen de tijd dat ze van hem hoorde, was haar vinger helemaal genezen, ze had ander werk gevonden en was druk bezig met plannen voor Shamai's aankomst in Milwaukee.

Het spreekt vanzelf dat ik het heerlijk vond dat ze eindelijk opgewekter werd. Misschien zou Sheyna altijd vrolijk zijn nu Shamai kwam en dan zou de sfeer thuis veranderen. Ik herinnerde me niet veel van Shamai, maar verlangde naar zijn komst, bijna zo erg als Sheyna. Helaas verwelkomden mijn ouders het nieuws heel anders, vooral mijn moeder. 'Met Shamai trouwen? Maar hij heeft helemaal geen vooruitzichten', zei ze. 'Hij is een armoedzaaier, een groentje, een jongen zonder geld of toekomst'. En, heerlijke logica, hij was tegelijkertijd te goed voor Sheyna! Hij kwam uit een welgestelde familie die nooit haar goedkeuring zouden geven. Hoe je de zaak ook bekeek, zo'n huwelijk zou een ramp worden, zei ze.

Als gewoonlijk ging Sheyna gewoon haar gang en deed wat haar het best leek. Ze huurde een kamer voor Shamai en ontbood hem naar Milwaukee. Hij kwam erg gedeprimeerd en onzeker van zichzelf aan, maar Sheyna was vol vertrouwen dat ze samen alle moeilijkheden zouden kunnen overwinnen. Tenslotte kreeg hij werk in een sigarettenfabriek en ze begonnen 's avonds Engels te leren.

Toen werd Sheyna ziek en dit keer was het ernstig. De diagnose was tuberculose. Ze moest naar een sanatorium en het was de vraag of ze ooit zou mogen trouwen. Haar hele wereld stortte in. Ze gaf haar baan en haar kamer op en kwam met tegenzin weer naar huis. Mijn ouders verborgen hun zorgen om haar onder een storm van verwijten en gevit en ik deed heel kinderlijk en met weinig succes mijn best Sheyna en Shamai op te beuren. Ook trad ik als bemiddelaarster voor hen op als de spanning met mijn vader en moeder te erg werd en er weer een nieuwe crisis voor de deur stond.

Binnen een paar weken was alles anders geworden. Sheyna vertrok naar het joodse ziekenhuis voor tuberculosepatiënten in Denver en Shamai ging naar Chicago om daar wanhopig naar een baan te zoeken. Ik spaarde mijn schamele lunchpenningen op voor postzegels die ik aan Sheyna stuurde zodat ze mij kon schrijven. Een paar keer heb ik zelfs postzegelgeld uit de kassa van moeder 'geleend', maar omdat er tussen Sheyna en mijn ouders geen correspondentie plaats vond, was ik eigenlijk haar enige band met de familie en ik vond dat genoeg rechtvaardiging voor mijn misdaad.

In mijn brieven aan Sheyna die ze tot mijn verbazing jaren bewaard heeft, schreef ik haar over mijn leven thuis. 'Ik ben op school heel goed', schreef ik in 1908. 'Ik zit nu aan het eind van de derde en begin in juni in de vierde'. En 'Ik kan je vertellen dat Pa nog geen werk heeft en in de winkel is het niet erg druk en ik ben blij dat je uit bed mag'.

De waarheid was dat het soort werk dat mijn vader kon verrichten toen erg schaars was in Milwaukee en zelfs als hij een baan kreeg, verdiende hij er meestal niet meer dan maar 20 of 25 dollarcent per uur mee. De winkel liep helemaal niet en om alles nog wat erger te maken, kreeg mijn moeder een miskraam en de dokter zei dat ze een paar weken in bed moest blijven. En dus kookte en schrobde ik, hing de was op, zorgde voor de winkel en de hele tijd moest ik tranen van woede terug-dringen omdat ik gedwongen werd nog meer school te missen. Maar ik wilde niet dat Sheyna zich bezorgd om ons maakte. Ze had het zelf moei-lijk genoeg in Denver en ik lette erop dat mijn brieven vrij beknopt ble-ven, hoewel ik haar nooit met opzet over de gang van zaken thuis mis-leid heb.

Ik miste Sheyna vreselijk, maar de jaren zonder haar gingen snel voorbij. De school nam me helemaal in beslag en in de weinige vrije tijd die ik naast de winkel over had (en naast het helpen van mijn moeder en Zipke thuis met haar lessen) las en las ik. Zipke was intussen door het hoofd van haar school, Mr. Finn, tot Clara omgedoopt. Zo af en toe kregen Regina Hamburger en ik kaartjes, misschien via de school, voor een toneelvoorstelling of film. Dat waren zelden voorkomende feesten voor ons en ik weet nog heel goed dat een van die stukken, *De Negerhut van Oom Tom,* maakte dat ik alles met Oom Tom en Eva meeleed. Ik herinner me nog dat ik in de schouwburg opsprong, letterlijk buiten mezelf van woede op Simon Legree. Ik denk dat het mijn eerste toneel-stuk was en thuis vertelde ik mijn moeder en Zipke steeds opnieuw het hele verhaal. Het had voor ons allen een bijzonder soort werkelijkheid. Toen ik in de vierde klas zat, gebeurde er iets dat voor mij erg belangrijk was. Ik kreeg te maken met mijn eerste 'openbare werk'. Hoewel de school in Milwaukee gratis was, werd er wel een klein bedrag berekend voor leerboeken en veel kinderen in mijn klas konden dat niet betalen. Het was duidelijk dat iemand dat probleem moest oplossen en ik be-sloot een fonds te stichten. Het zou mijn eerste ervaring als geldin-zamelaarster worden, maar niet mijn laatste!

Regina en ik verzamelden een groepje meisjes van school om ons heen, legden ze het doel van het fonds uit, en we schilderden allemaal aan-plakbiljetten waarop stond aangekondigd dat de Amerikaanse Ver-eniging van Jonge Zusters (we waren erg trots op de naam die we hadden bedacht voor onze niet bestaande organisatie) een openbare vergadering zou houden over leerboeken. Ik benoemde mezelf als voor-zitster, huurde een zaal en stuurde overal in de wijk uitnodigingen rond. Het lijkt me nu ongelooflijk dat iemand aan een kind van elf een zaal verhuurde, maar de vergadering vond plaats zoals we vastgesteld had-den, op een zaterdagavond, en er kwamen tientallen mensen. Het pro-gramma was eenvoudig: Ik sprak over de noodzaak voor alle kinderen om schoolboeken te hebben, of ze geld hadden of niet, en Clara die toen acht was, zei een socialistisch gedicht in het Jiddisch op. Ik zie haar nog voor me: een heel klein meisje met rood haar dat voor het publiek in Packen Hall stond en dramatische gebaren maakte terwijl ze voordroeg. Het resultaat van de vergadering was tweeledig: we kregen er een voor ons doen belangrijke som gelds door bijeen, en toen Clara en ik met mijn ouders naar huis liepen, overstelpten ze ons met lof. Ik had alleen zo graag gewild dat Sheyna erbij geweest was. Maar ik kon haar tenminste een knipsel uit een in Milwaukee verschijnende krant sturen, met een foto van mij erbij, en daarin zeiden ze iets over de vergadering:

'Een aantal jonge kinderen die hun vrije tijd en weinige geld aan liefdadigheid offeren, liefdadigheid die ze op eigen initiatief organiseerden... . En het behoeft toch wel commentaar dat deze liefdadigheid op zichzelf al luid commentaar vormt op het feit dat jonge kinderen naar openbare scholen worden gestuurd zonder de daarvoor benodigde lesboeken. Bedenkt u eens wat dat betekent... .

De brief die ik aan Sheyna over de vergadering schreef was bijna even dramatisch als Clara's gedicht. 'Lieve zuster', schreef ik. 'Nu kan ik je zeggen dat we meer succes hebben gehad dan ooit in Packen Hall bereikt is. En het programma was groots...' .

Mijn moeder had me gesmeekt mijn 'toespraak' op te schrijven, maar ik wilde liever gewoon zeggen wat ik te zeggen had, wat er in mijn hart opkwam. Gezien het feit dat het mijn eerste openbare toespraak was, geloof ik dat ik het er vrij goed van afbracht. Ik heb me ook naderhand nooit aangewend een geschreven tekst te gebruiken, behalve voor belangrijke politieke verklaringen in de Verenigde Naties of de Knesset. Ik ging een halve eeuw lang door met toespraken 'uit het hoofd' te houden zoals ik het aan Sheyna in die brief die ik haar in de zomer van 1909 stuurde, beschreef.

Eindelijk kregen Regina en ik tijdens de zomervakantie onze eerste werkelijke banen: jongste verkoopsters in een warenhuis in het centrum. Eigenlijk maakten we de hele dag pakjes en deden boodschappen, maar we verdienden elke week een paar dollar en ik hoefde niet meer de hele dag in onze winkel te staan. Zeer tegen zijn zin nam mijn vader mijn plaats daar over en met een enorm onafhankelijkheidsgevoel perste ik elke avond mijn rok en blouse. 's Morgens heel vroeg ging ik lopend naar mijn werk. Het was een heel eind, maar het tramgeld dat ik uitspaarde, besteedde ik aan een wintermantel, het eerste dat ik ooit met eigen verdiend geld kocht.

Toen ik veertien was, kwam ik van de lagere school af; ik had goede cijfers en werd als vertegenwoordigster van de klas gekozen die de afscheidstoespraak moest houden. De toekomst lag helder voor me: ik wilde natuurlijk naar de middelbare school en dan misschien zelfs onderwijzeres worden. Dat wilde ik het liefst. Ik vond toen, en nu nog, dat les geven het mooiste en meest bevredigende beroep is. Een goede onderwijzer doet een wereld voor de kinderen opengaan, maakt het ze mogelijk hun verstand te gebruiken en bereidt ze veelal op het leven voor. Ik *wist* dat ik goed zou kunnen les geven als ik maar eenmaal zelf genoeg geleerd had; ik wilde zo'n verantwoordelijkheid graag op me nemen. Regina, Sarah en ik spraken eindeloos over wat we zouden doen als we groot waren. Ik weet nog hoe we die zomeravonden urenlang op de trap voor mijn huis zaten en het over onze toekomst hadden. Evenals tieners overal in de wereld vonden we dat dit de belangrijkste beslissing was die we ooit zouden moeten nemen, heel iets anders dan trouwen en dat was nog zo ver weg dat we het de moeite niet waard vonden erover te praten.

Maar mijn ouders hadden andere plannen voor me; dat had ik kunnen weten, maar ik besefte het niet. Ik geloof dat mijn vader wel wilde dat ik verder leerde. Bij de afscheidsplechtigheid in Fourth Street waren zijn ogen vochtig. Hij begreep, geloof ik, wel wat het voor me betekende, maar in zekere zin was zijn eigen leven misgelopen en hij kon me niet veel helpen. Als gewoonlijk, en ondanks haar rampzalige verhouding met Sheyna, wist mijn moeder precies wat ik moest doen. Nu ik de lagere school had afgelopen, behoorlijk en zonder accent Engels sprak en ontwikkeld was tot wat de buren een *ervaksene sjein maidl* (een volwassen knap meisje) noemden, kon ik de hele dag in de winkel gaan werken en vroeg of laat – maar liever vroeg – moest ik maar eens ernstig over een huwelijk gaan nadenken. Ze herinnerde me eraan dat volgens de wet onderwijzeressen niet mochten trouwen.

Als ik met alle geweld een beroep wilde leren, dan kon ik naar een secretaressecursus gaan en voor stenotypiste leren. Op die manier zou ik tenminste geen oude vrijster worden, zei ze. Mijn vader knikte met zijn hoofd. 'Het heeft geen zin zo knap te zijn', waarschuwde hij me. 'Mannen houden niet van geleerde meisjes'. Evenals Sheyna vroeger probeerde ik nu op allerlei manieren in tranen mijn ouders van gedachten te doen veranderen. Ik zei dat opvoeding tegenwoordig belangrijk was, zelfs voor een getrouwde vrouw, en beweerde dat ik in elk geval nog lang niet van plan was te trouwen. En bovendien ging ik liever dood dan mijn leven, of zelfs maar een deel daarvan, in een somber kantoor gebogen over een schrijfmachine door te brengen, snikte ik.

Maar tegenwerpingen noch tranen hielpen. Mijn ouders bleven overtuigd dat de middelbare school, voor mij althans, een overdreven luxe was, niet alleen onnodig maar zelfs ongewenst. Vanuit het verre Denver moedigde Sheyna (die nu aan de beterende hand en het sanatorium uit was) me aan in mijn campagne. Shamai, die bij haar was, deed het ook. Ze schreven me vaak en stuurden hun brieven naar het huis van Regina, zodat mijn ouders niet te weten zouden komen dat we correspondeerden. Ik wist dat Shamai eerst borden had afgewassen in het sanatorium en toen aangenomen was bij een kleine stomerij die een van de grote hotels in Denver tot klant had. In zijn vrije tijd studeerde hij boekhouden. En het belangrijkste was dat ze zouden gaan trouwen, ondanks de herhaalde waarschuwingen van Sheyna's dokter. 'We kunnen beter korter leven als het maar samen is', had Shamai besloten. Het zou een van de gelukkigste huwelijken worden die ik ooit heb meegemaakt en ondanks de sombere voorspellingen van de dokter heeft het drieënveertig jaar geduurd en zijn er drie kinderen uit voortgekomen.

Eerst waren mijn ouders er erg door van streek, vooral mijn moeder. 'Weer zo'n idioot met van allerlei ideeën in zijn hoofd en geen cent op zak', snoof ze. Was *dat* een man voor Sheyna? Was dat een man die haar kon onderhouden en voor haar zorgen? Maar Shamai (in Denver werd zijn naam in het Amerikaanse Sam veranderd) hield niet alleen van Sheyna, hij begreep haar ook. Hij twistte nooit met haar. Wanneer hij volkomen overtuigd was dat hij ergens gelijk in had, deed hij het rustig; en Sheyna wist wanneer ze verslagen was. Maar als zij iets wilde dat voor haar werkelijk belangrijk was, stond Shamai haar nooit in de weg. Voor mij betekende het bericht van hun huwelijk dat Sheyna nu had wat ze het liefst wenste en nodig had, en dat ik eindelijk een broer kreeg.

In mijn heimelijke brieven naar Denver schreef ik tot in alle details over de voortdurende strijd thuis wat de school betrof en die mijn leven bijna onverdraaglijk maakte. Die onenigheden deden me besluiten om zo gauw mogelijk onafhankelijk te worden. Dat najaar, het najaar van 1912, begon ik uitdagend aan de eerste klas van de 'Milwaukee North Division High School' en 's middags en in de weekeinden had ik allerlei baantjes. Ik was vastbesloten mijn ouders nooit meer om geld te vragen. Maar niets hielp; de ruzies thuis bleven doorgaan.

De druppel die de emmer deed overlopen was mijn moeders poging een man voor me te zoeken. Ze wilde natuurlijk niet dat ik al meteen zou trouwen, maar ze wilde wel heel graag zeker weten dat ik niet alleen op wat zij een redelijke leeftijd vond zou trouwen en ook, in tegenstelling tot Sheyna, dat ik tenminste met een behoorlijke man het huwelijk zou ingaan. Hij hoefde niet rijk te zijn; daar was geen sprake van, maar wel degelijk. In feite was ze al heimelijk met een Mr Goodstein aan het onderhandelen, een aardige, vriendelijke, betrekkelijk welgestelde man van begin dertig die ik kende omdat hij wel in de winkel kwam en dan een praatje maakte. Mr Goodstein! Maar dat was een oude man. Twee keer zo oud als ik. Ik stuurde een woedende brief aan de arme Sheyna. Per kerende post kwam er antwoord uit Denver: 'Nee, je moet niet met school ophouden. Je bent te jong om te werken; je hebt goede kansen iets te worden', schreef Shamai. Zijn Engels was nog verre van volmaakt, maar hij was heel edelmoedig. 'Mijn raad is dat je je klaar maakt om hier te komen. Wij zijn ook niet rijk, maar je hebt hier goede kans om te studeren en we zullen alles voor je doen wat we kunnen'. Onderaan de brief schreef Sheyna haar eigen hartelijke uitnodiging: 'Je moet meteen naar ons toekomen'. Ze verzekerde me dat er van alles genoeg voor ons allemaal zou zijn. Samen zouden we het best redden. 'Ten eerste zul je alle gelegenheid hebben om te studeren; ten tweede zal je genoeg te eten krijgen; ten derde zal je alle kleren hebben die een mens nodig heeft'.

Ik was toen erg ontroerd door hun brief, maar nu ik die thans nog eens overlees, ben ik nog bewogener door de bereidheid van deze twee jonge mensen die er zelf nog helemaal niet waren, om mij bij hen te laten wonen en me te laten delen in wat zij hadden. Ik geloof dat die brief van november 1912 uit Denver een keerpunt in mijn leven was, want in Denver begon mijn werkelijke ontwikkeling. Daar begon ik volwassen te worden. Ik heb een idee dat als Sheyna en Shamai me niet te hulp waren gekomen, ik was doorgegaan me tegen mijn ouders te verzetten, alle nachten in tranen en overdag toch op een of andere manier naar de middelbare school. Ik kan me niet voorstellen dat ik op enigerlei wijze erin zou hebben toegestemd om met leren op te houden en met de waarschijnlijk veel te veel belasterde Goodstein was getrouwd; maar het aanbod van Sheyna en Shamai was een reddingsboei die me werd toegegooid en ik greep hem stevig beet.

In de jaren die sinds die november zijn voorbij gegaan, heb ik ook nog vaak aan Sheyna's laatste brief aan mij gedacht voordat ik naar haar in Denver ging. 'Het belangrijkste is om je nooit op te winden', schreef ze. 'Blijf kalm en handel rustig en weloverwogen. Deze manier van doen zal je altijd goede resultaten opleveren. Wees dapper'. Dat was een raad in verband met mijn van huis weglopen, maar ik ben hem nooit vergeten en hij is me vaak te stade gekomen toen ik een paar jaar later naar het land kwam dat mijn werkelijke tehuis zou worden, het land waarvoor ik bereid was te vechten totdat de dood erop zou volgen om er te blijven. Het was niet eenvoudig om naar Denver te komen. Ik kon onmogelijk verwachten dat mijn ouders erin zouden toestemmen dat ik het huis uit ging en bij Sheyna ging wonen. Ze zouden het nooit goed gevonden hebben. De enige oplossing was om ze niets te vertellen; gewoon weg te gaan. Het was misschien niet de dapperste manier, maar het was zeker de beste. Sheyna en Shamai stuurden me wat geld voor een treinkaartje en Regina en ik maakten uitvoerige plannen voor mijn vlucht. Het eerste probleem dat we moesten oplossen was hoe ik geld genoeg bij elkaar kon krijgen om de rest van het kaartje te betalen. Ik leende een beetje van Sarah. Gezien het feit dat ik geen idee had hoe ik het ooit terug zou kunnen betalen, was dit zeker een 'weloverwogen' handeling! Regina en ik haalden een aantal nieuwe immigranten in de straat over om Engelse lessen van ons te nemen voor 10 dollarcent per uur. Toen we genoeg geld bij elkaar hadden, begonnen we mijn vertrek tot in kleinigheden uit te werken.

Regina was een fantastisch toegewijde bondgenote. Ze was niet alleen absoluut betrouwbaar en ik kon ervan op aan dat ze noch mijn ouders noch de hare iets over mijn plannen zou vertellen, maar ze had ook veel fantasie. Hoewel, nu ik erover schrijf, heb ik een idee dat ze mijn ontsnapping enigszins met een schaking moet hebben verward. Ze stelde voor – en ik was het er dadelijk mee eens – dat ik een bundel van mijn kleren zou maken en het was maar goed dat het geen grote bundel zou zijn. Omdat we boven een winkel woonden, zou ik die de avond voor mijn vertrek naar beneden laten zakken, naar Regina, die alles dan gauw zou wegbrengen naar het bagagebureau op het station. Dan kon ik de volgende morgen regelrecht naar de trein gaan in plaats van naar school. Toen de belangrijke avond aanbrak, zat ik met mijn ouders in de keuken net alsof het een doodgewone avond was, maar mijn hart woog me zwaar in de borst. Terwijl zij thee zaten te drinken en praatten, krabbelde ik een briefje dat ze de volgende dag te lezen zouden krijgen. Het waren maar een paar woorden en bovendien niet zo goed gekozen. 'Ik ga bij Sheyna wonen, zodat ik kan studeren', schreef ik en voegde eraan toe dat ze zich nergens bezorgd om hoefden te maken en dat ik uit Denver weer zou schrijven. Het moet ze erg pijn hebben gedaan toen ze de volgende morgen dat briefje lazen, en als ik het vandaag nog eens zou moeten schrijven, zou ik dat alleen doen na veel nadenken en met veel zorg. Maar ik stond onder enorme druk en was pas vijftien jaar. Voor ik die avond ging slapen, liep ik naar Clara's bed en keek even naar haar. Ik voelde me erg schuldig dat ik van haar wegging zonder afscheid te nemen en ik vroeg me af wat er met haar zou gebeuren nu Sheyna en ik beiden het huis uit waren, naar ik dacht voorgoed. Clara groeide toen net op als de meest 'Amerikaanse' van ons allemaal, een rustig, verlegen, niet veeleisend meisje dat door iedereen aardig werd gevonden. Maar ik had nooit veel aandacht aan haar besteed en ik kende haar eigenlijk niet zo goed. Nu ik van haar wegging, voelde ik opeens een zekere mate van verantwoordelijkheid, herinner ik me. Het bleek dat het leven voor haar veel eenvoudiger werd nu ze enig kind thuis was, maar dat kon ik toen niet weten. Mijn ouders waren veel soepeler tegenover Clara dan ze ooit tegenover Sheyna of mij geweest waren, en mijn moeder verwende haar zelfs soms. Wij waren niet demonstratief bij ons thuis, maar die avond streelde ik haar over het gezicht en kuste haar hoewel ze door dit vaarwel heensliep.

Heel vroeg de volgende morgen ging ik volgens plan het huis uit en liep naar het station om in de trein naar Denver te stappen. Ik had nog nooit alleen gereisd en het was nooit bij me opgekomen, en ook niet bij mijn mede-samenzweerster, dat treinen volgens een dienstregeling reden. En toen mijn ouders het briefje dat ik voor ze thuis had achtergelaten, openmaakten en lazen, zat ik nog altijd zenuwachtig en met kloppend hart op een bank op het station. Maar, zoals een Jiddische spreekwijze zegt, ik had veel meer geluk dan hersens en in alle verwarring ging niemand me zoeken voordat de trein vertrokken was en ik me al op weg naar Sheyna bevond. Ik wist dat ik iets gedaan had dat mijn moeder en vader erg zou kwetsen, maar ik móest het doen. In de twee jaar die ik in Denver zou doorbrengen, heeft mijn vader, die me niet kon vergeven, me maar eens geschreven. Maar zo af en toe wisselden mijn moeder en ik brieven en tegen de tijd dat ik terug kwam hoefde ik niet meer te vechten voor mijn recht om te doen wat ik wilde.

Regina en Clara stuurden me beiden levendige beschrijvingen van de reacties thuis over mijn vertrek. Clara's brief was vol beschuldigingen. Mijn moeder had bitter gehuild, toen haar tranen gedroogd en was Regina's moeder gaan opzoeken. Tegen de tijd dat Regina uit school thuiskwam, erg in haar schik met haar aandeel in de zaak, had haar moeder al alles gehoord over haar 'schandelijke' hulp aan mij en Regina kreeg een flink pak slaag. Maar goede vriendin dat ze was, vermeed ze in haar brief aan mij alle beschuldigingen. Integendeel, ze verontschuldigde zich min of meer. 'Ik hoop dat je het niet erg vindt, maar iedereen dacht dat je met een Italiaan was weggelopen. Hoe ze aan dat idee kwamen, weet ik niet. Nu, lieve Goldie, wees niet boos op me dat ik dit schrijf, maar ik kan het niet helpen. Je vroeg ernaar. Ik barstte bijna van woede en afschuw, maar wat kon ik doen'.

In Denver ging de wereld werkelijk voor me open, hoewel Sheyna en Shamai bijna even streng bleken te zijn als mijn ouders en we moesten allemaal hard werken. Shamai werkte nu een deel van de tijd als portier bij de plaatselijke telefoondienst en de rest in zijn eigen stomerij. We spraken af dat als ik 's middags klaar met school was, ik voor hem de winkel zou overnemen zodat hij naar zijn andere werk kon gaan. Ik kon in de winkel mijn huiswerk maken en als een klant iets geperst wilde hebben, dan moest ik dat er maar bij doen.

's Avonds, na het eten, zat Sheyna me achterna dat ik met mijn huiswerk zou doorgaan, maar ik werd veel te veel geboeid door de mensen die bij hen kwamen binnenvallen en tot laat in de nacht bleven zitten praten. Ik vond die eindeloze discussies over politiek veel interessanter dan mijn lessen. Sheyna's kleine flatje was in Denver een soort centrum geworden voor joodse immigranten uit Rusland die naar het westen

waren gekomen om in het bekende joodse ziekenhuis voor tuberculosepatiënten daar te worden behandeld. Sheyna had er ook lange tijd in
doorgebracht. Bijna allen waren ongetrouwd. Sommigen waren anar-
chisten, sommigen socialisten, en sommigen socialistische zionisten.
Ze waren allemaal ziek geweest of waren het nog, ze waren allen ontworteld, ze waren allen heftig en hartstochtelijk in de belangrijkste
gebeurtenissen van die tijd geïnteresseerd. Ze praatten, argumenteerden
en twistten zelfs urenlang over wat er in de wereld plaats vond en wat er
zou moeten gebeuren. Ze spraken over de anarchistische filosofie van
Emma Goldman en Peter Kropotkin, over president Wilson en de Europese situatie, over pacifisme, de rol van de vrouw in de samenleving, de
toekomst van het joodse volk — en ze dronken steeds weer koppen thee
met citroen. Ik zegende die rondjes thee omdat, hoewel Sheyna het erg
afkeurde dat ik zo laat opbleef, ik daardoor toch gedaan kreeg te mogen
blijven want ik bood dan aan om naderhand de kopjes af te wassen
— een aanbod dat maar zelden werd afgeslagen.
Natuurlijk was ik altijd de jongste aanwezige en mijn Jiddisch was niet
zo literair als dat van vele sprekers, maar ik hing aan hun woorden alsof
ze het lot van de mensheid zouden veranderen en soms gaf ik, later,
zelfs wel eigen meningen ten beste. Veel van die nachtelijke gesprekken
gingen mij te hoog. Ik wist niet wat dialectisch materialisme was of wie
precies Hegel, Kant of Schopenhauer waren, maar ik wist dat socialisme
democratie betekende, het recht van de arbeiders op een fatsoenlijk
leven, een achturige werkdag en geen uitbuiting. En ik begreep dat
tirannen verdreven moesten worden, maar geen enkele dictatuur, zelfs
die van het proletariaat, sprak me ook maar in het minst aan.
Ik luisterde aandachtig naar iedereen die sprak, maar toch het meest
naar de socialistische zionisten en hun politieke filosofie vond ik zin
hebben. Ik begreep en was het volkomen eens met de gedachte van een
nationaal thuis voor de joden, één plaats op de aardbodem waar joden
vrij en onafhankelijk konden zijn, en ik nam als vanzelfsprekend aan dat
daar niemand gebrek zou lijden, of uitgebuit zou worden, of bang zou
hoeven te zijn voor andere mensen. Ik was veel geïnteresseerder in het
soort joods nationaal tehuis dat de zionisten in Palestina wilden scheppen dan in het politieke leven in Denver zelf, of zelfs in wat er in
Rusland gebeurde.
De gesprekken bij Sheyna liepen wijd uiteen. Het ging bijna alles altijd
in het Jiddisch, want maar enkele sprekers waren het Engels voldoende
meester om zich daar goed in uit te drukken, vooral over deze dringende ideologische zaken. Er waren avonden waarop de meeste discussies
de Jiddische literatuur betroffen: Sjolom Aleichem, Peretz, Mendele
Mocher Sforim, en andere avonden werden dan weer gewijd aan bijzon-

38

dere kwesties zoals het vrouwenkiesrecht of de toekomst van de vakbonden. Ik was overal in geïnteresseerd, maar als ze spraken over mensen zoals Aaron David Gordon, bijvoorbeeld, die in 1905 naar Palestina was gegaan en had geholpen bij het stichten van Degania (de kibboets die drie jaar later bij het verlaten zuidpunt van het Meer van Galilea werd gesticht), dan was ik volkomen weg en ik droomde ervan me bij de pioniers in Palestina aan te sluiten.

Ik weet niet meer wie van de jonge mensen bij Sheyna het eerst over Gordon sprak, maar ik herinner me nog goed hoe geboeid ik was door wat hij ons over die man van middelbare leeftijd met een lange witte baard vertelde. Die baard maakte dat hij er uit zag als Vadertje Tijd. Het was een man die nog nooit enig lichamelijk werk had verricht en die met zijn gezin naar Palestina was gekomen toen hij al bijna vijftig jaar was om de grond met zijn eigen handen te bewerken. Hij schreef over 'de godsdienst van de arbeid'; zo werd zijn geloof bij zijn aanhangers bekend. Het opbouwen van Palestina was volgens Gordon *de* grootste joodse bijdrage aan de mensheid. In het Land Israël zouden de joden een manier vinden om een rechtvaardige samenleving te stichten door hun eigen lichamelijke arbeid, vooropgezet dat ieder afzonderlijk individu een belangrijke persoonlijke poging in die richting deed.

Gordon stierf in 1922, een jaar nadat ik zelf in Palestina kwam, en ik heb hem nooit ontmoet. Maar ik geloof dat van alle grote denkers en revolutionairen ter wereld waarvan ik zoveel bij Sheyna hoorde, hij misschien wel degene was die ik het liefst zelf had willen kennen, en waarvan ik graag had gehad dat mijn kleinkinderen hem hadden kunnen ontmoeten.

Ik was ook helemaal weg van het romantische verhaal over Rachel Bluwstein, een teer meisje uit Rusland dat omstreeks dezelfde tijd als Gordon naar Palestina kwam en bijzonder door hem beïnvloed werd. Ze was een uiterst begaafde dichteres en ging aan de arbeid op de grond van een nieuwe nederzetting bij het Meer van Galilea waar enkele van haar mooiste gedichten werden geschreven. Hoewel ze geen woord Hebreeuws kende voor ze naar Palestina kwam, zou ze een van de eerste moderne Hebreeuwse dichteressen worden en vele van haar gedichten zijn op muziek gezet en worden nog in Israël gezongen. Tenslotte werd ze te ziek (door de tuberculose die haar op veertigjarige leeftijd deed sterven) om nog op het land dat ze zo liefhad te werken, maar ze leefde nog en was jong toen ik in Denver voor het eerst haar naam hoorde van iemand die haar in Rusland gekend had.

Jaren later, toen het de mode voor jonge mensen werd om mijn generatie om haar onbuigzaamheid, haar aanhankelijkheid aan het conventionele en trouw aan het 'establishment' te bespotten, moest ik vaak aan intellectuele rebellen als A.D. Gordon en Rachel en tientallen anderen denken. Volgens mij heeft nooit een moderne hippie zo daadwerkelijk tegen het 'establishment' van zijn tijd gerebelleerd als die pioniers in het begin van deze eeuw deden. Velen kwamen voort uit koopmansgezinnen en families van geleerden; velen zelfs uit welvarende, gezeten families. Als alleen het zionisme hen in vuur en vlam had gezet, dan hadden ze naar Palestina kunnen komen, daar sinaasappelboomgaarden kopen en Arabieren huren om al het werk voor ze te doen. Dat was veel gemakkelijker geweest. Maar ze waren in hart en nieren radicalen die er absoluut in geloofden dat alleen eigen arbeid de joden werkelijk van het getto en de daarmee gepaard gaande mentaliteit kon bevrijden; het moest mogelijk zijn zelf het land weer in cultuur te brengen en het morele recht erop te verdienen behalve het historische recht. Sommigen van deze lieden waren dichters, anderen zonderlingen, sommigen hadden een stormachtig persoonlijk leven achter de rug, maar wat ze allen gemeen hadden was een hang om te experimenteren, om een goede samenleving in Palestina op te bouwen, of tenminste een samenleving die beter zou zijn dan in de meeste andere werelddelen. De communes die ze gesticht hebben, de *kibboetsiem* van Israël, zijn volgens mij alleen in stand gebleven om het ware revolutionaire sociale ideaal dat er aan ten grondslag lag en nog ligt.

In elk geval speelden die nachten vol gesprekken in Denver een belangrijke rol voor mij. Mijn eigen toekomstige overtuigingen kregen daar vorm, en ik leerde daar tijdens mijn ontwikkelingsperiode ideeën te aanvaarden of te verwerpen. Maar mijn verblijf in Denver had nog andere gevolgen. Een van de minder spraakzame jonge mannen die vaak bij Sheyna kwamen, was een zachte, rustig pratende vriend van ze, Morris Meyerson. Zijn zuster had Sheyna in het sanatorium leren kennen. De familie van Morris was uit Litouwen naar Amerika geïmmigreerd en was, net als de onze, erg arm. Zijn vader was gestorven toen hij nog heel jong was en hij had al vroeg moeten werken om zijn moeder en drie zusters te onderhouden. Omstreeks de tijd dat wij elkaar ontmoetten, werkte hij nu en dan als reclameschilder.

Hoewel hij nooit zijn stem verhief, zelfs niet tijdens de stormachtigste nachtelijke sessies, geloof ik toch dat ik Morris het eerst opmerkte omdat hij zoveel afwist van dingen waarvan ik noch de meeste vrienden van Sheyna en Shamai enige notie hadden. Toch had hij vrijwel alles zichzelf geleerd. Hij hield van poëzie, kunst en muziek en wist en begreep er veel van. Hij was bereid om in den brede over de verdiensten van een zeker sonnet of sonate te praten met iemand die er zoveel interesse voor had als ik, en die er vrijwel niets van wist.

Toen Morris en ik elkaar beter leerden kennen, gingen we samen nu en dan naar de gratis concerten in het park en Morris hielp me geduldig de vreugde van klassieke muziek te ervaren; hij las me Byron, Shelley, Keats en de *Rubáiyát* van Omar Khayyam voor en nam me mee naar lezingen over literatuur, historie en filosofie. Nog steeds hebben zekere muziekstukken voor mij associaties met de heldere, droge berglucht van Denver en de prachtige parken waar Morris en ik elke zondag in de lente en zomer van 1913 wandelden.

Een van die concerten heeft een onuitwisbare indruk op me gemaakt, niet zo zeer door de muziek die ik nauwelijks heb gehoord, maar om de dreigend betrokken lucht. Ik had er voor Morris op mijn best willen uitzien en was de dag tevoren naar een goedkoop warenhuis gegaan om een nieuwe strohoed te kopen. De enige kleur die ze voorhanden hadden, was vuurrood en die had ik genomen, wat aarzelend want het leek me nogal frivool. Maar het *was* erg flatteus en ik hoopte dat Morris hem mooi zou vinden. Ik herinner me nog die eerste middag dat ik de hoed droeg. Het was een bewolkte, donkere dag en Morris had mijn hoed totaal niet opgemerkt; maar ik was zo doodsbang dat het zou gaan regenen en dat het rood dan over me heen zou druppelen, dat ik de hele middag in zorgen om het weer zat.

Ik bewonderde Morris enorm, meer dan ooit iemand anders behalve Sheyna. Niet alleen om zijn encyclopedische kennis, maar om zijn vriendelijkheid, zijn intelligentie en zijn heerlijk gevoel voor humor. Hij was maar vijf of zes jaar ouder dan ik, maar hij leek veel ouder, veel kalmer en veel rustiger. Zonder dat ik het me in het begin realiseerde, werd ik verliefd op hem en zag ook dat hij van mij hield, maar heel lang hebben we elkaar niet verteld hoe we over de ander dachten.

Sheyna was ook erg op Morris gesteld en vond het gelukkig goed dat ik hem zo vaak ontmoette. Maar ze vertelde me wel ernstig dat ze me niet daarom had geholpen van huis weg te lopen. Ik was naar Denver gekomen om te studeren, zei ze, en niet om naar muziek te luisteren en gedichten te leren. Ze nam haar taak als mijn voogdes heel ernstig op en dat betekende dat ze me nauwkeurig in de gaten hield. Na een paar maanden kreeg ik het gevoel dat ik net zo goed in Milwaukee had kunnen blijven. Shamai zette me niet zo onder druk, maar de teugels werden aangehaald en ik begon me rusteloos te voelen. Op een dag, nadat Sheyna weer erg bazig was geweest, me allerlei bevelen gaf en me uitschold alsof ik nog een klein kind was, besloot ik dat het tijd werd om op mezelf te gaan wonen, zonder een kloek om me heen en zonder de hele tijd nagezeten te worden. Ik liep in de zwarte rok en witte blouse die ik de hele dag gedragen had de flat uit, zonder iets mee te nemen, zelfs geen nachtjapon. Als ik bij Sheyna weg ging, haar huis en gezag verliet, dan had ik geen recht om iets te houden dat Sheyna of

Shamai voor me gekocht had. Ik deed de deur achter me dicht en dat was dat, dacht ik. Ik stond eindelijk op eigen benen.

Het was wel een tegenvaller toen ik tien minuten later besefte dat ik nu een plek moest zoeken waar ik kon wonen totdat ik mezelf kon onderhouden. Wat terneergeslagen maar wel dankbaar nam ik de uitnodiging van twee van Sheyna's kennissen aan die altijd erg aardig voor me geweest waren en aan wie ik had toevertrouwd dat ik 'voorlopig' geen huis had. Helaas was het niet het beste soort onderdak. Beiden waren in een vrij vergevorderd stadium van tuberculose en tot nu toe kan ik er geen andere uitleg voor vinden dan wat mijn moeder altijd noemde *a na'ar's mazel* (het geluk van een gek) dat ik de ziekte niet opliep. Ze woonden erg benauwd in alleen maar één kamer (met een nis voor mij aan de ene kant) en een keuken. Die nis was voor mij zo lang ik hem wilde hebben, zeiden ze tegen me, maar omdat ze beiden zo ziek waren, voelde ik dat ik ze vroeg naar bed moest laten gaan en ik durfde het licht boven mijn bank niet aan te doen als het donker werd. Eigenlijk was de enige plaats waar ik kon lezen zonder ze te storen — of door hun gehoest de hele nacht door gestoord te worden — het toilet en daar bracht ik heel wat nachten door, gehuld in een deken en gewapend met de laatste leeslijst van Morris die altijd vreselijk lang was.

Op zestienjarige leeftijd kan je heel wat ontberen, ook slaap, en ik was verrukt van deze regeling, en nog meer, om eerlijk te zijn, van mezelf. Ik had niet alleen een plek gevonden waar ik kon wonen, maar ik was ook tot de slotsom gekomen dat de middelbare school toch nog maar moest wachten. Het was belangrijker voor mij om alleen het leven onder de ogen te zien, hield ik me voor, dan de schoolkennis te vergaren waar ik zo naar verlangd had. Het eerste wat ik moest doen nu ik mijn nis had, was een baan zoeken. Mijn vader zei altijd fatalistisch: 'Waar gehakt wordt, vallen spaanders' en ik wilde zien dat ik die spaanders ontliep, maar een betrekking zou moeilijk te krijgen zijn. Doch binnen een paar dagen vond ik werk in een winkel waar mijn hoofdtaak was om de maat te nemen voor op bestelling gemaakte voeringen voor rokken. Het was niet bepaald een stimulerende of verheffende baan, maar hij hield me staande en maakte het me al gauw mogelijk een kleine, maar althans bacillenvrije kamer voor mezelf te huren. Tussen twee haakjes, een bijkomstigheid van dat werk is dat ik zelfs nu nog automatisch naar een rokzoom kijk en ik kan hem snel keurig en foutloos korter maken.

Misschien voelde ik me wel erg volwassen voor mijn leeftijd en zag er ook zo uit, maar de waarheid was dat er heel wat ogenblikken waren dat ik graag weer bij Sheyna, Shamai en hun nieuwe baby, Judith, had willen wonen. Natuurlijk had ik Morris en ik had nu zelfs aan Regina over hem geschreven. 'Hij is niet zo knap, maar hij heeft een prachtige ziel!' Ik had ook andere vrienden, in het bijzonder een heel merkwaardige jongen uit Chicago die Yossel Kopelov heette. Hij had kapper willen worden omdat hij ervan overtuigd was dat dat het enige beroep was dat hem tijd tot lezen zou laten. Morris en ik gingen veel met hem om. Maar vrienden en familie zijn heel verschillende zaken en ik voelde me soms even eenzaam als onafhankelijk, vooral als Morris er niet was. Maar omdat Sheyna en ik geen van beiden erg goed ongelijk konden bekennen of verontschuldigingen aanbieden, duurde het maanden voor we weer goed werden.

Nadat ik ongeveer een jaar op mezelf had gewoond, kreeg ik een brief van mijn vader, de enige die hij me in deze tijd heeft geschreven. Hij was heel kort en duidelijk: als ik mijn moeders leven op prijs stelde, schreef hij, dan moest ik meteen thuiskomen. Ik begreep dat het hem al heel wat had gekost dát hij me schreef en hij had het waarschijnlijk alleen gedaan omdat ik thuis werkelijk nodig was. Morris en ik bespraken het en ik besloot terug te gaan. Terug naar Milwaukee, naar mijn ouders en Clara, terug naar de middelbare school. Om eerlijk te zijn, het speet me niet dat ik terug moest, hoewel het betekende dat ik afscheid van Morris moest nemen die nog een tijd in Denver moest blijven tot zijn zuster helemaal genezen was. Op een avond voordat ik weg ging, vertelde Morris me verlegen dat hij van me hield en met me wilde trouwen. Ik antwoordde gelukkig, en even verlegen als hij, dat ik ook van hem hield, maar dat ik nog veel te jong voor een huwelijk was en we spraken af dat we zouden wachten. Intussen zouden we onze verhouding geheim houden en elkaar steeds schrijven. Dus vertrok ik naar Milwaukee in een — zoals ik Regina de volgende dag vertelde — 'gelukzalige' gemoedstoestand.

3
Ik verkies Palestina

Thuis was alles anders geworden. Mijn ouders waren veel gemakkelijker om mee om te gaan, ze stonden er financieel beter voor, Clara was al een tiener en het hele gezin was verhuisd naar een nieuwe en aardiger flat in Tenth Street waar iedereen altijd druk bezig was en waar steeds mensen in en uit liepen. Mijn moeder en vader namen het nu als vanzelfsprekend aan dat ik naar de middelbare school ging en ze maakten zelfs geen bezwaren toen ik daarmee klaar was en me in oktober 1916 liet inschrijven voor de 'Milwaukee Normal School', een onderwijzersopleiding. Ik geloof niet dat ze het werkelijk nodig vonden dat ik doorleerde, maar ze lieten me mijn gang gaan en onze verhouding ging er bijzonder op vooruit, hoewel mijn moeder en ik soms toch nog ruzie hadden. Een van die scènes was over de brieven van Morris aan mij. Mijn moeder vond dat het haar plicht was alles van mijn liefdesgeschiedenis in Denver af te weten. Iemand, misschien Sheyna, had haar erover geschreven. En op een keer dwong ze Clara zelfs een hele stapel te lezen en ze voor haar in het Jiddisch te vertalen, want Morris en ik schreven elkaar in het Engels en dat vond mijn moeder nog moeilijk te begrijpen. Clara wist dat ze iets vreselijks had gedaan en vertelde het me later; ze bezwoer me dat ze er tactvol 'de persoonlijker dingen' had uitgelaten. Van toen af aan stuurde Morris zijn brieven naar het adres van Regina.
Nu het leven wat minder moeilijk was, waren mijn ouders veel actiever in het gemeenschapsleven geworden. Ik geloof dat mijn moeder het nooit nodig had gevonden zich buiten de directe familiekring of de routine van gezinsverplichtingen te doen gelden; toch ontwikkelde ze een — waarschijnlijk aangeboren — talent voor hulpvaardigheid, misschien door de mensen die ze in de winkel kreeg en die haar hun problemen vertelden terwijl zij suiker en rijst voor ze afwoog. Ze was in elk geval drukker dan ooit, maar veel rustiger, ondanks haar gewoonte — die mij enorm irriteerde — om te beweren dat in Milwaukee niets zo goed was als in Pinsk. 'Neem nou bijvoorbeeld fruit'. Wie at er in Pinsk ooit fruit? Zeker niemand van mijn familie! Toch ging mijn moeder

maar door met de verzonnen heerlijkheden van 'thuis' te prijzen en te loven en ik leerde tenslotte niet elke keer dat ze dat deed op te vliegen. Moeder was altijd aan het koken en bakken; intussen luisterde ze naar de moeilijkheden van een of andere vreemde of hielp een bazar of loterij in de buurt te organiseren. Ze kookte uitstekend en leerde mij hoe ik eenvoudig en voedzaam joods voedsel moest bereiden, het soort dat ik nu nóg klaarmaak en waarvan ik nog steeds houd. Maar mijn zoon en een van mijn kleinzoons die zich als eerste klas koks beschouwen en alles met wijn bereiden, halen hun neus op voor mijn 'fantasieloze' schotels. Niet dat ze ze ooit weigeren! Op vrijdagavonden als we aanschoven voor het sabbatmaal: kippesoep, 'gefillte fisch' en vlees gesmoord met aardappels en uien en een worteltjes-en-pruimen *tzimmes* erbij, waren er bijna altijd behalve vader, Clara en ik nog gasten van buiten de stad die soms wekenlang bleven.

Gedurende de Eerste Wereldoorlog maakte mijn moeder van ons huis een soort hulpcentrum voor de jongens die zich vrijwillig hadden gemeld voor het Joodse Legioen en die onder de joodse vlag zouden gaan vechten — onder het opperbevel van het Engelse leger — om Palestina van de Turken te bevrijden. De meeste jongens uit Milwaukee die zich voor het Legioen hadden gemeld (immigranten waren vrijgesteld van dienstplicht) gingen uit ons huis weg, voorzien van tasjes die mijn moeder geborduurd had en waarin ze hun gebedsmantel en gebedsriemen bewaarden, en veel grotere tassen vol koekjes nog warm uit haar oven. Haar hart en huis stonden open voor iedereen en als ik aan haar in deze tijd denk, dan hoor ik haar in de keuken lachen waar ze uien bakte, wortels schrapte en vis hakte voor de vrijdagavond terwijl ze onderhand tegen een van de gasten sprak die het komende weekeind op de bank in onze zitkamer zou slapen.

Ook mijn vader ging nu helemaal op in het joodse leven in de stad. De meeste mensen die in die jaren op onze beroemde bank sliepen, waren socialisten (leden van de zionistische arbeidersbeweging) uit het oosten, Jiddische schrijvers die een lezingenrondreis maakten of leden van de *B'nai B'rith* die in een andere stad woonden. De *B'nai B'rith* was een joodse broederschap voor onderling hulpbetoon waar mijn vader lid van was. Kortom, mijn ouders hadden zich helemaal aangepast en hadden van hun huis een soort instelling voor de joodse gemeenschap in Milwaukee en de bezoekers daarvan gemaakt. Van de vele mensen die ik toen voor het eerst ontmoette of in het openbaar hoorde spreken, zouden enkelen een grote invloed gaan uitoefenen, niet alleen op mijn leven, maar ook, en dat was veel belangrijker, op de zionistische arbeidersbeweging. Sommigen van hen zouden later tot de stichters van de joodse staat behoren.

Als ik nu terugdenk en me de mannen herinner die de meeste indruk op me maakten toen ze in Milwaukee waren en ik zo tegen de twintig liep, komen het eerst beelden bij mij boven van joden zoals Nachman Syrkin die een van de vurigste ideologen van de zionistische arbeidersbeweging was. Syrkin was een Russische jood die filosofie en psychologie in Berlijn had gestudeerd, na de revolutie van 1905 naar Rusland was teruggekeerd en daarna naar Amerika was geëmigreerd waar hij de leider werd van de Amerikaanse *Poalei-Zion*, de zionistische arbeidersbeweging. Syrkin geloofde dat de enige hoop voor het joodse proletariaat (dat hij 'de slaaf der slaven' of het 'proletariaat van de proletariaten' noemde) in massa-immigratie naar Palestina lag, en hij sprak en schreef schitterend hierover, overal in Europa en Amerika. Mijn lievelingsverhaal over Syrkin, wiens dochter Marie een dikke vriendin van me werd en die later mijn biografie zou schrijven, betreft een debat dat tussen hem en Dr Chaim Zhitlovsky plaats vond. De laatste was een gevierd voorvechter van het Jiddisch als de joodse nationale taal. Hij geloofde in de eerst plaats in de burgerrecht aspecten van het joodse probleem, terwijl Syrkin een hartstochtelijk zionist was en een voorstander van de wederinvoering van de Hebreeuwse taal. In de loop van het debat zei Syrkin tegen Zhitlovsky: 'Goed, we zullen een afspraak maken en de zaak verdelen. Jij neemt alles dat al bestaat en ik zal alles nemen dat nog niet bestaat. Bijvoorbeeld: *Eretz Jisroël* (het Land Israël) als een joodse staat bestaat *niet*, dus dat is voor mij; de diaspora bestaat, dus die is voor jou. Jiddisch bestaat, dus dat is voor jou, maar omdat Hebreeuws nog geen omgangstaal is, is dat straks voor mij. Wat echt en tastbaar is, zal van jou zijn en wat jij lege dromen noemt, die zullen voor mij zijn'.

Shmarya (zijn volle naam was Shmaryahu) Levin was er ook een. Hij was ongetwijfeld een van de grootste zionistische sprekers van die dagen, een man wiens charme en geest duizenden joden over de hele wereld boeiden. Sindsdien is hij, evenals Syrkin, een van de vele schaduwachtige figuren van het zionisme geworden die de meeste jonge Israëli's alleen maar kennen – áls ze hem kennen – omdat zelfs het kleinste stadje in Israël een straat heeft die naar hem genoemd is. Maar voor mijn generatie was hij een van de reuzen in de beweging, en voor zover mijn vrienden en ik in Milwaukee iemand idealiseerden, dan was het de elegante, overtuigende, bijzonder intellectuele Shmarya. Zijn humor was typisch Jiddisch en wel zo dat het moeilijk is die subtiele toespelingen te vertalen. Van de joden zei hij bijvoorbeeld spottend: 'Het is waar dat we een klein volk zijn, maar niet gemakkelijk klein te krijgen'. Of, even ironisch, beschreef hij Palestina als een fantastisch land waar men de winters in Egypte kan doorbrengen (waar het zelden regent) en de zomers in de bergen van de Libanon. Eens kwam hij tijdens een zionistisch congres in Zwitserland opgewonden naar me toe. 'Golda', zei hij, 'ik heb een prachtige moraal voor een fabel. Het enige dat ik nu nog nodig heb, is de fabel zelf.' In 1924 vestigde Shmarya zich in Palestina en onze wegen kruisten zich herhaaldelijk, maar mijn levendigste herinnering aan hem betreft de verschrikkelijke angst die zich eens in 1929 in Chicago van me meester maakte toen mij gevraagd werd in het openbaar te spreken, voor het eerst op een enorm grote vergadering, en tot mijn grote schrik zag ik Shmarya op een van de allereerste rijen zitten. Mijn God, dacht ik, hoe kan ik mijn mond opendoen als Shmarya daar zit? Maar ik deed het en naderhand was ik dolblij toen hij me zei dat ik zo goed had gesproken.

De eerste Palestijnen die ik ooit ontmoette waren Yitzhak Ben-Zwi die de tweede president van Israël zou worden; Ya'akov Zerubavel, een beroemde arbeiderszionist en schrijver en David Ben-Goerion. Ben-Zwi en Ben-Goerion kwamen in 1916 naar Milwaukee om soldaten voor het Joodse Legioen te werven, kort nadat ze door de Turken uit Palestina waren verbannen, met het bevel nooit terug te keren. Zerubavel die door de Turken ook tot gevangenisstraf was veroordeeld, was erin geslaagd te ontsnappen, maar was bij verstek tot vijftien jaar dwangarbeid veroordeeld.

Ik had nog nooit mensen als deze Palestijnen ontmoet en nog nooit verhalen gehoord als zij vertelden over de *jisjoev*, de kleine joodse gemeenschap in Palestina die toen van 85.000 tot slechts 56.000 mensen was teruggebracht. Dit was mijn eerste aanwijzing hoe vreselijk ze onder het wrede Turkse regime leden; het had het normale leven in het land praktisch al tot staan gebracht. Ze zaten in doodsangst over het lot van de joden in Palestina en waren ervan overtuigd dat na de oorlog de joden een gerechtvaardigde eis voor het Land Israël konden indienen als het joodse volk een belangrijke en zichtbare militaire rol in de strijd speelde, en wel *als joden*. Ze spraken zelfs met zo veel enthousiasme over het Joodse Legioen dat ik meteen probeerde me er voor te melden. Ik was vreselijk ongelukkig toen ik hoorde dat er geen meisjes werden aangenomen.

Omstreeks die tijd wist ik al veel van Palestina af, natuurlijk, maar mijn kennis was vrij theoretisch. Doch deze Palestijnen spraken tegen ons niet over het visioen of de theorie van het zionisme, maar over de werkelijkheid ervan. Ze vertelden ons tot in de kleinste bijzonderheden over de omstreeks vijftig joodse landbouwnederzettingen die daar al gesticht waren en beschreven Gordons nederzetting Degania zodanig dat die werkelijkheid voor ons werd en bevolkt met mensen van vlees en bloed, geen mythische helden en heldinnen. Ze vertelden ons ook van

Tel Aviv dat net gesticht was op de zandheuvels even buiten Jaffa, en over *Hashomer*, de joodse zelfverdedigingsorganisatie van de *jisjoev*, waarin Ben-Zwi en Ben-Goerion beiden een actieve rol speelden. Maar het meest hadden ze het over hun hoop en dromen bij een geallieerde overwinning op de Turken. Ze hadden allemaal nauw in Palestina samengewerkt en Ben-Zwi sprak vaak over een vierde lid van hun groep, Rachel Yanait, die later zijn vrouw zou worden. Terwijl ik zo naar hem luisterde begon ik over haar te denken als een typische vrouw van de *jisjoev* die bewezen had dat het mogelijk was om tegelijkertijd vrouw, moeder en wapenbroeder te zijn, voortdurende gevaren en ontberingen te verdragen niet alleen zonder te klagen maar ook met een gevoel van enorme vervulling; en ik vond dat zij, en vrouwen als zij, meer deden om de zaak van onze sekse — zonder publiciteit als hulpmiddel — te bevorderen dan zelfs de vurigste suffragettes in Amerika en Engeland. Ik luisterde gebiologeerd naar de Palestijnen en ik nam elke gelegenheid waar om ze te horen spreken, hoewel het maanden duurde voor ik ze echt zelf durfde benaderen. Ben-Zwi en Zerubavel waren veel gemakkelijker in de omgang dan Ben-Goerion; ze waren minder dogmatisch en hartelijker. Ben-Zwi kwam verschillende malen naar Milwaukee en het huis van mijn ouders en zat er dan bij terwijl hij Jiddische volksliederen met ons zong en geduldig al onze vragen over Palestina beantwoordde. Hij was een lange, vrij slungelige jonge man met een aardige glimlach en een vriendelijke, wat aarzelende manier van doen die de mensen meteen tot hem aantrok.

Wat Ben-Goerion betreft, mijn eerste herinnering aan hem is eigenlijk dat ik hem *niet* ontmoette. Hij werd in Milwaukee verwacht en het was zo geregeld dat hij op zaterdagavond een toespraak zou houden en 's zondags bij ons zou komen lunchen. Maar die zaterdagavond speelde het Philharmonisch Orkest van Chicago in de stad. Morris, die inmiddels naar Milwaukee was gekomen, had me al weken geleden voor het concert uitgenodigd en ik voelde me verplicht met hem mee te gaan, hoewel ik niet kan zeggen dat ik die avond erg van de muziek genoot. De volgende morgen vertelde de zionistische arbeidersbeweging me dat de lunch van de baan was. Het was niet juist, zeiden ze, dat iemand die niet de moeite nam naar Ben-Goerion te komen luisteren — en ik was natuurlijk veel te verlegen om de uiterst persoonlijke reden voor mijn afwezigheid te vertellen — het voorrecht zou genieten hem aan de lunch te hebben. Ik was erg verdrietig, maar vond wel dat ze gelijk hadden, en stoïcijns aanvaardde ik hun beslissing. Later heb ik Ben-Goerion natuurlijk wel ontmoet en ik herinner me nog dat ik heel lang wat bang voor hem was. Hij was een van de ongenaakbaarste figuren die ik ooit gekend heb en hij had toen al iets over zich dat het moeilijk maakte hem te leren kennen. Maar later meer over Ben-Goerion.

Langzamerhand begon het zionisme mijn denken – en mijn leven – te vullen. Ik geloofde absoluut dat ik als jodin in Palestina thuishoorde en dat ik als aanhangster van de zionistische arbeidersbeweging in de *yishuv* mijn deel kon bijdragen om de doelen van sociale en economische gelijkheid te verwezenlijken. Maar de tijd was nog niet helemaal rijp dat ik al besloot daar te gaan wonen. Ik wist dat ik geen salon-zionist wilde zijn die er een voorstander van was dat anderen zich in Palestina gingen vestigen, en ik weigerde als lid tot de zionistische arbeiderspartij toe te treden voor ik een vast besluit had genomen.

Intussen was daar de school – en Morris. Hij bleef nog in Denver en we correspondeerden geregeld. Door die brieven, die ik na vele jaren weer gelezen heb, zie ik dat er ook de kleine, privé tragedies en twijfels waren als in elk meisjesleven. Waarom had ik geen zwart haar en grote, glanzende ogen? Waarom zag ik er niet leuker uit? Hoe *kón* Morris van me houden? Hield hij *écht* van me? Ik moet mijn brieven vol hebben gestrooid met nauwelijks verborgen vragen om door hem gerustgesteld te worden – en die geruststelling kwam altijd, al was die niet steeds erg galant onder woorden gebracht. 'Ik heb je al een paar keer gevraagd me niet tegen te spreken als het over je schoonheid gaat', schreef hij op een keer. 'Je komt aldoor weer met diezelfde beschroomde en jezelf verontschuldigende opmerkingen aandragen en die kan ik niet verdragen.'

In andere brieven probeerden we wat onhandig plannen voor een gezamenlijke toekomst te maken en onvermijdelijk kwam het erop neer dat we aan elkaar over Palestina schreven. Morris was toen veel minder zeker óver het zionisme dan ik, en hij had een veel romantischer en bespiegelender natuur. Hij droomde van een wereld waar iedereen in vrede zou leven en nationaal zelfbeschikkingsrecht trok hem niet zo erg aan. Hij dacht eigenlijk niet dat een soevereine joodse staat de joden veel zou helpen. Het zou gewoon een staat erbij zijn met de gebruikelijke lasten en handicaps daarvan. Een brief uit 1915 van hem luidt gedeeltelijk als volgt:

Ik weet niet of ik blij of bedroefd moet zijn dat jij zo'n enthousiaste nationaliste bent. Wat dat betreft ben ik absoluut passief, hoewel ik je werk wel op prijs stel evenals dat van alle anderen die iets wezenlijks doen om een natie in nood te helpen. Onlangs kreeg ik een uitnodiging een van die vergaderingen bij te wonen ... maar omdat het mij niet bijzonder treft of de joden in Rusland of in het Heilige Land zullen lijden, ben ik niet gegaan.

In 1915 leden de joden op vele plaatsen en mijn vader en ik begonnen in een aantal hulporganisaties samen te werken en dat zou ons een stuk dichter bij elkaar brengen. Evenals in de Tweede Wereldoorlog werd het grootste deel van het hulpwerk tijdens de Eerste Wereldoorlog door het zojuist gevormde Gezamenlijke Distributiecomité verricht. Maar in tegenstelling tot de toestand in 1940 werd deze merkwaardige organisatie toen vanuit New York slecht geleid door een handjevol bureaucraten en het comité was het doelwit van veel scherpe kritiek. Een resultaat hiervan was dat de joodse arbeidersgroepen besloten hun eigen organisatie te stichten en ze noemden die het Volkshulpcomité. Dat was de organisatie waar mijn vader en ik lid van werden. We werkten prettig samen en ik kan daar nog steeds met vreugde aan terugdenken, hoewel ik geloof dat het een schok voor mijn vader was te merken dat ik nu aardig op weg was een volwassen mens te worden. Vader vertegenwoordigde in de nieuwe organisatie zijn vakbond en ik was de spreekbuis van een kleine literaire groep van de zionistische arbeidersbeweging waar ik na schooltijd naar toe ging. Hoewel ik nu niet eens meer de ongetwijfeld prachtige naam ervan weet, deed ik er veel werk voor. We hadden een programma met lezingen waar we sprekers uit Chicago voor uitnodigden. Die kwamen dan om de twee weken naar Milwaukee en we hielden wat nu een 'seminar' zou worden genoemd over de verschillende facetten van de Jiddische literatuur. We hadden een chronisch tekort aan geld om de kosten van onze sprekers te betalen en een zaal te huren, dus we berekenden onze leden 25 dollarcent per lezing en dat was in die dagen een heel bedrag. Ik herinner me nog een man die bij elke lezing kwam opdagen maar weigerde een cent te betalen. 'Ik kom niet voor de lezing, maar ik kom om een vraag te stellen', zei hij.

Tegen het eind van de oorlog werd er nog een belangrijke joodse beweging geboren: het Amerikaanse Joodse Congres dat in de jaren dertig zo'n leidende rol in de vorming van het Joodse Wereld Congres zou spelen. In die dagen had de Bund, die inmiddels naar Amerika was overgeplant, geen bezwaren tegen de vorming van het Congres, maar ze waren heftig gekant tegen de pro-Palestijnse oriëntatie ervan. Toen in 1918 in alle joodse gemeenschappen in Amerika verkiezingen voor het Congres werden gehouden, de eerste keer dat de joden in Amerika zelf verkiezingen hielden, waren de gemoederen erg verhit. De Zionisten trokken naar de ene kant, de Bundisten naar de andere. Mijn vader en ik waren beiden actief bij de verkiezingscampagne betrokken en waren absoluut van mening dat het Congres moest laten blijken dat het vóór het zionisme was.

Als je onder de joden een campagne wilde voeren, vond ik dat de logische plaats van opstelling de buurt-synagoge moest zijn, vooral tegen de tijd van de grote joodse feestdagen als iedereen naar de *sjoel* ging. Maar omdat alleen mannen de gemeente mochten toespreken, zette ik net voor de synagoge een zeepkist neer en de mensen die er op weg naar huis uit kwamen, moesten wel naar me luisteren, of althans naar een deel van wat ik te zeggen had over het programma van de zionistische arbeiderspartij. Ik geloof dat ik in dit opzicht vrij veel zelfvertrouwen had – niet altijd in anderen – en toen velen stil stonden om voor de synagoge naar mij te luisteren, vond ik dat ik het ook op andere plaatsen moest proberen.

Maar dit keer hoorde mijn vader van mijn plannen en we hadden een vreselijke ruzie. De dochter van Mosje Mabovitch zou niet op een zeepkist op straat gaan staan en zichzelf te schande maken, tierde hij. Daar was geen sprake van, een *sjande!* Ik probeerde hem uit te leggen dat ik beloofd had te gaan, dat mijn vrienden op straat op me wachtten en dat het een doodgewone zaak was zoiets te doen. Maar mijn vader was zo boos dat hij absoluut niet naar me luisterde. Mijn moeder stond als een scheidsrechter tussen ons in en we argumenteerden met luide stem. Tenslotte gaf geen van beiden toe: met een rood gezicht zei mijn vader dat als ik tóch ging, hij me achterop zou komen en me in het openbaar aan mijn haar naar huis zou slepen. Ik twijfelde er niet aan dat hij dit zou doen, omdat hij meestal deed wat hij zei. Maar ik ging toch. Ik waarschuwde mijn vrienden op de hoek van de straat dat mijn vader op oorlogspad was, klom op mijn zeepkist en hield mijn toespraak, hoewel ik wel een beetje door paniek was bevangen. Toen ik eindelijk thuis kwam, vond ik mijn moeder in de keuken op me wachten. Vader sliep al, zei ze, maar hij was wel gegaan en had me horen spreken. 'Ik weet niet waar ze dat vandaan haalt', had hij verwonderd tegen haar gezegd. Hij was zo meegesleept toen hij naar mij op mijn zeepkist luisterde, dat hij zijn dreigement helemaal vergeten was! We hebben geen van beiden hier ooit meer over gesproken, maar ik vind dat het de geslaagdste speech is geweest die ik ooit gehouden heb.

Omstreeks deze tijd begon ik echt aan het onderwijs. De zionistische arbeidersbeweging was een *folk-schule*, een Jiddische school in het joodse centrum van Milwaukee, begonnen die maar een deel van de tijd les gaf. De lessen vonden plaats op zaterdagmiddagen, zondagmorgens en een andere middag in de week. Ik gaf les in Jiddisch, lezen, schrijven en wat literatuur en geschiedenis. Ik vond dat Jiddisch de sterkste band tussen de joden was en vond het heerlijk er les in te geven. Het was níet waar de 'Milwaukee Normal School' me voor opleidde, maar ik vond het enorm bevredigend om in staat te zijn sommige joodse kinderen van de stad dingen te vertellen over de grote Jiddische schrijvers die ik zo bewonderde. Engels was natuurlijk een mooie taal, maar het Jiddisch was de taal van de joodse straat, de natuurlijke, warme, intieme taal die een verspreide natie verenigde. Achteraf bezien geloof ik wel dat ik destijds een beetje schoolmeesterachtig over het Jiddisch was: in mijn ogen bestond er toen geen groter misdaad dan dat bijvoorbeeld een van de kinderen het Engels en Jiddisch met elkaar verwarde en ik heb zelfs een tijd gemeend dat de joden in Palestina twee talen moesten hebben: het Hebreeuws en het Jiddisch. Hoe was het mógelijk dat iemand eraan kon denken dáár het Jiddisch af te schaffen? Toen de zionistische arbeidersbeweging een Engels-sprekende afdeling wilde hebben en mij vroeg de leiding ervan op me te nemen, wilde ik er niets mee te maken hebben. Als mensen tot de *Poalei-Zion* wilden behoren, dan zouden ze toch op z'n minst Jiddisch moeten kennen! Natuurlijk bleek het dat ik er beter aan gedaan had me op het Hebreeuws toe te leggen. Tenslotte, toen we naar Palestina gingen, leerde ik uiteraard Hebreeuws, maar mijn Hebreeuws is helaas nooit zo goed geweest als mijn Jiddisch.

Ik vond het les geven in de *folk-schule* heel prettig. Ik vond de kinderen lief, zij hielden van mij en ik voelde me nuttig. Als het op zondagavond na de *folk-schule* goed weer was, gingen we vaak picknicken, mijn familie, een paar leerlingen en Morris, als hij toevallig in Milwaukee was. Mijn moeder maakte bergen eten en we zaten onder een boom in een park en zongen. In die tijd rookte ik nog niet en ik zong bij de minste aanleiding. Dan vielen mijn ouders op het gras in slaap, hun gezicht bedekt met de weekeind uitgave van een van de Jiddische kranten die in het oosten werden uitgegeven en die ze elke week lazen, van voor tot achter. De rest praatte dan over het leven, de vrijheid en hoe je gelukkig kon worden, totdat de zon onderging. Dan gingen we naar huis en mijn moeder bereidde voor ons allen een maaltijd.

Vlak na de oorlog, toen in de Oekraïne en Polen antisemitische pogroms uitbraken (die in de Oekraïne komen in hoofdzaak voor rekening van de beruchte commandant van het Oekraïense leger, Simon Petlyura; zijn eenheden vernietigden hele joodse gemeenschappen), hielp ik een protestmars door een van de hoofdstraten van Milwaukee te organiseren. De joodse eigenaar van een groot warenhuis in de stad kreeg lucht van mijn plannen en vroeg me bij hem te komen. 'Ik heb gehoord dat u van plan bent een demonstratie door Washington Avenue te houden', zei hij. 'Als u dat doet, dan wil ik dat u weet dat ik de stad zal verlaten.' Ik vertelde hem dat ik er totaal niets tegen had dat hij de stad verliet en dat ik bij mijn plannen voor de mars bleef. Hoe onverstandig hij het ook mocht vinden, ik trok me er niets van aan wat de mensen zouden denken of zeggen. De joden hadden niets gedaan om zich voor te schamen; integendeel, zei ik tegen hem, ik was ervan overtuigd dat als we toonden wat wij dachten van het vermoorden en verminken van joden aan de andere kant van de oceaan, dan zouden we de eerbied en de sympathie van de rest van de stad veroveren.

52

Het bleek een bijzonder succesvolle optocht te worden. Honderden mensen namen eraan deel. Het leek bijna onmogelijk dat er zoveel joden in Milwaukee woonden. Tussen haakjes, het was ook voor mij, ondanks mijn dappere woorden tegen de warenhuisbezitter, een verrassing dat zo vele niet-joden aan die demonstratie deelnamen en ik weet nog dat ik in de ogen van de mensen langs de kant keek en voelde hoe ze ons steunden. In die dagen waren er nog niet zoveel protestmarsen en er werd overal in Amerika over geschreven en gepraat. Misschien is dit de plaats om te vermelden dat ikzelf nooit enig antisemitisme in Milwaukee heb ondervonden, hoewel ik in een joodse wijk woonde en vrijwel uitsluitend met joden, in en buiten school, omging. Natuurlijk had ik ook niet-joodse vrienden, mijn leven lang. Maar al stonden ze me nooit zo na als de joden, ik voelde me wel altijd op mijn gemak met ze.

Ik geloof dat het tijdens die mars door de stad was dat ik besefte dat ik een definitieve beslissing over Palestina niet langer kon uitstellen. Hoe hard het ook mocht zijn voor degenen die mij dierbaar waren, ik kon niet langer uitstellen om een besluit te nemen waar ik zou gaan leven. Ik voelde dat Palestina, niet optochten door Milwaukee, het enige werkelijk zinvolle antwoord was op de moordzuchtige menigten van Petlyura. De joden moesten weer een eigen land hebben, en ik moest helpen met de opbouw ervan. Niet door toespraken te houden en geld in te zamelen, maar door er te wonen en te werken.

Eerst werd ik officieel lid van de zionistische arbeidersbeweging en dat was voor mij de eerste stap op de weg naar Palestina. In die tijd had de beweging nog geen jeugdafdeling. Volgens de statuten van de partij mochten alleen personen boven de achttien jaar lid worden. Ik was pas zeventien, maar ze kenden me al en ik werd als lid toegelaten. Nu moest ik Morris overhalen met mij mee naar Palestina te gaan, want ik kon me niet voorstellen dat we niet samen zouden blijven. Ik wist dat zelfs als hij erin toestemde mee te gaan, we nog een jaar of twee zouden moeten wachten totdat we voldoende geld voor de reis bij elkaar hadden, om maar een ding te noemen. Maar het was van het grootste belang dat Morris, vóór we trouwden, wist dat ik vastbesloten was daar te wonen. Ik legde hem de situatie niet als een ultimatum voor, maar ik maakte hem mijn overwegingen wel duidelijk. Ik wilde heel graag met hem trouwen én ik was vastbesloten naar Palestina te gaan. 'Ik weet dat je niet zo'n geprononceerde mening over het wonen in Palestina hebt als ik', zei ik tegen hem, 'maar ik smeek je met me mee te gaan.' Hij hield ook heel erg veel van me, antwoordde Morris, maar wat Palestina betreft: daar wilde hij eerst nog eens over denken en zelf een beslissing nemen. Nú begrijp ik dat Morris, die veel scherpzinniger en minder impulsief dan ik was, tijd wilde hebben om niet alleen de kwestie van naar Palestina te vertrekken te overwegen maar ook om na te gaan of wij werkelijk wel bij elkaar pasten. In een van zijn brieven aan mij uit Denver, vlak voor hij naar Milwaukee kwam, had hij geschreven: 'Heb je er ooit wel eens over nagedacht of jouw Morris die eigenschap heeft zonder welke alle andere verfijndheden waardeloos zijn, namelijk "een ontembare wil"?' Het was een van die vragen die vele paartjes elkaar stellen zonder er een antwoord op te verwachten of te wensen, en ik, wat mij betreft, kende totaal geen twijfel. Maar Morris was verstandiger en hij moet gevoeld hebben dat we in sommige opzichten erg verschillend waren en dat die verschillen tussen ons eens misschien erg belangrijk konden worden.

En we scheidden dus een tijdje van elkaar. Ik ging van school af en het was vreemd dat het nu niet meer zo belangrijk voor me was. Ik ging naar Chicago waar ik in een Openbare Bibliotheek werd aangenomen, omdat ik eens korte tijd als bibliothecaresse in Milwaukee had gewerkt. Sheyna, Shamai en hun twee kinderen waren ook naar Chicago verhuisd en Shamai werkte daar nu bij een joodse krant. Regina kwam ook naar Chicago en ik zag ze allemaal vrij vaak, hoewel ik bij een andere vriendin inwoonde. Maar ik was helemaal niet gelukkig. Het idee dat ik misschien zou moeten kiezen tussen Morris en Palestina maakte me ellendig en ik bleef meestal in m'n eentje. In mijn vrije tijd werkte ik voor de zionistische arbeidersbeweging, hield toespraken, organiseerde vergaderingen en zamelde geld in. Er was altijd wel iets dat bij mijn eigen zorgen voorging en me dus daarvan afleidde, een situatie die in de volgende zestig jaar niet veel veranderen zou!

Al had Morris nog zekere reserves over Palestina, hij werd gelukkig toch door het idee daar te gaan leven genoeg aangetrokken dat hij erin toestemde met me mee te gaan. Zijn besluit werd ongetwijfeld in zeker opzicht beïnvloed door het feit dat in november 1917 de Engelse regering aankondigde dat ze 'de vestiging in Palestina van een nationaal tehuis voor het joodse volk' ondersteunde en dat ze 'hun beste krachten aan de verwezenlijking van dit doel zouden wijden'. De Balfourdeclaratie, zo genoemd omdat deze door Arthur James Balfour, toentertijd de Engelse minister van buitenlandse zaken, was getekend, was vastgelegd in de vorm van een brief geadresseerd door Lord Balfour aan Lord Rothschild. De verklaring kwam net omstreeks het tijdstip dat de Engelse strijdkrachten onder generaal Allenby waren begonnen Palestina op de Turken te veroveren en hoewel in de komende jaren de dubbelzinnige manier waarop de verklaring was opgesteld verantwoordelijk zou zijn voor praktisch eindeloos bloedvergieten in het Midden-Oosten; in die dagen werd hij door de zionisten begroet als het eindelijk leggen van de grondslag voor een joodse staat in Palestina. Het spreekt vanzelf dat de aankondiging mij in de wolken bracht. De ballingschap van de joden was ten einde. Nu zou de intocht werkelijk beginnen en Morris en ik zouden bij de miljoenen joden zijn die nu ongetwijfeld Palestina zouden binnenstromen.

Tegen de achtergrond van dit historisch gebeuren, trouwden wij op 24 december 1917, bij mijn ouders thuis. Aan ons huwelijk was een gebruikelijke, lange en emotionele scène met mijn moeder voorafgegaan. Wij wilden een burgerlijk huwelijk, geen gasten en geen drukte. We waren socialisten, traditie wilden we accepteren, maar we voelden ons niet gebonden aan ritueel. We wilden geen godsdienstige plechtigheid en hadden er ook geen behoefte aan. Maar mijn moeder verzekerde me in duidelijke termen dat een burgerlijk huwelijk voor haar het einde zou betekenen, dat ze Milwaukee onmiddellijk zou verlaten, dat ik de hele familie te schande zou maken − om nog niets te zeggen van het joodse volk − als ik geen traditioneel huwelijk zou sluiten. Bovendien, wat voor kwaad kon het ons doen? Dus gaven Morris en ik maar toe; inderdaad, wat voor kwaad konden vijftien minuten onder de *choepa* (bruidsbaldakijn) ons of onze principes doen? We nodigden een paar mensen uit, mijn moeder maakte wat verfrissingen klaar en Rabbi Schonfeld, een van de ware joodse geleerden in Milwaukee, verrichtte de plechtigheid. Tot aan de dag van haar dood vertelde mijn moeder altijd vol trots dat Rabbi Schonfeld bij ons thuis was geweest voor mijn huwelijk en een korte toespraak had gehouden om ons geluk toe te wensen. Hij had zelfs een stuk van haar cake *geproefd*, terwijl hij bekend stond om zijn nauwgezetheid in religieuze zaken en vrijwel altijd weigerde iets buiten zijn eigen huis te drinken, laat staan te eten. Ik heb er nog vaak aan gedacht dat die dag zoveel voor haar heeft betekend en hoe ik die bijna voor haar had bedorven door in het stadhuis te willen trouwen.

Ik begon weer eens aan een nieuw leven; Pinsk, Milwaukee, Denver − het waren alleen maar tussenstations geweest. Nu was ik bijna twintig, een getrouwde vrouw en op weg naar de enige plek die mij werkelijk trok. Maar omdat de oorlog nog niet was afgelopen, was het nog niet mogelijk dat we vertrokken. In het huis van mijn ouders was geen plaats voor ons en we wilden ook niet zo graag ergens inwonen. En dus namen we voor een paar jaar een eigen onderdak. Ik reisde in die jaren vrij veel voor de zionistische arbeidersbeweging en ik was net zo vaak niet dan wel in Milwaukee. Ik geloof dat ik overal gevraagd werd omdat ik jong was, vloeiend Engels en Jiddisch sprak en bereid was overal heen te reizen en toespraken te houden, zonder een lange tijd te voren aanzegging te verwachten.

Een paar maand na ons huwelijk besloot de partij bijvoorbeeld, om een nationale krant te gaan uitgeven en ze vroegen mij te helpen om aandelen te verkopen. Mijn vader was woedend. 'Wie laat nu de man met wie je pas getrouwd bent in de steek om rond te gaan trekken?' schreeuwde hij, diep verontwaardigd dat ik erin had toegestemd om langer dan een paar dagen van Milwaukee weg te blijven. Maar Morris begreep dat ik geen 'nee' tegen de beweging kon zeggen en ik ging. Ik was verscheidene weken weg. De regeling was dat ik 15 dollar per week zou krijgen plus alle onkosten, en dat betekende mijn maaltijden, behalve het dessert. IJs moest ik zelf betalen. Niemand van de partij logeerde toen ooit in een hotel. Ik sliep thuis bij andere leden van de partij, soms zelfs bij mijn gastvrouw in bed.

Ik ging helemaal naar Canada en toen bleek dat ik geen paspoort had. Morris was nog geen Amerikaans staatsburger en getrouwde vrouwen konden nog niet hun eigen burgerschap hebben. Mijn vaders pas zou geholpen hebben, maar hij was nog altijd erg boos op me omdat ik op reis was gegaan en weigerde me zijn pas te sturen. Dus probeerde ik Canada zonder pas binnen te komen. Natuurlijk werd ik bij aankomst in Montreal uit de trein gehaald en naar het immigratiekantoor gebracht. Daar vroegen ze me beleefd doch beslist wat ik eigenlijk wilde doen. Ik kwam niet alleen uit Milwaukee — een socialistische stad — maar ik was in Rusland geboren! Ik geloof dat de Canadese autoriteiten even dachten dat ze een bolsjewistische spion hadden gevangen, maar tenslotte kwam een prominent lid van de zionistische arbeidersbeweging me te hulp en ik werd eindelijk in Canada toegelaten.

Ik verkocht heel wat aandelen voor de krant die *Die Zeit* (De Tijd) heette en toen we naar New York verhuisden, verkocht ik het blad 's avonds op straat. Maar ondanks al mijn pogingen heeft het niet lang bestaan.

Mijn veelvuldige afwezigheid moet voor Morris moeilijk geweest zijn, maar hij was bijzonder geduldig en begrijpend en ik zie nu in dat ik in zeker opzicht misbruik van zijn verdraagzaamheid maakte. Als ik buiten de stad was, schreef ik hem lange brieven, maar ze gingen altijd meer over de vergadering die ik net had toegesproken of de speech die ik zou gaan houden, over de situatie in Palestina of de beweging dan over ons en onze verhouding. Morris troostte zich voor mijn afwezigheid door ons kleine flatje in een werkelijk huis te veranderen dat altijd weer voor me open stond als in Milwaukee terug kwam. En hoewel we geen geld hadden en hij vaak zonder werk was (hij werkte als reclameschilder wanneer hij maar kon), waren er toch altijd een paar bloemen in huis als ik terugkwam. Hij knipte platen uit tijdschriften en lijstte die in om de wanden wat op te fleuren. Als ik rondtrok bracht hij zijn vrije tijd met lezen door, luisterde naar muziek en hielp Clara bij haar puberteitsmoeilijkheden. Ze maakten samen lange wandelingen en Morris nam haar mee naar concerten en de schouwburg. Hij was werkelijk het enige lid van de familie die tijd aan haar spendeerde en ze aanbad hem en vertelde hem al haar geheimen.

In de winter van 1918 hield het Amerikaans Joodse Congres zijn eerste vergadering in Philadelphia. Het hoofddoel was een programma op te stellen (om bij de vredesconferentie in Versailles te worden voorgelegd) waarbij de burgerrechten van de joden in Europa gewaarborgd werden. Tot mijn verbazing en blijdschap werd ik als een van de afgevaardigden van Milwaukee gekozen. Het was een enorm stimulerende ervaring voor me; ik herinner me nog hoe trots ik was om gekozen te zijn mijn eigen gemeenschap te vertegenwoordigen en wat het betekende daar met de rest van de afvaardiging in de oververhitte trein op weg naar Philadelphia te zitten. Ik was — als steeds in die tijd — de jongste van de groep en in zekere zin werd ik door iedereen verwend, behalve als het op de taakverdeling aankwam. Als verslaggevers me tegenwoordig vragen wanneer mijn politieke carrière eigenlijk begonnen is, moet ik altijd aan die vergadering terugdenken, aan die zaal vol rook in een hotel in Philadelphia waar ik uren zat te luisteren naar de details van het programma die daar grondig werden bekeken; ik ging er helemaal in op. Evenals in de opgewonden debatten en in het feit dat ik zelf mijn stem mocht uitbrengen. 'Ik kan je wel zeggen dat er ogenblikken waren die zo indrukwekkend waren dat ik daarna gelukkig had kunnen sterven', schreef ik in extase aan Morris.

Uit Chicago schreef Sheyna me minder extatische brieven en waarschuwde me dat ik veel te veel in openbare kwesties opging en mijn privé leven verwaarloosde. 'Wat persoonlijk geluk betreft, grijp het, Goldie, en houd het stevig vast', schreef ze me in een bezorgde brief. 'Het enige dat ik je van harte toewens is dat je niet probeert te zijn wat je zou móeten zijn, maar om te zijn die je bent. Als iedereen dat zou doen, zouden we een veel betere wereld hebben.' Maar ik was ervan overtuigd dat ik alles wel aan kon en verzekerde Morris dat als we eindelijk in Palestina waren, ik niet steeds op reis zou zijn.

In de winter van 1920 begon het erop te lijken alsof we werkelijk in staat zouden zijn binnenkort te vertrekken. We huurden een flat in Morningside Heights in New York en begonnen ons op de reis voor te bereiden. Regina en een Canadees echtpaar dat Manson heette (en dat tenslotte niet meeging naar Palestina) en Yossel Kopelov kwamen bij ons in de flat. Vroeg in het voorjaar kochten we biljetten voor het s.s. *Pocahontas* en begonnen ons te ontdoen van die schamele bezittingen die ongeschikt leken voor het leven dat we nu, als pioniers, zouden gaan leiden. Ondanks alles wat we over Palestina gehoord en gelezen hadden, waren onze ideeën over het leven daar toch enigszins primitief; we verwachtten in tenten te wonen en dus verkocht ik al onze meubels, onze gordijnen, het strijkijzer, zelfs de bontkraag van mijn oude wintermantel. Heel onrealistisch dachten we dat je in Palestina geen winterkleren nodig had. Het enige dat we wél wilden meenemen was onze grammofoon en onze platen. Het was er nog een die je met de hand opwond, dus je kon hem zelfs in een tent laten spelen, en we zouden tenminste wat muziek hebben in de wildernis waar we naar toe gingen. Om dezelfde reden sloeg ik dekens in. Als we op de grond moesten slapen, dan konden we daar maar het best op voorbereid zijn.

Toen begonnen we een rondreis om afscheid te nemen. Op weg naar Milwaukee om mijn ouders en Clara goedendag te zeggen, bleven we over in Chicago om van Sheyna en Shamai afscheid te nemen. Ik was een beetje zenuwachtig en zag tegen dit bezoek op, omdat ik wist dat Sheyna ons vertrek naar Palestina niet echt goedkeurde. 'Goldie, geloof je niet dat er een middenweg voor idealisme hier te vinden is?' had ze me in een van haar laatste brieven gevraagd. Ik weet nog hoe we in haar kleine zitkamer zaten, hun kinderen: de tien jaar oude Judith en Chaim van drie jaar, en wij en we vertelden ze alles over het schip, wat we meenamen, enzovoort. Sheyna luisterde zo aandachtig naar alle details dat op een gegeven ogenblik Shamai glimlachend zei: 'Wil jíj misschien ook gaan?' Tot mijn stomme verbazing — en waarschijnlijk de hare ook — antwoordde Sheyna opeens: 'Ja, ik zou best willen.' Even dachten we dat ze een grapje maakte, maar ze meende het ernstig. Als wij gingen omdat we voelden dat we het móesten doen, dan moest zij om diezelfde reden ook gaan. En als Shamai bereid was achter te blijven om het geld te verdienen voor het onderhoud van de kinderen in Palestina, dan zou ze die meteen meenemen.

In zekere zin kan niet gezegd worden dat Sheyna's bruuske aankondiging die dag helemaal onverwacht kwam. Ze was al van jong meisje af zioniste geweest en al was ze in zeker opzicht voorzichtiger dan ik, ze was in wezen even innig dezelfde zaak toegedaan. Natuurlijk weet ik niet wat haar het besluit deed nemen, maar ik zou wel willen opmerken dat Morris noch Sheyna als mijn geleide naar Palestina gingen. Beiden gingen omdat beiden tot de slotsom waren gekomen dat Palestina het land was waar ze thuishoorden.

Ik kan geen groter compliment voor Sheyna vinden, of voor de structuur van haar huwelijk, dan Shamai's liefdevolle aanvaarding van die beslissing. Niet dat hij niet zijn uiterste best deed haar van mening te doen veranderen. Hij smeekte haar te wachten totdat ze allemaal samen konden gaan en zei dat ze de slechtst mogelijke tijd had gekozen om de kinderen mee te nemen, want op 1 mei 1921, na een reeks overvallen op joodse nederzettingen in het noorden van het land, waren er in Palestina uitgebreide Arabische oproeren tegen de joden uitgebroken. Meer dan veertig mensen, waaronder een groot aantal pas gearriveerde immigranten, waren vermoord of verminkt. Nog geen jaar tevoren waren in de Oude Stad van Jeruzalem joden vermoord en vrouwen verkracht door Arabische benden en hoewel er gehoopt werd dat het Engelse burgerlijk bestuur, dat net alle zaken van de militairen had overgenomen, ernstig zou optreden tegen degenen die voor de ongeregeldheden verantwoordelijk waren en dat het de rust zou herstellen, waren er weer gewelddadigheden gepleegd. Shamai bracht naar voren dat Palestina misschien binnen een paar jaar weer vreedzaam zou zijn; de Arabische nationalisten zouden misschien niet langer de Arabische dorpelingen tot bloedvergieten kunnen aanzetten. Misschien werd het nog wel een redelijk veilig land om in te wonen! Maar nu Sheyna eenmaal haar besluit had genomen, liet ze zich niet meer vermurwen en zelfs nadat we hoorden dat een jood uit Milwaukee bij de rellen was omgekomen, bleef ze rustig doorpakken.

In Milwaukee namen we afscheid van mijn ouders en Clara. Het was geen gemakkelijk afscheid, hoewel we het als vanzelfsprekend beschouwden dat ze ons allemaal naar Palestina zouden volgen als Clara met haar studie aan de universiteit van Wisconsin klaar was. Toch had ik erg met mijn ouders te doen, toen ik ze op het station ten afscheid kuste, vooral met mijn vader. Hij was een sterke man en heel goed in staat pijn te verdragen, maar die morgen stond hij daar en de tranen rolden langs zijn wangen. En mijn moeder, die misschien aan haar eigen reis over de oceaan dacht, stond er zo klein en teruggetrokken bij.

Het Amerikaanse hoofdstuk uit mijn leven liep ten einde. Ik zou nog vaak naar Amerika terugkomen, in goede tijden en slechte, en er zelfs nog wel maanden achter elkaar blijven. Maar het zou nooit meer mijn vaderland zijn. Ik nam veel van Amerika met me mee naar Palestina, misschien meer dan ik wel kan zeggen: begrip van de betekenis van vrijheid, het bewustzijn van de kansen die elk mens in een ware democratie worden geboden en een blijvend heimwee naar de grote schoonheid van het Amerikaanse land. Ik hield van Amerika en was altijd blij als ik er terug kwam. Maar in al de volgende jaren heb ik er nooit één ogenblik heimwee naar gehad of ook maar eens spijt gehad dat ik het om Palestina had verlaten. En ik weet zeker dat het Sheyna net zo is gegaan. Natuurlijk dacht ik die morgen op het station dat ik nooit meer zou terugkomen en ik nam heel droevig afscheid van mijn jeugdvrienden, beloofde ze te schrijven en contact te houden.

Over onze reis naar Palestina aan boord van dat verschrikkelijke s.s. *Pocahontas* zou op zichzelf een boek te schrijven zijn. Van het begin af rustte er een vloek op; wat er ook maar verkeerd kon gaan, ging verkeerd en het was een wonder dat we het allemaal overleefd hebben. Omdat het bekend was dat het schip absoluut niet zeewaardig was, ging de bemanning staken nog voor wij aan boord kwamen. De volgende dag, 23 mei 1921, vertrokken we, maar op het ogenblik dat we zee kozen, zogenaamd gerepareerd, ging de bemanning aan het muiten en ze drukten hun woede op de scheepvaartmaatschappij uit door de arme passagiers te kwellen. Niet alleen mengden ze zeewater door ons drinkwater en strooiden ze zout op ons eten, maar ze speelden het klaar de machines zo ernstig te beschadigen dat het schip op schrikbarende wijze slagzij maakte en zelfs af en toe moest blijven stil liggen. We deden er een volle week over om van New York naar Boston te komen, en daar moesten we negen dagen wachten voor we de onrustige tocht konden voortzetten. In Boston kwam een delegatie van de zionistische arbeidersbeweging ons aan boord opzoeken; ze brachten verfrissingen mee, hielden toespraken en vrolijkten ons op door ons hun heldhaftige kameraden te noemen. Drie van onze groep (we waren met tweeëntwintig begonnen) bleken, heel begrijpelijk, niet zo heldhaftig te zijn; een ouder echtpaar en een jonge bruid verlieten in Boston het schip. Sheyna ontving een zielig telegram van Shamai; hij smeekte haar ook te disembarkeren, maar natuurlijk weigerde ze op haar besluit terug te komen.

Eindelijk vertrokken we weer. De reis over de Atlantische Oceaan was een nachtmerrie. De muiterij was verminderd, niet afgelopen en elke dag werd de elektrische stroom nu en dan afgesneden, kregen we zout water te drinken en werd ons onbeschrijflijk slecht eten voorgezet. In Porto Delgato op de Azoren werd ontdekt dat de *Pocahontas* in zo'n slechte staat was dat er een week lang reparaties moesten worden verricht. Vier leden van de bemanning gingen aan wal en pochten dat ze het schip zouden laten zinken voor het Napels bereikte en toen de kapitein hoorde wat ze gezegd hadden, sloeg hij ze in de boeien. Inmiddels brachten wij de week door met te proberen ons wat te ontspannen, en dat was niet gemakkelijk. Ik herinner me dat ik door het aardige havenstadje rondliep en van het zachte klimaat genoot en van het mooie, onbekende landschap. Een merkwaardig aspect van ons gedwongen verblijf daar was dat we een heel kleine joodse Sephardi gemeenschap ontdekten (totaal ongeveer dertig mensen) die heel erg aan traditie en ritueel hingen. Een paar jaar tevoren was de rabbi gestorven en de gemeenschap — net als mijn grootvader in het leger van de tsaar destijds — was zo bevreesd over de mogelijkheden dat ze de joodse spijswetten hadden geschonden dat ze besloten helemaal geen vlees meer te eten. Tegen de tijd dat we de Azoren verlieten, waren we al een maand onderweg, maar de ellende van de rest van de reis lag nog voor ons. Gedurende het laatste stuk van de tocht, terwijl er nog steeds enigszins gemuit werd, werd de ijskast van het schip vernield en dus moesten we het doen met drie maal daags rijst met zoutachtige thee. Maar door een opeenvolging van ongelooflijke voorvallen hoefden we ons niet te vervelen. Eerst stierf een van de passagiers en daar de *Pocahontas* geen koelfaciliteiten meer had, werd het lichaam gewoon overboord gegooid. Toen werd de broer van de kapitein, die ook aan boord was, stapelgek en moest vastgebonden in zijn hut opgesloten blijven. Tenslotte, in een toestand van gerechtvaardigde depressie, pleegde de kapitein vlak voor we Napels bereikten zelfmoord, hoewel sommigen zeiden dat hij vermoord was.

De stand van zaken aan boord van de *Pocahontas* was niet aan de aandacht in het buitenland ontsnapt en onder onze vrienden in New York en Boston deed het gerucht de ronde dat wij allen met het schip ten onder waren gegaan. Maar in Napels konden we naar huis schrijven dat we het er min of meer heelhuids hadden afgebracht.

We bleven vijf dagen in Napels, streken de onvermijdelijke complicaties over onze paspoorten glad, kochten olielampen en wat voedsel en zochten naar onze bagage die verdwenen was. Tenslotte gingen we aan boord van de trein naar Brindisi.

Daar ontmoetten we een groep van de zionistische arbeidersbeweging uit Litouwen die al twee keer eerder Palestina hadden bereikt, maar weggestuurd waren. Nu wilden ze nogmaals proberen het land binnen te komen. We hadden nog nooit 'echte' pioniers van onze eigen leeftijd ontmoet en waren erg van ze onder de indruk. Ze herinnerden me aan mensen zoals Ben-Zwi en Ben-Goerion, hoewel ze veel jonger waren. Vergeleken met ons waren ze zo ervaren en gehard en leken zo zeker van zichzelf te zijn. In Europa hadden ze op trainingboerderijen gewerkt die door de zionistische beweging waren opgezet en ze beschouwden zich duidelijk, en niet zonder reden, als oneindig superieur aan ons. Ze maakten het ons heel duidelijk dat we 'slap' waren, verwende immigranten uit Amerika, eigenlijk leden van de bourgeoisie, die waarschijnlijk na een paar weken uit Palestina zouden weglopen. Hoewel we allemaal op hetzelfde schip dezelfde bestemming hadden, zouden zij als dekpassagiers reizen en wilden niets met ons te maken hebben. Ik kon nauwelijks mijn ogen van ze afhouden; zij waren nu precies wat ik hoopte en wilde zijn — toegewijd, sober en vastbesloten. Ik bewonderde en benijdde ze in hoge mate en wilde dat ze ons als kameraden aanvaardden, maar ze waren erg op een afstand.

In een brief van Yossel aan Shamai vanuit Brindisi beschreef hij de Litouwers zoals ze ons toeschenen. 'Echte Herculessen', schreef hij, 'die bereid zijn een land vanaf het begin met hun handen op te bouwen. En niet alleen een land, maar ook een nieuwe taal ... prachtig mensenmateriaal dat de trots van elk volk zou zijn.'

Toen we aan boord van het schip gingen dat ons naar Alexandrië zou brengen, stelde ik mijn metgezellen voor dat we onze 'luxueuze' hutten zouden opgeven en ons bij de jonge Litouwers aan dek zouden voegen. Niemand was erg enthousiast over dit idee, vooral omdat dekpassagiers geen recht op warme maaltijden hadden en langzamerhand verheugden we ons allemaal op enig fatsoenlijk eten. Maar ik drong aan; ik hield vol dat het eigenlijk onze *plicht* was omdat we zelf toekomstige pioniers waren, het leven van onze mede-zionisten te delen en wel zo gauw mogelijk en dat ons gedrag, zelfs aan boord van het schip, maatgevend zou zijn voor onze oprechtheid en bereidheid om ontberingen op de koop toe te nemen. 'Laten we een eigen keuken aan dek organiseren', stelde ik voor en voegde eraan toe dat we waarschijnlijk een of andere regeling konden treffen zodat de kinderen in de groep niet in de open lucht hoefden te slapen. Langzaamaan, ondanks hun tegenzin, slaagde ik erin mijn vrienden te overtuigen en de Litouwers ontdooiden enigszins. Voor een paar dollars kregen we de chef-ober van de eetzaal zover dat hij het goed vond dat de kinderen daar aten, nadat alle anderen klaar waren, en we kregen lege hutten 's nachts voor ze. Behalve voor Sheyna's dochter; ik haalde de chef steward over haar op een bank in de salon te laten slapen, maar die moest ze om vijf uur 's morgens verlaten! Aan dek verdwenen eindelijk de barrières tussen de twee groepen. Wij vertelden de Litouwers over het leven in Amerika en zij vertelden ons hoe ze in Oost-Europa hadden geleefd en als de sterren begonnen te schitteren, zongen we samen Hebreeuwse en Jiddische liederen en dansten de hora.

Maar het noodlot achtervolgde ons nog steeds. In Alexandrië kwam de Egyptische politie aan boord en zocht naar een paar dat Rapaport heette, 'ellendige communisten' noemden ze ze. In onze groep reisde inderdaad een echtpaar Rapaport mee, maar dat waren natuurlijk andere. Ze werden niettemin van het schip gesleept en urenlang ondervraagd. Het voorval maakte ons allemaal angstig en gedeprimeerd. Toen de Rapaports eindelijk weer aan boord terugkwamen, besloten we met de trein verder te gaan. We namen afscheid van onze Litouwse vrienden en gingen naar het station om de trein naar Kantara te nemen. Onderweg kregen we een eerste proeve van het Midden-Oosten op zijn slechtst: troepen bedelaars, mannen, vrouwen en kinderen gehuld in vuile lompen en overdekt met vliegen. Ze deden me aan de bedelaars in Pinsk denken waar ik altijd zo bang voor was geweest en ik wist dat als een van ze me werkelijk zou aanraken, ik zou gillen, pionier of niet. Op de een of andere manier werkten we ons erdoorheen en kwamen bij de trein. We waren langzamerhand zó aan allerlei kleinere rampen gewend geraakt en hadden daarin berust dat we niet eens erg verbaasd waren dat de trein ontzaglijk vies en vuil was. De hitte was bijna onverdraaglijk en water was nergens te krijgen, maar we wisten tenminste dat we nu bijna aan het eind van de reis waren. Eindelijk vertrok de trein uit Alexandrië en we waren weer op weg, een beetje verreisder en vermoeider, maar nog in staat om heel geestdriftig over onze 'terugkeer naar Zion' te zingen.

Midden in de nacht, overdekt met stof, moesten we in Kantara overstappen. Dat nam uren in beslag; de immigratie-autoriteiten — toen we ze eindelijk gevonden hadden — hadden helemaal geen haast om de nodige formaliteiten te verrichten en schenen niet te kunnen begrijpen waarom we allemaal zo moedeloos waren. Ik herinner me nog dat ik op dat donkere perron stond en nijdig op een van ze werd, maar het hielp bitter weinig. Maar voor het aanbreken van de dag klommen we doodmoe in onze laatste trein, de trein die ons schuddend en schokkend door een verblindende zandstorm dwars over het schiereiland Sinaï naar Palestina zou brengen. Terwijl ik daar op een harde, met vuil bedekte bank zat met een van Sheyna's kinderen in slaap op schoot, vroeg ik me voor de eerste keer sinds we Milwaukee hadden verlaten af of we wel ooit werkelijk Tel Aviv zouden bereiken.

4
Het begin van een nieuw leven

Op die brandend hete julimorgen, toen ik door de vuile ramen van de trein uit Kantara keek, zag Tel Aviv er in mijn ogen als een groot en niet erg aardig dorp uit. Toch was de stad al goed op weg om de jongste grote stad ter wereld te worden en de trots van de *jisjoev*. Ik weet niet hoe ik verwacht had dat hij er zou uitzien, maar ik was in geen geval voorbereid op wat ik zag.

Eigenlijk het enige dat ik (en alle anderen ook) van Tel Aviv wisten was dat het in 1909 door zestig optimistische joodse gezinnen was gesticht. Enkelen van hen hadden zelfs durven voorspellen dat hun nieuwe voorstad vol tuinen, gebouwd aan de buitenkant van het Arabische Jaffa, eens een bevolking van 25.000 zou bereiken, maar geen van ze had zelfs in hun wildste dromen kunnen denken dat Tel Aviv binnen slechts vijftig jaar een belangrijke metropool zou zijn met nauwelijks genoeg huizen voor de meer dan 400.000 inwoners, of dat het in 1948 de eerste voorlopige hoofdstad van een joodse staat zou worden.

Tijdens de oorlog was de hele bevolking door de Turken verdreven. Maar tegen de tijd dat wij in Tel Aviv aankwamen, woonden er al weer 15.000 mensen en er werd hard gebouwd. Later zou ik ontdekken dat verschillende delen van de stad werkelijk aardig waren; rijen keurige huisjes, elk met een eigen tuin, langs geplaveide straten die omzoomd waren met casuarina en peperbomen waar karavanen ezels en kamelen doorheen kwamen, beladen met zakken ruw zand dat langs het strand werd weggehaald en bij de bouw gebruikt. Maar andere wijken zagen er slecht gepland, onaf en erg vies uit, en waren dat ook. De ongeregeldheden uit de meidagen van 1921 had Tel Aviv een stroom joodse vluchtelingen uit Jaffa gebracht en toen wij een paar weken later aankwamen, woonden nog enkele honderden vluchtelingen in wrakke hutten en zelfs in tenten.

In 1921 bestond de bevolking van Tel Aviv ten dele uit joden die naar Palestina waren gekomen (hoofdzakelijk uit Litouwen, Polen en Rusland) tijdens de periode die als de derde Aliyah (of golf) van zionistische immigratie bekend staat, en ten dele uit de oude bewoners die er al van het begin af waren geweest. Hoewel sommige nieuwe immigranten zichzelf als 'kapitalisten' omschreven, kooplieden en handelaren die kleine fabrieken en winkels begonnen, was de grote meerderheid arbeiders. Net een jaar tevoren was een Algemene Federatie van Joodse Arbeiders (de Histradoet) opgericht en binnen twaalf maanden was er al een ledental van meer dan 4.000.

Hoewel Tel Aviv pas twaalf jaar oud was, was het al hard op weg naar zelfbestuur. De regering van het Britse mandaatgebied had net toestemming gegeven dat de stad eigen belastingen op gebouwen en werkplaatsen mocht heffen en een eigen waterleidingssysteem mocht exploiteren. Er was geen gevangenis en die zou er ook voorlopig nog niet komen, maar ze hadden er wel een politiemacht van vijfentwintig man, uitsluitend joden. En daar was iedereen erg trots op. De hoofdstraat die naar Theodor Herzl genoemd was, werd aan het ene eind verfraaid door de Herzlia Middelbare School die toen het eerste grote gebouw van de stad was en heel imposant. Er waren nog een paar straten, een klein zakencentrum en een watertoren die diende als verzamelplaats voor de jongeren. Het openbare vervoer werd onderhouden door kleine bussen of door paarden getrokken rijtuigen, terwijl de burgemeester van Tel Aviv, Meir Dizengoff, zo nu en dan op een prachtig wit paard door de stad reed.

Omstreeks 1921 had Tel Aviv al een bloeiend cultureel leven; er had zich een aantal schrijvers gevestigd waaronder zich de grote joodse filosoof en schrijver Ahad Ha-am bevond en de dichter Chaim Nachman Bialik. Er bestond al een arbeiderstoneelgezelschap dat de *Oheel* (Tent) heette en er waren cafés waar elke middag en avond heftige debatten over politieke en culturele problemen plaatsvonden. Maar wij zagen niets van deze activiteit of van de opmerkelijke mogelijkheden van Tel Aviv toen we op het kleine station van de stad aankwamen. We hadden nauwelijks op een erger tijdstip kunnen aankomen; alles: de lucht, het zand, de wit gepleisterde huizen gloeiden in de middagzon en terwijl we daar bijna smeltend van de hitte op het lege perron stonden, beseften we met het hart in de schoenen dat er niemand was om ons af te halen, hoewel we duidelijk aan vrienden van ons in Tel Aviv, die twee jaar tevoren naar Palestina waren geïmmigreerd, geschreven hadden wanneer we aankwamen. Later hoorden we dat ze net op die dag naar Jeruzalem hadden moeten gaan om de regelingen voor hun vertrek *uit* het land in orde te maken, een bericht dat onze verwarde en onzekere stemming er niet beter op maakte.

Maar na die verschrikkelijke reis waren we eindelijk in Tel Aviv. Onze droom was waarheid geworden. Het station, de huizen die we in de verte zagen, zelfs de dikke laag zand die ons omringde, waren allemaal deel van het Joods Nationaal Thuis. Doch toen we daar in de felle zon stonden te wachten en niet wisten waar we heen moesten, was het moeilijk ons voor te stellen waarom we gekomen waren. Iemand van ons groepje (misschien was het Yossel) bracht die anti-climax zelfs onder woorden. Hij wendde zich tot me en zei, min of meer als grap: 'Nou, Goldie, je wilde naar Eretz Jisroël toe. We zijn er. Nou kunnen we weer allemaal teruggaan, we hebben het wel gezien.' Ik weet niet meer precies wie het zei, maar ik weet wél dat ik niet kon lachen.

Opeens kwam er een man aan die zich in het Jiddisch voorstelde als Mr Barash, de eigenaar van een nabijgelegen hotel. Kon hij ons misschien helpen? Hij riep een rijtuig voor ons aan en dankbaar stapelden we daar onze bagage in op. Daarna sjokten we er moeizaam achteraan terwijl het langzaam voor ons uit reed en ons de weg wees. We vroegen ons af hoe ver we het in die vreselijke hitte zouden halen. Vlak voor het station zag ik een boom. Volgens de Amerikaanse normen was het geen erg grote boom, maar het was de eerste die ik die dag zag en ik dacht dat het wel een symbool van de jonge stad zelf leek die daar zo wonderlijk uit het zand verrees.

In het hotel aten, dronken en baadden we. De kamers waren groot en licht en Mr en Mrs Barash waren erg gastvrij. We knapten helemaal op en besloten nog niet uit te pakken of plannen te maken voor we gerust hadden. Toen ontdekten we tot onze grote schrik dat de bedden sporen van wandluizen vertoonden. Mr Barash ontkende verontwaardigd de beschuldiging; misschien waren er vlooien, zei hij, maar wandluizen? Néé! Toen eindelijk de lakens verschoond waren, hadden Sheyna, Regina en ik absoluut geen zin meer om te slapen en we brachten de rest van onze eerste dag in Tel Aviv door met elkaar te vertellen dat er waarschijnlijk belangrijker problemen dan wandluizen voor ons lagen. De volgende morgen vroeg bood Sheyna aan naar de markt te gaan om vruchten voor de kinderen te kopen. Even later was ze al weer terug en keek somber. Alles zat onder de vliegen, zei ze; er was pakpapier noch papieren zakken. Het was allemaal zo primitief en de zon scheen zó fel, dat ze het nauwelijks had kunnen verdragen. Ik geloof niet dat ik Sheyna ooit tevoren ergens over had horen klagen en nu begon ik me af te vragen of zij en ik ooit aan ons nieuwe leven zouden wennen. Het was alles goed en wel in Milwaukee over pionieren te praten, maar was het tenslotte dan toch zo dat we niet tegen deze kleine ongemakken opgewassen waren en hadden die Litouwers onderweg gelijk gehad toen ze dachten dat wij te slap voor dit land waren? Dat gevoel van onrust en schuld over mijn eigen tekortkomingen, om nog niets te zeggen van mijn nervositeit over de reactie van Morris op deze ongelukkige ervaringen, duurde die hele eerste week in Tel Aviv. Als we misschien in de herfst waren aangekomen in plaats van midden in de zomer, of bij de zee in de buurt waren gebleven en de wind daar, dan was het wellicht gemakkelijker geweest. Maar nú waren we warm, moe en ontmoedigd, vrijwel de hele tijd.

Bovendien kwamen onze vrienden terug uit Jeruzalem en nodigden ons voor een zaterdags maal uit. Ze weidden niet alleen tot in alle bijzonderheden uit over de moeilijkheden die we te overwinnen zouden krijgen, maar ze zetten ons ook hamburgers voor die naar zeep smaakten en die we niet door de keel konden krijgen. Nadat iedereen vreemd keek en de kinderen gezegd was dat ze moesten ophouden met kieskauwen en huilen, bleek dat er inderdaad een stuk zeep in het kostbare gemalen vlees was gevallen. Maar die uitleg maakte het vlees niet eetbaarder en toen we naar het hotel van Mr Barash terug gingen, waren we misselijk en neerslachtig.

Na een paar dagen vonden we dat het weinig zin had om nog langer in het hotel van Mr Barash te blijven hangen. Net als die boom daar bij het station, moesten wij ook zien vroeg of laat wortel te schieten en bovendien raakte ons geld op. Al kwamen we dan uit Amerika, onze geldvoorraad was heel beperkt al wilde niemand dat geloven. Die zomer ontmoette ik een vrouw in Tel Aviv die haar armen om mijn hals sloeg, me kuste en met tranen in de ogen zei: 'Goddank dat eindelijk jullie miljonairs uit Amerika zijn gekomen. Nú zal alles hier beter gaan!'

Ons oorspronkelijke plan was geweest een week of twee in Tel Aviv te blijven en ons dan op een kibboets te vestigen. In Milwaukee hadden we zelfs uitgezocht bij welke kibboets we zouden vragen als lid te mogen toetreden. Maar toen we in Tel Aviv inlichtingen inwonnen, hoorden we dat we zouden moeten wachten tot de zomer voorbij was voor we ons officieel konden aanmelden. Dus in plaats van onmiddellijk een begin te maken met de verovering van het land, moesten we ons op een veel minder heldhaftige taak werpen: de verovering van huiseigenaren. En dat was beslist geen gemakkelijke opdracht. Er waren weinig huizen, de prijzen waren enorm hoog en we hadden plaats nodig voor minstens zeven bedden. We verdeelden ons in groepen en gingen koortsachtig op de huizenjacht. Binnen een paar dagen vonden we een tweekamer flat aan het eind van een nog niet bestrate weg in het oudste deel van Tel Aviv, Neveh Zedek, een wijk die al bestond voor Tel Aviv zelf gesticht werd. De flat had geen elektriciteit en geen badkamer of toiletten. Die deelden we met een stuk of veertig andere mensen en ze bevonden zich op het erf, maar er was een keukentje en we hoefden maar drie maand huur vooruit te betalen, ondanks het feit dat we uit Amerika kwamen.

Zonder veel enthousiasme maar wel opgelucht trokken we erin en begonnen ons in te richten. We leenden lakens, potten en pannen en wat tafelgerei en Sheyna nam op zich het huishouden voor ons allen te doen. Ze moest op een primus koken die op petroleum brandde en die af en toe met veel lawaai ontplofte. Regina kreeg een baan als typiste op een kantoor; Yossel ging in een kapperszaak werken; Morris werd als een soort boekhouder bij een Britse installatie voor openbare werken in Lydda aangenomen en ik begon privélessen in Engels te geven. Ze vroegen me les te geven op de middelbare school, maar omdat we van plan waren gauw naar een kibboets te gaan, leek het me beter geen vaste betrekking aan te nemen. Maar les geven werd echter door de meeste mensen die we in Tel Aviv ontmoetten als een veel te intellectuele bezigheid voor een zogenaamde pionier beschouwd en ik moest steeds weer uitleggen dat ik het maar tijdelijk deed en dat ik niet naar Palestina was gekomen om de Amerikaanse cultuur te verspreiden.

Over het geheel genomen redden we ons tamelijk goed, hoewel het lang duurde voor onze buren de vreemde Amerikaanse manieren die we hadden, aanvaardden. Zoals bijvoorbeeld horren in de ramen zetten tegen de vliegen. Ze hadden allemaal horren van grof kippegaas om zich tegen zwerfkatten te beschermen die overal rondliepen, maar tegen *vliegen*? Wat was er nu voor ergs aan vliegen? Die waren hier toch onvermijdelijk? Desondanks gingen we door met onze flat bewoonbaar te maken en over het geheel genomen slaagden we daar aardig in. Toen onze grote bagage uit Napels arriveerde, maakten we van de kisten sofa's en tafels. Morris beschilderde de kale wanden voor ons en we maakten geïmproviseerde spreien en gordijnen. Onze meest gekoesterde eigendommen waren natuurlijk onze grammofoon en de platen, en langzamerhand kwamen er 's avonds mensen bij ons binnen lopen om thee te drinken en met ons naar de muziek te luisteren.

Ik ben vaak in de verleiding gekomen nieuwe immigranten in Israël te zeggen dat ik hun aanpassingsmoeilijkheden zo goed begrijp en ze iets te vertellen over hoe het was toen ik zelf voor het eerst naar Palestina kwam, maar bittere ervaring heeft me geleerd dat de mensen geneigd zijn dergelijke verhalen als propaganda te beschouwen, of — nog erger — als gepreek en dat ze er liever niet naar luisteren dan wel. Toch blijft het feit bestaan dat wij ons zelf een weg moesten banen in dit land dat we uitgekozen hadden om ons leven in door te brengen. Toen was er nog geen staat Israël, of een ministerie van opvangst, of een Joods Agentschap. Niemand hielp ons met onze vestiging, of om Hebreeuws te leren, of een huis te vinden. We moesten alles zelf doen en het kwam nooit bij ons op dat anderen moreel verplicht zouden zijn ons bij te staan. Niet dat we op een of andere wijze superieur waren aan de immigranten die tegenwoordig naar Israël komen, en ik ben ook totaal niet sentimenteel over de veel grotere ongemakken – vele absoluut onnodig – die wij zestig jaar geleden het hoofd moesten bieden en waarop we zo rampzalig onvoorbereid waren. Maar achteraf ben ik er wel van overtuigd dat onze acclimatisatie tenslotte toch zo betrekkelijk snel verliep omdat we er altijd aan moesten denken waarom we naar Palestina waren gekomen en omdat we wisten dat niemand ons gevraagd had te komen of ons iets beloofd had. We wisten dat elk van ons persoonlijk moest zorgen ons leven in Palestina gemakkelijker of beter of zinvoller te maken en dat we geen andere keus hadden dan zo snel mogelijk te wennen en ons ergens te vestigen.

Die eerste zomer was in ieder geval niet gemakkelijk en om het nog erger te maken liep Sheyna's zoontje Chaim een ooginfectie op en Judith kreeg zweren die weken duurden. Toch heeft geen van ons, zover ik weet, er ooit ernstig aan gedacht het land weer te verlaten en langzamerhand, met het verstrijken van de tijd, begonnen we ons een deel ervan te voelen. Natuurlijk schreven we heel omzichtige brieven aan onze ouders en vrienden en maakten een grap over de onplezieriger aspecten van onze manier van leven. Maar één brief die ik aan Shamai schreef toen we ongeveer zes weken in Palestina waren, geeft wel goed uitdrukking aan onze gevoelens over het grote avontuur.

Degenen die over teruggaan spreken, zijn de pas aangekomenen. Een oudere arbeider is vol inspiratie en geloof. Ik vind dat zo lang degenen die het weinige dat hier is hebben geschapen er nog zijn ik niet kan vertrekken en je moet ook komen. Ik zou dit niet zeggen als ik niet wist dat je bereid bent hard te werken. Het is inderdaad een feit dat ook zwaar werk niet gemakkelijk te vinden is, maar ik twijfel er niet aan dat je iets zult vinden. Dit is natuurlijk geen Amerika en misschien moeten we er economisch wel op achteruit gaan. Misschien zullen er zelfs weer ongeregeldheden plaats vinden. Maar als je een eigen land wilt hebben en als je dat van ganser harte wenst, dan moet je overal op voorbereid zijn. Als je komt, weet ik zeker dat we plannen kunnen maken. Je hoeft nergens op te wachten.

Ik geloof dat het natuurlijk was dat ik het zo aanvoelde. Tenslotte was ik begin twintig en ik deed wat ik altijd had willen doen, ik was lichamelijk gezond, vol energie en samen met de mensen die me het dierbaarst waren: mijn man, mijn zuster en mijn beste vriendin. Ik had geen kinderen waar ik me zorgen over hoefde te maken en het kon me niet zo veel schelen of ik al dan niet een ijskast had en of de slager ons vlees in stukken krantenpapier wikkelde die hij van de vloer opraapte. Tegenover deze kleine ongemakken stonden vele andere dingen, zoals op onze eerste vrijdagavond in Tel Aviv door de straat lopen en te voelen dat het leven me geen groter vreugde kon bieden dan door te zijn waar ik me nu

69

bevond, in de enige geheel joodse stad ter wereld, waar *iedereen* — van de buschauffeur tot onze hospita — niet alleen hetzelfde verleden had maar ook gelijke idealen voor de gemeenschappelijke toekomst. Deze mensen, die zich voor de sabbat naar huis haastten en allemaal een paar bloemen voor de tafel bij zich hadden, waren werkelijk mijn broers en zusters en ik wist dat we ons hele leven aan elkaar verbonden zouden blijven. Hoewel we uit verschillende landen naar Palestina gekomen waren en uit verschillende beschavingen voortkwamen en vaak verschillende talen spraken, waren we toch gelijk in ons geloof dat alleen hier de joden rechtens konden leven in plaats van dat ze geduld werden en dat alleen hier de joden heer en meester konden zijn van hun eigen lot en niet het slachtoffer daarvan. Het was dus niet te verwonderen dat ik innig gelukkig was, ondanks alle kleine irritaties en problemen.

Maar als ik nu aan Sheyna denk die erin slaagde alle moeilijkheden alleen het hoofd te bieden zonder ooit zelfs erop te zinspelen dat het te veel voor haar was nu haar beide kinderen ziek waren en Shamai zo ver weg en de post zo slecht was dat ze alleen maar brieven van hem kreeg die maanden geleden geschreven waren, of hoe vastbesloten Morris was om het vol te houden, ondanks zijn aarzeling om naar Palestina te immigreren en zijn ellende omdat zijn geliefde boeken tenslotte gescheurd en door vocht bedorven aankwamen, dan ben ik vol bewondering voor ze en vraag me alleen af of ik in hun plaats even hardnekkig zou hebben doorgezet om te blijven. Natuurlijk waren er immigranten in Palestina die er niet tegenop konden, ook toen al, en die weer terug gingen zoals de vrienden die ons bij aankomst zouden afhalen. Ik heb altijd medelijden met die mensen gehad, want volgens mij hebben ze iets gemist.

In september vroegen we ons lidmaatschap voor de kibboets Merhavia in het Jezreel dal aan dat wij de Emek noemen. We hadden déze kibboets gekozen, als zo vaak gebeurt, om een niet zo belangrijke reden: een vriend van Morris en mij die met het Joods Legioen naar Israël was gegaan, was daar al. We wisten weinig van Merhavia zelf af; eigenlijk wisten we maar heel weinig van kibboetsiem in het algemeen af. Het was ons bekend dat het landbouwgemeenschappen waren waar geen persoonlijk bezit in bestond, geen gehuurde arbeidskrachten en geen privé handel en dat de groep als zodanig verantwoordelijk voor alle produktie was, voor alle diensten en voor de voorziening in alle persoonlijke behoeften. Maar we geloofden beiden, ik volkomen en Morris wat minder, dat de manier van leven op een kibboets waarschijnlijk meer dan enige andere ons een mogelijkheid bood ons als zionisten, als joden en als menselijke wezens waar te maken.

Misschien moet ik hier even kort iets over de Emek zeggen, want de geschiedenis van de strijd die tot ontwikkeling te brengen is zo'n integrerend deel van de geschiedenis van de hele zionistische krachtsinspanning. Toen de Eerste Wereldoorlog ten einde was en de Volkenbond aan Groot-Brittannië het mandaat over Palestina toewees, leek het of de nieuwe hoop die door de Balfour-Verklaring was opgewekt in vervulling zou gaan, de hoop om een werkelijk Joods Nationaal Thuis te kunnen stichten. Al jaren eerder, en wel in 1901, was het Joods Nationaal Fonds door de zionistische beweging opgericht met het uitsluitend doel om land in Palestina op te kopen en te ontginnen ten behoeve van het gehele joodse volk. En een groot deel van het land dat de joden in Palestina in eigendom hadden, *werd* door 'het volk' gekocht, door de bakkers, kleermakers en timmerlieden van Pinsk, Berlijn en Milwaukee. Ik kan me nog heel goed het blauwe collectebusje herinneren dat ik als kind steeds naast de sabbatkaarsen in onze huiskamer zag staan en waarin niet alleen wij, maar ook onze bezoekers, elke week een muntstuk lieten vallen. En dit 'blauwe busje' zagen we in elk joods gezin waar we kwamen. In wezen werden vanaf 1904 met deze munten door het joodse volk uitgebreide stukken land in Palestina gekocht.

Nu ik er eens goed over nadenk krijg ik er meer dan genoeg van steeds weer te horen hoe de joden land van de Arabieren in Palestina hebben 'gestolen'. De feiten liggen heel anders. Er werd veel goed geld uitgegeven en veel Arabieren werden daar rijk door. Natuurlijk waren er ook andere organisaties en talloze enkelingen die stukken land kochten. Maar in 1947 had het Joods Nationaal Fonds alleen — miljoenen gevulde 'blauwe busjes' — de helft van het gehele joodse grondbezit in het land in eigendom. Dat wat deze laster betreft die hiermee nu, naar ik hoop, uit de wereld is.

Omstreeks de tijd dat wij in Palestina aankwamen, was er een aantal van die aankopen in de Emek gedaan, ondanks het feit dat een groot deel van het gebied uit verschrikkelijke zwarte moerassen bestond die onvermijdelijk malaria en zwartwaterkoorts veroorzaakten. Maar het belangrijkste was dat dit verderfelijke land gekocht kon worden, al was het dan niet goedkoop; merkwaardig genoeg werd het grootste deel ervan aan het Joods Nationale Fonds verkocht door één enkele rijke Arabische familie die in Beiroet woonde.

De volgende stap was dit land bebouwbaar te maken. Het was normaal dat privé boeren zich niet aan zo'n gevaarlijk en moordend project konden en wilden wagen; het zou waarschijnlijk jaren duren voor er van enige winst sprake kon zijn. De enige mensen die het misschien op zich konden nemen de Emek moerassen te draineren, waren de idealistische pioniers van de zionistische arbeidersbeweging die bereid waren het land te ontginnen, hoe moeilijk de omstandigheden ook waren en afge-

71

zien van de kosten in mensen. Ze waren zelfs bereid het zelf te doen, liever dan het te laten doen door gehuurde Arabische arbeiders onder toezicht van joodse beheerders van de boerderijen. De vroegste settlers in Merhavia waren zulke mensen en velen van hen beleefden het om te zien dat de Emek Israëls vruchtbaarste en mooiste dal werd, bezaaid met bloeiende dorpen en collectieve nederzettingen.

Merhavia, hetgeen Gods wijde ruimte betekent, was een van de eerste kibboetsiem die in de Emek werden gevestigd. In 1911 was een groep jonge mensen uit Europa gekomen en had daar een boerderij neergezet, maar ze slaagden er nauwelijks in die gaande te houden. Toen in 1914 de oorlog uitbrak, bleek tenslotte de combinatie van malaria, de vijandigheid van hun Arabische buren en de pogingen van de Turkse autoriteiten om ze over te halen daar niet te blijven te sterk en de oorspronkelijke groep rolde hun matten op en verspreidde zich. Na de oorlog vestigde een nieuwe groep Europese pioniers een nederzetting op dezelfde plaats en ze kregen aanvulling van Britse en Amerikaanse veteranen uit het Joods Legioen, en uiteindelijk ook van Morris en mij! Maar later verspreidde deze groep zich ook. Een derde en laatste groep aanhangers van de zionistische arbeidersbeweging nam de plek in 1929 over en dit keer speelde de groep het klaar — ze bleven er.

Omdat wij graag naar Merhavia wilden en zo gauw al lidmaatschap hadden aangevraagd, waren we hevig teleurgesteld toen onze aanvrage zonder meer werd afgewezen en om redenen die ons volkomen onvoldoende toe schenen. Eerst wilde niemand ons zelfs zeggen waarom we geweigerd waren, maar ik stond erop dat ze me de waarheid zeiden en vrij aarzelend werd ons verteld dat er twee fundamentele bezwaren tegen ons bestonden. Ten eerste wilde de kibboets geen getrouwde paren, nog niet; babies waren een luxe die de jonge nederzetting zich niet kon veroorloven. De andere reden was — en die vond ik onaanvaardbaar — dat de groep die toen uit zeven vrouwen en dertig mannen bestond, zich niet kon voorstellen dat een 'Amerikaans meisje' het enorm zware lichamelijke werk kon of wilde verrichten dat noodzakelijk was. Daar vele leden uit Amerika afkomstig waren, beschouwden ze zichzelf — begrijpelijk misschien — als deskundigen over alles wat Amerikaans was, inbegrepen het karakter en de kundigheden van een 'Amerikaans meisje' als ik. En sommigen van de ongehuwde meisjes van Merhavia die al 'veteranen' in Palestina waren en die heel wat over Amerikaanse meisjes van deze deskundige mannen hadden gehoord, maakten nog veel fellere bezwaren tegen ons. Ik had het gevoel dat ik weer tegenover de Litouwers stond en moest bewijzen dat, hoewel ik in Amerika had gewoond, ik toch best in staat was de hele dag hard te werken. Ik hield vol dat niemand het recht had dit soort dingen van ons aan te nemen en dat het eerlijk zou zijn ons de kans te geven om te laten zien wat we konden doen. Een van de argumenten tegen me was, herinner ik me, dat ik in Tel Aviv had verkozen Engelse lessen te geven in plaats van lichamelijk werk te doen, een besluit dat blijkbaar aangaf hoe 'verwend' ik wel was.

We wonnen de strijd. We werden uitgenodigd een paar dagen naar Merhavia te komen zodat de leden kennis met ons konden maken en dan meteen tot een besluit konden komen. Ik was ervan overtuigd dat ze ons wel zouden laten blijven, en dat gebeurde ook. Onze Tel Aviv 'commune' begon uit elkaar te vallen. Regina vertrok omdat ze een nieuwe baan had gevonden en ook Yossel verhuisde. Alleen Sheyna bleef met de kinderen in de flat. Ik weet nog dat ik op een warme avond eind september blij aan het pakken was om naar Merhavia te vertrekken en me plotseling realiseerde dat Morris en ik in zekere zin Sheyna in de steek lieten en haar met een flat lieten zitten die ze alleen niet kon betalen. Shamai was duizenden kilometers weg en de beide kinderen waren nog ziek. Ik vroeg haar of ze vond dat wij nog wat in Tel Aviv moesten blijven, maar ze wilde er niet van horen dat we onze plannen zouden veranderen. 'Ik ga een van de twee kamers verhuren', zei ze energiek 'en dan ga ik werk zoeken. Maak je om mij geen zorgen.' Ze wilde proberen om als vrijwillig verpleegster bij het Hadassah ziekenhuis te worden aangenomen dat net in Tel Aviv geopend was. Misschien werd ze er dan later wel in vaste dienst aangesteld. Wat Shamai betreft, ze was ervan overtuigd dat hij al gauw in staat zou zijn naar Palestina te komen. Intussen redde ze zich wel. En de menselijke natuur is nu eenmaal zo dat ik deed alsof ik haar geloofde, hoewel ik in mijn binnenste best wist dat hoe hard het leven in Merhavia voor ons zou zijn, het toch gemakkelijker zou zijn dan wat Sheyna in haar eentje in Tel Aviv te wachten stond.

Tegenwoordig is Merhavia een grote, drukke nederzetting met een middelbare streekschool waar kinderen uit de hele Emek naar toe komen. Evenals vele andere grote kibboetsiem heeft men daar industrie en landbouw met succes gecombineerd en er is nu een fabriek voor plastic buizen en een drukkerij. De mannen en vrouwen van het moderne Merhavia hebben het goed hoewel ze nog altijd hard werken. Ze hebben aardige en comfortabele kamers, de gezamenlijke eetzaal is ruim en airconditioned, de keuken is vol-automatisch zonder dat de principes waarop het leven in de kibboetsiem in 1921 al gebaseerd was, zijn opgeofferd of radicaal gewijzigd. Leden van een kibboets werken nog altijd acht uur per dag aan het werk dat hun is toegewezen door het werkcomité, hoewel ze tegenwoordig gewoonlijk het werk mogen doen dat ze het best meester zijn, waarvoor ze getraind zijn en dat ze prettig vinden. Iedereen heeft nog om beurten corvee: in de eetzaal bedienen, werken in de keuken, op wacht staan enzovoort, en iedereen deelt mee in het nemen van alle belangrijke beslissingen die de hele nederzetting betreffen; deze worden besproken tijdens de wekelijkse algemene vergadering en er wordt over gestemd. Evenals in 1921 worden kibboets kinderen nog steeds allemaal samen grootgebracht; ze eten samen, slapen in slaapzalen en leren samen, hoewel de kamer van hun ouders natuurlijk nog altijd hun thuis is, de plek bestemd voor het gezin en in sommige kibboetsiem slapen de kinderen zelfs vaak in een aangrenzende kamer.

Ik heb zelf altijd geloofd dat de kibboets de enige plek ter wereld is waar mensen worden beoordeeld, geaccepteerd en een kans krijgen om geheel aan de gemeenschap waar ze toe behoren deel te nemen, niet overeenkomstig het soort werk dat ze doen of hoe goed ze het doen, maar volgens hun intrinsieke waarde als menselijke wezens. Niet dat het leven in de kibboets nooit bedorven wordt door haat en nijd, oneerlijkheid of luiheid. De leden van een kibboets zijn geen engelen, maar voor zover ik weet zijn het de enige mensen die werkelijk vrijwel alles delen; problemen, beloningen, verantwoordelijkheden en voldoening. En door de wijze waarop ze leven, zijn ze zeker in staat geweest meer aan de ontwikkeling van Israël bij te dragen dan hun aantal zou doen vermoeden. Tegenwoordig zijn er nog maar 230 kibboetsiem in Israël, maar het is onmogelijk — althans voor mij — om zich voor te stellen wat het land zonder die gemeenschappen zou zijn. Mijn dochter Sarah is al dertig jaar lid van de kibboets Revivim in de Negev, en als ik haar en haar gezin daar bezoek — hetgeen in het verleden slechts zo vaak gebeurde als de omstandigheden toelieten en dus nooit vaak genoeg — moet ik altijd weer denken aan de gemengde gevoelens van hoop en angst waarmee haar vader en ik ons zo lang geleden op weg naar Merhavia begaven, volkomen verwachtend dat — als ze ons maar wilden hebben — we daar ons hele leven zouden blijven.

Jarenlang heb ik gehoopt dat ik ééns weer in staat zou zijn om het kibboetsleven te hervatten en een van de grootste teleurstellingen in mezelf is geweest dat ik het nooit gedaan heb. Natuurlijk waren er altijd redenen waarom het onmogelijk leek, meestal door de zich opstapelende verplichtingen van het openbare leven en mijn band daarmee. Maar tot op deze dag betreur ik het innig dat het mij niet gelukt is de kracht te vinden om die druk te negeren, dat ik bezweek voor overredingskracht, en toen eindelijk de tijd daar was, was ik te oud om nog te veranderen. Er zijn vele dingen waar ik me onzeker over voel, maar ik weet wél zeker dat de innerlijke bevrediging en voldoening voor mij minstens even groot waren geweest als ik mijn leven als lid van een kibboets had doorgebracht – een werkelijk lid en niet alleen maar een bezoekster – als nu, terugkijkend op mijn leven in openbare functies. De kibboets waar wij in de herfst van 1921 kwamen, bestond uit een paar huizen en een groepje bomen die er nog stonden van de oorspronkelijke nederzetting. Er waren geen boomgaarden, geen weiden, geen bloemen, eigenlijk niets dan wind, rotsen en enkele door de zon verschroeide velden. In de lente kwam de hele Emek tot bloei. De bergen aan beide zijden van het dal, zelfs de zwarte moerassen, waren dan met wilde bloemen bezaaid en voor een paar weken veranderde Merhavia dan in het mooiste oord dat ik ooit gezien had. Maar mijn eerste indruk ervan was vóór de levenbrengende winterregens begonnen te vallen en het zag er helemaal niet zo uit als ik me had voorgesteld. Het eerste en belangrijkste bezwaar dat uit de weg geruimd moest worden, had niets met het landschap te maken. Ik was vastbesloten te tonen dat ik minstens even stoer was als de andere vrouwen van de nederzetting en dat ik elke taak die mij werd opgedragen, kon uitvoeren. Ik kan me niet meer al de soorten werk herinneren die ik in deze kritieke 'proefperiode' moest doen, maar ik weet nog dat ik dagenlang amandelen plukte in een bosje bij de kibboets en dat ik hielp met het planten van een bosje op de rotsen langs de weg die naar Merhavia leidde. Tegenwoordig is dat een indrukwekkend woud en als ik er langs kom, herinner ik me nog hoe we eindeloos lang gaten in de aarde tussen de rotsen groeven en er dan voorzichtig een jonge boom in zetten en ons afvroegen of hij daar ooit groot zou worden. Dan dachten we hoe mooi de wegkant en eigenlijk het hele landschap zou worden als die bomen van ons het maar haalden. Ik zal nooit de eerste dagen dat ik met dat werk bezig was, vergeten. Als ik 's avonds naar mijn kamer terugkwam, kon ik geen vinger meer oplichten, maar ik wist dat als ik niet kwam eten iedereen zou spotten: 'Wat zeiden we je? Zo zie je hoe Amerikaanse meisjes zijn!' Ik had met liefde mijn eten gemist, want de kekermoes die we aten was de moeite nog niet waard om er je vork voor naar je mond te brengen, maar ik ging. Tenslotte haalden de bomen het – en ik ook. Na een paar maanden werden Morris en ik als leden aanvaard en Merhavia werd ons thuis.

Het leven op een kibboets in de jaren twintig was verre van luxueus. Om te beginnen was er maar weinig te eten en wat er was, smaakte verschrikkelijk. De hoofdbestanddelen van ons dieet waren zure graanprodukten, ongeraffineerde olie – die we in zakken van geitevel van de Arabieren kochten waardoor ze zo bitter als gal werd –, een paar groenten uit de eigen kostbare moestuin van de kibboets, corned beef in blik uit Britse militaire voorraden die nog uit de oorlog over waren en een ongelooflijke schotel bereid uit haring in tomatensaus die – ironisch genoeg – bekend stond als 'vers'. Ik denk omdat er misleidend op de etiketten gedrukt stond 'verse haring'. Elke morgen aten we 'vers' als ontbijt! Toen het mijn beurt werd om in de keuken te werken, was ik tot ieders verbazing erg in mijn schik. Nu kon ik werkelijk iets aan dat vreselijke eten doen.

Ik moet wel uitleggen dat in die dagen de vrouwen van de kibboets keukendienst haatten, niet omdat die zwaar was – vergeleken met ander werk op de kibboets was het vrij licht – maar omdat ze het vernederend vonden. Hun strijd ging niet om gelijke 'burger'rechten, want die hadden ze in overvloed, maar om gelijke lasten. Ze wilden hetzelfde werk doen als hun mannelijke kameraden: wegen bestraten, de velden schoffelen, huizen bouwen, of op wacht staan. Ze wilden niet behandeld worden alsof ze anders waren en automatisch naar de keuken gedirigeerd worden. Dit alles is een halve eeuw geleden, voordat iemand het ongelukkige begrip 'Dolle Mina's' uitvond, maar het is een feit dat de kibboetsvrouwen bij de eerste en succesvolste strijders voor werkelijke gelijkheid waren. Maar zo vatte ik het werk in de keuken niet op. Ik kon absoluut niet begrijpen waarom ze er zo'n drukte over maakten en zei dat ook. Ik vroeg de meisjes die over de keukendienst mokten of opspeelden: 'Waarom is het zoveel beter om in de schuur te werken en de koeien te voeren dan in de keuken te zijn en je kameraden te eten te geven?' Niemand heeft me ooit op deze vraag een overtuigend antwoord kunnen geven en ik bleef meer zorgen hebben voor de kwaliteit van ons dieet dan voor vrouwenemancipatie.

Ik begon energiek de keuken te reorganiseren. In de eerste plaats schafte ik die afschuwelijke olie af. Daarna haalde ik 'vers' van het ontbijt-menu af en verving het door havermout, zodat als mensen op koude, vochtige wintermorgens van het werk terugkwamen, ze tenminste iets warms en voedzaams te eten kregen met hun verplichte dosis kinine. Niemand maakte bezwaren tegen het verdwijnen van de olie, maar er was onmiddellijk luid protest over de havermout. 'Dat is eten voor baby's', zei iedereen. 'Zeker een van die Amerikaanse ideeën van haar.' Maar ik hield vol en langzaamaan wende Merhavia aan de nieuwigheid. Toen besloot ik dat er iets gedaan moest worden aan onze manier van eten; onze emaille kroezen voor de thee, die er zo wit en schoon uitzagen als ze splinternieuw waren, verloren schilfers en roestten al na een paar weken en ik werd somber als ik er alleen maar naar keek. Dus toen het weer mijn beurt voor keukendienst werd en aangemoedigd door het succes met de havermout, ging ik glazen voor iedereen kopen. Ze waren veel mooier en je dronk er veel prettiger uit, maar ik moet bekennen dat ze bijna allemaal binnen een week gebroken waren en toen moest de hele kibboets in ploegen drinken uit de paar glazen die nog heel waren.

De haring die van de ontbijttafel was verdwenen, maar nu midden op de dag werd geserveerd, leverde ook een probleem op. Niet iedereen had een mes, vork én lepel; meestal had iedereen één zo'n voorwerp, óf een mes óf een vork óf een lepel. De meisjes die in de keuken werkten, wasten de haring altijd en sneden ze in kleine stukjes, maar ze haalden er de huid niet af en als de haring op tafel verscheen, moest iedereen zijn eigen portie afstropen. En omdat er niets was waar je je handen aan kon afvegen, werden ze aan de werkkleren afgeveegd. Toen ik in de keuken kwam werken, besloot ik de haring te villen. De andere meisjes klaagden. 'Je zult zien dat ze het nog klaarspeelt ze ook daaraan te wennen.' Maar daar had ik een antwoord op. 'Wat zou je bij jezelf thuis gedaan hebben? Hoe zou je daar haring hebben geserveerd? Dít is nu je thuis! En de anderen zijn je familie!'

Op zaterdagmorgens zetten we koffie. Omdat we op de sabbat onze melk niet naar Haifa konden transporteren, was ons zaterdags menu gebaseerd op melk. We kregen koffie en we maakten *leben* (melk met een culture erin, zoiets als yoghurt) en *lebenija*, een wat vettere vorm van *leben*. Het meisje dat de koekjes moest bakken en die op zaterdagmorgen dienst in de keuken had, bewaakte ze alsof haar leven ervan afhing, omdat het ontbijt uit koffie met koekjes bestond. Op vrijdagavonden, na het eten, kwamen sommige jonge mannen vaak op de koekjesjacht en af en toe slaagden ze erin ze te bemachtigen en dan waren de zaterdagmorgens een tragedie. Toen het mijn beurt werd om op zaterdagmorgen te werken, dacht ik: We hebben geen olie, suiker of eieren meer (we waren met een paar broodmagere kippen begonnen die heel af en toe een ei legden), dus moeten we er wat meer water en een béétje meel aan toevoegen, en dan maken we genoeg koekjes voor vrijdagavond en ook voor het ontbijt op zaterdag. Dit werd eerst als 'contra-revolutionair' beschouwd, maar na een tijdje vond iedereen het een goed idee om twee maal per week koekjes te krijgen en dat voor hetzelfde geld.

Mijn beroemdste 'bourgeois' bijdrage waar de kolonisten in de hele Emek maandenlang kleinerend over spraken was het 'tafellaken' (gemaakt uit een laken) dat ik op vrijdagavond op tafel uitspreidde, met een middenstuk van wilde bloemen. De leden van Merhavia zuchtten, gromden en waarschuwden me dat ik hun kibboets een slechte naam zou geven, maar ze lieten me mijn gang gaan.

Over andere dingen hadden we vrijwel dezelfde meningsverschillen. Bijvoorbeeld kleding. De meisjes droegen allemaal dezelfde soort jurk gemaakt uit door de Arabieren geweven ruw materiaal waarin drie gaten waren geknipt, een voor ons hoofd en twee voor onze armen. Dan bonden we een stuk touw om ons middel en daar was het mee klaar. Op vrijdagavonden was het de gewoonte dat de leden van de kibboets zich verkleedden. De mannen deden schone overhemden aan en de meisjes droegen rokken en blouses in plaats van hun werkkleren of wijde broeken. Maar ik kon de logica van het er eens per week netjes uitzien, niet begrijpen. Het gaf niet wat ik elke dag droeg, maar het móest gestreken zijn. Elke avond gebruikte ik een zwaar strijkijzer dat door kolen verwarmd werd, en perste nauwgezet mijn 'zak' en wist dat de anderen niet alleen dachten dat ik gek was, maar ook dat ze me ervan verdachten in mijn hart geen ware pionier te zijn. Dezelfde afkeuring bestond er voor de bloemenpatronen die Morris op de wanden van onze kamer schilderde zodat die er leuker zou uitzien, om nog niets te zeggen van de drukte die ontstond toen hij een paar kisten schilderde en er kasten voor me van maakte. Het duurde inderdaad wel een tijdje voor de kibboets onze vreemde 'Amerikaanse' manieren en ons accepteerde. Het is heel wel mogelijk dat de belangrijkste factor voor het uiteindelijk accepteren onze beroemde grammofoon was. Ik had hem voor Sheyna in Tel Aviv achtergelaten, maar na een paar maand had ik het gevoel dat de kibboets hem nodiger had dan zij en ik haalde hem meedogenloos weg naar de Emek waar hij bijna evenveel mensen naar de kibboets trok als in Tel Aviv. Ik vraag me zelfs soms wel eens af of het geen opluchting voor Merhavia geweest zou zijn de bruidsschat zonder de bruid te accepteren!

Die winter kreeg ik opdracht in de hoenderhof van de kibboets te werken en ik werd een paar weken naar een landbouwschool gestuurd om het fijne van kippenfokken te leren. Toen ik jaren later mijn ouders over deze periode in mijn leven vertelde, hadden ze grote schik dat ik zo'n expert op het gebied van kippen was geworden, want totdat we naar Merhavia kwamen was het bekend in de familie dat ik uitgesproken weinig liefde voor dieren had, ook niet voor vogels. Ik kan niet zeggen dat ik ooit werkelijk van de bewoners van de hoenderhof ben gaan houden, maar ik kreeg het wel druk met ze. En ik was heel erg trots als kippenfokkers uit de hele Emek naar de kippenhokken op Merhavia kwamen kijken om te leren hoe wij erin slaagden ze zo efficiënt te fokken. Een tijdlang praatte ik de hele morgen, middag en avond alleen maar over kippen, kippen fokken en kippevoer en toen op een keer een jakhals een inval in de hokken deed, droomde ik nog wekenlang van de slachtpartij in het kippenhok. Er was nog een belangrijk nevenresultaat van de energie en tijd die ik in de hoenderhof investeerde. Hoewel God weet dat we ons nooit konden veroorloven er kwistig mee om te springen, kwamen er toch tenslotte eieren en zelfs kippen en ganzen op tafel. Soms als Sheyna ons met Judith en Chaim kwam opzoeken, zette ik haar een Merhavia 'specialiteit' voor: gebakken uien en stukjes van onze eigen hardgekookte eieren met als drank erbij lauwe thee. Het klinkt nu niet zo aanlokkelijk meer, maar toen vonden we het fantastisch.

De maanden gingen snel voorbij. We hadden altijd handen te kort voor het werk en soms leek het of de mensen die niet ziek in bed lagen met malaria, dysenterie hadden of aan *papatatsje* leden, een heel onprettige vorm van jeukmuggenkoorts. De hele winter zwom de kibboets in een zee van modder waar we doorheen moesten waden als we gingen eten, als we naar het toilet gingen en als we aan het werk togen. De zomers waren niet gemakkelijker; ze waren heel lang en erg warm. Van de lente tot de herfst werden we gekweld door wolken muggen, jeukmuggen en muskieten. Meestal waren we al om vier uur 's morgens aan het werk, omdat je moest zorgen op het veld aan het werk te zijn tegen de tijd dat de genadeloze zon opkwam. Onze enige verdediging tegen de insekten was vaseline (als het er was) die we op de onbedekte delen van ons lichaam smeerden en waar de muggen en vliegen op bleven vastkleven. Verder droegen we kleren met hoge boorden, lange mouwen, lange rokken en hoofddoeken, de hele zomer door ondanks de enorme hitte. Ik ben een paar keer ziek geweest en ik weet nog goed hoe dankbaar ik was als een van de jongens me een stuk ijs en een heel klein citroentje uit het dichtsbijgelegen dorp bracht zodat ik zelf wat limonade kon maken. Misschien zou het allemaal niet zo vreselijk afmattend geweest zijn als we eens een kop warme thee in de koudere tijden hadden kunnen zetten of een koud drankje drinken in de gloeiend hete perioden. Maar discipline van de kibboets hield ook in dat je niets at of dronk als niet iedereen dat deed.

Ik kon de reden die aan deze op het eerste gezicht overdreven houding ten grondslag lag wel goedkeuren en begrijpen, maar Morris die naarmate de tijd verstreek steeds minder voor het kibboetsleven begon te voelen, vond het belachelijk dat de groep zo streng moest zijn. Op die manier werd een moeilijk leven om doctrinaire redenen nog moeilijker gemaakt, vond hij. Hij leed onder het gebrek aan persoonlijke vrijheid, het feit dat je nooit alleen was en onder de — zoals hij het aanvoelde — intellectuele beperkingen van onze manier van leven. In die tijd was niemand in Merhavia geïnteresseerd om te praten over de dingen waar Morris belang in stelde: boeken, muziek en schilderkunst. Niet dat de leden van de kibboets onopgevoed waren, verre daarvan. Maar hun orde van belangrijkheid was anders. Ze hadden evenveel interesse voor de vraag of de kibboets zich al dan niet een 'reusachtige' broedmachine voor 500 eieren kon veroorloven, of voor het van alle kanten bekijken van de ideologische gevolgtrekkingen van iets dat iemand op de algemene vergadering vorige dinsdag had gezegd als voor boeken, muziek en schilderkunst. Toch vond Morris dat de mensen in Merhavia maar een eenzijdige geest hadden en zelfs die ene zijde was nog maar beperkt. Hij vond ook dat ze alles veel te ernstig opvatten en schenen te denken dat gevoel voor humor misplaatst was.

Hij had natuurlijk niet helemaal ongelijk. Ik zie nu wel in dat als de kibboets van toen de middelen en de ideologische soepelheid had gehad om twee dingen te accepteren die tegenwoordig doodgewoon zijn: privé douches en toiletten en privé gelegenheden om in de eigen kamers van de leden thee te zetten, duizenden mensen als Morris die later de kibboetsiem verlieten, misschien gebleven waren. Maar dit waren dingen die geen enkele kibboets zich in de jaren twintig kon veroorloven en de afwezigheid ervan maakte voor mij niet veel uit.

Ik vond het heerlijk met mensen samen te zijn die net zo waren als ik, die mijn politieke en sociale standpunten deelden, die over alles zo grondig en zo intensief debatteerden en die de sociale problemen zo ernstig opnamen. Ik vond alles in de kibboets heerlijk, of het nu werken in de kippenhokken betrof, het onder de knie krijgen van deeg kneden voor het brood in het schuurtje dat we als bakkerij gebruikten of een hapje te eten met de jongens die van de wacht terugkwamen en die in de keuken bleven hangen; ik kon urenlang naar hun verhalen luisteren. Na korte tijd voelde ik me helemaal thuis alsof ik nooit ergens anders gewoond had en juist die aspecten van het gemeenschappelijke leven die Morris als onoverkomelijke hindernissen voor zijn geluk beschouwde, vond ik het prettigst. Natuurlijk waren er in Merhavia mensen waarmee ik niet zo gemakkelijk kon opschieten, vooral een paar oudere vrouwen die vonden dat zij het recht hadden vast te stellen hoe je je al dan niet in een kibboets had te gedragen. Maar in het algemeen voelde ik me erg voldaan.

Natuurlijk waren er minder prettige dingen verbonden aan het harde buitenleven het hele jaar door en onder alle weersomstandigheden en aan de primitieve levensomstandigheden. De wind en zon verbrandden en verweerden mijn huid en in die dagen waren er niet, zoals nu, schoonheidssalons of schoonheidsspecialistes op de kibboetsiem, en dus verouderden kibboetsvrouwen veel sneller dan die in de steden. Maar daarom waren ze niet minder vrouwelijk, ondanks hun rimpels. Ik herinner me nog een vriendin uit Merhavia, een meisje uit New York dat een half jaar eerder dan ik op de kibboets was gekomen. Ze vertelde me dat ze eens afscheid ging nemen van een jonge dichter die in Palestina bij het Joods Legioen had gediend maar weer naar Amerika terugkeerde. Toen ze hem haar werkhand toestak, zei hij: 'In Amerika was het een plezier je hand vast te houden. Nu is het een eer.' Ze was van deze galante opmerking erg onder de indruk, maar ik vond het onzin. De mannen vonden het toen – en nu nog steeds – even leuk de handen van een vrouw op de kibboets vast te houden dan waar ook elders. In die tijd, en nog steeds, waren kibboetsliefdesgeschiedenissen en huwelijken net als liefdesgeschiedenissen en huwelijken overal, soms beter, soms minder. Natuurlijk waren de jonge mensen toen veel omzichtiger in hun liefdeleven dan nu en ze praatten er minder openlijk over; maar dat kwam omdat de mensen over het algemeen in 1921 puriteinser waren, niet omdat de mensen in Merhavia of Degania niet verliefd werden.

Ondanks alle ontberingen was ik in die jaren toch erg gelukkig. Ik hield van de kibboets en de kibboets hield van mij en toonde het. Om te beginnen werd ik in het bestuurscomité van de nederzetting gekozen, het comité dat verantwoordelijk was voor het vaststellen van de algemene richtlijnen en dat was een grote eer voor iemand die er nog maar zo betrekkelijk kort was. Daarna werd ik gekozen als afgevaardigde van Merhavia naar een bijeenkomst van de kibboetsbeweging die in 1922 plaatsvond en dat was wérkelijk een bijzondere eer. Zelfs nu ik het hier neerschrijf, voel ik me nog trots dat de kibboets me voldoende vertrouwde om mij als afgevaardigde te sturen naar zo'n belangrijke vergadering. Ze gaven me zelfs speciale vergunning mijn opmerkingen in het Jiddisch te maken omdat mijn Hebreeuws nog verre van vloeiend was. De vergadering werd in Degania gehouden, de 'moeder van de kibboetsiem', de nederzetting die Gordon hielp opbouwen en waar hij, nog datzelfde jaar, zou worden begraven. De zittingen die ik bijwoonde hadden in hoofdzaak betrekking op de toekomst van de kibboets als zodanig. Ik denk dat een buitenstaander het vreemd, zelfs onrealistisch gevonden zou hebben, gezien de tijden, dat mensen een paar dagen besteedden aan het grondig bespreken van de maximale afmetingen die een kibboets zou mogen hebben, of hoe vaak moeders dagelijks hun baby's in het gemeenschappelijke kinderhuis mochten bezoeken, of hoe nieuwe leden die zich voor lidmaatschap aanmeldden het best nagegaan konden worden. Tenslotte waren er toen nog maar een handjevol kibboetsiem in Palestina en hun totale ledental beliep slechts enkele honderden. Het land had zojuist onder ernstige anti-joodse ongeregeldheden geleden en in elk geval was de status van de toen zo ongeveer 83.000 joden (ongeveer 11% van de totale bevolking in 1922) nog heel onduidelijk. Men had zich kunnen afvragen wat voor zin die eindeloos lange debatten tot diep in de nacht die hele week lang hadden. Ik zie ons nog zitten om een walmende olielamp, helemaal geconcentreerd op een of ander nog volkomen theoretisch aspect van het kibboetsleven, terwijl we probeerden moeilijke problemen op te lossen. Vele daarvan hadden zich zelfs nog nooit voorgedaan.

Aan de andere kant wordt uiteindelijk wat realistisch is en wat niet bepaald door degene die de definitie maakt. Het feit is dat geen van de aanwezigen op die bijeenkomst, die allen de hele dag werkten onder omstandigheden die nu voor onmogelijk gehouden zouden worden, en hun avonden verdeelden tussen op wacht staan en het vastleggen van gecompliceerde ideologische overwegingen, er ooit aan twijfelde dat zij de grondslagen legden voor een ideale leefgemeenschap in het prille begin van een groot experiment in de joodse geschiedenis. En ze hadden natuurlijk gelijk.

Die week in Degania ontmoette ik vele van de belangrijkste personen uit de *jisjoev* arbeidersbeweging, niet alleen Ben-Goerion en Ben-Zwi die ik al in Milwaukee had leren kennen, maar ook andere vooraanstaande mensen die later goede vrienden en collega's van me zouden worden; mannen als Avraham Hartzfeld, Yitzhak Tabenkin, Levi Esjkol, Berl Katznelson, en David Remez, om er maar een paar op te noemen. In de stormachtige jaren die voor ons lagen zou ik nauw met ze verbonden raken, maar toen, in Degania, luisterde ik alleen maar naar hun toespraken en hing aan hun lippen; ik durfde nauwelijks tegen een van ze te praten. Ik keerde vol inspiratie en gestimuleerd terug naar Merhavia en kon nauwelijks wachten om Morris alles te vertellen over wat er gezegd en gedaan was.

In die jaren begon ik ook wat meer van het land te leren kennen. Toen Mrs Philip Snowden, de vrouw van een van de vroegere leiders van de Engelse 'Labour Party' en zelf een vooraanstaande politieke figuur, Palestina bezocht, had ze een Engels sprekende gids nodig om haar te vergezellen en de arbeidersbeweging riep me naar Tel Aviv en vroeg me of ik bereid was te gaan. 'Moet ik mijn tijd verknoeien om met iemand het land door te reizen?' vroeg ik woedend. Maar tenslotte won de partijdiscipline het en ik gaf toe, al was het dan niet zonder meer. Naderhand was ik blij dat ik gegaan was. Voor de eerste keer zag ik op die tocht een bedoeïenenkamp en Mrs Snowden en ik verorberden, zittend op de grond, een enorme maaltijd bestaande uit lam, rijst en *pitta* (warm brood) waarvoor onze Arabische gastheren ons heel attent lepels aanboden, omdat ik zo ontzet keek bij het idee dat ik met mijn handen zou moeten eten zoals alle anderen deden. Mrs Snowden moet het ook wel prettig gevonden hebben, want daarna werd ik nog vaak gevraagd belangrijke gasten rond te leiden, maar ik ben er nooit aan gewend geraakt dat tijdens werktijd te doen!

Maar het leven wordt vaak gecompliceerd net als het lijkt alsof alles zo goed loopt. Morris was niet alleen niet op zijn gemak in Merhavia, hij werd nu ook werkelijk ziek. Het klimaat, de steeds weer terugkerende malaria-aanvallen, het eten, het slopende werk op het land, dat alles was te zwaar voor hem. Hoewel hij om mij erg zijn best deed, bleek het steeds duidelijker dat we eens de kibboets zouden moeten verlaten, in elk geval minstens totdat hij weer op krachten was gekomen. En die dag kwam sneller dan we verwacht hadden. We waren toen al tweeëneenhalf jaar in Merhavia en Morris was al enkele weken achtereen ziek. Op een middag vertelde de dokter me ernstig dat het uitgesloten was dat we langer konden blijven tenzij ik me erbij neerlegde dat Morris chronisch ziek zou blijven. We moesten zo gauw mogelijk Merhavia verlaten.

In de vele jaren die volgden heb ik me vaak afgevraagd of Morris zich beter aan de kibboets aangepast zou hebben, lichamelijk en geestelijk, als ik een beetje oplettender was geweest, meer tijd met hem zou hebben doorgebracht en me over het geheel genomen minder met de groep zou hebben ingelaten. Maar het was nooit bij me opgekomen dat ik Morris te kort deed als ik tot laat in de nacht in de keuken bleef om een hapje voor de jongens die van wacht af kwamen te maken, of toen ik die cursus over kippenfokken bijwoonde, of als ik veel tijd doorbracht met het praten en zingen met anderen. Als ik ooit diep genoeg over ons huwelijk had nagedacht of me er zorgen over had gemaakt, dan zou ik natuurlijk beseft hebben dat Morris helemaal alleen moest vechten om te wennen aan een levenswijze die hem enorm hard viel.

Er bestond ook een belangrijke en steeds terugkomende onenigheid tussen ons. Ik wilde erg graag een baby hebben, maar Morris was ten zeerste tegen de collectieve kinderopvoedmethoden in de kibboets gekant. Net zo goed als hij zijn vrouw voor zichzelf wilde hebben, wilde hij zelf zijn kinderen groot brengen op de manier zoals hij en ik wilden. Hij wilde niet elke kleinigheid over hun leven aan het kritisch oog en de goedkeuring (of afkeuring) van een comité blootstellen, en uiteindelijk zelfs aan de hele kibboets. En hij weigerde om kinderen te nemen tenzij we Merhavia zouden verlaten. Wat dit betreft, misschien had hij zijn mening hierover nog veranderd, maar zijn gezondheid was zo slecht dat het duidelijk was dat we in elk geval weg moesten trekken.

Dus we pakten weer onze koffers, voor de derde keer in drie jaar tijds, en namen afscheid. Het viel mij erg zwaar de kibboets te verlaten, maar ik troostte me onder tranen met de hoop dat we beiden gauw terug zouden komen, dat Morris weer spoedig gezond zou zijn, dat we een baby zouden krijgen en dat de verhouding tussen ons, die in Merhavia zo verslechterd was, weer beter zou worden. Als dat allemaal zou gebeuren zou het tijdelijk verlaten van de kibboets maar een kleine opoffering zijn, hield ik me voor. Helaas liep het anders.

We bleven een paar weken in Tel Aviv. Shamai was intussen in Palestina gearriveerd en het gezin was naar een nieuw huis getrokken (met een toilet). Sheyna verdiende een vrij goed salaris en Shamai kreeg tenslotte werk in een niet erg geslaagde coöperatieve schoenenzaak, als 'bedrijfsleider'. Maar ze hadden een huis en verdienden genoeg om te leven. Over het algemeen was hun positie benijdenswaardig in vergelijking met de onze. Op de een of andere manier slaagden we er niet in een eigen onderkomen in Tel Aviv te vinden. Ik kreeg een baan als caissière op het kantoor van *Histadroets* Dienst Openbare Werken en Gebouwen (later herdoopt in Solel Boneh); toen was de instelling nog maar net gevestigd. En intussen probeerde Morris zijn gezondheid terug te krijgen. Maar we konden niet goed wennen. Ik miste de kibboets meer dan ik voor mogelijk had gehouden en Morris werd met brieven van zijn moeder en zusters gebombardeerd die hem smeekten naar Amerika terug te komen; ze boden zelfs aan zijn overtocht te betalen. Ik wist dat hij mij of het land niet zou verlaten, maar we waren beiden rusteloos en gedeprimeerd.

Vergeleken met 'Gods wijde ruimte' van de Emek leek Tel Aviv afschuwelijk klein, lawaaierig en vol. Het duurde heel lang voor Morris weer wat was bijgekomen en hij de gevolgen van zijn maandenlange ziekte kwijt was, en ik voelde me verloren en stuurloos zonder Merhavia; het leek me dat we nu gedoemd waren om te blijven zwerven. Ik miste de warme vriendschappen van de kibboets en het bevredigende gevoel dat mijn werk me had gegeven. Ik vroeg me zelfs nu en dan af of mijn normale energie en optimisme me voorgoed hadden verlaten, en zo ja, wat er dan met ons zou gebeuren. Ook, hoewel geen van ons beiden er ooit een woord over zei, denk ik dat we waarschijnlijk elkaar de schuld gaven van de toestand waarin we ons bevonden. Tenslotte was Morris om mij naar Merhavia gegaan en nu was het door de 'mislukking' van Morris dat ik me ervan had moeten losscheuren. Misschien was het veel beter geweest als we elkaar openlijk verwijten hadden gemaakt, maar dat deden we niet. In plaats daarvan hadden we beiden het gevoel niet genoeg omhanden te hebben en waren daardoor erg prikkelbaar.

Onder de omstandigheden was het natuurlijk dat toen ik op een dag David Remez, die ik al in Degania ontmoet had, tegen het lijf liep en hij me vroeg of Morris en ik bereid waren op het kantoor van Solel Boneh in Jeruzalem te gaan werken, we beiden deze kans om Tel Aviv de rug toe te keren met beide handen aangrepen. Misschien zouden we in de frisse berglucht van Jeruzalem weer opleven en alles zou dan in orde komen. Het leek me een heel goed voorteken dat ik, vlak voordat we uit Tel Aviv zouden vertrekken, ontdekte dat ik zwanger was.

In de herfst, op 23 november, werd in Jeruzalem onze zoon Menachem geboren. Het was een lieve, gezonde baby en Morris en ik waren helemaal van streek door ons ouderschap. We konden urenlang naar de baby die we geproduceerd hadden, zitten kijken en over zijn toekomst praten. Maar ik was nog steeds niet over mijn onweerstaanbaar verlangen naar Merhavia heen en toen Menachem een half jaar oud was, ging ik met hem een tijdje naar de kibboets terug. Ik dacht dat als ik terugging, ik met mezelf in het reine zou komen, maar zo eenvoudig zijn de dingen nu eenmaal niet. Ik kon daar zonder Morris niet wennen en langzamerhand maakte ik mezelf niets meer wijs: het was duidelijk dat hij nooit meer naar Merhavia zou of wilde terugkeren. Er moest een definitief besluit de ene of andere kant op genomen worden en ik moest dat doen. Botweg gezegd moest ik beslissen wat het eerste kwam: mijn plicht tegenover mijn man, mijn huis en mijn kind óf het leven dat ik zelf zo graag wilde leiden. Niet voor de eerste keer, en zeker niet voor het laatst, besefte ik dat in een tweestrijd tussen mijn plicht en mijn liefste verlangens, mijn plicht voorging. Ik had geen keus. Ik moest ophouden te hunkeren naar een bestaan dat niet voor me weggelegd was en ik ging terug naar Jeruzalem, niet zonder nare voorgevoelens, maar vastbesloten opnieuw te beginnen. Tenslotte was ik een gelukkige vrouw. Ik was getrouwd met een man waar ik van hield. Hij mocht dan niet geschikt zijn voor kibboetsleven of lichamelijke arbeid, maar ik wilde zijn vrouw blijven en hem gelukkig maken, als ik dat ook maar enigszins kon. En ik dacht dat als ik het maar goed genoeg probeerde, ik daar wel in zou slagen, vooral nu we samen een zoon hadden.

5
Pioniers en problemen

Ondanks alle hoop en goede bedoelingen brachten de vier jaren die we in Jeruzalem woonden niet het rustige, huiselijke leven dat ik me had voorgenomen te aanvaarden. Ze waren de ellendigste jaren die ik ooit gehad heb en dat wil wat zeggen als je zo lang geleefd hebt als ik! Vrijwel alles ging verkeerd. Soms had ik het gevoel dat ik het ergste deel van mijn moeders leven opnieuw beleefde en dan herinnerde ik me met een zwaar hart de verhalen die ze ons verteld had over de jaren die zij en vader in verschrikkelijke armoede in Rusland hadden doorgebracht. Het ging er niet zozeer om dat geld als zodanig toen of later veel voor me betekende, zelfs niet dat materieel comfort bijzonder belangrijk was.

Om te beginnen was ik met geen van beide ooit rijk gezegend geweest en we waren ook niet naar Palestina gekomen om onze materiële omstandigheden te verbeteren. Morris en ik waren allebei met armoede vertrouwd en we waren beiden gewend aan een heel bescheiden manier van leven, om het zacht uit te drukken. We hadden ons ook beiden gebonden tot een leven dat gebaseerd was op weinig behoeften. Genoeg te eten, een schone plek om te slapen, nu en dan eens een nieuw boek of een nieuwe grammofoonplaat — dat was alles waar ons beider wensen op materieel gebied heengingen. De zogenaamde betere dingen des levens waren niet alleen buiten ons bereik, maar we kenden ze nauwelijks en als de tijden maar wat beter waren geweest, hadden we ons best met het kleine salaris van Morris kunnen redden.

Maar de tijden waren niet gemakkelijk en er waren minimale behoeften waarin voorzien moest worden. Die van onszelf, en vooral die van de kinderen. Ze moesten behoorlijk te eten krijgen en een redelijk onderdak hebben. Ik geloof dat het een fundamenteel recht van alle ouders is om niet bang te hoeven zijn dat je niet in staat zult zijn om je kinderen deze belangrijkste dingen te verschaffen, hoe hard je het ook probeert. Dit wist ik in theorie al lang voor ik zelf met deze zorgen te kampen kreeg, maar nu ik die angst eenmaal ondervonden heb, vergeet ik die nooit meer. Een van de voordelen van het kibboetsleven is natuurlijk dat niemand ooit alleen deze zorgen onder ogen hoeft te zien. Zelfs als een kibboets nog maar pas bestaat of een slecht jaar heeft gehad en de volwassenen moeten de buikriem wat aanhalen, dan krijgen kibboetskinderen toch altijd genoeg te eten. In die moeilijke tijd in Jeruzalem dacht ik vaak verlangend aan Merhavia. Twintig jaar later, in het begin van de Tweede Wereldoorlog, herinnerde ik me mijn gevoelens van toen en ik heb eens in het openbaar voorgesteld om de hele *jisjoev* in een soort kibboets om te zetten zo lang de noodtoestand duurde. Dan konden we onder andere een net van coöperatieve keukens opzetten zodat — wat er ook gebeurde — de kinderen tenminste altijd voldoende te eten zouden krijgen. Het voorstel werd afgewezen, of liever gezegd nooit ontwikkeld, maar ik vind nog altijd dat het een goede gedachte was.

Maar het was niet alleen onze armoede die me zo rampzalig maakte, zelfs niet mijn voortdurende angst dat mijn kinderen honger zouden hebben. Ik voelde me ook eenzaam, had een gevoel dat ik overal geïsoleerd van leefde en daar was ik niet aan gewend; ik had voortdurend het idee dat juist die dingen waarom ik in hoofdzaak naar Palestina was gekomen, me waren ontnomen. In plaats van actief aan de opbouw van het joods nationaal thuis mee te helpen en daar hard en produktief aan te werken, zat ik in een klein flatje in de buitenwijken van Jeruzalem opgesloten en moest al mijn gedachten en energie wijden aan de zorg om van het salaris van Morris rond te komen. En om alles nog erger te maken werd zijn salaris heel vaak door Solel Boneh in kredietbonnen uitbetaald en niemand — ook niet de huisbaas, de melkman of de kleuterschoolonderwijzer van Menachem — wilde die in plaats van contant geld aannemen.

Op 'betaaldag' ging ik dan vlug naar het kruidenierswinkeltje in de buurt en trachtte de kruidenier over te halen om een bon die een pond (100 piastres) waard was aan te nemen voor 80 piastres, want ik wist dat hij er nooit meer voor zou willen geven. Maar zelfs die 80 piastres werden, God verhoede, niet in contant geld gegeven; ik kreeg er een handvol andere kredietbonnen voor in de plaats. Daarmee holde ik dan naar de vrouw die kippen verkocht, onderhandelde een twintig minuten met haar en tenslotte, als ik bofte, kon ik haar dan overhalen mijn bonnen aan te nemen (nadat ze er weer 10 of 15% van de waarde had afgetrokken) in ruil voor een stukje kip waarvan ik soep voor de kinderen kon maken.

Soms kwam Shamai voor een paar dagen naar Jeruzalem en dan nam hij wat kaas of vruchten en groenten mee die Sheyna hem had meegegeven. Dan hadden we een echt feestmaal en ik had even minder zorgen over de voeding van mijn gezin. Maar meestal zat ik tot over mijn oren in de zorgen.

Totdat Sarah in de lente van 1926 werd geboren, verdienden we wat bij door een van onze kamers te verhuren, hoewel we gas noch elektriciteit hadden. Maar toen Sarah kwam, besloten we dat we het maar zonder die huurtegemoetkoming moesten doen, hoe moeilijk dat ook zou zijn, zodat de kinderen een eigen kamertje konden hebben. De enige manier waarop we dat verschil in inkomen konden overbruggen was dat ik werk zocht en ik moest dat kunnen doen zonder de baby alleen te moeten laten. Daarom stelde ik aan het hoofd van Menachems kleuterschool voor dat ik in ruil voor schoolgeld de was voor de hele kleuterschool zou doen. Zo stond ik urenlang op het erf stapels groezelige handdoekjes, schortjes en slabbetjes te wassen; ik maakte de ene emmer water na de andere warm op de primus en vroeg me af wat ik moest doen als het wasbord zou breken.

Ik vond het werk niet zo erg. In Merhavia had ik wel harder gewerkt, en met plezier. Maar in Merhavia was ik lid van een groep geweest, lid van een dynamische gemeenschap en hun succes was voor mij bijna het belangrijkste in de hele wereld. In Jeruzalem was ik een soort gevangene, veroordeeld – evenals miljoenen andere vrouwen en door omstandigheden waar ze niets aan kunnen doen – om een eeuwige strijd te voeren tegen rekeningen die ik niet kon betalen, te trachten schoenen heel te houden omdat ik onmogelijk nieuwe kon kopen, vol zorgen als een kind hoestte of koorts kreeg dat ons onvoldoende voedsel en de onmogelijkheid om de flat 's winters warm te houden hun gezondheid misschien blijvend kon schaden.

Natuurlijk waren sommige dagen beter dan andere. Als de zon scheen en de hemel blauw was – en ik vind dat in Jeruzalem de zomerhemel blauwer is dan ergens anders – zat ik op het trapje voor het huis en keek naar de spelende kinderen en hield me voor dat er ook veel goede dingen in het leven waren. Maar als het koud en winderig was en de kinderen zich niet goed voelden (vooral Sarah die vaak ziek was), was ik soms van wanhoop, soms van een bitter verzet tegen mijn levenslot vervuld. Was dít nu alles: armoede, dat geestdodende werk en zorgen? Het ergste was dat ik zelfs tegen Morris niet kon zeggen hoe ik me voelde. Hij had grote behoefte aan rust, goed voedsel en geen opwinding, maar dat was er allemaal niet en ik zag niet in hoe in de nabije toekomst iets zou kunnen veranderen.

Met Solel Boneh ging het ook niet goed en we waren doodsbang dat de instelling zou worden opgeheven. Het was iets heel anders om enthousiast een onofficieel departement van openbare werken te stichten en op zich te nemen joodse werknemers op te leiden voor – en in dienst nemen bij — de bouw dan om het daarvoor benodigde kapitaal bij elkaar te krijgen en ervaring om te doen die nodig is om wegen te kunnen aanleggen en huizen te bouwen. De enige manier waarop Solel Boneh in die dagen iemand kon betalen was in promesses van 100 of 200 pond die weer gedekt werden door hogere promesses die Solel Boneh als betaling ontving als het werk klaar was. Een van de vele verhalen die toen de ronde deden over bouwen in Palestina ging over een jood die gezegd had dat, als hij maar een goed veren kussen had om mee te beginnen, hij een huis voor zichzelf kon bouwen. Hoe? O, heel eenvoudig, zei hij:

Kijk, een goed kussen kan je voor een pond verkopen. Met dat pond kan je lid worden van een leenfonds en dan mag je daar een bedrag tot tien pond lenen. Met tien pond in je hand, ga je eens rondkijken naar een mooi stukje grond. Als je dat hebt, ga je met je tien pond in contanten naar de eigenaar en dan gaat hij er natuurlijk mee akkoord de rest in promesses te accepteren. Nu ben je grondeigenaar en je probeert een aannemer te vinden. Tegen hem zeg je dan: 'Ik heb grond — bouw daar een huis op. Ik wil alleen maar een flat voor mezelf en mijn gezin.'

Maar mijn gevoelens waren niet bepaald humoristisch. Omstreeks die tijd werkte Regina in Jeruzalem op kantoor van het dagelijks bestuur van de zionistische beweging en ze kwam me wel eens opzoeken en terwijl ik dan triest met mijn werk in huis bezig was, luisterde ze naar al mijn grieven en probeerde me op te vrolijken. Als ik aan mijn ouders schreef, gaf ik ze vanzelfsprekend een heel ander beeld van ons leven en ik probeerde zelfs Sheyna niet te vertellen hoe erg het was, hoewel ik niet geloof dat ik haar ooit iets heb kunnen wijsmaken.
Het is vreemd, maar als ik aan die tijd terugdenk, besef ik dat ik me niet eens van mijn onmiddellijke omgeving bewust was, ondanks het feit dat Jeruzalem toen de zetel van de mandaatsregering was van waaruit de Britse Hoge Commissaris, Sir Herbert Samuel die in 1925 door Lord Plumer werd vervangen, het land regeerde. Het was toen, net als nu en evenals het door de tijden heen is geweest, een boeiende stad. Gedeeltelijk was het nog net als nu, een mozaïek van tempels en heilige plaatsen, en gedeeltelijk het hoofdkwartier van een koloniaal beheer. Maar vóór alles was de stad een levend symbool van de continuïteit van de joodse geschiedenis en de band die het joodse volk aan dit land bond, en nog bindt. Zelfs onze buurt was exotisch; die was gelegen op de 'grens' met Mea Shearim, het deel van Jeruzalem dat nog steeds door ultra-orthodoxe joden wordt bewoond. Hun gedrag, kleding en religieuze gewoonten zijn vrijwel onveranderd uit het zestiende-eeuwse Oost-Europa overgenomen; zij vonden joden als Morris en mij maar een klein

beetje beter dan heidenen. Maar op een of andere wijze maakten de bijzondere gebouwen en dingen in Jeruzalem, noch het landschap, noch de kleurige optocht van volken van verschillende religies en rassen die zelfs op gewone dagen de straten van de stad bevolkten, veel indruk op me. Ik was te moe, te ontmoedigd en te veel met mezelf en mijn gezin bezig om om me heen te kijken zoals ik had moeten doen.

Maar op een avond ging ik naar de Klaagmuur. Het was niet de eerste keer. Morris en ik waren er al eens geweest toen we pas in Palestina waren aangekomen. Ik was in een joods gezin opgegroeid, een goed traditioneel joods gezin, maar ik was zelf niet erg gelovig. En eigenlijk ging ik zonder enige emotie naar de Muur; het was gewoon iets waarvan ik wist dat ik het móest doen. Maar toen opeens, aan het eind van al die nauwe, slingerende steegjes in de Oude Stad, zag ik hem. De Muur zelf. Hij was rood en veel kleiner dan tegenwoordig na al die uitgravingen. Voor de eerste keer zag ik daar de joden, mannen en vrouwen, bidden en huilen terwijl ze ervoor stonden en hun *kvitlach*, hun opgekrabbelde verzoeken aan de Almachtige, in de spleten stopten. Dit was dus over van een glorie uit het verleden, dacht ik; dat was alles wat van de Tempel van Salomo over was. Maar hij was er tenminste. En in die orthodoxe joden met hun *kvitlach* zag ik een weigering van de natie om te aanvaarden dat alleen die stenen nog maar over waren; zij drukten vertrouwen uit in hetgeen de toekomst zou brengen. Met veranderde gevoelens verliet ik de Muur, misschien zou ik moeten zeggen: in een verheven stemming. En die avond, jaren later, toen ik zo met mezelf overhoop lag, had de Muur weer een boodschap voor me. In 1971 werd me het ereburgerschap van Jeruzalem aangeboden, waarschijnlijk de grootste eer die me ooit bewezen is en bij die plechtigheid noemde ik nog een gedenkwaardig bezoek dat ik aan de Muur had gebracht, dit keer in 1967 na de Zesdaagse Oorlog. Negentien jaar lang, van 1948 tot 1967, hadden de Arabieren ons verboden om naar de Oude Stad te gaan of bij de Muur te bidden. Maar op de derde dag van de Zesdaagse Oorlog, woensdag 7 juni, werd heel Israël plotseling bezield door het bericht dat onze soldaten de Oude Stad hadden bevrijd en dat die weer voor ons open stond. Drie dagen later moest ik naar Amerika vliegen, maar ik kon mezelf niet zo ver krijgen Israël te verlaten zonder de Muur te hebben teruggezien. En op vrijdagmorgen kreeg ik toestemming naar de Muur te gaan, hoewel burgers de Oude Stad niet mochten betreden omdat er nog geschoten werd, Ik kreeg die vergunning ondanks het feit dat ik toen niet in de regering zat, maar een doodgewoon burger was.

Ik ging samen met een paar soldaten naar de Muur. Ervoor stond een gewone houten tafel met een paar stenguns erop. Geüniformeerde parachutisten, met hun gebedsmantel om zich heen, stonden zo dicht tegen de Muur aan dat het onmogelijk leek ze ervan los te maken. Zij en de Muur waren één. Nog maar een paar uur eerder hadden ze verwoed om de bevrijding van Jeruzalem gevochten en hadden hun kameraden om zich heen hiervoor zien vallen. Nu stonden ze voor de Muur, in hun gebedsmantel gewikkeld, en ze huilden. Ik nam een stuk papier en schreef er het woord 'SHALOM' (vrede) op en stopte het in een spleet van de Muur, zoals ik het de joden zo lang geleden had zien doen. Terwijl ik daar zo stond sloeg een van de soldaten opeens zijn armen om me heen, legde zijn hoofd op mijn schouder en samen huilden we. Ik geloof niet dat hij wist wie ik was. Ik denk dat hij gewoon behoefte had om bij een hartelijke oudere vrouw troost te zoeken, dat dat hem opluchtte, en voor mij was het een van de meest ontroerende ogenblikken van mijn leven. Maar dat alles behoort allemaal tot een veel latere periode.

Het eind van de jaren twintig was een deprimerende tijd voor heel joods Palestina, niet alleen voor mij. In 1927 waren 7.000 mannen en vrouwen in de *jisjoev* werkeloos, een ontmoedigend percentage van 5% van de totale joodse bevolking van Palestina. Het was bijna alsof het zionisme in zijn grote ijver zichzelf overschat had. Er kwamen nu veel meer immigranten het land binnen dan de *jisjoev* met enige mogelijkheid aan het werk kon zetten. Van de 13.000 joden die in 1926 Palestina waren binnengekomen bijvoorbeeld, ging meer dan de helft weg en in 1927 was voor het eerst de emigratie onheilspellend groter dan de immigratie. Sommige emigranten gingen naar Amerika, anderen naar de verschillende delen van het Britse Rijk. Er was ook een groep waaronder zich leden van het 'Arbeidersbataljon' bevonden dat in 1920 was gesticht om immigranten werk te geven in de coöperatief uitgevoerde projecten van wegen- en mijnbouw die door de mandaatsregering werden gefinancierd, die om ideologische redenen naar Rusland terugkeerde waar velen van hen naderhand — eveneens om ideologische redenen — naar Siberië gestuurd of geëxecuteerd werden.

Er waren verschillende oorzaken voor de ernstige economische crisis. De economie van de *jisjoev* was nog altijd heel weinig ontwikkeld. Behalve in de bouwvakken waar bijna de helft van alle joodse arbeiders in Palestina in werkte, en in de sinaasappelplantages, was er gewoon niet genoeg werkgelegenheid of voldoende werkkapitaal. Je kon de joodse industriële ondernemingen op de vingers van één hand tellen. Daar had je de Dode Zee-werken, een zoutfabriek en zoutmijnen in Athlit, de Palestijnse Elektriciteits Maatschappij die een krachtstation aan de oever van de Jordaan had gebouwd, de fabriek Shemen voor zeep en spijsolie, en de Nesher cementfabriek in Haifa. Er waren nog een paar kleinere ondernemingen o.a. een paar drukkerijen en wijnkelders, maar dat was alles.

Er was nog een ander en ernstig probleem. De lonen van de joodse arbeiders waren laag, maar de Arabische arbeiders waren bereid voor nog minder te werken en menig joodse sinaasappelkweker bezweek voor de verleiding om goedkopere Arabische werkkrachten te huren. Wat de mandaatsregering betreft, behalve dat ze een net van wegen aanlegde deed ze vrijwel niets om de economie van het land tot ontwikkeling te brengen en ze was al begonnen om toe te geven aan de anti-joodse druk van Arabische extremisten, zoals de moefti van Jeruzalem, Haj Amin al-Hoesseini, en anderen. Hoewel er nog maar een paar jaar voorbij waren sinds het mandaat over Palestina aan Groot-Brittannië was toegewezen, toonde de regering al een grote vijandigheid tegenover de joden. Nog erger, men had de joodse immigratie naar Palestina verminderd en in 1930 werd zelfs gedreigd deze voor enige tijd stop te zetten. Kortom, het joods nationaal thuis bloeide niet bepaald.

In de jaren dat ik in Jeruzalem woonde, ging ik maar heel weinig naar Tel Aviv en áls ik ging, was het gewoonlijk alleen om Sheyna en haar gezin op te zoeken, of mijn ouders die in 1926 in Palestina waren aangekomen. Tussen deze familiebezoeken door deed ik mijn best oude vrienden te bezoeken, bij te blijven met wat er in de arbeidersbeweging gebeurde, eens een en ander over Merhavia te horen en weer te voelen – al was het maar voor een paar uur – dat ik deel uitmaakte van wat er in het land omging. Nu ik erover nadenk, was mijn vader een typisch voorbeeld van de immigranten van de jaren 1926 en 1927, al was hij dan uit Amerika en niet uit Europa gekomen. Hij had het klaar gespeeld in Milwaukee wat geld te sparen en daarmee kocht hij trots in Palestina twee stukken land, gedeeltelijk omdat hij als zionist er wilde wonen, gedeeltelijk omdat hij de familie weer bij elkaar wilde brengen. Beide stukken land lagen op een plek waar weinig meer dan zand aanwezig was. Het ene lag in Herzlia, een paar kilometer ten noorden van Tel Aviv. Het andere was in Afula (niet ver van Merhavia), waar hij een huis wilde bouwen. Toen ik hem vroeg waarom hij juist in Afula wilde wonen, een plek die noch dicht bij mij noch dicht bij Sheyna lag, vertelde hij me dat in Afula het eerste operagebouw van Palestina zou verrijzen en dan zou hij middenin een muzikaal centrum wonen. Ik kende Afula goed en was daar vaak boodschappen gaan doen toen we nog in de kibboets woonden. Het was een stoffig dorpje en ik was er vrijwel van overtuigd dat daar geen opera zou worden neergezet, althans niet in de nabije toekomst. Maar mijn vader was er niet van af te brengen. Lange tijd weigerde hij naar rede te luisteren en hij beschuldigde Sheyna en mij van gebrek aan vertrouwen. 'Tel Aviv werd toch ook op zandheuvels gebouwd, nietwaar?' zei hij vol verwijt. Tenslotte trok mijn moeder onze partij en zuchtend gaf mijn vader het idee om in de

Emek te gaan wonen op en stemde erin toe een huis in Herzlia op te zetten — zonder aria's.

Hij bouwde dat huis hoofdzakelijk met zijn eigen handen, zoals het een goed timmerman betaamt. Het was een van de eerste werkelijke huizen daar in de buurt en mijn ouders wenden daar weer even snel als ze destijds in Milwaukee gedaan hadden. Mijn vader werd lid van de plaatselijke synagoge, ontdekte dat ze geen voorzanger hadden en bood prompt zichzelf daarvoor aan. Hij sloot zich ook bij een timmerlieden coöperatie aan, maar aangezien er weinig werk was, hielp dat niet veel. Maar mijn ondernemende moeder had een idee. Zij zou maaltijden koken en serveren en hij zou haar helpen. Er waren maar heel weinig restaurants in Palestina en in Herzlia was er niet één, dus het was een geslaagd idee van mijn moeder. Voor een paar piastres voorzag ze de arbeiders in de buurt van een goedkope en voedzame maaltijd.

Doch ondanks dat alles en ondanks hun vastbeslotenheid zich een bestaan in Palestina op te bouwen hoewel ze nu beiden al wat ouder waren, leden mijn ouders toch ernstig onder de economische situatie. Ik herinner me bijvoorbeeld, dat ik de kinderen eens een week voor het joods paasfeest mee naar Herzlia nam zodat ik mijn moeder kon helpen met de voorbereidingen voor het feest. Morris zou de avond voor het feest komen en Sheyna en haar gezin werden ook verwacht. Maar we waren allemaal zo arm dat er niets voor te bereiden was. Mijn vader liep rond en zag eruit alsof iemand hem een klap op het hoofd had gegeven. Stel je voor, nu was hij hier met bijna zijn hele gezin in Palestina (Clara was nog op de universiteit van Wisconsin, maar was van plan naar Palestina te komen zodra ze haar graad had behaald) en er was zelfs geen pakje *matzah* of een fles wijn in huis, laat staan voedsel voor de seder. Ik vond het vreselijk dat hij er zo verdrietig uitzag en ik dacht zelfs dat hij misschien een of andere wanhopige daad zou begaan. Hij was zo vernederd, ondanks het feit dat armoede hem nooit neerslachtig had gemaakt.

Toen gebeurde er iets heerlijks. Ik werd door een hond gebeten! Voor elk ander was dat iets vreselijks geweest, maar voor mij was het een wonder. Ik moest voor de anti-rabbiës injecties naar Tel Aviv en terwijl ik daar was, liep ik de stad af om iemand te vinden die me geld kon lenen. Ik slaagde erin een bank te ontdekken die bereid was me tien pond te lenen en dat was in die dagen een heleboel geld. Maar ik moest wel borgen hebben. Dus holde ik weer de stad rond, doch iedereen die ik bereid vond, was voor de bank niet aanvaardbaar en als de bank mij een naam noemde, dan was het iemand die niet van plan was enig risico op zich te nemen. Eindelijk vond ik een man die het benodigde kapitaal, een goede reputatie en een echt joods hart had en ik kwam naar

Herzlia terug met tien hele ponden voor mijn vader in de zak – en een warmer gevoel voor honden dan ik ooit in mijn leven gehad heb.

Bij die schaarse bezoeken aan Tel Aviv werd ik altijd gedeprimeerd en angstig van het gezicht van de werklozen op straathoeken en het troosteloos aanzien van die half afgebouwde huizen overal in de stad. Het leek alsof een enorme energie-uitbarsting opeens tot staan was gebracht. Natuurlijk zouden buitenstaanders dit heel anders bekeken hebben. Ondanks de economische crisis woonden er nu duizenden joden in Palestina, ze voedden er hun kinderen op, ontwikkelden hun eigen leiderschap, stichtten landbouwnederzettingen en steden en ze deden dat alles terwijl ze tenslotte alleen maar geholpen werden door een zionistische beweging in het buitenland; dat was op zichzelf al een bijzondere prestatie. Bezien zoals de historici het eens zullen doen, zou zelfs die sombere periode al merkwaardig zijn, maar ik was geen buitenstaander of een historicus en ik wilde actief helpen om de situatie te verbeteren, er zelf iets aan doen.

Ik bofte enorm, want de *Histadroet* (de Algemene Federatie van Joodse Arbeiders), de organisatie waarin en waarvoor ik zo vele jaren zou werken, had belangstelling voor de diensten van iemand als ik. In Tel Aviv had ik al voor Solel Boneh gewerkt en ik was daarmee doorgegaan, alhoewel maar voor korte tijd, in Jeruzalem en ik kende vele mensen in de arbeidersbeweging. Dat waren de mannen en vrouwen die ik het meest bewonderde en waar ik van hield. Ik wilde van ze leren en met ze samenwerken en ik voelde me helemaal op mijn gemak met ze. Zij zagen de fundamentele doelstellingen van de *Histadroet* net als ik: niet zo zeer de bescherming van de onmiddellijke boter-en-brood belangen van de arbeider, maar de schepping van een toekomstige werkgemeenschap voor de joden in Palestina, degenen die er al waren en ook degenen die nog zouden komen.

In veel opzichten was de *Histadroet* volkomen uniek. Hij was niet opgezet volgens de basis van andere, bestaande arbeidersorganisaties, omdat de positie van de joodse arbeider in Palestina toen totaal verschillend was van de arbeider in Engeland, in Frankrijk of in Amerika. Evenals elders, moesten in Palestina de economische rechten van de joodse arbeider én van de Arabische arbeider beschermd worden; natuurlijk betekende dat ook het stakingsrecht, het recht op een behoorlijk loon, het recht op betaalde jaarlijkse vakantie, op ziekteverlof, enzovoort.

Zelfs hoewel de officiële naam de Algemene Federatie van Joodse Arbeiders was, zou het te eenvoudig zijn om de *Histadroet* te omschrijven als een gewone vakbond. De *Histadroet* was veel meer, zowel in begrip als in de praktijk. Ten eerste baseerde de *Histadroet* zich op de eenheid van *álle* arbeiders in de *jisjoev* – of ze nu in loondienst waren, leden van een kibboets, handwerkslieden of kantooremployés, gewone arbeiders of intellectuelen – en van het begin af aan stonden ze op de bres in de strijd om joden naar Palestina te brengen, hoewel de last van de verhoogde immigratie onvermijdelijk op hun eigen schouders terecht kwam.

Ten tweede had Palestina geen 'pasklare' economie die de gestadige toevloed van joodse immigranten in het land kon absorberen. Er waren wat kleine industrieën en natuurlijk de landbouwnederzettingen. Maar deze ondernemingen konden geen land met een groeiende bevolking staande houden, en wij die naar Palestina waren gekomen om er een joods nationaal thuis te stichten, wisten dat we iets moesten scheppen dat tegenwoordig rustig als een 'nationale economie' wordt aangeduid. Als je erbij stilstaat om te bedenken wat dat inhoudt – industrie, transport, bouw, financiën om nog niet te spreken over de middelen om sociale verzorging, werkloosheid enzovoort uit te bestrijden – dan was het werk dat voor ons lag werkelijk iets scheppen uit vrijwel niets. Zelfs in die tijd toen de arbeiders in Palestina nog weinig in aantal waren en ver van elkaar woonden, namen ze via de *Histadroet* zonder aarzelen de verantwoording op zich om de voorhoede te zijn van een staat-in-oprichting, hoewel absoluut niemand ze met die taak belastte.

Omdat de *Histadroet* vanaf het prilste begin zo werd gedreven door het zionistische ideaal, beschouwde men elk enkel facet van het leven in het Joods Nationaal Thuis als van gelijke betekenis. Er waren (en er zijn nog steeds) twee normen waarnaar alle *Histadroet* projecten werden beoordeeld: voorzagen ze ook in een dringende nationale behoefte en waren ze aanvaardbaar – of nodig – vanuit het socialistische standpunt?

Een goed voorbeeld is de vastbeslotenheid van de *Histadroet* om eigen economische ondernemingen te ontwikkelen waarvan het beheer bij de arbeidersgemeenschap *als één geheel* zou berusten. Al in 1924 werd een wettig lichaam – de *Hevrat Ha-Ovdim* waarvan de onhandige vertaling luidt 'Algemene Coöperatieve Bond van Joodse Arbeiders in Palestina' en waarin elk afzonderlijk lid van de *Histadroet* vertegenwoordigd was – eigenaar van alle 'activa' van de *Histadroet*, maar omstreeks die tijd waren dat er nog niet veel. *Solel Bonéh* was er echter één van en toen zij te veel uitbreidden waardoor de zaak in 1927 op een mislukking uitliep, dacht niemand buiten de arbeidersbeweging dat ze ooit opnieuw zouden kunnen beginnen. Maar de *Histadroet* wist dat er een grote vraag naar een onderneming bestond die bouwwerken en openbare werken kon uitvoeren, en dat die vraag zou blijven bestaan. Een onderneming die aan de nationale eisen kon voldoen op een wijze als geen privé maatschappij ooit zou kunnen of willen doen. En zo vond uiteindelijk de hergeboorte van *Solel Bonéh* plaats. Tegenwoordig – na een reeks herorganisaties met o.a. in 1958 een splitsing op basis van drie maatschappijen: een bouwonderneming, een overzeese en havenmaatschappij, en een industriële 'holding company' met filialen – zijn ze een van de grootste en succesrijkste firma's in het hele Midden-Oosten. Als ik nog denk aan de spanning in het sombere, armoedige kantoortje van *Solel Bonéh* in het Jeruzalem van 1927 als er geen kasgeld genoeg was om zelfs de boekhouders eens per maand te betalen, en als ik dan overweeg dat deze drie bestanddelen van de oorspronkelijke *Solel Bonéh* het vorig jaar aan 50.000 mannen en vrouwen werk verschaften en een totale omzet van ongeveer $2\frac{1}{2}$ miljard Israëlische ponden bereikten, dan tart ik een ieder te durven beweren dat het zionisme niet totaal onverenigbaar met pessimisme is, of dat het socialisme noodzakelijkerwijs inefficiënt is tenzij het met meedogenloosheid wordt gecombineerd.

De critici van de joodse arbeidersbeweging die vijftig jaar geleden zeiden dat de opvatting van de *Histadroet* ten aanzien van hun rol romantisch, groots en tot mislukken gedoemd was, zou ik willen voorhouden dat *Solel Bonéh* niet alleen vijftig moeilijke jaren heeft doorstaan, maar zelfs bleef voortbestaan om een zeer beslissende rol te spelen bij het bouwen van duizenden huizen, scholen en ziekenhuizen en het aanleggen van wegen in Israël, terwijl ze ook een pioniersrol vervulden bij uitgebreide Israëlische projecten in Afrika, delen van Azië en het Midden-Oosten zelf. Maar *Solel Bonéh* was maar één van de scheppingen van de *Histadroet*. Er zijn tientallen andere, op landbouwkundig, industrieel, opvoedkundig, cultureel en zelfs medisch gebied, en alle zijn gebaseerd op de absolute en blijvende overtuiging dat de werkelijke kracht van de arbeiders in Israël tot uitdrukking komt in de prioriteit die verleend wordt aan de opbouw van hetgeen nu de joodse staat is.

Ik was in elk geval dolblij – en erg gevleid – toen David Remez (die al vier jaar tevoren had voorgesteld dat Morris en ik voor Solel Boneh in Jeruzalem zouden gaan werken) me op een regenachtige dag toen ik voor het kantoor van de *Histadroet* in Tel Aviv met iemand stond te praten, vroeg of ik weer wilde gaan werken en of ik dan misschien secretaresse van de *Moetzet Hapoalot* (de Vrouwenraad van de arbeidersbeweging) van de *Histadroet* wilde worden. Op de terugweg naar Jeruzalem nam ik een besluit, en dat was niet gemakkelijk. Ik wist dat als ik dat werk aannam, het zou betekenen dat ik veel in Palestina en erbuiten zou moeten reizen en dat we moeizaam zouden moeten proberen onderdak in Tel Aviv te vinden. Maar, en dat was het moeilijkste en ergste van alles, mijn werk hervatten zou inhouden dat ik mijn pogingen om me helemaal aan mijn gezin te wijden, wel kon opgeven. Hoewel ik nog niet bereid was mijn nederlaag te erkennen – zelfs niet tegenover mezelf – had ik wel in de loop van die vier jaar in Jeruzalem beseft dat mijn huwelijk een mislukking was. Het aannemen van een volledige baan betekende dat ik me daarmee moest verzoenen en daar schrok ik van terug. Maar ik hield me voor dat het aan de andere kant ook best mogelijk was dat als ik tevredener was en een meer voldaan gevoel over mezelf had, iedereen daarmee gebaat zou zijn, ook Morris en de kinderen om van mezelf nog niet te spreken. Misschien zou ik het leven dan beter aan kunnen; mijn huwelijk redden zover dat mogelijk was en voor het helemaal misliep, een goede moeder voor Sarah en Menachem zijn en desondanks het nuttige, interessante leven leiden waar ik zo vurig naar verlangde.

Maar zo ging het natuurlijk niet. Niets gaat ooit zoals je denkt dat het zal gaan. Toch, als ik eerlijk ben, kan ik niet zeggen dat ik die beslissing ooit betreurd heb of dat ik achteraf bezien vind dat ik een verkeerd besluit nam. Wat ik wél betreur, en heel erg, is dat hoewel Morris en ik getrouwd bleven en van elkaar bleven houden totdat hij in 1951 in mijn huis overleed (toen ik, – het leek wel een symbool – weer eens op reis was), ik niet in staat ben geweest om uiteindelijk een succes van mijn huwelijk te maken. Die beslissing die ik in 1928 nam, was eigenlijk het begin van onze scheiding, hoewel die pas bijna tien jaar later definitief van kracht werd.

De tragedie was niet dat Morris me niet begreep; integendeel, hij begreep me veel te goed en voelde dat hij me niet kon veranderen. Ik moest zijn wat ik was, en wat ik was maakte het voor hem onmogelijk om het soort vrouw aan mij te hebben die hij wilde hebben en nodig had. En dus raadde hij me niet af om weer aan het werk te tijgen, hoewel hij wist wat dat betekende.

Hij is altijd een deel van mijn leven blijven vormen, en natuurlijk ook van dat van de kinderen. De band tussen Sarah, Menachem en Morris is nooit verslapt. Ze waren dol op hem en bezochten hem heel vaak. Hij had ze veel te geven, net zoals hij mij veel gegeven had, en hij was een uitstekende vader voor ze, zelfs nadat we gescheiden leefden. Hij las ze voor, kocht boeken voor ze en praatte urenlang met ze over muziek, altijd met de tederheid en warmte die zo kenmerkend voor hem waren. Hij was altijd rustig en gereserveerd geweest. Voor de buitenwereld kan het misschien geleken hebben dat hij niet erg krachtig of geslaagd was, maar in wezen was zijn innerlijk leven heel rijk, rijker dan het mijne ondanks al mijn bedrijvigheid en voortvarendheid, en hij liet daar zijn beste vrienden, zijn gezin en – vooral – zijn kinderen in delen.

In 1928 verliet ik Jeruzalem dus en keerde met Sarah en Menachem naar Tel Aviv terug; Morris kwam alleen de weekeinden bij ons. De kinderen gingen naar school, een van de scholen die door de arbeidersbeweging werden geëxploiteerd, en ik ging weer aan het werk.

De Vrouwenraad van de arbeidersbeweging en de zusterorganisatie daarvan in het buitenland, de Vrouwelijke Pioniers, waren de eerste en laatste vrouwenorganisaties waar ik ooit voor heb gewerkt. Ik werd er niet zozeer door aangetrokken omdat het vrouwen betrof, maar omdat ik veel interesse had in het werk dat ze deden, vooral in de landbouwkundige trainingboerderijen die ze voor vrouwelijke immigranten instelden. Tegenwoordig houdt de Vrouwenraad, die deel uitmaakt van de *Histadroet*, zich in hoofdzaak bezig met sociale diensten en met arbeiderswetgeving voor vrouwen (moederschapsuitkeringen, pensioen, enzovoort), maar in de jaren dertig lag de nadruk vrijwel geheel op de beroepstraining voor de honderden jonge meisjes die naar Palestina kwamen om op het land te werken, maar die geen verstand van boerenwerk hadden of van enig ander handwerk. De trainingboerderijen van de Vrouwenraad gaf die meisjes nog heel wat meer dan beroepsinzicht. Ze hielpen het aanpassingsproces van de meisjes aan het nieuwe land te bevorderen, ze leerden ze Hebreeuws en gaven ze een gevoel van zekerheid in het land waar de meesten zonder familie heen kwamen; sommigen zelfs zonder toestemming van hun ouders. Deze 'arbeidersvrouwenboerderijen' werden opgericht in een tijd dat het idee dat vrouwen ergens voor getraind moesten worden, laat staan voor de landbouw, door velen belachelijk werd gevonden.

Ik ben geen groot bewonderaarster van het soort feminisme dat zich spant voor het verbranden van bustehouders, mannenhaat of een campagne tegen het moederschap, maar ik had de grootste achting voor die energieke, hardwerkende vrouwen in de gelederen van de arbeidersbeweging, zoals Ada Maimon, Beba Idelson, Rachel Yanait-Ben-Zwi, om er maar een paar te noemen. Zij slaagden erin tientallen stadsmeisjes de theoretische kennis en een behoorlijke praktische training mee te geven die het ze mogelijk maakte om hun deel bij te dragen, en vaak veel meer dan dat, aan het werk op de landbouwnederzettingen overal in Palestina. Dat soort constructief feminisme doet vrouwen eer aan en is veel belangrijker dan wie het huis schoonmaakt of de tafel dekt.

Er is natuurlijk veel te zeggen over de positie van de vrouw in het algemeen, en er is al veel, misschien zelfs té veel, over gezegd. Maar ik kan mijn eigen gedachten daarover in een paar woorden samenvatten. Natuurlijk zouden vrouwen in elk opzicht als de gelijke van de man behandeld moeten worden. Maar, en dat geldt ook voor het joodse volk, ze hoeven niet béter te zijn dan ieder ander om als menselijke wezens te leven, of te voelen dat ze steeds wonderen moeten verrichten om toch alsjeblieft maar geaccepteerd te worden. Aan de andere kant deed er op een goed moment een verhaal de ronde in Israël, en voor zover ik weet was het ook niet meer dan een verhaal, dat Ben-Goerion mij had beschreven als 'de enige man' in zijn kabinet. Wat ik daarin vermakelijk vond was dat blijkbaar degene die het verhaal bedacht had, dacht dat zoiets het grootste compliment was dat je een vrouw kon maken. Ik twijfel er ten zeerste aan of een man zich gevleid gevoeld zou hebben als ik over hem gezegd had dat hij de enige vrouw in de regering was!

Het is een feit dat ik mijn hele leven met mannen heb samengewerkt, maar het heeft me nooit gehinderd dat ik een vrouw was. Het heeft nooit gemaakt dat ik me niet op mijn gemak voelde of me een minderwaardigheidsgevoel gegeven of me doen denken dat mannen beter af zijn dan vrouwen, of dat het een ramp is om kinderen het leven te schenken. Helemaal niet. Evenmin hebben mannen me ooit in behandeling bevoorrecht. Maar ik vind wél dat vrouwen die een leven binnen- en buitenshuis nodig hebben en wensen, het veel moeilijker hebben dan mannen want ze moeten een dubbele last torsen. Dit geldt niet voor de kibboetsvrouwen waar het leven zo georganiseerd is dat ze kunnen werken en tevens hun kinderen kunnen grootbrengen. In gewone omstandigheden is het leven van een werkende moeder die zonder de voortdurende aanwezigheid en steun van een vader voor haar kinderen leeft, drie keer zo moeilijk als dat van alle mannen die ik ooit ontmoet heb. In zeker opzicht is mijn eigen leven in Tel Aviv, nadat we daarheen vanuit Jeruzalem verhuisden, een voorbeeld van die dilemma's en moeilijkheden. Ik was altijd gehaast op weg ergens heen, naar mijn werk, naar huis, naar een vergadering, om Menachem naar een muziekles te brengen, om een afspraak met de dokter voor Sarah na te komen, om te winkelen, te koken, te werken en weer terug naar huis te gaan. En ik weet nog steeds niet met zekerheid of ik de kinderen niet te kort heb gedaan of ze verwaarloosd heb, ondanks de pogingen die ik deed om zelfs geen uur langer dan strikt nodig was bij ze vandaan te zijn. Ze groeiden op tot gezonde, produktieve, begaafde en goede mensen en ze zijn beiden uitstekende ouders voor hun eigen kinderen en heerlijk gezelschap voor mij. Maar ik weet dat ze in hun jeugd mijn bezigheden buitenshuis heel naar en vervelend vonden.

Ik bleef 's avonds laat op om voor ze te koken. Ik verstelde hun kleren, ik ging met ze naar concerten en films. We hebben altijd veel samen gepraat en gelachen. Maar hadden Sheyna en mijn moeder gelijk toen ze me jarenlang verweten dat ik de kinderen had beroofd van hetgeen ze van nature toekwam? Ik denk dat ik nooit een afdoend antwoord op die vraag zal vinden, maar ook dat ik nooit zal ophouden het me af te vragen. Waren ze ooit trots op me, toen of later? Ik zou het graag willen denken, natuurlijk, maar ik weet werkelijk niet of het trots zijn op je moeder opweegt tegen haar veelvuldige afwezigheid. Ik herinner me dat ik eens toen ik voorzitster van een openbare vergadering was, vroeg 'allen die voor' het een of ander waren hun hand op te steken en tot mijn stomme verbazing zag ik dat Sarah en Menachem (die stilletjes de zaal waren binnengekomen om me af te halen) loyaal hun hand ophieven om hun goedkeuring te doen blijken. Het was de beste motie van vertrouwen die ik ooit gekregen heb, maar het hield me er niet van terug te voelen dat het toch lang niet zo prettig of belangrijk is voor je moeder te stemmen dan haar thuis te vinden als je uit school terugkomt.

En later was ik ook zo vaak in het buitenland. Als ik op reis was, waren mijn schuldgevoelens overstelpend. Ik schreef ze steeds opnieuw, maakte zelfs grammofoonplaten voor ze want dat was veel intiemer, en ik kwam nooit zonder cadeaus terug. Maar toch had ik steeds het gevoel dat ik ze tekort deed. Jaren later heb ik die gevoelens eens in een artikel tot uitdrukking gebracht dat anoniem geschreven was voor een verzameling mémoires (het heette 'De Vrouw aan de Ploeg') door enkele vrouwen die in die dagen actief in de *jisjoev* waren. Een paar alinea's uit dat artikel van 1930 zijn misschien ook nu nog van interesse voor vele vrouwen, omdat de problemen die me toen zo in beslag namen niet zo veranderd zijn door de huidige wasmachines, afwasmachines en drogers, hoewel die destijds wel een enorme hulp voor me zouden hebben betekend.

'In zijn geheel genomen zijn er maar weinig dingen die gelijk zijn aan de innerlijke strijd en wanhoop van een werkende moeder. Maar toch zijn er in dat geheel vele schakeringen en variaties. Er zijn moeders die alleen maar werken omdat ze ertoe gedwongen zijn omdat de man ziek of werkloos is, of als het gezin op de een of andere wijze het gewone levenspatroon niet kan volgen. In zulke gevallen voelt de moeder dat haar gedragslijn door noodzaak wordt gerechtvaardigd, anders zouden haar kinderen geen eten krijgen. Maar er is een type vrouwen die om andere redenen niet thuis kunnen blijven zitten. Ondanks de plaats die haar kinderen en haar gezin in haar leven innemen, vraagt haar natuur, haar hele wezen meer dan dat. Ze kan zich niet van een meer omvattender maatschappelijk leven losmaken. Ze kan de kinderen haar horizon niet laten beperken. En voor zulke vrouwen bestaat er geen rust.

Theoretisch ziet het er allemaal heel normaal uit. De vrouw die haar plaats bij de kinderen vervult, is toegewijd, houdt van de kinderen, is betrouwbaar en geschikt voor het werk. De kinderen worden uitstekend verzorgd. Er zijn zelfs opvoedkundige theoretici die beweren dat het eigenlijk beter voor de kinderen is dat hun moeder niet steeds om ze heen is; en een vrouw die bezig is en die de hele buitenwereld voor haar man en kinderen heeft opgegeven, heeft dat niet uit plichtsgevoel gedaan, uit toewijding of liefde, maar omdat ze niet anders kan, omdat haar ziel niet in staat is om de veelzijdigheid van het leven op te nemen met al het daaraan verbonden leed, maar ook met alle vreugden. En als een vrouw bij haar kinderen blijft en zichzelf niets anders gunt, bewijst dat dan werkelijk dat zij toegewijder is dan de andere soort moeder? Als een vrouw geen intieme vrienden heeft, bewijst dat dan dat ze meer van haar man houdt?

Maar de moeder lijdt ook juist door het werk dat ze op zich genomen heeft. Ze heeft altijd het gevoel dat haar werk niet zo goed is als dat van een man, of zelfs als dat van een ongetrouwde vrouw. En de kinderen leggen ook op haar beslag, als ze gezond zijn, en nog meer als ze ziek zijn. Deze eeuwige innerlijke verdeeldheid, dit trekken van twee kanten, en beurtelings het gevoel van in plicht tekort geschoten te zijn vandaag tegenover haar gezin, morgen tegenover haar werk, dat is de last die een werkende moeder moet meetorsen.'

Het was geen erg vlot geschreven artikel en nu ik het weer overlees, lijkt het me zelfs wat stijf toe, maar ik schreef het toen door zielsangst gekweld.

Afgezien van al het andere was Sarah een paar jaar niet goed gezond. We hoorden dat er moeilijkheden met haar nieren waren en er ging praktisch geen maand voorbij dat we niet bezorgd naar de dokter toe moesten. Ze was een knap, vrolijk, heel levendig meisje en hield zich zonder veel ophef aan het strenge dieet dat ze moest volgen. Ze slikte trouw haar medicijnen en moest soms wekenlang het bed houden. Het was niet eenvoudig haar in andermans handen over te laten op de dagen dat ze in bed moest blijven, en als ze op was, moest ze steeds goed in de gaten gehouden worden. Sheyna en mijn moeder hielpen me vaak, maar ik had altijd het gevoel dat ik ze moest uitleggen waarom ik 's morgens aan het werk ging en pas 's middags terugkwam, dat ik me daarvoor moest verontschuldigen.

Kort geleden vond ik een van de brieven die ik Sheyna in die tijd eens heb geschreven. Ik was voor een paar weken met een opdracht van de Vrouwelijke Pioniers naar Amerika gestuurd. Het was voor het eerst na zeven jaar dat ik daar terugkwam en onderweg woonde ik een vergadering van de Socialistische Internationale bij die net in Brussel plaatsvond. Ik was diep onder de indruk van Brussel. Ik was helemaal vergeten hoe de wereld er buiten Palestina uitzag en kon het bijna niet geloven: die bomen, trams, de stalletjes met vruchten en bloemen, het koele grijze weer. Het was alles zo anders dan in Tel Aviv en ik vond het prachtig. Ik was het jongste lid van onze delegatie (waar ook Ben-Goerion en Ben-Zwi deel van uitmaakten) en had dus tijd om rond te lopen om van alles te bekijken én ook om urenlang naar de toespraken van beroemde socialisten te luisteren die ik natuurlijk nooit eerder had gezien. Mannen als Arthur Henderson, de leider van de Britse Arbeiderspartij, die tevens president van de Socialistische Internationale was; of Leon Blum die de eerste socialist en eerste joodse premier van Frankrijk werd. Henderson had er zo net in toegestemd een verbond voor de arbeidersbeweging in Palestina te organiseren en werd daarom scherp becritiseerd door niemand anders dan de joodse niet-zionistische socialisten en wat ons betreft was de atmosfeer geladen. Ondanks alles wat er om me heen gebeurde, nam ik op een dag een uur vrijaf en probeerde, geholpen door de afstand, Sheyna te overtuigen dat ik niet alleen maar een egoïstische en slechte moeder was.

'Ik vraag je maar één ding', schreef ik haar vanuit Brussel, 'en dat is dat je me begrijpt en gelooft. Mijn maatschappelijke bezigheden zijn geen bijkomstigheid; ik heb ze absoluut nodig. Voor ik vertrok, heeft de dokter me verzekerd dat Sarahs gezondheidstoestand niet onder mijn afwezigheid zou lijden en ik heb ook voor Menachem een goede regeling getroffen. Maar in onze tegenwoordige toestand kon ik niet weigeren te doen wat ze me vroegen. Geloof me, ik weet dat het ons niet de Messias zal brengen, maar ik vind wel dat we geen kans mogen missen om aan invloedrijke mensen uit te leggen wat we willen en wie we zijn.' Maar hoewel Sheyna zelf binnenkort naar Amerika zou terugkeren om daar voor diëtiste te leren waarbij ze haar twee oudere kinderen in Palestina zou achterlaten, bleef ze me beschuldigen dat ik langzamerhand, zoals zij het uitdrukte 'een openbare persoonlijkheid werd en geen huiselijk mens'. En mijn moeder las me ook de les. Ik denk dat ze het meest van streek waren door het feit dat ik zo vaak van huis weg was en dat de kinderen dan zonder mij hun middagmaal in de vrij Spartaanse, maar goede eetzaal moesten gebruiken die behoorde tot de arbeiders woonwijk waar wij toen woonden, in Hayarkon Street, in het noorden van Tel Aviv en met uitzicht op de zee.

Eigenlijk liep het allemaal heel goed. Ik verhuurde altijd een van onze drie kamers zodat de kinderen nooit alleen waren. Jarenlang sliep ik daarom, en prima, op een divan in onze zit/eetkamer; als ik naar het buitenland moest, zorgde ik altijd dat er iemand kwam die voor ze zorgde. Maar ze zagen me natuurlijk minder dan normaal.

Tegenwoordig beslaat het hoofdkantoor van de *Histadroet* een enorme bouw aan een van de hoofdstraten van Tel Aviv en daarbinnen lijkt het wel een bijenkorf die zoemt van het geluid van honderden stemmen, schrijfmachines en telefoons, maar in die dagen was alles nog heel anders. We hadden maar een paar kamers, enkele typistes, maar één telefoon en iedereen kende iedereen. We waren in de meest letterlijke zin van het woord *chaverim* (kameraden) en ondanks het feit dat we steeds onderling van mening verschilden over details en werkwijze, hadden we toch dezelfde kijk op het leven en de levenswaarden. De meeste vriendschappen die ik in die tijd aanknoopte, bestaan op een of andere wijze nog, al heb ik natuurlijk in de loop der jaren heel wat begrafenissen moeten bijwonen van collega's die jong waren toen de *Histadroet* en ik dat ook waren.

Van die groep zouden er drie of vier ook buiten de *jisjoev* bekend worden. Verderop schrijf ik nog uitgebreider over Ben-Goerion die – en met reden – de personificatie van Israël in de hele wereld werd en die vrijwel zeker altijd als een van de werkelijk grote joden van de twintigste eeuw zal blijven voortleven. Hij was de enige van ons allemaal van wie gezegd kon worden dat hij letterlijk onontbeerlijk was voor het joodse volk in zijn strijd om de onafhankelijkheid. Maar in die tijd kende ik hem nog nauwelijks. Onder degenen die ik goed zou leren kennen, waren Shneur Zalman Sjazar die de derde president van de staat Israël zou worden en Levi Esjkol die de derde premier zou worden, David Remez en Berl Katznelson; voorts Yoset Shprinzak die de eerste voorzitter van de Knesset werd.

Ik ontmoette Sjazar (die Roebasjov heette voor zijn naam in het Hebreeuws werd omgezet) voor het eerst vlak nadat we Merhavia verlaten hadden en naar Tel Aviv waren teruggekeerd. Het was op 1 mei, de dag van de arbeid, en Morris en ik gingen naar een bijeenkomst die door de *Histadroet* georganiseerd was op het schoolplein van de Herzlia Middelbare School. Ik heb het nooit bijzonder prettig gevonden naar lange toespraken te moeten luisteren, zelfs al gáán ze over de arbeidersbeweging, en ik dwaalde met mijn gedachten een beetje af toen een jonge man opstond en begon te spreken. Ik zie hem nog voor me: een krachtige jonge man in een *rubasjka*, de Russische kiel die de arbeiders in Palestina toen droegen. Hij had een rode sjerp om zijn middel en een khaki broek aan. Hij sprak zo fel en enthousiast en in zulk prachtig Hebreeuws dat ik meteen vroeg wie hij was. 'O, dat is Roebasjov', zei iemand nogal verwijtend alsof ik dat toch had moeten weten. 'Een dichter en schrijver. Een héél belangrijk man.' Toen ik hem nader leerde kennen, kwam ik ook erg onder de indruk van hem en tenslotte zijn we bijzonder goede vrienden geworden.

In tegenstelling tot sommigen van ons die groot werden door de uitdaging van het zionisme en die onder andere omstandigheden nooit veel betekend zouden hebben, had Sjazar bijzondere persoonlijke gaven. Hij was een geleerd en ontwikkeld man, doorkneed in joodse kennis zoals het een zoon uit het bekende chassidische geslacht van de Lubavitchers betaamde (zijn voornamen zijn die van de eerste Lubavitcher rabbijn) en tevens een begaafde journalist, essayist en uitgever. In 1974 stierf hij op vijfentachtigjarige leeftijd, ongeveer een jaar nadat hij het presidentschap van de staat had opgegeven. Toen hij al heel oud was, waren de jongeren in Israël geneigd, al was het dan ook met een zekere liefde, te glimlachen om zijn emotionele en lange, bloemrijke toespraken die hij wat de stijl betreft sinds de jaren twintig weinig veranderd had. Maar Sjazar had altijd iets toepasselijks te zeggen, al duurde het wel eens lang voor hij klaar was. Als president van de staat legde hij altijd de bijzondere nadruk op wat hij noemde 'de familie Israël' waaronder hij alle joden in het land rekende, d.w.z. die van Europese, zijn eigen, oorsprong en die duizenden en duizenden die uit de Arabisch sprekende landen kwamen en voor wie het chassidisme en de joodse cultuur totaal niets betekenden. Jarenlang heeft Sjazar *Davar* uitgegeven, het dagblad van de arbeidersbeweging, en ik herinner me dat iemand eens tegen me zei: 'Zalman vindt het veel leuker om fouten in andermans werk te verbeteren dan zelf te schrijven. Hij had eigenlijk onderwijzer moeten worden.'

Hij heeft nooit les gegeven, maar hij werd wel Israëls eerste minister van onderwijs; in 1948 nam hij die taak vol ijver op zich. Ik heb altijd het verhaal van zijn eerste dag op het ministerie erg mooi gevonden, omdat het, volgens mij, zo duidelijk aangeeft wat een warmvoelend, bescheiden en toegewijd man hij was. Toen hij op het ministerie aankwam, ontdekte hij dat er een secretaris en een kamer voor hem gereserveerd waren, maar geen schrijfmachine. Maar daar trok Sjazar zich niet zo veel van aan. Hij hing zijn hoed op, ging zitten en zei opgewekt tegen zijn nieuwe secretaris: 'Neem even wat op. Geen schrijfmachine? Hindert niet. Schrijf het maar met de hand op. Klaar? Alle Israëlische kinderen tussen de leeftijd van vier en achttien jaar moeten gratis het beste onderwijs krijgen.' Toen de secretaris opmerkte dat het een paar dagen kon duren voordat dit uitgevoerd kon worden, omdat de staat nog pas één dag oud was, zei Sjazar fel: 'Als het om onderwijs gaat, wens ik geen discussie. Dit is mijn eerste bevel als de minister die daarvoor verantwoordelijk is.' En inderdaad heeft hij al heel gauw daarna de Israëlische Onderwijswet afgekondigd.

Toen Sjazar president en ik premier was, bezocht ik hem zo vaak mogelijk. Hij had een hekel aan het isolement van het presidentschap en ik kwam steeds weer bij hem of belde hem op om te trachten hem ervan te weerhouden zich te nauw in een of andere explosieve politieke situatie te laten betrekken, vooral als het om de arbeidersbeweging ging. 'Vergeet niet dat je nu president bent, Zalman', zei ik dan. 'Je mag niet tussenbeide komen.' Meestal schudde Sjazar dan ongelukkig zijn hoofd over mijn raad, maar hij volgde hem wel op.

Levi Esjkol (zijn oorspronkelijke naam was Shkolnik) was ook zo'n veelbelovende jongeman met wie ik in de jaren twintig bevriend raakte. Hij was heel anders dan Sjazar, hoewel hij eveneens uit een chassidische familie in Rusland voortkwam. Op slechts negentienjarige leeftijd was hij naar Palestina gekomen en na in verschillende delen van het land als landarbeider te hebben gewerkt, sloot hij zich aan bij het Joodse Legioen, samen met Ben-Goerion en Ben-Zwi en nog jaren later ging hij er prat op dat hij vóór Ben-Goerion tot soldaat 1e klas was bevorderd. Na afloop van de oorlog werd hij lid van Degania waar hij door de *Histadroet* werd weggehaald, maar zijn leven lang bleven zijn banden met de kibboets bestaan. Esjkol was typerend voor de praktische idealist van die tijd: zijn grote interessen waren land, water en verdediging, al was het niet noodzakelijkerwijs in die volgorde, en hij was het gelukkigst als hij met dat soort doodgewone maar uiterst belangrijke problemen werd geconfronteerd. Abstracte politiek trok hem niet aan en hij haatte bureaucratische procedures. Maar als hem een speciaal probleem werd voorgelegd, dan loste hij dat met een bijzondere combinatie van hardnekkigheid, vindingrijkheid en sluwheid op. Als je een joods nationaal thuis wenste, dan moest je zorgen dat joden zich op het land vestigden, onverschillig hoeveel dat land kostte of wat voor bezwaren de mandaatregering joodse instellingen die land wilden kopen, in de weg legde. 'Er is in Palestina geen ruimte genoeg om zelfs een kat in de rondte te zwaaien', zei het Britse ministerie van koloniën in 1929 als excuus voor de onvergeeflijke politiek om joodse immigratie en landaankoop te beperken. En dus bracht Esjkol de volgende dertig jaar door met het zoeken naar plekken waar wél nieuwe nederzettingen gesticht *kónden* worden en als hoofd van de afdeling Landbouwnederzettingen van het Joods Agentschap had hij het toezicht bij het stichten van bijna 400 nieuwe joodse dorpen. Je kon geen nederzettingen hebben zonder irrigatie en geen irrigatie zonder water, dus begon Esjkol een intensief onderzoek naar water te organiseren. Het was een heel kostbaar onderzoek, en hij moest ook aan geld zien te komen, maar hij slaagde erin beide te vinden; helaas niet in hoeveelheden die eeuwigdurend waren. Als je land had en de pech om uiterst vijandig gezinde buren naast je te hebben, moest je ook voor wapens zorgen en een leger trainen. De geschiedenis van Esjkols bijdrage aan Israëls gewapende strijdkrachten vanaf 1921, toen hij opgenomen werd in het eerste defensie-comité van de *Histadroet*, tot en met de perioden dat hij de ambten van respectievelijk premier en minister van defensie vervulde, begonnen in 1963, is een verhaal op zichzelf. Als premier van Israël tijdens de Zesdaagse Oorlog werd hij veel, en geheel ten onrechte, beschimpt om wat zijn critici zijn aarzelende houding noemden, maar een leider die *niet* aarzelt om jonge mannen ten strijde te sturen is toch zeker een nationale ramp. Er deden toen van allerlei kwaadaardige verhalen de ronde over zijn zogenaamde onvermogen om een besluit te nemen. Het grote drama en de grief van Esjkols laatste jaren was echter de kloof die tussen hem en Ben-Goerion was ontstaan; hij was tientallen jaren diens trouwe aanhanger geweest en op zijn verzoek had hij in 1963 met tegenzin het ambt van premier op zich genomen. De hele arbeidersbeweging werd bij dat diepgaande conflict betrokken en het verscheurde Israël bijna, maar het behoort tot een veel latere periode, dus moet ik het schrijven daarover nog even uitstellen. Esjkol stierf in 1969 aan een hartaanval, maar ik denk dat het een mooie naam voor een gebroken hart was.

Esjkol was geen 'charismatisch' leider om een modewoord te gebruiken. Hij had geen bijzondere aantrekkingskracht. Maar hij was een bijzonder scheppende persoonlijkheid, een man die zorgde dat de dingen gedaan werden op het tijdstip dat dat nodig was, hoe moeilijk het ook was. Hij was een man met een warm hart voor zijn medemensen. Ik heb hem altijd graag mogen lijden en had een groot vertrouwen in hem, maar wie had ooit gedacht toen wij in Tel Aviv samenwerkten dat hij uiteindelijk premier zou worden en dat ik hem in dat ambt zou opvolgen. In de jaren vijftig, toen Esjkol Israëls minister van financiën was en ik minister van arbeidszaken, botsten we nogal eens, maar dat had nooit invloed op onze persoonlijke verhouding. Dat was de tijd dat onze jonge staat overstroomd werd met honderdduizenden totaal verarmde, dakloze joden uit de vluchtelingenkampen in Europa en de getto's van de Arabisch sprekende staten en de enige manier waarop wij deze stroom mensen onderdak konden brengen, was om zelf kampen voor ze in te richten.

Op een dag stormde Esjkol mijn kantoor binnen. 'We *moeten* ze uit die kampen halen', schreeuwde hij. 'We *moeten* ze over het hele land verspreiden. Ik weet niet hoe we het moeten doen of waar we het geld ervoor vandaan moeten halen of hoe ze de kost moeten verdienen, maar we moeten ze uit die kampen halen.' Ik zei tegen hem dat het voor het ogenblik onmogelijk was, er kon geen sprake van zijn, het zou nog een tijd duren, maar hij hield vol en hij had gelijk. Als ik er nu aan terugdenk, ben ik van mening dat Israël die eerste chaotische jaren na 1948 niet overleefd had als Esjkol er niet op had aangedrongen om die bijna 700.000 immigranten meteen uit de opvangcentra te halen en ze over het hele land in tentensteden te verspreiden. Binnen een paar weken verrezen die overal als paddestoelen, maar toch maakte deze maatregel het uiteindelijk mogelijk ze zo snel mogelijk te absorberen.

Als minister van arbeidszaken was het mijn taak werk voor deze mensen te zoeken en ze uit die ellendige tenten te krijgen en ik maakte Esjkol voortdurend het leven zuur om geld om bijzondere projecten te financieren en om huizen neer te zetten. Maar hij had andere dingen die voorgingen en hield me dan zijn slagzin voor. 'Kijk eens', zei hij dan tegen mij, 'je kunt een huis niet melken. Maar een koe wel. Dus, als je nu geld wilt hebben, kan je het krijgen, maar alleen voor koeien.' Op een keer werd ik erg boos; ik ging naar Ben-Goerion en zei dat ik wilde aftreden. Ik had op me genomen minister van arbeidszaken en ontwikkeling te zijn (daarbij behoorde Volkshuisvesting), en niet minister van werkloosheid en tenten! Tenslotte trad ik natuurlijk niet af en Esjkol haalde hier of daar wat geld te voorschijn voor huisvestingsprojecten.

Nog een dierbare vriend die ik in die eerste jaren nadat ik weer aan het werk ging, ontmoette, was David Remez die ik al genoemd heb. Hij was even warm van hart als Esjkol en had ook veel gevoel voor humor. Evenals Esjkol had hij de gave de praktische problemen van het zionisme op te lossen, vooral die van *Solel Bonéh* en later die van *Histadroet* projecten met betrekking tot vervoer: wegen, scheepvaart en zelfs pogingen om de landelijke luchtvaart aan te moedigen. Remez behoorde tot de immigranten van wat wij de staart van de tweede *alija* noemden, de omstreeks 35.000 joden die vanaf 1909 tot het uitbreken van de Eerste Wereldoorlog Palestina bereikten, en in menig opzicht was hij typerend voor die generatie pioniers. In zijn jeugd had hij gedichten geschreven, veel over het socialisme gelezen en gesproken, belangstelling voor het Hebreeuws gekregen die hij zijn levenlang zou houden; hij had rechten gestudeerd; enige tijd bezocht hij de universiteit van Istanboel waar hij Ben-Goerion, Ben-Zwi en de jonge Mosje Sjarett had leren kennen. Maar toen hij in Palestina was aangekomen, liet hij alle theorie en boekengeleerdheid achter zich liggen, nam spade en schoffel op en bracht vijf zware jaren in praktijk wat hij had gepredikt. Hij zwoegde als arbeider in de joodse sinaasappelplantages en wijngaarden op het platteland.

Zijn hele leven — hij stierf in 1951 — combineerde Remez een hartstochtelijke belangstelling voor de doelstellingen van de beweging, de eenheid van de arbeiders en de toekomst van het socialisme in het Joods Nationaal Thuis, met een even hartstochtelijke belangstelling voor de vorm ervan. Hij was even geïnteresseerd in de herleving van de Hebreeuwse taal als in de joodse scheepvaart en een van zijn methoden om te ontspannen was om nuttige nieuwe Hebreeuwse woorden te scheppen uit oude Hebreeuwse vormen. Het was kenmerkend dat zelfs de woorden die Remez uitvond (de drie belangrijkste waren waarschijnlijk de Hebreeuwse benamingen voor 'bulldozer', 'wegwijzer' en 'anciënniteit') met het werkelijke leven te maken hadden in plaats van met ideologie, hoewel hij wel heel actief in de leiding van de arbeidersbeweging was en vele jaren als algemeen secretaris van de *Histadroet* optrad. Remez behoorde in 1948 ook tot de opstellers van de Joodse Onafhankelijkheidsverklaring. Toen de staat was gesticht, werd hij de eerste minister van verkeer en daarna minister van onderwijs. We ontmoetten elkaar vaak en hadden veel gemeen in de wijze waarop we de zaken benaderden. Remez was een van de heel weinigen van mijn kameraden met wie ik zelfs wel persoonlijke, niet-politieke

107

kwesties besprak en ik hechtte veel waarde aan zijn raad en leiding die ik nog steeds erg mis.

Voor alles herinner ik me Berl Katznelson. Hij is in 1944 gestorven en heeft dus nooit de staat Israël gezien, maar ik heb me vaak afgevraagd wat hij ervan gedacht zou hebben, of van ons. Ik ben ervan overtuigd dat vele dingen anders – en beter – geweest zouden zijn als Berl de afgelopen dertig jaar nog bij ons was geweest. De arbeidersbeweging waarvan hij de onomstreden geestelijke leider en gids was, zou vast en zeker trouwer aan zichzelf en de vastgelegde principes zijn gebleven dan nu het geval was, en misschien hadden we een samenleving kunnen vormen die met groter gelijkheid was gezegend. Berl speelde een unieke rol in de beweging, hoewel hij er maar weinig officiële posten in heeft bekleed en ik schaam me dat ondanks de twaalf delen van zijn essays en toespraken die uitgegeven zijn, niemand tot nu toe een echte biografie óver hem geschreven heeft. Ik ben zeker geen historicus en ik kan – en wil – niet zo vermetel zijn om te trachten de omvang van Berls invloed op ons allen te analyseren en na te gaan. Maar ik kan tenminste iets doen om zijn naam buiten de grenzen van Israël bekendheid te geven, want hij was de enige man, tegen wie wij allen, met inbegrip van Ben-Goerion, met ontzag opkeken en die ons allen hielp door als onbetwist en geliefd geestelijk leider op te treden.

Physiek was Berl helemaal niet indrukwekkend. Hij was klein, zijn haar zat altijd slordig, zijn kleren zagen er steeds verkreukeld uit. Maar een bijzondere glimlach verhelderde zijn hele gelaat, en zijn altijd wat droevige ogen keken volkomen door je heen, zodat iemand die ooit met Berl had gesproken hem zijn leven lang niet meer vergat. Ik denk aan hem zoals ik hem honderden keren weggedoken zag zitten in een versleten oude leunstoel in een van zijn twee kamers met wanden vol boeken waar hij in het hart van Tel Aviv in woonde. Daar kwam iedereen hem opzoeken en daar werkte hij, want hij had er een hekel aan om naar een kantoor te gaan. 'Berl zou graag willen dat je even langs kwam', was een soort bevel dat iedereen gehoorzaamde. Niet dat hij daar hof hield of zelfs maar bevelen gaf, maar er werd niets gedaan, geen belangrijk besluit van de arbeidersbeweging in het bijzonder of van de *jisjoev* in het algemeen genomen zonder dat eerst Berls mening was gevraagd.

Hij zat daar in die stoel, met de kin in de handen, en praatte en luisterde urenlang; zijn standpunt was vrijwel altijd beslissend, ondanks het feit dat de enige administratieve posten die hij in de arbeidersbeweging had, uitgever van *Davar* en directeur van de uitgeversmaatschappij *Am Oved* waren. Ik ben ervan overtuigd dat als hij 1948 nog had mogen beleven, hij geweigerd zou hebben een plaats in het kabinet te aanvaarden en dat we nog steeds allemaal om leiding en aanmoediging naar hem toe zouden zijn gekomen. Het was geen goedkope valse bescheidenheid die Berl ervan weerhield macht te zoeken. Het was zijn daadwerkelijke desinteresse in de politieke *machinerie* die hij onbeduidend vond, en zijn intensieve, bijna brandende en alles in beslag nemende belangstelling voor de kern van elke kwestie. Hij was net een archeoloog die naar de waarheid groef en meestal bereikte hij die zonder zich iets aan te trekken van wat te doen gebruikelijk was of erop te letten of het hem wel populair zou maken. En op die manier nam niemand in de arbeidersbeweging in de jaren twintig, dertig en veertig ooit een besluit over een belangrijke zaak zonder eerst te vragen: 'Maar wat vindt Bérl ervan?' Hij had minstens twee andere bijzondere eigenschappen behalve zijn onlesbare dorst naar waarheid. Berl was een buitengewoon scherpzinnig en intelligent man met een enorme charme. Het was onmogelijk niet onder de indruk van zijn wijsheid te komen of je niet tot zijn persoonlijkheid aangetrokken te voelen. Ik herinner me dat bij partijconferenties Berl meestal zijn tijd doorbracht met in de gangen tegen 'onbelangrijke' mensen over belangrijke kwesties te spreken, in plaats van met de partijleiders achter de lange tafel te zitten. Als hij aan de beurt kwam om te spreken, holde iedereen rond om hem te zoeken. Hij was geen redenaar. Hij hield nooit formele toespraken. Hij sprak nooit *tegen* iemand. Hij stond daar maar op het podium en praatte soms urenlang terwijl hij nu en dan een slokje water dronk. Dan woog hij de voor- en nadelen van iets af en deed dat met een bewonderenswaardige eenvoud. Hij gebruikte zijn bijzondere intellect om door alle verwarring heen te breken, dingen duidelijk te stellen en te onderzoeken. En niemand maakte notities, fluisterde of verliet de zaal als Berl sprak, ondanks het feit dat hij vaak twee of drie uur achter elkaar het woord had.

Waar geloofde hij in? Evenals wij allemaal — hoewel wij het misschien vergeten zouden hebben als Berl er ons niet steeds weer aan herinnerd had — geloofde hij dat ons soort socialisme anders *moest* zijn; dat we een samenleving aan het scheppen waren, niet alleen maar een vakbond; en dat de klassenstrijd geen zin had in een samenleving die nog geen klassen kende. Hij geloofde dat het zionisme een van de grootste revolutionaire bewegingen ter wereld was en hij beschreef het als 'de basis waarop de hedendaagse joodse geschiedenis steunde'. Het hield volgens hem in 'een totale opstand tegen de slavernij van de diaspora', in welke vorm ook, en 'de schepping van een werkende joodse bevolking die ervaren was in alle takken van landbouw en industrie'. Hij werd de geestelijke vader van veel van *Histadroets* belangrijkste instellingen. Het was Berl die zei dat er behoefte aan een arbeidersbank bestond, aan een coöperatief groothandelsgenootschap, aan een ziekenfonds voor de arbeiders.

Deze instelling van hem leidde ertoe dat hij eerst een plan opzette tot een grote, niet-selectieve immigratie van joden naar Palestina in een tijdperk dat er bij de arbeidersbeweging de neiging bestond om in de eerste plaats steun voor te staan aan pioniers die al een korte landbouwopleiding in het buitenland hadden gevolgd. Daarna propageerde hij de zogenaamde 'onwettige' immigratie van joden naar Palestina. 'Van nu af aan', zei hij, 'zal niet de pionier maar de vluchteling ons leiden' en wat hij bedoelde was het lot van de *jisjoev* waarbij steeds heldhaftige daden moesten worden uitgevoerd in kleine étappes, stap voor stap. Zo is het ook gebeurd, hoewel Berl het niet heeft mogen beleven. Een van die stappen waar hij ook voor verantwoordelijk was, was het afzetten van Palestijnse joden achter de nazi-linies, binnen het kader van de geallieerde strijdkrachten, in een wanhopige poging om tijdens de Tweede Wereldoorlog de joden van Europa te bereiken. Hij was de eerste onder ons die de dringende eis tot vorming van een staat naar voren bracht, al was het Ben-Goerion die dit in 1942 in een hotel in New York onder aandacht van de wereld bracht.

Gezien hoe bijzonder geletterd Berl was, is het volgens mij interessant dat hij practisch geen formele schoolopleiding had. Hij was als kind vrij ziekelijk geweest en had thuis les gekregen waardoor hij veel tijd had om te lezen. 'Ik las alles wat ik in mijn handen kreeg', heeft hij me eens verteld, 'de talmoed in het Hebreeuws en Aramees. Poesjkin en Gorky in het Russisch, Mendele Mocher Sforim in het Jiddisch en Goethe en Heine in het Duits'. Tegen de tijd van zijn bar-mitswah, op dertienjarige leeftijd, was zijn vader overleden en hielp hij het gezin te ondersteunen door privé-lessen te geven.

Omdat hij zelf er altijd lang over deed voor hij ergens een besluit over nam, was Berl een groot bewonderaar van mensen als Ben-Goerion die snel een beslissing namen en handelend optraden. Hij beschouwde Ben-Goerion als de grootste staatsman die de beweging en het joodse volk 'in onze tijd' had en tot zijn dood toe stond altijd Berls foto op het bureau van Ben-Goerion. Ook in mijn zitkamer is het de enige foto. Maar bij minstens één gelegenheid leidde Berls duidelijk gebrek aan enthousiasme voor een door Ben-Goerion voorgestane politiek tot een stemming in de arbeiderspartij tegen Ben-Goerion. Niet dat Berl stemmen tegen hem wierf of probeerde iemand van gedachten te doen veranderen. Het was voldoende als de leiders van de arbeiderspartij wisten dat Berl het ergens niet mee eens was, om die zaak nog eens grondig na te gaan, zelfs als het een voorstel van Ben-Goerion betrof. In 1937 bijvoorbeeld, was Ben-Goerion voor het voorstel van de Koninklijke (Peel) Commissie om Palestina te verdelen. Berl verzette zich ertegen onze toestemming aan dat verdelingsplan te geven omdat volgens hem — en dat bleek inderdaad zo te zijn – de Britten er nooit uitvoering aan zouden geven, terwijl *onze* toestemming dan voor altijd vastgelegd zou zijn en zeker tegen ons zou worden gebruikt.

Hij was een heel beminnelijke man, zonder enig cynisme, en hij gaf heel wat van zijn tijd en aandacht aan jonge mensen, misschien omdat hij zelf geen kinderen had. Als ik met hem wilde praten, ging hij een eind met me wandelen. Dan liepen we de Rothschild Boulevard op en neer, halve nachten lang, en bespraken grondig allerlei dingen zoals wat er in Rusland gebeurde (hij haatte de bolsjewisten), de plaats die het Hebreeuws in de zionistische revolutie zou *moeten* innemen, het belang om goede en onderhoudende boeken in het Hebreeuws uit te geven, en de noodzaak om de eenheid van het joodse volk te handhaven door de sabbat en de spijswetten van de joodse leer (*kasjroet*) te eren in alle openbare instellingen van het Joods Nationaal Thuis. Hij had er een afschuw van zich aan vaste tijden te houden, dus hij sprak met me zonder zelfs maar één keer op zijn horloge te kijken en dat vond ik zo prettig van hem. Hij sprak vaak overal in het land met groepen jongeren en luisterde naar wat ze te zeggen hadden. Ik herinner me nog een zaterdag, niet zo lang voor hij overleed, toen ik een groep jongeren, waaronder ook Sarah, meenam naar een kibboets waar Berl het weekeind was en ze zaten daar met z'n allen de hele middag op het grasveld, Berl en vijftien jongens en meisjes, en praatten met of luisterden naar elkaar. In 1943 organiseerde hij in Rehovot een studiecursus van een maand voor jongeren uit heel Palestina, en ik zie hem nog met ze op de veranda zitten, terwijl hij zich op de niet zo originele opmerkingen concentreerde die een of andere jongen over de *Histadroet* maakte.

En ik zal nooit die vreselijke avond vergeten toen Berl in Jeruzalem aan een beroerte stierf. Jaren later, toen president Kennedy werd vermoord en heel Amerika stil lag door de schok van dit verlies, moest ik onmiddellijk denken aan die nacht dertig jaar geleden toen Berl overleed, en wij ons geen van allen konden voorstellen hoe we zonder hem moesten voortgaan. Ik was in Tel Aviv en naar een voorstelling in de Habimah schouwburg geweest. In de bus huiswaarts hoorde ik de mensen tegen elkaar fluisteren alsof er iets verschrikkelijks gebeurd was. In 1944 gebeurden er aldoor vreselijke dingen en ik begon me pas zorgen te maken toen ik een groepje vrienden voor mijn huis aan de Hayarkon Street zag staan. Ze wachtten op me. 'Berl is dood', zeiden ze. Er was niets aan toe te voegen. Ik ging meteen naar Jeruzalem. Ben-Goerion was die avond in Haifa, maar nadat hij het bericht gehoord had, durfde niemand tegen hem te praten. Hij lag de hele nacht op zijn bed te rillen en huilen. Hij had de enige man verloren wiens mening hij werkelijk op prijs stelde, misschien zijn enige werkelijke vriend.

6
'We zullen Hitler bestrijden'

In 1929 en 1930 was ik niet vaak in Palestina. Eens ging ik voor de Vrouwenraad naar Amerika terug en twee maal bezocht ik Engeland, eveneens als vertegenwoordigster van de arbeidersbeweging. In die dagen sprong je nog niet zo maar in een vliegtuig en vloog over de oceaan (hoewel ik voor het eerst in 1929 heb gevlogen en wel in Amerika; ik zat de hele route doodstil, kaarsrechtop van angst en hoopte maar dat ik er niet zo bang uitzag als ik was) en elke tocht naar het buitenland duurde een paar weken. Ik wist dat Menachem en Sarah zo'n afwezigheid vreselijk vonden. Bij de zelden voorkomende gelegenheden dat ik in Tel Aviv niet kon gaan werken omdat ik hoofdpijn had, waren ze dolblij en dan dansten ze om me heen en zongen: 'Mammie blijft vandaag thuis! Mammie heeft hoofdpijn! Mammie blijft vandaag thuis!' Het was niet zo goed voor mijn hoofdpijn en deed mij verder ook pijn, maar ik had geleerd dat je overal aan kunt wennen als het moet, zelfs aan een voortdurend schuldgevoel.

Het was vreemd na zeven jaar in Amerika terug te zijn. Het leek of ik in een vreemd land op bezoek was en het duurde even voor ik de weg weer wist, voor ik wist waar ik alles in New York kon vinden, voor ik door had hoe de dienstregelingen van de bussen en treinen waren en zelfs om weer gewend te raken aan het geluid van Engels om me heen, hoewel de meeste vrouwen waar ik mee in aanraking kwam, Jiddisch spraken. De organisatie waar ik in Amerika naar toe moest, de Vrouwelijke Pioniers, was pas drie of vier jaar tevoren opgericht door Rachel Yanait – Ben-Zwi en vrouwen waarvan de mannen in de Amerikaanse zionistische arbeidersbeweging zaten. Bijna al die vrouwen waren in Europa geboren. Ze spraken thuis Jiddisch en ik denk dat mensen die ze niet kenden ze er net vonden uitzien als hun moeders, als typische Jiddische mama's uit de arbeidersklasse die als grootste zorg hadden hoe ze hun gezin te eten zouden geven en het huishouden bij elkaar moesten houden. Maar ze waren in wezen heel anders. Ze waren idealistische, liberale jonge vrouwen die opgingen in de politiek en het was heel belangrijk voor ze wat er in Palestina gebeurde. Ze vonden tijd om zich met het werk in verschillende organisaties bezig te houden en geld in te zamelen voor trainingsboerderijen in Petach Tikvah, Nachlat Yehuda en Hadera voor meisjes die in de landbouw wilden werken. Het waren allemaal oorden die ze nooit gezien hadden en die ze ook niet verwachtten ooit te zullen zien. Bovendien waren de idealen van de zionistische socialisten in 1929 nergens bepaald populair en wel het minst in Amerika, en de campagne van de Vrouwelijke Pioniers voor de Vrouwenraad was een moeilijk karwei, om het zachtjes uit te drukken.

Ik deed wat ik kon om ze te helpen en aan te moedigen. Ik hield toespraken, beantwoordde honderden vragen, legde het belang van die trainingsboerderijen voor vrouwen uit en sprak urenlang over de nieuwe samenleving die door de arbeidersbeweging in joods Palestina werd geschapen waarbij de rechten van de vrouw volkomen werden gewaarborgd. Ik sprak ook over het internationale zionistische beeld in Palestina en was verwonderd en blij verrast door de belangstelling die men aan de dag legde voor de verschillende nuances van politiek geloof die toen in de arbeidersfracties in de *jisjoev* vertegenwoordigd waren. Binnen het jaar zouden twee grote arbeiderspartijen samengaan: *Hapoel Hazair* (de Jonge Arbeider) die belangrijk door A.D. Gordon was beïnvloed en *Achdoet Ha'awoda* (waar zij en ik toe behoorden) en die gebaseerd was op de socialistische ideologie; ze beschouwden zich als een deel van de Socialistische Internationale. Ondanks de onderlinge verschillen verenigden ze zich in één partij die *Mapai* heette, hetgeen Arbeiderspartij van het Land Israël betekende. *Hasjomer Hazair* (de Jonge Garde) was in opkomst; zij rekruteerden hun leden vooral uit de kibboetsiem met een Marxistische ideologie.

Veel later, in de jaren veertig, splitste zich een groep af van de *Mapai* en verenigde zich naderhand met *Hasjomer Hazair;* zo vormden zij een nieuwe partij die *Mapam* (de Verenigde Arbeiderspartij) genoemd werd. Nog later, aan het eind van de jaren zestig, zouden er nog meer rampzalige combinaties en veranderingen plaatsvinden. Maar *Mapai* heeft steeds een dominerende plaats ingenomen. De geschiedenis van deze partij is de geschiedenis van het land zelf, en de staat Israël heeft nog nooit een regering gehad zonder minstens een *Mapai* meerderheid, hoe klein die soms ook was. Wat mij betreft, vanaf het begin was de *Mapai* mijn partij en ik ben ze steeds trouw gebleven. Ook ben ik trouw gebleven aan mijn overtuiging dat de enige solide basis voor socialistisch zionisme bestaat uit de regering van één verenigde arbeiderspartij die de verschillende nuances van de socialistische overtuiging vertegenwoordigt. In de toen voor me liggende jaren had ik het geluk in staat te zijn deze overtuiging meer dan eens in praktijk te brengen.

In elk geval waren de Vrouwelijke Pioniers heel erg geïnteresseerd in wat er in Palestina gebeurde en het gaf me grote voldoening te weten dat ik een rol bij hun werk speelde, al was ik dan ook bezorgd dat ze zo vast besloten leken om een Jiddisch-sprekende groep te blijven in een land waar de joodse immigratie vanuit Europa van jaar tot jaar verminderde. Het was alles goed en wel dat ze me verzekerden dat al hun kinderen Jiddisch spraken en dat de Jiddische kranten en het Jiddische toneel in Amerika nog steeds bloeiden, maar ik kwam ook uit een immigratieland en even zeker als ik was dat in Palestina Jiddisch uiteindelijk geheel door Hebreeuws zou worden vervangen, zo zeker wist ik dat als de Vrouwelijke Pioniers de volgende tien jaar wilden voortbestaan, zij hun basis zouden moeten verbreden en de jongere, meer geamerikaniseerde en Engels-sprekende vrouwen in hun gelederen zouden moeten betrekken. En ook daarover sprak ik dagenlang met mijn Amerikaanse kameraden.

Ik ging ook Clara in Cleveland opzoeken. Inmiddels was ze met een jonge man die Fred Stern heette, getrouwd en had een leuk en knap zoontje, Daniel David. Ik had Clara niet meer gezien sinds ze een tiener was en al schreven we elkaar zo af en toe (mijn ouders correspondeerden natuurlijk geregeld met haar), ik had er toch even tijd voor nodig om weer aan haar te wennen. Het leek — en dat was ook zo — of we werelden apart van elkaar waren. Het enige waar ik om gaf, was Palestina. En voor Clara betekende Amerika alles. *Ik* ging helemaal in het zionisme op en voor zover ik een carrière wilde opbouwen (hoewel ik er nooit in die termen over dacht) dan was het duidelijk in de gelederen van de arbeidersbeweging van de *jisjoev;* Clara en Fred waren beiden sociologen en toen ik hem leerde kennen, had Fred zijn graad al gehaald.

Hij was een heel intelligente man, belezen en heel beschaafd. Hij was in Milwaukee min of meer op straat opgegroeid, had van zijn zesde jaar af kranten verkocht en was volkomen 'self-made'. Ze waren beiden ook net als ik bij het joodse leven betrokken, maar meer wat het gemeenschapsniveau en sociaal werk betrof, niet politiek of nationaal, en we spraken eigenlijk een andere taal. Ik wist dat Clara in Amerika wilde blijven, niet omdat het leven daar gemakkelijker voor haar was (ik schrok van hun armoede in Cleveland), maar omdat ze voelde dat ze daar thuis hoorde. Ze was wel in Palestina geïnteresseerd, maar die interesse was zuiver theoretisch, terwijl Fred het me binnen een paar uur duidelijk maakte dat hij elke vorm van nationalisme afkeurde en dat hij het zionisme als een uiterst reactionaire beweging beschouwde.

Clara en Fred waren van plan maar één kind te nemen zodat ze hem alles konden geven, maar — zoals mijn moeder altijd zei: *'a mensch tracht un Gott lacht'* (de mens wikt, maar God beschikt), en Daniel David stierf toen hij achttien jaar was als gevolg van een ernstige ziekte gedurende zijn diensttijd in het Amerikaanse leger.

Daarna werd Fred zwaar ziek. Hij verloor een been en was jaren bedlegerig. Maar Clara had nooit medelijden met zichzelf, ze heeft altijd gewerkt en slaagde er, ondanks alle persoonlijke tegenslagen in, het ver te brengen in haar beroep. Voor de dood van David en de ziekte van Fred verhuisden ze naar Bridgeport, Connecticut, en daar is ze een leidende figuur bij de Verenigde Joodse Raad geworden. Maar in 1929 wist ik alleen nog maar dat mijn jongste zuster zich niet bij de rest van het gezin in Palestina zou voegen en dat vond ik naar.

In 1930 was ik weer weg. Ik moest de conferentie van de socialistische vrouwen in Engeland bijwonen. Er waren meer dan 1000 afgevaardigden en ik geloof dat het de eerste keer was dat ik begreep hoe geïnteresseerd mensen buiten Palestina, niet-joden, konden raken in wat toen al 'het Palestijnse probleem' werd genoemd. Ik hield daar een toespraak, een korte van maar een paar minuten, maar daarna werd ik gevraagd voor kleinere groepen in verschillende delen van Engeland te spreken. Voor de eerste keer ontmoette ik de Britten in hun eigen land. De socialistische vrouwen bombardeerden me met vragen over de *Histadroet*, de kibboets, de Socialistische Vrouwenraad, de manier waarop we leefden en hoe we de Arabieren behandelden en deze vrouwen waren wel heel anders dan de paar Engelse dames die ik in Palestina zelf ontmoet had. Daar beschouwden de Britten ons als een bijzonder gecompliceerd soort inheemsen, minder charmant dan de nederige en schilderachtige Arabieren, en veel aanmatigender en veeleisender. Maar in Engeland zelf, in Londen, Manchester en Hull, sprak ik met vrouwen die werkelijk geboeid waren door het zionistische 'experiment' en die, al stonden ze er niet altijd sympathiek tegenover, toch graag de feiten wilden horen.

Ik dacht niet dat de zionistische retoriek ze erg onder de indruk zou brengen en ik besloot dat een stel naakte feiten nuttiger zou zijn. Er was in 1929 weer een golf van Arabische gewelddaden geweest, aangesticht door de moefti van Jeruzalem, Haj Amin al-Hoesseini (die nog berucht zou worden om zijn pro-fascistische en nazistische agitatie onder de Arabieren gedurende de Tweede Wereldoorlog) en hoewel de Britten uiteindelijk de vrede hadden hersteld, deden ze dat op een manier die erop berekend was de Arabieren duidelijk te maken dat iemand die joden vermoordde of joodse bezittingen plunderde niet ernstig gestraft zou worden. Ik was daarom erg blij dat ik de kans kreeg de werkelijke gang van zaken aan mijn socialistische zusters in Engeland te vertellen.

Bij datzelfde bezoek ontmoette ik voor het eerst vrouwelijke leden van Britse coöperatieve gemeenschappen en hoorde hun geestdriftige verhalen over de wonderen in Sovjet Rusland. Ik weet nog dat ik dacht als we ze eens naar Palestina brachten en lieten zien wat we daar bereikt hadden, ze misschien net zo enthousiast over ons zouden praten. Wat dat betreft ben ik nooit van gedachten veranderd en ik geloof nog steeds dat één bezoek aan Israël net zoveel waard is als honderd toespraken.

Dat jaar ging ik nog eens twee weken naar Londen terug als afgevaardigde naar de 'Imperial Labour Conference'. Toentertijd was Ramsay McDonald premier. Hoewel hij sympathiek tegenover de vooruitgang van de *jisjoev* stond en er zelfs veel belang in stelde, was het zijn regering die het beruchte Witboek van 1930 opstelde dat de joodse emigratie naar — en vestiging in — Palestina besnoeide. Het stond bekend als het Passfield document. Iemand in Londen zei cynisch tegen me: 'Jullie joden willen een nationaal thuis hebben, maar het enige wat je krijgt is een huurflat!' De waarheid was echter nog harder. Het begon er naar uit te zien dat onze huisbaas ons de huur wilde opzeggen, hoewel in 1930 natuurlijk niemand zich kon voorstellen dat het nog slechts achttien jaar zou duren voor de Britten zouden verklaren dat het mandaat absoluut onuitvoerbaar was.

Misschien kwam het omdat ik zo lang in Amerika gewoond had dat ik me niet zo volkomen door de Britten liet bepraten als velen van mijn collega's deden. Ik bewonderde het Britse volk en hield van ze en van de leiders van de Arbeiderspartij, maar ik kan werkelijk niet zeggen dat ik erg verrast was dat ze ons toen en later zo in de steek lieten. Vele, ja vrijwel alle Palestijnse joden in die jaren geloofden helaas vast, ondanks alle bewijzen van het tegendeel, dat Engeland uiteindelijk jegens ons zijn woord zou houden ongeacht de toenemende Arabische druk en de traditionele pro-Arabische houding van het ministerie van koloniën. Ik geloof dat een groot deel van deze tegenzin om onder de ogen te zien dat de Britse regering bezig was van gedachten te veranderen over hun verantwoordelijkheid ten opzichte van de zionisten voortkwam uit het enorme respect dat de joden — in het Oost-Europa van de negentiende eeuw opgegroeid — voor de Britse democratie hadden. Dertien jaar na de Balfour-declaratie leek het of de Engelsen het belangrijker vonden de Arabieren gunstig te stemmen dan hun beloften aan de joden na te komen.

Over het geheel genomen hadden velen van mijn collega's jarenlang de neiging om de Engelse parlementaire en burgerlijke instellingen en procedures als niet veel minder dan wonderen te beschouwen, maar ik — die zelf in een democratie had gewoond — kwam niet zo snel onder de indruk. Het is eigenlijk ook merkwaardig dat ondanks het lange, stormachtige en vaak vreselijke conflict tussen ons en de Britten dat in 1948 ten einde kwam, de Israëli's het Britse volk nog steeds bijzonder waarderen en er vriendschap voor voelen. Het doet ze meer pijn als de Engelsen ze in de steek laten dan als enige ander volk dat doet. Daar zijn verschillende redenen voor. Een is natuurlijk dat het Groot-Brittannië was dat ons de Balfour-declaratie gaf, en nog een dat de joden nooit vergeten hebben hoe de Engelsen aanvankelijk geheel alleen tegen de nazi's hebben stand gehouden. En misschien kan hier ook nog aan toegevoegd worden het aangeboren joodse respect voor traditie. In elk geval heeft de *jisjoev* gedurende de gehele duur van dertig jaar van het mandaat een duidelijk onderscheid gemaakt tussen de Palestijnse mandaatregering en het Britse volk, tussen de gewone man in Engeland en de autoriteiten van het ministerie van koloniën en buitenlandse zaken. Ze gaven de hoop niet op dat ze de onvoorwaardelijke Britse steun zouden winnen. Maar op politiek niveau althans bleef het meestal een onbeantwoorde liefde.

Ik was waarschijnlijk toch vroeg of laat naar Amerika teruggestuurd, maar in 1932 werd Sarah ernstig ziek en ik stelde zelf voor dat ik met de kinderen naar Amerika zou terugkeren, zodat ze daar een deskundige medische behandeling kon krijgen, hoewel de doktoren in Israël zelfs niet zeker wisten of ze de reis wel zou overleven. Ze zag er vreselijk uit. Haar gezichtje was af en toe zo opgezet dat ik nauwelijks haar ogen kon zien en ze had steeds door koorts. 'Het is haar dood als u haar mee naar Amerika neemt', zei onze eigen dokter. 'U moet de oceaan niet met haar oversteken.' En de specialisten stonden achter hem. Ze kon praktisch niets meer eten en er waren dagen dat ze alleen maar zes of zeven glazen zoete thee kon drinken, maar totaal geen vast voedsel. 'Dit is soep', hield ze zich dan voor. 'Dit is vlees, dit is brood, dit zijn worteltjes en dit is pudding.' Op een avond terwijl Menachem en Sarah al sliepen, zaten Morris en ik op het balkon en probeerden een besluit te nemen over wat we moesten doen; pas tegen de morgen wisten we dat. Ik ging naar de Socialistische Vrouwenraad en vroeg of ik als een *sjlicha*, een afgezante, naar de Vrouwelijke Pioniers kon worden gestuurd. 'Als we haar niet wegbrengen, gaat ze hier misschien dood en dan weten we allemaal, ons leven lang, dat we niet álles gedaan hebben dat maar enigszins mogelijk was', legde ik mijn ouders uit die het gekkenwerk vonden met zo'n ernstig ziek kind zo'n verre reis te gaan maken. Maar ik wist dat we geen keus hadden en dat ik maar niet met gevouwen handen naast haar bed kon blijven zitten kijken hoe ze steeds maar zwakker werd, meer opzette en bleker werd totdat ze wegstierf.

Het was niet gemakkelijk plannen voor die reis te maken. Morris zou in

Haifa blijven werken en ik zou alleen met de kinderen gaan, eerst per trein naar Port Said en dan met een Frans schip naar Marseille, vandaar per trein naar Cherbourg en tenslotte met het s.s. *Bremen* naar New York. We zouden minstens twee weken onderweg zijn en wie wist wat Sarah in die twee weken kon overkomen? Maar ik bleef het gevoel houden dat ik geen keus had en we vingen onze gevaarlijke reis aan.

Ik geloof niet dat ik ook maar één minuut rust heb gekend in die veertien dagen. Menachem was erg braaf en hield zichzelf bezig; en Sarah, gezien het feit dat ze pas zes was en heel ziek, was verbazingwekkend. Het leek wel of ze wist hoe bang ik was en of ze voelde dat ze me moest geruststellen. Op de *Bremen* hadden we een hut met twee kooien en 's avonds haalde ik voor mezelf een dekstoel naar binnen en ging naast Sarah liggen, sloeg haar gade en op mijn eigen wijze geloof ik dat ik bad.

Fanny en Jacob Goodman, goede oude vrienden, verschaften ons onderdak in hun flat in Brooklyn en ik begon meteen maatregelen te treffen om Sarah opgenomen te krijgen in het 'Beth Israël Hospital' op Stuyvesant Square East. Niemand die zelf ooit een kind in een ziekenhuis heeft laten opnemen, hoef ik te vertellen wat het is om een zoontje of dochtertje in een ziekenzaal achter te laten. Niet alleen het ziekenhuis was vreemd, maar Sarah kende natuurlijk totaal geen Engels en de eerste twee weken huilde ze alsof haar hart zou breken en smeekte me snikkend haar daar niet te laten.

Het duurde niet lang voor de doktoren van Beth Israël de diagnose hadden gesteld. Sarah leed inderdaad aan een nierziekte, maar *niet* aan degene waar ze in Palestina voor behandeld was. Ze hoefde geen streng dieet te houden en ze hoefde niet in bed te blijven. Zodra ze weer op krachten was, kon ze naar school gaan, rolschaatsen en zwemmen, trappen op en aflopen. Ze werd behandeld, werd dikker en zes weken later werd ze 'volkomen genezen' uit het ziekenhuis ontslagen, zoals ik Morris schreef terwijl tranen van opluchting over mijn gezicht stroomden. Nu had ik tijd voor mijn eigen werk en voor Menachem die Sarah niet in het ziekenhuis had mogen bezoeken en mij dus sinds onze aankomst in New York maar weinig had gezien. Hij was woedend dat zij al wat Engels van de zusters in Beth Israël geleerd had, terwijl hij zich nog steeds in een mengelmoes van Hebreeuws en Jiddisch verstaanbaar moest trachten te maken. De kinderen misten Morris heel erg en vonden het vreselijk dat ik voor de Vrouwelijke Pioniers van stad naar stad moest reizen. Soms kwam ik dan een hele maand niet 'thuis'. Maar ik nam ze mee om kennis te maken met Clara en Fred en de moeder van Morris, naar jeugdconcerten, films en de opera en hoopte dat het rijkere culturele leven hier in vergelijking tot Tel Aviv wat goed zou maken voor het feit dat ze weer ontworteld waren. Beiden bloeiden op en Sarah was letterlijk onherkenbaar. Dat betekent niet dat een van beiden ooit hardop toegaf dat iets in Amerika beter of indrukwekkender dan in Palestina was of dat ze niet van streek waren door het in het buitenland zijn. Ik herinner me bijvoorbeeld, dat Menachem wekenlang niet kon begrijpen waarom al onze vrienden in New York zeiden dat ze op Roosevelt zouden stemmen. 'Waarom niet op Ben-Zwi of Ben-Goerion?' vroeg hij.

Wat mezelf betreft, ik heb in die twee jaar heel hard gewerkt. Toen ik weer wegging kreeg ik in het blad van de Vrouwelijke Pioniers een vrij overdreven compliment; ik had een tijdlang de redactie van dat tijdschrift gevoerd. Het artikel had als kop 'Goldie Meyerson's Tour' en het luidde:

Goldie bracht ons een vleugje geurige oranjebloesem, uitspruitende groenten, uitbottende bomen, goed verzorgde koeien en kippen, moeilijk te bewerken veroverde grond, bedwongen gevaarlijke natuurkrachten, alles het resultaat van werk, werk en nog eens werk. Werk, niet onder druk of om persoonlijk gewin, maar zweet en bloed, veld en ploeg, weg en cement, onvruchtbaar gebied en uithoudingsvermogen, moerassen en ziekten, gevaren, ontberingen, moeilijkheden, tegenspoeden, inspiratie en werk, gewoon werk om het werk zelf, niet om de extase van de schepping. Haar welsprekendheid en eerlijkheid, haar evenwichtigheid en eenvoud hebben haar toehoorders eerbied voor onze zaak ingeboezemd en ontzag voor onze organisatie. We zullen trachten haar bewonderaars ten behoeve van ons werk te winnen en hopen daarin te slagen.

Eens was ik bijna acht weken achter elkaar op reis en wat ik me nog het best herinner van die maandenlange rondreizen waarbij ik over Palestina sprak, trachtte geld in te zamelen en nieuwe leden voor de organisatie aan te werven, was de lucht van spoorwegstations en het geluid van mijn eigen stem. De sommen gelds die in die dagen ingezameld werden kunnen geen enkele vergelijking doorstaan met de miljoenen dollars die tegenwoordig met dergelijke reizen worden bijeengebracht en de bedragen die elke gemeenschap zich ten doel stelde, werden zelden bereikt. Maar elke cent was belangrijk, toen net zo goed als nu. Als de Vrouwelijke Pioniers van Newark, New Jersey gehoopt hadden van oktober 1933 tot juli 1934 165 dollars bijeen te brengen en ze haalden maar 17,40 dollars, of als de Chicago West Side Club zich ten doel had gesteld 425 dollars in te zamelen en het resultaat van hun pogen beliep slechts 76 dollars, dan betekende zoiets dat de leden zich extra moeite moesten gaan getroosten. Dan moest er weer eens een loterij of bazaar of een gemaskerd bal (waarvoor 25 dollarcent werd berekend) georganiseerd worden of er moest weer een lezing gehouden worden over 'De

Rol van de Vrouw in de Kibboets' of 'Het Leven van de Arbeidersbeweging in Palestina'.

Een typische brief, dit keer uit Winnipeg, bereikte me in het hoofdkwartier van de Vrouwelijke Pioniers in New York; hij luidde:

We hebben voorzitters die belast zijn met de verschillende takken van het werk, terzijde gestaan door commissies. We komen elke week bijeen en elke veertien dagen worden er belangrijke lezingen gehouden. Vorige week sprak Dr Hennell ons toe en hij hield een bijzonder belangwekkende lezing over zijn bezoek aan Palestina. Onze eerste financiële onderneming dit jaar was een 'Zilveren Thee' waarbij we 45 dollars bijeenbrachten. We zijn nu van plan Chanoeka te vieren, maar we weten nog niet precies hoe we dat zullen doen. Op het ogenblik zijn al onze leden enthousiast bezig met de voorbereidingen voor een lunch van 5 dollar en we zien vol belangstelling uw bezoek hier tegemoet.

Met dezelfde post vroeg Cleveland me om hulp bij het organiseren van een uitstapje waaraan een 'vossejacht' verbonden was met een maaltijd in de open lucht en voor een cultureel programma om 'Het Begin en de Ontwikkeling van de Politieke Groeperingen in het Zionisme' na te gaan, terwijl Kansas City met een verzoek kwam dat ik op een vergadering zou spreken en een gezellige vrijdagavond zou bijwonen met een lezing 'over een of ander joods onderwerp'. Ik moet in tientallen huizen overal in Amerika en Canada overnacht hebben en honderden programma's in het Jiddisch en Engels voor studiegroepen hebben samengesteld. Heel vaak was ik doodmoe, maar ik verveelde me nooit en − wat nog belangrijker is − ik heb nooit één ogenblik getwijfeld aan de betekenis of het belang van het werk dat de Vrouwelijke Pioniers deden.

Er zijn ook vrolijker herinneringen aan die voortdurende reizen. Op een keer kwam ik op een winderige wintermorgen met een vroege trein in Winnipeg aan. Daar ik niemand van de vrouwen die me zouden afhalen, kon ontdekken, besloot ik naar een nabijgelegen hotel te gaan; dat leek me beter dan een van die vrouwen op zo'n vroeg uur te wekken. Maar ik had nog maar net mijn koffer uitgepakt toen de telefoon ging. Een wanhopige stem zei: 'Mrs Meyerson, we staan allemaal op het station. Er is een hele delegatie gekomen om u te begroeten. Hoe moet ik ze vertellen dat we u gemist hebben? Hoe kan ik ze al die opwinding en enthousiasme onthouden, en ook het bijzondere voorrecht om bij de eersten te zijn om u de hand als welkom toe te steken? Ze zullen zo teleurgesteld zijn!' En dus zei ik: 'Maak u niet bezorgd. Ik ben er over een paar minuten.' Ik pakte mijn koffer weer in, riep een taxi en binnen een kwartier was ik op het station terug, ontmoette de delegatie die me blij naar het huis van mijn gastvrouw bracht.

Verder herinner ik me dat ik naar een grote vergadering in een of andere

stad in het oosten ging waar ik drie keer moest spreken, eerst op zaterdagavond, dan op zondagmorgen en tenslotte op zondagavond. Op zon-
dagmiddag lag ik bij iemand thuis een uurtje te rusten toen de presiden-
te van de plaatselijke Vrouwelijke Pioniersclub kwam, op mijn bed ging
zitten en me heftig toesprak. 'Luister eens, Golda', zei ze gedecideerd,
'u spreekt heel goed, maar u spreekt niet als een vrouw. Toen Rachel
Yanait Ben-Zwi hier was, huílde ze en we huilden állemaal met haar
mee. Maar u praat als een man en niemand huilt.' Het enige dat ik vrij
slap kon antwoorden was: 'Het spijt me, maar ik kan echt niet anders
spreken.' Hoewel ze zag dat ik doodmoe was, had ze blijkbaar het
gevoel dat ze een taak ten uitvoer moest brengen en ze zat daar dat hele
kostbare uur weer te herhalen dat ik móest leren als een vrouw te
spreken. Wat haar het meest van streek maakte, zei ze, was dat ik tegen
de Vrouwelijke Pioniers niet alleen over de Socialistische Vrouwenraad
sprak, maar ook over de *Histadroet* in het algemeen, over immigratiepro-
blemen en de politieke situatie en ze dacht niet dat dát geld in het laatje
zou brengen!

Aan de andere kant kende ik natuurlijk niet alle kanten van de problemen verbonden aan het inzamelen van geld. Op een tocht kwam ik eens
in een klein stadje in het middenwesten en trof alle leden heel opgewonden aan. Ze hadden dat jaar meer geld dan ooit tevoren ingezameld,
hoewel ze maar met een heel kleine groep waren. Ik vroeg: 'Hoe hebt u
het voor elkaar gekregen?' en het antwoord was 'Met kaartspelen'. Ik
bleef er bijna in. 'U kaart voor Palestina! Is dát het geld dat wij nodig
hebben? Als u wilt kaarten, doe dat dan zo lang u wilt, maar laat onze
naam erbuiten.' Niemand zei iets, behalve een vrouw die heel rustig
opmerkte: *Chavera* Goldie, kaarten jullie in Palestina niet?' 'Natuurlijk
niet', antwoordde ik woedend. 'Wat voor mensen denkt u dat wij zijn?'
Maar toen ik een jaar later in mijn flat in Tel Aviv terugkwam, zag ik
een paar leden van de *Histadroet* op hun veranda 's avonds zitten kaarten, al was het goddank niet om geld. Ik had die vrouw wel een brief
willen schrijven om haar mijn excuses aan te bieden, maar ik wist niet
hoe ze heette.

Tussen die rondreizen schreef ik redactionele artikelen voor het tijdschrift en opende de verkoop van produkten die in Palestina gemaakt of
geteeld waren. In de Bronx startte ik een project voor de verkoop van in
Palestina voor het joodse paasfeest gebakken *matzah*. In een enorm groot
pakhuis stichtte ik een *matzah* hoofdkwartier, waar we eerst de *matzah* inpakten en ze dan zelf in de hele wijk bestelden. Ik ben er altijd
een voorstandster van geweest om geen tijd te verknoeien, dus leerde ik
de vrouwen, terwijl we aan het inpakken waren, de laatste liedjes uit de
jisjoev.

Mijn hoofdartikelen betroffen altijd politieke kwesties die nauw met de zionistische arbeidersbeweging verbonden waren en ik begrijp nu waarom die praatzieke dame me ervan beschuldigde dat ik niet sentimenteel genoeg was. Toch schreef Ben-Goerion eens aan een collega van hem waar hij een twist mee had: 'Sentimentaliteit is geen zonde, noch van socialistisch noch van zionistisch standpunt bekeken.' Ik geloofde – en dat doe ik nog – dat mensen die bij een of andere zaak betrokken zijn, er recht op hebben daar zo ernstig en intelligent mogelijk over toegesproken te worden en dat er bij niemand tranen over de zionistische beweging hoeven te worden losgemaakt. God weet dat er al genoeg is waar je om kunt huilen!

In de lente van 1933 schreef ik een artikel in antwoord op een beschuldiging van een leider van de *Hadassah* dat het succes van de zionistische arbeidersbeweging afhankelijk was van de financiële steun van 'bourgeois-kapitalistische joden'.

We hebben altijd beweerd dat het succes van het zionistische werk in hoofdzaak van twee interne joodse factoren afhangt: arbeiders om het werk te doen, en geld om dat werk mogelijk te maken. We wisten niet dat het geld dat van de grote joodse massa's afkomstig is, bestempeld moet worden als 'klasse geld'. Wij beschouwen het geld voor het Joods Nationaal Fonds en de *Keren Hayesod* (die verantwoordelijk was voor de financiering van de joodse immigratie en de vestiging in Palestina) zowel als de mankracht, de *Halutz* (pionier) beweging, als een manifestatie van de wil en vastbeslotenheid van het hele volk.

Betekent dit dat we tegen particulier kapitaal en particulier initiatief gekant zijn? Natuurlijk niet. Zionistische arbeiders zijn in de eerste plaats geïnteresseerd in massa emigratie naar Palestina. Als we dat doel niet kunnen bereiken met ons nationaal inkomen, dan is particulier kapitaal welkom. Het is waar dat wij beweren dat zelfs particulier bezit de doelstellingen van het zionisme ten goede moet komen. Particulier bezit dat geen joodse arbeiders werk verschaft, helpt onze zaak niet. Helaas hebben wij in Palestina maar al te vaak gezien dat particuliere ondernemingen uitsluitend voor privé doeleinden worden geëxploiteerd waarbij vergeten wordt dat de joodse immigratie in Palestina in de eerste plaats van de werkgelegenheid die in het land geschapen wordt, afhangt. En we willen hier heel duidelijk vaststellen: particulier kapitaal dat geen joodse arbeidskrachten werk verschaft, is in Palestina *niet* welkom, want zulk kapitaal maakt de massa immigratie die wij én de Hadassah wensen, niet mogelijk.

In de zomer van 1934 troffen we voorbereidingen om naar huis terug te keren. Ik maakte nog een laatste rondreis door Amerika om van de Vrouwelijke Pioniersclubs en afdelingen die ik zo goed had leren kennen, afscheid te nemen. Ik was vol ontzag voor die hardwerkende, doodgewone, toegewijde vrouwen die me zo liefdevol tegemoet waren gekomen, en ik wilde ze laten weten hoe dankbaar ik was. Ik wist dat wat er ook in Palestina gebeurde, zij ons altijd zouden steunen en helpen, en de tijd zou leren dat ik gelijk had.

Ik was in 1932 met twee kleine kinderen in New York aangekomen die geen van beiden Engels spraken. In 1934 ging ik met twee kleine kinderen terug die nu beiden Engels zowel als Hebreeuws spraken en die dol van vreugde waren om Morris weer te zien. Morris had heel wat teleurstellingen in zijn leven, maar het was een bron van voortdurende vreugde voor hem dat Menachem zo in muziek geïnteresseerd was en er duidelijk ook talent voor had. Hoewel het later meestal op mij neerkwam om de cello naar en van Menachems muzieklessen te dragen tot hij oud genoeg was het ding zelf te slepen, was het in die jaren altijd Morris die tijdens het weekeind luisterde als Menachem oefende, platen voor hem afdraaide en zijn groeiende liefde voor de muziek aanmoedigde en verstevigde.

Maar ik was naar Palestina teruggekomen om een nog grotere uitdaging onder ogen te zien dan als nationaal secretaresse voor de Vrouwelijke Pioniers in Amerika op te treden. Binnen een paar weken na mijn terugkeer, werd mij gevraagd toe te treden tot de *Va'ad Hapoel*, het Uitvoerend Comité van de *Histadroet*.

Als we de *Histadroet* beschouwen als in z'n geheel een buitengewoon vooruitstrevende vorm van joods zelfbestuur in Palestina te vertegenwoordigen, dan was de *Va'ad Hapoel* het 'kabinet' daarvan. En in dat kabinet zou ik de eerstkomende zeer stormachtige veertien jaren verschillende portefeuilles en taken toegewezen krijgen. Nu ik er op terugkijk was alles noch gemakkelijk uitvoerbaar noch direct aangewezen om me bijzonder populair in de *Histadroet* te maken. Maar er was één groot voordeel aan verbonden. Alles ging om een taak waarin ik zeer geïnteresseerd was en die mij steeds met zorg vervulde: het omzetten van de socialistische principes in de doodgewone terminologie van het dagelijks leven.

Ik denk dat als de tijden economisch en politiek goed waren geweest, of althans beter dan ze in Palestina midden 1930 en in de jaren veertig waren, het betrekkelijk gemakkelijk zou zijn geweest te zorgen dat de lasten in de werkgemeenschap gelijk verdeeld waren. Afgezien van het werk waar ze de kost mee verdienden, was er geen werkelijk verschil — op economisch of sociaal gebied — tussen de gewone leden en de leiders van de *Histadroet*. We kregen allemaal een vastgesteld basisloon dat alleen varieerde volgens anciënniteit en het aantal gezinsleden. Op deze regel bestonden geen uitzonderingen. Ik weet dat mensen in Israël en elders dit soort gelijkheid tegenwoordig niet alleen als ouderwets maar ook als absoluut onuitvoerbaar beschouwen. Misschien is dat ook zo, maar zelf keurde ik het altijd goed en doe dat nog. Ik vind nog steeds dat het een gezonde socialistische opvatting was, – en dat betekent meestal dat het op gezond verstand berustte, – dat de portier van het gebouw van de *Histadroet* in Tel Aviv die negen kinderen moest opvoeden, een heel wat dikkere envelop kreeg dan ik die er maar twee moest onderhouden.

Socialisme in de praktijk betekende veel meer dan alleen het feit dat ik deze portier Shmuel noemde en hij mij Golda. Het betekende ook dat zijn verplichtingen tegenover de andere leden van de *Histadroet* precies dezelfde waren als de mijne. Daar de economische situatie toen in Palestina, en ook elders, heel moeilijk was, werd dit aspect van het vakbondsleven voor mij het middelpunt van het grootste deel van mijn gevechten binnen de *Histadroet*.

De betaling van de contributiegelden aan de *Histadroet* was volgens een variabele schaal vastgesteld, net als met inkomstenbelasting. Er moest elke maand een vast bedrag worden betaald waarin o.a. waren opgenomen: de premie voor de vakbond, pensioenfondspremie en premie voor de *Kupat Holim* (het arbeidersziekenfonds) en dat totale bedrag werd de z.g. 'single tax' genoemd. Ik was overtuigd dat deze heffing niet moest worden vastgesteld op grond van het basisloon of de gemiddelde verdiensten of een of andere theoretische som, maar op het volle bedrag dat elke arbeider werkelijk in handen kreeg. Waar was anders de 'gelijkheid' waar we zoveel over praatten? Moest samen delen dan alleen maar in de kibboetsiem gelden, of kon geven-en-nemen ook de levensverhouding van de arbeiders van Tel Aviv worden? En hoe moest het met de collectieve verantwoordelijkheid van de leden van de *Histadroet* voor werkloze kameraden? Was het denkbaar dat de *Histadroet* zijn stem zou kunnen doen horen (en zijn tegenwoordigheid doen voelen) over alles dat voor de *jisjoev* van levensbelang was: immigratie, vestiging, zelfverdediging, maar dat men zijn blik zou afwenden van de werkloze mannen en vrouwen wier kinderen nauwelijks genoeg te eten kregen? Het was toch zo dat een van de grondregels van de *Histadroet* onderlinge hulp was en dat was absoluut een eerste vereiste van het socialisme, hoe erg een wérkend lid van de *Histadroet* ook om geld verlegen zou zitten, en ongeacht hoe naar het was om maandelijks een dag salaris in een speciaal werkloosheidsfonds te storten. Mijn gevoelens voor dit soort elementaire zaken waren heel fel en ik drong er op aan dat er een werkloosheidsfonds gesticht zou worden ondanks alle tegenstand. We noemden het de *Mifdeh* hetgeen 'verlossing' betekent en toen het aantal werklozen toenam (op een zeker tijdstip in de jaren dertig waren er ongeveer 10.000 Histadroetleden werkloos), drong ik aan op verhoging van de werkloosheidspremie en we riepen de *Mifdeh B* in leven. Sommigen van mijn vrienden beschuldigden me ervan dat ik de *Hista-*

droet 'vernietigde' en 'het onmogelijke eiste', maar Ben-Goerion, Berl Katznelson en David Remez stonden allemaal achter me en ondanks alles slaagde de *Histadroet* erin te blijven bestaan. Het bleek trouwens dat de *Mifdeh* campagne als een heel belangrijk precedent diende voor een veel zwaardere vrijwillige belasting die niet lang daarna kwam in de vorm van de *Kofer Hajisjoev* ('losprijs van de *jisjoev*') die werd ingesteld toen de prijs in levens en bezittingen als gevolg van de Arabische ongeregeldheden van 1936 zo hoog werd dat we verplicht waren een 'verdedigings'belasting te heffen van vrijwel de gehele joodse bevolking. En zelfs nog later, tijdens de Tweede Wereldoorlog, toen we een Fonds ter Bestrijding van Oorlogsnoden en Oorlogshulp stichtten, vielen we weer terug op de ervaring opgedaan in de dagen van die gehate *Mifdeh* campagnes.

Ik werd ook betrokken in de bittere nasleep — die vele jaren duurde — van een vreselijke tragedie die de arbeidersbeweging overkwam toen ik in Amerika was. Een van de helderste en beste van de rijzende sterren van de *Mapai*, de jonge Chaim Arlosoroff, die net was teruggekeerd van wat we tegenwoordig zouden noemen een 'enquêteopdracht' in het Duitsland waar Hitler zojuist aan de macht was gekomen, werd doodgeschoten terwijl hij met zijn vrouw op het strand van Tel Aviv wandelde. Een lid van de rechtse Revisionistische Partij, Abraham Stavsky, werd van Arlosoroffs moord beschuldigd en veroordeeld, maar naderhand werd hij door een ander gerechtshof vrijgesproken wegens gebrek aan bewijs. De identiteit van de moordenaar zal waarschijnlijk nooit bekend worden, maar destijds was vrijwel de hele geschokte en bedroefde leiding van de arbeidersbeweging overtuigd van de schuld van Stavsky; ikzelf ook. Arlosoroff was gematigd, voorzichtig, benaderde de wereldproblemen evenwichtig en wij waren van mening dat zijn tragische dood het onvermijdelijke gevolg was van het soort anti-socialistische rechtse militarisme en hevige chauvinisme waar de Revisionisten voorstanders van waren. Ik had Arlosoroff niet zo goed gekend, maar evenals iedereen die hem maar oppervlakkig kende, was ik wel onder de indruk van zijn intellectuele drijfkracht en zijn politieke scherpzinnigheid; ik was door deze moord waar ik in New York over hoorde, diep geschokt.

Maar wat me nog veel meer met afschuw vervulde was het idee dat in Palestina de ene jood in staat was de ander te vermoorden en dat politieke tegenstellingen in de *jisjoev* tot bloedvergieten konden leiden. In elk geval was de moord op Arlosoroff er oorzaak van dat de sinds jaren bestaande wrijving tussen de linker- en rechtervleugel in het zionisme nu een breuk deed ontstaan die in sommige opzichten nog niet geheeld is, en die misschien nooit meer zal helen.

Eind 1933 en begin 1934 zag het ernaar uit alsof er een gevechtsfront in de *jisjoev* was, vooral aan de kant van de arbeiders. De Revisionisten beschuldigden de *Histadroet* van 'bloedige laster' en van het in stand houden van een worggreep op de *jisjoev* door niet-socialisten werkloos te houden en zodoende politieke tegenstanders letterlijk uit te hongeren. Er waren steeds botsingen tussen arbeiders, overal in het land, en soms heel bloedige. Ben-Goerion vond dat de eenheid binnen de joodse gemeenschap in Palestina ten koste van alles moest worden bewaard en velen van ons (ikzelf ook) waren het met hem eens. Hij stelde een 'staakt-het-vuren' voor in de vorm van een arbeidersovereenkomst tussen links en rechts en hij dacht dat die zou leiden tot het beëindigen van de geschillen. We brachten weken door met het bespreken van het 'verdrag' en dat gebeurde fel, soms hysterisch, maar de moord op Arlosoroff domineerde alle gesprekken en Ben-Goerions voorstel werd helaas afgewezen. Volgens mij was dat erg jammer.

Aan de ene kant moesten we het probleem van de werkloosheid onder ogen zien en aan de andere kant de binnenlandse conflicten. Maar dat waren slechts twee vraagstukken. Er waren nog veel belangrijker dingen aan de orde. In Palestina en in het buitenland stak de storm op.

In 1933 was Hitler aan de macht gekomen en hoe belachelijk zijn luidkeels verkondigde programma om de overheersing van de wereld door het Arische ras eerst klonk, het heftige anti-semitisme dat hij van het begin af had gepredikt, was duidelijk niet zo maar een retorisch motto. Een van de allereerste handelingen van Hitler was dan ook het aannemen van vergaande anti-joodse wetten die de Duitse joden van alle gebruikelijke burgerlijke en menselijke rechten beroofden. Natuurlijk droomde toen niemand er nog van, ik ook niet, dat Hitlers eed om de joden te vernietigen ooit letterlijk zou worden uitgevoerd. Ik vind dat het in zekere zin in het voordeel van normale, behoorlijke mannen en vrouwen pleit dat we niet konden geloven dat zo'n monsterlijk iets ooit zou gebeuren – of dat de wereld zou toestaan dat het gebeurde. Het ging er niet zo zeer om dat we goedgelovig waren. Het was gewoon dat we niet iets konden bevatten dat toen onbevattelijk was. Tegenwoordig geloof ik helaas alle gruwelen.

Maar zelfs vóór Hitlers 'Endlösung', waren de eerste resultaten van de nazivervolging – wettig uitgevoerd – al vreselijk genoeg en ik voelde wederom dat er maar één plaats op de aarde was waar de joden rechtmatig naar toe konden gaan, ongeacht wat voor beperkingen de Engelsen de emigratie naar Palestina wensten op te leggen. Tegen 1934 waren duizenden ontwortelde en dakloze vluchtelingen van de nazi's op weg naar Palestina. Sommigen brachten de schamele bezittingen die ze hadden kunnen redden mee, maar de meesten kwamen zonder iets. Het waren zeer goed onderlegde, beschaafde, ijverige, en energieke mensen

126

en hun bijdrage aan de *jisjoev* was onmetelijk. Maar het betekende dat plotseling 60.000 mannen, vrouwen en kinderen door een bevolking van minder dan 400.000 moesten worden opgenomen en die hadden toch al moeite de eindjes aan elkaar te knopen. En allen moesten niet alleen op een of andere manier zien de groeiende Arabische terreur te overleven, maar ook de onverschilligheid, om niet te zeggen de vijandigheid van de mandaatregering. Immigranten opnemen, vooral als het vluchtelingen zijn, is heel iets anders dan ze welkom heten. Die duizenden mannen, vrouwen en kinderen die toen vanuit Duitsland en Oostenrijk naar ons toe kwamen, moesten onderdak gebracht worden, hun moest werk verschaft worden, ze moesten Hebreeuws leren en ze moesten geholpen worden zich aan te passen. De advocaat uit Berlijn, de musicus uit Frankfort, de scheikundig onderzoeker uit Wenen moesten binnen de kortste tijd veranderd worden in een kippenfokker, een kelner en een metselaar; anders was er helemaal geen werk voor ze. Ze moesten zelf ook wennen — en eveneens binnen de kortste tijd — aan een nieuw en veel harder leven, aan nieuwe gevaren en ontberingen. Het was niet gemakkelijk voor ze, en voor ons, en ik vind het nog altijd een wonder dat de *jisjoev* die jaren overleefd heeft en er sterker dan voorheen uit te voorschijn is gekomen. Maar ik denk dat er slechts twee redelijke, of zelfs mogelijke, reacties op nationale tegenspoed zijn. De een is in te storten, toe te geven en te zeggen: 'Dat kan eenvoudig niet'. En de ander is de tanden op elkaar te zetten en overal te vechten waar en wanneer dat nodig is, en dat is wat we deden. En eigenlijk precies wat we nog steeds doen.

Ik denk tegenwoordig werkelijk nog vaak terug aan hoe het in de jaren dertig en veertig in Palestina was en daaruit schep ik dan weer goede moed, al zijn die herinneringen niet allemaal even prettig. Maar toen de mensen in 1974 tegen me zeiden: 'Hoe kan Israël tegen dat alles opgewassen zijn: de Arabische vastbeslotenheid de staat te liquideren; de overstelpende hoeveelheid meer geld, meer mensen en meer wapenen van de Arabieren; de toevloed van duizenden immigranten uit Rusland terwijl de rest van de wereld op zijn best betrekkelijk onverschillig tegenover die problemen staat en de economische situatie bovendien nog zo kritiek lijkt dat een oplossing onmogelijk schijnt?' dan kan ik alleen maar antwoorden, en volkomen eerlijk: 'Veertig jaar geleden was alles nog veel moeilijker en we hébben het klaargespeeld, al was de prijs dan ook altijd heel hoog.' Soms denk ik eigenlijk ook wel eens dat alleen diegenen onder ons die ook veertig jaar geleden al streden, kunnen begrijpen hoeveel er sindsdien tot stand is gebracht en hoe groot onze overwinningen wel zijn geweest, en misschien komt het daardoor dat de grootste optimisten in Israël tegenwoordig vaak de oudere mensen zijn zoals ik zelf. Zij vinden het een vanzelfsprekende zaak dat iets zo geweldigs als de hergeboorte van een volk niet snel, pijnloos en moeiteloos kan plaats vinden!

In elk geval stelden we vast wat met voorrang moest gebeuren. Het dagelijks werk moest verricht worden, hoe moeilijk de omstandigheden ook waren. Voor zover mij dat persoonlijk betrof, betekende dat dienst doen als voorzitster van de Bestuursraad van het Arbeidersziekenfonds, de arbeidersomstandigheden van de leden van de *Histadroet* controleren die bezig waren met de bouw van Britse legerkampen overal in het land, een aantal andere onderhandelingen voor de arbeidersbeweging voeren – en thuis zorgen dat het werk gedaan werd en Menachem en Sarah met hun huiswerk helpen. Dat waren de gewone dagelijkse bezigheden.

Maar tegelijkertijd moesten we een reeks belangrijke beslissingen betreffende de globale toestand in de *jisjoev* formuleren en uitvoeren. De eerste kwestie die een onmiddellijke oplossing vroeg was wat we moesten doen aan de voortdurend uitbrekende Arabische gewelddadigheden? Alleen in 1936 hadden die de nodeloze vernieling van honderdduizenden bomen gekost die door de joden met zoveel liefde, zorg en hoop waren geplant; het doen ontsporen van talloze treinen en bussen; het verbranden van honderden velden en – het ergst van alles – de ongeveer 2000 gewapende overvallen op joden. Daarbij waren dat jaar tachtig personen gedood en velen ernstig gewond.

De ongeregeldheden begonnen in april 1936. Tegen de zomer kon een jood niet meer veilig van de ene stad naar de andere reizen. Als ik van Tel Aviv naar een vergadering in Jeruzalem moest – en dat was vrij vaak – kuste ik de kinderen 's morgens ten afscheid omdat ik wist dat het best mogelijk was dat ik niet meer zou thuiskomen, dat mijn bus zou worden overvallen, dat ik door een Arabische sluipschutter bij de ingang van Jeruzalem kon worden doodgeschoten of door een Arabische bende in de buitenwijken van Tel Aviv gestenigd kon worden tot de dood erop volgde. De *Haganah*, de ondergrondse joodse zelfverdedigingsorganisatie, was veel beter uitgerust en groter dan ten tijde van de Arabische onlusten van 1929, maar we waren niet van plan er een middel van te maken van tegenterreur tegen de Arabieren alleen maar omdat het Arabieren waren, of om de Britten een excuus te geven om de joodse immigratie en vestiging nog verder te beperken. Ze hadden neiging dat te doen elke keer dat we een zichtbaar te actieve rol speelden om onszelf te verdedigen. Ondanks het feit dat het altijd veel moeilijker is om je zelfbeheersing te bewaren dan terug te slaan, hadden we een heel belangrijke overweging: er moest niets gedaan worden, zelfs niet al bevonden we ons voortdurend in gevaar en werden we van alle kanten bestookt, dat de Britten zou verleiden tot vermindering van het aantal

128

joden dat toestemming kreeg om Palestina te betreden. Die politiek van zelfbeheersing (*Havlaga* in het Hebreeuws) werd strict toegepast. Waar en wanneer dat mogelijk was, verdedigden de joden zich tegen aanvallen, maar er waren praktisch geen vergeldingsmaatregelen door de *Haganah* gedurende die drie jaren die de Britten kleinerend aanduiden met de 'ongeregeldheden'.

Deze vastbeslotenheid om ons wel te verdedigen maar geen vergeldingsmaatregelen toe te passen, werd echter niet overal in de *jisjoev* toegejuicht. Een minderheid riep om tegenterreur en veroordeelde de 'Havlaga'politiek als laf. Ik was altijd voor de meerderheid die absoluut overtuigd was dat Havlaga de enige en ethische weg was die we konden volgen. Het idee om zonder enig onderscheid Arabieren aan te vallen, ongeacht of zij al dan niet de gewelddaad hadden gepleegd, vond ik vreselijk. Een werkelijke aanval moest worden afgeslagen en een werkelijke misdadiger moest gestraft worden. Alles goed en wel. Maar we moesten geen Arabieren gaan vermoorden alleen omdat het Arabieren waren of omdat ze betrokken waren bij het nutteloze geweld dat zo kenmerkend was voor de Arabische methode om ons te bestrijden.

Laat ik hier ook even, al is het maar kort, stilstaan bij de belachelijke beschuldiging die ik jarenlang gehoord heb. Volgens dat verwijt zouden wij geen notitie van de Arabieren in Palestina genomen hebben en zouden we zijn begonnen met de ontwikkeling van het land alsof het totaal geen Arabische bevolking had. Toen de aanstichters van de Arabische ongeregeldheden van het eind van de jaren dertig beweerden – en dat deden ze – dat de Arabieren ons aanvielen omdat ze aan de kant gezet werden, dan hoefde ik de cijfers van de Britse volkstelling er niet op na te slaan om te weten dat de Arabische bevolking van Palestina sinds het begin van de joodse vestigingen daar verdubbeld was. Ik had zelf gezien hoe de Arabische bevolking was gegroeid al vanaf dat ik in Palestina was aangekomen. Niet alleen was de levensstandaard van de Palestijnse Arabieren veel hoger dan die van de Arabieren elders in het Midden-Oosten, maar aangetrokken door de nieuwe mogelijkheden emigreerden menigten Arabieren vanuit Syrië en andere buurlanden in die jaren naar Palestina. Als een of andere vriendelijke vertegenwoordiger van de Britse regering probeerde de joodse immigratie stop te zetten door te verklaren dat er in Palestina geen ruimte genoeg was, dan weet ik dat ik meteen toespraken hield over de grotere opnemingsmogelijkheden van Palestina, compleet met statistische gegevens die ik nauwgezet uit Britse bronnen had gehaald maar die gebaseerd waren op wat ik zelf met mijn eigen ogen had gezien en meegemaakt.

En ik wil hier ook nog aan toevoegen dat ik steeds in die jaren ben blijven hopen dat uiteindelijk de Arabieren van Palestina in vrede en gelijkheid met ons als burgers van een joods vaderland zouden willen leven — net zo goed als ik bleef hopen dat het de joden die in Arabische landen woonden vergund zou zijn daar in vrede en gelijkheid te leven. Dat was nog een reden waarom de politiek van zelfbeheersing tegenover de Arabische aanvallen ons zo belangrijk toescheen.

Ik had het gevoel dat niets de toekomst zou mogen compliceren of verbitteren. Het is anders gelopen, maar het duurde lang voor wij allen het feit aanvaardden dat de verzoening die we verwacht hadden, niet zou plaatsvinden.

Toen besloten we in het economisch vacuüm te stappen dat geschapen werd op het tijdstip dat het Arabisch Hoger Comité onder voorzitterschap van de moefti een algemene staking afkondigde in de hoop de *jisjoev* totaal te verlammen. De moefti beval dat geen Arabier, waar ook in Palestina, weer zou gaan werken voor de hele joodse immigratie beëindigd werd en alle landaankopen door joden werden stop gezet. Hier hadden we een eenvoudig antwoord op. Als de haven van Jaffa niet meer werkte, dan zouden we zelf een haven in Tel Aviv openen. Als de Arabische boeren hun oogsten niet meer naar de markt brachten, dan zouden de joodse boeren hun pogingen verdubbelen en verdriedubbelen. Als al het Arabisch vervoer op de wegen van Palestina wegviel, dan zouden de joodse vrachtauto's en buschauffeurs in extra ploegen werken en hun voertuigen pantseren. Wat de Arabieren ook zouden weigeren te doen, dat zou door ons op een of andere manier gedaan worden. Er waren natuurlijk veel mensen die hun mening, oordeel of persoon voor deze beslissingen hadden ingezet, in zeker opzicht — al was het dan in geringe mate — ook ikzelf. Maar er was één man, boven alle anderen, op wiens bijzondere leiderskwaliteiten en verbazingwekkende politieke intuïtie wij allen bouwden — en dat ook in de voor ons liggende jaren zouden blijven doen. Die man was Ben-Goerion, de enige van ons die — daar ben ik vast van overtuigd — zelfs over honderd jaar nog bij joden en niet-joden bekend zal zijn. Niet zo lang geleden bezocht ik het graf van Ben-Goerion in de Negev kibboets Sdeh Boker, waar hij de laatste jaren van zijn leven doorbracht en waar hij ook begraven wilde worden. Ik stond daar alleen en dacht opeens aan een gesprek dat ik in 1963 met hem had gehad toen hij (voor de tweede en laatste keer) als premier van Israël aftrad en velen van ons hem smeekten van gedachten te veranderen.

'Natuurlijk is geen enkele man werkelijk onmisbaar', zei ik tegen hem. 'Dat weet jij en dat weten wij. Maar ik zal je een ding zeggen, Ben-Goerion. Als we vandaag naar Times Square zouden gaan, mensen op straat zouden aanhouden en ze de namen vragen van de presidenten en premiers van de belangrijkste landen ter wereld, dan zouden ze ons die niet kunnen noemen. Maar als we ze zouden vragen: "Wie is de eerste minister van Israël?" dan zouden ze dat allemaal weten.' Het maakte niet veel indruk op Ben-Goerion, maar ik geloof dat het waar was en zelfs weet ik zeker dat de namen 'Israël' en 'Ben-Goerion' nog heel lang, misschien wel voor altijd, in de gedachten van de mensen met elkaar verbonden blijven. Natuurlijk kan niemand ons zeggen wat of wie de toekomst zal brengen. Maar ik twijfel er zeer aan dat het joodse volk ooit nog eens een groter leider of een slimmer en dapperder staatsman zal voortbrengen.

Hoe was hij als mens? Dat is voor mij een moeilijke vraag om te beantwoorden, omdat het zo lastig is iemand te beschrijven die je zo lang bewonderd hebt en gevolgd bent — en ook zo vaak hebt tegengesproken als ik uiteindelijk met Ben-Goerion heb gedaan. Maar ik zal het proberen, hoewel de manier waarop ik hem gezien heb natuurlijk niet noodzakelijkerwijs de enige manier is waarop hij beschouwd kan worden, of dat mijn opmerkingsgave zo scherp is.

Het eerste dat bij me opkomt nu ik ga zitten om over Ben-Goerion te schrijven, is dat hij geen man was met wie je gemakkelijk op goede voet kwam te staan. Niet alleen dat míj dat nooit lukte, maar ik geloof niet dat iemand daar ooit in geslaagd is, behalve misschien zijn vrouw Paula en wellicht zijn dochter Renana. De rest van ons, Berl, Sjazar, Remez, Esjkol, waren niet alleen krijgsmakkers, maar we waren ook op elkaars gezelschap gesteld en we kwamen vaak bij elkaar binnenvallen om over van alles en nog wat te praten — niet alleen over belangrijke politieke of economische kwesties, maar over mensen, over onszelf en ons gezin. Maar Ben-Goerion niet. Het zou bijvoorbeeld nooit in mijn hoofd zijn opgekomen om Ben-Goerion op te bellen en te zeggen: 'Luister eens, is het goed dat ik vanavond kom?' Als je niet iets belangrijks met hem te bespreken had, dan ging je niet naar hem toe. Hij had geen behoefte aan mensen zoals wij allemaal. Hij had aan zichzelf genoeg, veel méer dan wij, maar hij wíst natuurlijk ook niet veel van mensen af, hoewel hij erg boos op me werd als ik dat weer eens tegen hem zei.

Ik denk dat hij eigenlijk ten dele niemand nodig had omdat hij het zo moeilijk vond met mensen te praten. Hij praatte nooit over koetjes of kalfjes. Ik herinner me dat hij me eens verteld heeft dat, toen hij in 1906 voor het eerst naar Palestina kwam, hij op een keer bijna een hele avond met Rachel Yanait door de straten van Jeruzalem had gelopen zonder een woord tegen haar te zeggen. Ik kon dat alleen maar vergelijken met een verhaal dat Chagall me eens jaren geleden over zichzelf heeft verteld. Chagalls vader was in Witebsk een arme waterdrager geweest. Hij droeg de hele dag emmers water en kwam pas 's avonds laat thuis. 'Dan kwam hij binnen en mijn moeder zette hem wat te eten voor', zei Chagall. 'Ik herinner me niet dat hij ooit tegen me gepraat heeft of dat we ooit samen een gesprek hebben gevoerd. Mijn vader zat daar maar aan tafel en klopte er de hele avond met zijn vingers op. En zo groeide ik op zonder te weten hoe je met iemand moest praten.' Toen werd Chagall verliefd op een meisje en ze gingen jaren met elkaar om, maar hij kon zelfs met haar niet praten. Toen hij Witebsk verliet, wachtte ze op hem en hij wilde haar schrijven en vragen met hem te trouwen, maar hij kon geen brief schrijven, evenmin als hij met iemand kon praten. Dus wachtte ze niet langer en trouwde met een ander. Zo was Ben-Goerion ook, hoewel hij wél kon schrijven, maar ik kan me niet voorstellen dat hij ooit tegen iemand over zijn huwelijk of zijn kinderen of zo zou praten. Dat zou gewoon tijd verknoeien voor hem zijn.

Aan de andere kant wijdde hij zich met zijn hele concentratie aan dingen die hem belang inboezemden of die iets voor hem betekenden. En dat apprecieerde of begreep lang niet iedereen. Eens, ik geloof dat het in 1946 was, vroeg hij een paar maanden verlof van het Joods Agentschap waar hij de leider van was. Dan kon hij precies gaan controleren wat de *Haganah* ter beschikking had en wat ze waarschijnlijk nodig zouden hebben voor de strijd waarvan hij zeker wist dat die voor ons lag. Iedereen lachte om het idee dat ze Ben-Goerions 'seminar' noemden. Wie nam er in die dagen van ononderbroken crises nu vrij om iets te 'bestuderen'? Het antwoord is natuurlijk dat Ben-Goerion dat deed en toen hij zijn werk hervatte, wist hij meer van de werkelijke kracht van de *Haganah* af dan wij allemaal samen. Nadat hij een paar dagen weer terug aan het werk was, belde hij me op. 'Golda', zei hij. 'Kom eens naar me toe. Ik wil met je praten.' Hij liep in zijn grote studeerkamer boven steeds op en neer. 'Ik zal je zeggen dat ik me voel alsof ik gek word', zei hij tegen me. 'Wat staat er met ons te gebeuren? Ik weet zeker dat de Arabieren ons zullen aanvallen en we zijn er niet klaar voor. We hebben niets. Wat gaat er met ons gebeuren?' Hij was letterlijk buiten zichzelf van zorg. Toen gingen we zitten en begonnen te praten. Ik vertelde hem hoe een van onze collega's in de arbeidersbeweging zo bang voor de toekomst was, een man die zich altijd tegen het activisme van Ben-Goerion verzet had, en die het nu, in de donkere jaren van wat wij de *ma'avak* (onze totale strijd) tegen de Britten noemden, het nog moeilijker had. Ben-Goerion luisterde aandachtig naar me. Toen zei hij: 'Weet je, er is heel wat moed voor nodig om bang te zijn – en het is nog moediger het ook te zeggen. Maar zelfs *Y*. weet niet hóe erg bang hij moet zijn.' Gelukkig wist Ben-Goerion het wel. Hij paarde zijn fantastische intuïtie aan zoveel gegevens als hij maar kon bemachtigen en toen deed hij er iets aan. Hij ging naar de joden in Amerika, bijna drie jaar voor de Onafhankelijkheidsoorlog in 1948 uitbrak, en hij verzekerde zich van hun hulp in wat hij noemde 'de waarschijnlijke mogelijkheid' van een oorlog met de Arabieren. Hij had niet altijd gelijk, maar toch had hij het vaker bij het rechte eind dan bij het verkeerde, en dit keer had hij het volste gelijk.

Ben-Goerion was absoluut geen hard of harteloos man, maar hij wist dat het soms nodig is beslissingen te nemen die levens kosten. Op een tijdstip dat velen in de *jisjoev* het voor onmogelijk hielden dat wij de staat Israël zouden stichten en die met succes zouden kunnen verdedigen, zag Ben-Goerion geen andere werkelijke keus, en ik was het met hem eens. Zelfs mensen als Remez twijfelden ernstig. Ik herinner me dat we op een avond in het begin van 1948 op mijn balkon met uitzicht op de zee zaten en het erover hadden wat de toekomst ons wel zou brengen. Remez zei plechtig tegen me: 'Jij en Ben-Goerion verpletteren de laatste hoop van het joodse volk.' Toch deed Ben-Goerion de joodse staat ontstaan. Natuurlijk niet alleen, maar ik twijfel of Israël zonder zijn leiderschap tot stand zou zijn gekomen.

Vanaf het prille begin werkten we prettig samen. Ben-Goerion vertrouwde me en ik geloof dat hij me wel mocht. Jarenlang heeft hij nooit toegestaan dat iemand me in zijn aanwezigheid becritiseerde, hoewel er tijden waren dat ik met hem over belangrijke kwesties van mening verschilde, zoals het voorstel van de Commissie-Peel in 1931 om Palestina te verdelen, of de belangrijkheid van de 'illegale' emigratie naar Palestina die Ben-Goerion aanvankelijk niet erg ernstig nam.

Was hij dictatoriaal? Eigenlijk niet. Het is een gemeenplaats geworden om te zeggen dat de mensen bang voor hem waren, maar hij was zeker ook geen man met wie je gemakkelijk van mening kon verschillen. Onder degenen die bij Ben-Goerion uit de gratie raakten en die hij het leven moeilijk maakte, waren twee premiers van Israël, Mosje Sjarett en Levi Esjkol. Maar er waren nog meer.

Hij vond het vreselijk als hij ervan beschuldigd werd dat hij de partij en later de regering autocratisch bestuurde. Op een vergadering waar hij daarvan beschuldigd werd, beriep hij zich op een minister die hij als zonder vrees of blaam beschouwde wat zijn standpunt van intellectuele eerlijkheid betrof en die, dat wist Ben-Goerion heel goed, totaal niet bang voor hem was. 'Zeg eens, Naphtali', vroeg hij, 'leid ik partijvergaderingen wérkelijk ondemocratisch?' Peretz Naphtali keek hem even aan, glimlachte zijn charmante lachje en antwoordde peinzend: 'Nee, dat zou ik niet willen zeggen. Ik zou het eerder zo willen stellen dat de partij op de meest democratische wijze altijd zo stemt als jij dat wilt.' Daar Ben-Goerion totaal geen gevoel voor humor had (ik kan me niet herinneren dat hij ooit zelf een grap vertelde), was hij heel voldaan met het antwoord van Naphtali en eigenlijk was het niet bezijden de waarheid.

Het onderwerp kabinetsvergaderingen en stemmen herinnert me aan een gesprek dat ik een paar jaar geleden had bij een feest tijdens een bijeenkomst van de Socialistische Internationale. Ik zat daar met Willy Brandt, Bruno Kreisky, een van de premiers van een Scandinavisch land en Harold Wilson die toen nog geen eerste minister was. We babbelden over regeringskwesties toen een van hen zich tot me wendde en vroeg: 'Hoe leidt u kabinetsvergaderingen?' Ik zei: 'We stemmen!' Ze schrokken allemaal zichtbaar. 'U stemt op kabinetsvergaderingen?' 'Natuurlijk', antwoordde ik, 'hoe gaat dat dan bij u?' Brandt legde uit dat hij in Bonn een zaak voorbracht, die werd besproken, hij gaf een samenvatting van de bespreking en dan zijn beslissing. Kreisky knikte bevestigend en voegde eraan toe: 'Elke minister die zou durven zeggen dat hij tegen de samenvatting en de beslissing van de premier was, tja, die zou naar huis kunnen gaan.' Maar zo gaat het niet in Israël, en zo is het ook nooit geweest, zelfs niet in de dagen van Ben-Goerion. We hebben altijd lange besprekingen en, als het nodig is, stemmen we. Ik geloof niet dat ik ooit in de minderheid was toen ik eerste minister was, maar sedert we een coalitieregering hebben en dus grote kabinetten — en de meeste leden van een Israëlisch kabinet vinden dat ze hun taak niet goed vervullen als ze niet voor elke kwestie een spreekbeurt vragen — duren kabinetszittingen vaak uren, zelfs wanneer het besproken onderwerp binnen een half uur afgedaan zou kunnen worden. Ik zal nooit de verbazing op de gezichten van Brandt en Kreisky vergeten toen ik ze dit geduldig uitlegde.

Maar om op Ben-Goerion terug te komen, het was bijna griezelig dat hij vrijwel zijn hele politieke leven door gewoonlijk in de praktijk gelijk kreeg, zelfs al was hij er in theorie helemaal naast. En dat is tenslotte het verschil tussen een staatsman en een politicus. Hoewel ik hem de wonden die hij ons in de Lavon-zaak toebracht nooit heb vergeven, de scheldpartijen die hij op de hoofden van zijn vroegere kameraden deed neerkomen of de schade die hij in de zo ongeveer tien laatste jaren van zijn leven aan de arbeidersbeweging toebracht, voel ik toch altijd nog net zo over hem als ik eens in een telegram te berde bracht dat ik hem met zijn verjaardag tijdens een van mijn opdrachten in het buitenland stuurde. 'Beste Ben-Goerion', schreef ik. 'We hebben in het verleden heel wat verschillen van mening gehad en we zullen er ongetwijfeld nog meer krijgen, maar niemand, wat de toekomst ons ook moge brengen, zal ooit in staat zijn mij het gevoel te ontnemen dat ik het enorme voorrecht heb gehad tientallen jaren zijde aan zijde te mogen werken met de enige man die, meer dan enig ander, de bewerker was van de stichting van de joodse staat.' Dat geloofde ik toen – en ik geloof het nog.

In 1937 werd ik naar Amerika teruggestuurd, dit keer om geld in te zamelen voor een *Histadroet* project dat mij heel na aan het hart lag, en waarin ook mijn kinderen zeer geïnteresseerd waren; dat maakte het nog prettiger. Het was een campagne om een scheepvaartonderneming op te zetten met de naam *Nachshon*, naar de eerste van de kinderen Israëls die het bevel van Mozes gehoorzaamde en bij de Uittocht uit Egypte in de Rode Zee sprong. Ik vond het een heerlijke taak. Het was het geesteskind van David Remez en geboren na de algemene Arabische staking. De oude joden in Palestina waren natuurlijk een zeevarend volk geweest, maar dit beroep was verloren gegaan in de 2000 jaar verbanning op het vasteland en het kwam nu pas weer tot leven. In 1936 diende de staking van de havenarbeiders in Jaffa als het startsignaal voor een bijzondere inspanning overal in de *jisjoev* om mensen te trainen om, zoals ik het publiek in heel Amerika vertelde 'op zee te werken zoals we ze ook al jaren hadden getraind om het land te bewerken.' Dat betekende een eigen haven openen, schepen kopen, zeelieden opleiden en in het algemeen weer een zeevarende natie worden.

De dag waarop de haven van Tel Aviv voor de scheepvaart werd geopend, was in elk opzicht een nationale feestdag voor de joden in Palestina. Ik word nog ontroerd als ik me herinner hoe de wachtende menigte aan de wal de zee in rende om de dokwerkers – allemaal joden uit Saloniki – te helpen zakken cement uit een Joegoslavisch schip te laden dat het eerste was dat in Tel Aviv voor anker ging. We wisten allemaal dat een houten steiger nog geen werkelijke haven was, zeker geen Rotterdam of Hamburg, maar hij was van ons en we waren er erg trots op en er heel opgewonden over. Later werd hij door een ijzeren steiger vervangen, en elke avond (als de Britten geen avondklok in Tel Aviv verplicht stelden) kwam de hele stad kijken hoe het werk opschoot. Dichters schreven gedichten over de haven, er werden liederen ter ere van de haven gecomponeerd en – het belangrijkste van alles – schepen maakten er werkelijk gebruik van!

Er zat iets in het idee van de terugkeer van de joden naar zee dat me altijd had aangetrokken en ik voer altijd, als het maar enigszins mogelijk was, op 'joodse' schepen. Het eerste was het s.s. *Tel Aviv* en op de dekken daarvan werden de details van *Nachshon* voor het eerst uitgewerkt toen Remez, Berl Katznelson en ik eens samen naar een zionistisch congres in Zwitserland voeren. Natuurlijk waren er sceptici die niet konden begrijpen wat voor verschil het maakte dat vrijwel al het Palestijnse zeeverkeer in niet-joodse handen was, maar ik zag *Nachshon* als weer een stap verder op weg naar joodse onafhankelijkheid en

135

een tijdlang at, dronk, sliep en praatte ik alleen nog maar over scheepvaart en visserij en maakte voor dit doel nog eens een geldinzameltocht naar Amerika. Maar in zekere zin was dit alleen maar een romantisch tussenspel. Soms, als ik 's avonds klaar was met koken en eventueel verstelwerk, als er geen vergaderingen van het dagelijks bestuur van de *Histadroet* waren en niemand me over het een of ander wilde spreken, zat ik wel op mijn veranda om in de koele wind wat af te koelen en naar de zee te kijken. Dan vroeg ik me af hoe het zou zijn als we een eigen marine hadden, een bloeiende koopvaardijvloot en passagiersschepen die alle onder de vlag met de Davidster reizen naar Europa, Azië en Afrika maakten. Het was een vorm van ontspanning voor me, net zoals Ben-Goerion stilletjes naar de film ging en detectiveverhalen verslond, en anderen postzegels verzamelen. Ik wist de hele tijd dat de werkelijke betekenis van de zee voor ons veel grimmiger was, want alleen over zee konden de joodse vluchtelingen uit nazi-Europa naar Palestina komen — als de Engelsen het ze wilden toestaan — en in 1939, met een oorlog op komst, was het duidelijk dat het Britse ministerie van koloniën volkomen zou toegeven aan de Arabische druk en de emigratie van joden naar Palestina praktisch zou stopzetten.

De Commissie-Peel die in 1936 in Palestina had rondgereisd, had aanbevolen dat het land in twee staten verdeeld zou worden: een joodse staat die een oppervlakte van in totaal 2000 vierkante mijl zou beslaan en een Arabische staat in de rest van het land, met uitzondering van een internationale enclave voor Jeruzalem en een corridor vanaf de kust erheen. De voorgestelde joodse staat was niet mijn opvatting van een levensvatbaar thuis voor het joodse volk. Het grondgebied was veel te klein en beperkt. Ik vond het een belachelijk voorstel en zei dat ook, hoewel de meesten van mijn collega's onder leiderschap van Ben-Goerion uiteindelijk met tegenzin besloten het te accepteren. 'Eens zal mijn zoon me vragen met welk recht ik het grootste deel van het land heb opgegeven en dan zal ik niet weten wat ik moet antwoorden', zei ik op een van de vele partijvergaderingen waar over het Peel-voorstel werd gedebatteerd. Ik stond natuurlijk niet als enige in de partij op dit standpunt. Berl, zoals ik al eerder zei, en enkele andere vooraanstaande leden van de arbeidersbeweging waren het met me eens. Maar wij hadden ongelijk en Ben-Goerion, die veel wijzer was, beweerde dat zelfs een kleine staat beter was dan geen en hij had gelijk.

Goddank dat het niet door mijn toedoen was dat wij in 1937 die staat niet kregen, maar de Arabieren waren daar oorzaak van. Zij wezen het verdelingsplan zonder meer af, hoewel ze al veertig jaar lang een 'Palestijnse' staat hadden kunnen hebben als ze het voorstel hadden aangenomen. De richtlijn van de Arabieren in 1936 en 1937 was echter toen precies dezelfde als steeds sinds die tijd: besluiten worden niet genomen op basis van wat goed voor hen is, maar op basis van wat slecht voor ons is. En achteraf bekeken is het duidelijk dat de Engelsen zelf nooit van plan zijn geweest het Peel-plan uit te voeren. Ik zou het in elk geval al die jaren heel moeilijk met mezelf gehad hebben als ik had moeten denken — in het licht van wat er naderhand gebeurd is — dat door mijn schuld het plan niet aanvaard was. Als we maar een heel klein staatje hadden gehad, zelfs een jaar voor de oorlog uitbrak, dan waren misschien honderdduizenden joden — en wellicht nog meer — gered van de ovens en gaskamers van de Nazi's.

Ondanks het feit dat de kwestie van immigratie nu al snel in een zaak van leven of dood voor de joden van Europa aan het veranderen was, leek het alsof wij het enige volk ter wereld waren dat dit begreep en wie zou er naar ons luisteren? Wat waren we? Een paar honderdduizend joden die nauwelijks meester over hun eigen lot waren, weggestopt in een hoekje van het Midden-Oosten, niet eens een integraal deel van het Britse Rijk, die zelfs het elementaire recht niet hadden om tegen de bedreigde joden van Europa te zeggen: 'Kom nu naar ons toe voor het te laat is.' De Britten hadden de sleutels van het joodse vaderland in handen en zij waren duidelijk van plan ze buiten te sluiten, ongeacht wat er al aan het gebeuren was.

Maar als Palestina voor de joden van Europa verboden terrein was, hoe stond het dan met andere landen? In de lente van 1938 werd ik naar de Internationale Vluchtelingenconferentie in Evian-les-Bains gestuurd die Franklin Delano Roosevelt bijeen had geroepen. Ik was daar in de bespottelijke hoedanigheid van 'de joodse waarnemer uit Palestina'. Ik zat niet bij de afgevaardigden maar bij het publiek, hoewel de vluchtelingen waar sprake van was tot mijn eigen volk behoorden, leden van mijn familie waren, niet zo maar lastige aantallen die in officiële contingenten moesten worden samengeperst, als dat al mogelijk was. Ik zat daar in die prachtige zaal en luisterde naar de afgevaardigden van tweeëndertig landen, die om beurten opstonden en uitlegden hoe graag ze grote aantallen vluchtelingen hadden willen opnemen en hoe naar het was dat ze dat niet konden doen. Het was een vreselijke belevenis. Ik geloof niet dat iemand die zoiets niet heeft meegemaakt, begrijpen kan wat ik in Evian voelde, een mengeling van verdriet, woede, teleurstelling en afschuw. Ik had willen opstaan en tegen al die afgevaardigden willen schreeuwen: 'Weet u dan niet dat die "getallen" menselijke wezens zijn, mensen die nu misschien de rest van hun leven in een concentratiekamp zullen doorbrengen, of als melaatsen door de wereld zullen moeten dolen als u ze niet binnenlaat?' Natuurlijk wist ik toen nog niet dat de vluchtelingen, die niemand wilde hebben, niet het concentratiekamp maar de dood wachtte. Als ik dat geweten had, had ik nooit urenlang stil kunnen blijven zitten, beleefd en keurig.

Ik weet nog dat ik op een gegeven ogenblik aan de Socialistische Internationale moest denken die ik het jaar tevoren had bijgewoond en waar ik had gezien hoe de Spaanse delegatie huilde en om hulp smeekte zodat Madrid gered zou kunnen worden. Het enige dat Ernest Bevin daarop als antwoord kon vinden was: 'De Engelse arbeiders zijn niet bereid voor jullie ten strijde te trekken.' Veel later zou ik zelf nog lessen over de socialistische broederschap leren, maar in Evian besefte ik, misschien voor het eerst sinds ik als kind in Rusland in doodsangst luisterde naar de hoeven van de kozakkenpaarden die door de stad donderden, dat het niet voldoende is als een zwak volk de rechtvaardigheid van zijn eisen aantoont.

Op de vraag over het bestaansrecht moet elk volk zelf antwoord geven en de joden kunnen noch mogen ooit van iemand anders afhankelijk zijn voor een toestemming om in leven te blijven. Sinds 1938 is er in de wereld en in de *jisjoev*, en ook in mijn eigen leven, veel gebeurd en helaas hoofdzakelijk vreselijke dingen. Maar de woorden 'joodse vluchtelingen' worden gelukkig nergens meer gehoord omdat er nu een joodse staat is die bereid en in staat is elke jood, geschoolde arbeider of niet, oud of jong, ziek of gezond, op te nemen als hij daar wil wonen.

In Evian werd niets bereikt al werd er veel gepraat. Voor mijn vertrek heb ik echter een persconferentie gehouden. De journalisten wilden tenminste horen wat ik te zeggen had en via hen kon ik de rest van de wereld bereiken en opnieuw proberen daar aandacht te vinden. 'Er is maar één ding dat ik nog hoop te zien voor ik sterf', zei ik tegen de pers, 'en dat is dat mijn volk niet langer sympathiebetuigingen nodig heeft.'

Maar in mei 1939, ondanks de toenemende vervolging van en moord op joden in Oostenrijk en Duitsland, besloten de Engelsen dat de tijd rijp was om eindelijk de poorten van Palestina voorgoed dicht te gooien. De regering Chamberlain bezweek voor de druk van de Arabische dreigementen op ongeveer dezelfde manier als ze bezig waren aan de nazi's toe te geven. Als een politiek van verzoening door concessies de oplossing van het 'Tsjechische' probleem was, dan kon die ook in Palestina worden toegepast en niemand scheen zich daar bovendien ernstig om te bekommeren. Het in 1939 verschenen Witboek over Palestina had het Britse mandaat in feite beëindigd, maar de doodsstrijd zou nog negen jaar duren. Binnen tien jaar zou er een Palestijnse staat moeten worden geschapen met als basis een grondwet die 'de rechten van de minderheden' garandeerde, en verder zou er een cantonaal systeem worden ingevoerd. De joodse landaankopen in Palestina moesten totaal worden stopgezet, behalve in ongeveer 5% van het land, en de joodse immigratie in Palestina moest eerst beperkt worden tot een maximum van 75.000 joden over de eerstkomende vijf jaar. Daarna moest de immigratie totaal beëindigd worden 'tenzij de Arabieren in Palestina bereid zijn daarin toe te stemmen'.

Een paar dagen voor het Witboek werd gepubliceerd, had ik een artikel voor het tijdschrift van de Vrouwenraad van de Arbeiderspartij geschreven. Ik was bijna de hele nacht opgebleven om het te schrijven. Ik herinner me nog dat ik tegen Menachem zei dat zelfs als niemand het las, ik zelf toch opgelucht was dat ik het geschreven had. Thans, nu ik het nog eens overlees, word ik getroffen door de ironie van de keuze van dit tijdstip.

Elke dag brengt ons nieuwe bevelschriften die honderdduizenden mensen betreffen. Wij, de moeders, weten dat joodse kinderen overal ter wereld worden verspreid en dat joodse moeders in vele landen slechts één ding vragen: Neem onze kinderen mee. Neem ze mee waar u ook heengaat. Alleen: red ze uit deze hel!
Kinderen trekken van Duitsland naar Oostenrijk, van Oostenrijk naar Tjechoslowakije, van Tjechoslowakije naar Engeland — en wie kan hun moeders verzekeren dat als ze uit de ene hel zijn weggehaald, ze niet in een andere terechtkomen?
Maar hier zullen onze kinderen veilig in bewaring zijn gebracht voor het joodse volk. En ik kan me niet voorstellen dat wij in onze taak hier zullen falen, in onze verdediging van zelfs de kleinste nederzetting, als we ons het beeld voor ogen houden van de duizenden joden in de concentratiekampen van Europa. Daarin ligt onze kracht, ons fundamenteel geloof leeft. Wat andere volken en andere landen is aangedaan, zal ons niet overkomen.

Toen kon ik nog niet bevroeden dat wat de joden zou worden aangedaan onbeschrijflijk veel erger zou zijn.
Natuurlijk was het Witboek onaanvaardbaar. We hielden protestvergaderingen, staakten en tekenden manifesten. Maar er moesten ook besluiten worden genomen. Het was niet voldoende te jammeren over het verraad dat de Britten ons hadden aangedaan, of om met gebogen hoofd en beklemd gemoed door de hoofdstraten van Tel Aviv, Jeruzalem en Haifa te marcheren. Wat moesten we doen? Moesten we ons tegen de Britten verzetten, en zo ja, hoe? Op welk doel moest de zionistische beweging zich concentreren nu de Engelsen het blijkbaar nodig hadden gevonden — in het uur van onze grootste nood — hun handen van de nationale aspiraties van de joden af te trekken?
In augustus legde ik mijn kinderen vermoeid uit dat ik weer naar het buitenland moest, dit keer naar het zionistische congres in Genève, waar enorm belangrijke kwesties die het leven van de *jisjoev* betroffen, grondig zouden worden besproken. Ik kon zien dat ze erg teleurgesteld

139

waren, maar hoewel ze soms tegenwerpingen maakten en vroegen of het écht nodig was, zeiden ze dit keer niets. Eigenlijk was de *Mapai*-politiek al vastgelegd tegen de tijd dat ik naar Genève vertrok. Wat voor positie de zionistische delegaties uit het buitenland ook zouden innemen, ons stond duidelijk voor ogen wat we moesten doen. De immigratie zou doorgaan, zelfs al kwam het tot een gewapend conflict met de Britten, en we zouden ook doorgaan met ons in het land te vestigen en het te verdedigen. Dit betekende in feite dat we ons bonden aan een oorlog tegen de Engelsen, als dat nodig zou blijken. Wij, die zelfs nog niet belangrijk genoeg waren om volledig en formeel op een Vluchtelingen-conferentie vertegenwoordigd te zijn? Maar er scheen geen keus te zijn, tenzij ook wij een contingenteringssysteem aannamen en ons op die manier in de rij der volkeren schaarden die het 'diep betreurden' dat ze niet in staat waren deel te nemen aan de redding van de joden.

Toen in september 1939 de oorlog uitbrak, had Ben-Goerion onze positie beknopt maar heel duidelijk vastgesteld: 'We zullen Hitler bestrijden alsof er geen Witboek bestaat, en we zullen het Witboek bestrijden alsof er geen Hitler bestaat.'

7
De strijd tegen de Engelsen

Ik geloof dat ik wel duizend keer sinds 1939 heb geprobeerd zelf te begrijpen — laat staan anderen duidelijk te maken — hoe het kwam dat tijdens de jaren dat de Engelsen zo dapper en vastbesloten de nazi's weerstonden, zij in staat — en bereid — waren tijd, energie en middelen te vinden om een bijna even lange en bittere oorlog tegen de toelating van joodse vluchtelingen van de nazi's in Palestina te strijden. Ik heb er nog nooit een afdoend antwoord op kunnen vinden en misschien is er ook geen. Het enige dat ik weet is dat de staat Israël misschien in vele jaren nog niet tot stand was gekomen als die Britse oorlog-in-een-oorlog niet zo fel en met zo'n krankzinnige hardnekkigheid was gestreden. Eigenlijk was het pas toen de Britse regering besloot — tegen elke rede en gevoel van menselijkheid in — zich als een ijzeren muur op te stellen tussen ons en de kans die we hadden om joden uit de handen van de nazi's te redden, dat wij begrepen dat politieke onafhankelijkheid niet iets was om als een doel in de verre toekomst te blijven beschouwen. De noodzaak om de immigratie te regelen omdat daar mensenlevens vanaf hingen was het énige dat ons voortdreef een besluit te nemen dat anders misschien op betere — zij het niet ideale — omstandigheden had moeten wachten. Maar het Witboek van 1939 met zijn reglementen die vreemdelingen voor ons hadden vastgesteld, vreemdelingen die het leven van de joden blijkbaar als van bijkomstig belang achtten, veranderde de hele kwestie van het recht van de *jisjoev* op zelfbestuur in de dringendste en belangrijkste zaak die ooit voor ons had gelegen. En uit deze nood ontstond in wezen de staat Israël die slechts drie jaar na het eind van de oorlog werd gegrondvest.

Wat wás het dat wij van de Britten eisten en dat ze zo hardnekkig weigerden ons te geven? Nu lijkt dat antwoord ongelooflijk, zelfs voor mij. De waarheid is dat het enige dat de *jisjoev* wilde — van 1939 tot 1945 — was om zoveel joden op te nemen als er van de nazi's gered konden worden. Dat was alles. We wilden alleen het recht om het weinige dat we hadden te mogen delen met de mannen, vrouwen en kinderen die het geluk hadden niet neergeschoten te zijn, niet vergast of levend verbrand waren door juist dat volk wiens nederlaag het enige en totale doel van het gehele Britse Rijk was.

We eisten niets anders. Geen voorrechten, geen macht, geen beloften voor de toekomst. We smeekten alleen, met het oog op het doodvonnis dat over miljoenen Europese joden door Hitler was uitgesproken en dat *uitgevoerd werd*, te mogen proberen zoveel mogelijk van deze mensen te redden voor het te laat was, en om ze naar de enige plaats te mogen brengen waar ze gewenst waren. Toen de Britten zich eerst doof hielden voor dit verzoek en daarna antwoordden dat ze er niet tegen 'opgewassen' waren om allerlei technische en absoluut onbelangrijke redenen (bijvoorbeeld 'gebrek aan scheepsruimte' hoewel er schepen in overvloed waren geproduceerd toen het in 1940 'nodig' werd illegale immigranten van Palestina naar Mauritius te brengen), hielden we op verzoeken te doen en we begonnen aan te dringen.

Maar niets hielp — geen smeekbeden, geen tranen, geen demonstraties, geen bemiddeling van vrienden hoe invloedrijk ze ook waren. Het Britse Witboek bleef van kracht — en de poorten van Palestina gingen alleen lang en wijd genoeg open om precies dat aantal joden binnen te laten dat in dat schandelijke document was vastgelegd, en niet één meer. Toen begrepen we allen wat velen van ons al hadden vermoed: geen *buitenlandse* regering kon of zou ooit onze zielestrijd aanvoelen zoals wíj die ervoeren en geen buitenlandse regering zou ooit dezelfde waarde aan joodse levens hechten zoals wíj deden. Het was niet zo'n moeilijke les om te leren, maar eenmaal geleerd was het niet waarschijnlijk dat een van ons die ooit zou vergeten, hoewel — ongelooflijk als het moge lijken — de rest van de wereld, op een paar uitzonderingen na, dat nu wel gedaan schijnt te hebben. Het was niet zo dat er van enige keus sprake was, of dat er een lange rij andere volken voor het Britse ministerie van koloniën stond en eiste om vluchtelingen te mogen ontvangen, ze onderdak te verschaffen, ze voedsel te verstrekken en ze in hun rechten te herstellen. Een paar landen waren bereid — en dat zal ze altijd tot eer strekken — om een aantal joden op te nemen als en wanneer ze erin slaagden aan de algemene slachting te ontkomen, maar nergens ter wereld was er één enkel land, behálve Palestina, dat graag joden wilde opvangen en dat bereid was elke prijs voor ze te betalen, alles te doen, elk vereist risico op zich te nemen om ze te redden.

Maar de Britten bleven hardnekkig weigeren. Ze bleven als leeuwen tegen de Duitsers doorvechten, tegen de Italianen en tegen de Japanners, maar ze wilden of konden zich absoluut niet tegen de Arabieren verzetten, hoewel een groot deel van de Arabische wereld openlijk pro-Nazi was. Ik kan met geen mogelijkheid begrijpen — nog steeds niet – waarom de Britten in het licht van wat het joodse volk overkwam niet tegen de Arabieren konden zeggen: 'Jullie hoeven je nergens bezorgd over te maken. Als de oorlog een keer voorbij is, zullen wij erop letten dat elke clausule van het Witboek krachtig wordt toegepast en als ze zich tegen ons verzetten, zullen we het Britse leger, de marine en de luchtmacht sturen om de joden van Palestina te onderwerpen. Maar op dit ogenblik gaat het niet om de toekomst van het Midden-Oosten of om het mandaat of om wat voor nationale aspiraties dan ook. Het gaat om het leven van miljoenen menselijke wezens en *wij*, de Britten, willen de redding van Hitlers slachtoffers niets in de weg leggen. Het Witboek zal tot na de oorlog moeten wachten.'

En wat zóu er tenslotte gebeurd zijn als de Britten zo'n soort verklaring hadden afgelegd? Een paar Arabische leiders hadden misschien dreigende toespraken gehouden. Misschien zou er hier of daar een protestmars hebben plaatsgevonden. Misschien zouden er zelfs ergens in het Midden-Oosten nog wat meer pro-nazi sabotage handelingen zijn geweest. En wellicht was het toch al te laat geweest om de meeste joden van Europa te redden. Maar duizenden van de zes miljoen doden zouden misschien nu nog leven. Duizenden meer van de getto strijders en joodse partizanen hadden bewapend kunnen worden. En de beschaafde wereld was dan misschien vrijuit gegaan tegenover de zware beschuldiging dat er geen vinger werd uitgestoken om de joden bij hun vreselijke beproevingen te helpen.

Zoals het er toen voor stond, tijdens al die lange, tragische oorlogsjaren en de onmiddellijke nasleep ervan, heb ik nooit één enkele Palestijnse jood ontmoet – of over zo iemand gehoord – die ook maar één ogenblik aarzelde elk persoonlijk of nationaal offer te brengen dat nodig zou zijn om de joden van Europa de helpende hand toe te steken en ze in veiligheid te brengen. Niet dat we het er altijd over eens waren hoe dit moest gebeuren, maar voor zover ik weet is er nooit enige sprake van geweest óf dit al dan niet moest gebeuren. Als niemand ons wilde helpen, dan zouden we proberen het alleen te doen en dat hebben we ook gedaan.

Op dat zionistische congres in 1939 in Genève had ik vrijwel al mijn tijd doorgebracht met geheime besprekingen met de afgevaardigden van de Europese jeugdorganisaties van de arbeidersbeweging waarbij we plannen maakten hoe we contact met elkaar zouden kunnen onderhouden als en wanneer er oorlog uitbrak. Natuurlijk wist niemand toen nog iets af van Hitlers *Endlösung*, maar ik weet nog dat we elkaar vast in de ogen keken en de hand schudden toen we 'sjalom' zeiden en ons afvroegen wat elk van hen te wachten stond nu ze naar hun huis en haard terugkeerden.

143

In mijn geest heb ik vaak die betrekkelijk optimistische gesprekken opgehaald die we toen in Genève in mijn kamer hielden, zo tegen eind augustus 1939. Op een paar na zijn al die jonge en toegewijde mensen later in Auschwitz, Maidanek en Sobibor omgekomen en onder hen waren de leiders van de joodse verzetsbewegingen in Oost-Europa die tegen de nazi's vochten zowel in de getto's als op het platteland samen met de partizanen en tenslotte achter het met elektrische stroom geladen prikkeldraad van de vernietigingskampen. Ik vind het vreselijk als ik nu aan ze terugdenk, maar ik geloof van ganser harte dat één van de dingen die het voor hen mogelijk maakte tegen zo'n overmacht door te vechten het feit was dat ze wisten dat wij de hele tijd achter ze stonden en ze dus nooit alleen waren. Ik geloof niet zo erg aan mystiek, maar ik hoop dat mij vergeven zal worden als ik zeg dat in onze donkerste uren de herinnering aan hun moed ons inspireerde door te gaan en het gaf boven alles inhoud aan ónze weigering om verdelgd te worden ten einde het leven voor de rest van de wereld gemakkelijker te maken. Per slot van rekening waren het de in de val gelopen, gedoemde en vernietigde joden van Oost-Europa die ons eens en voor al leerden dat we zelf ons lot in handen moesten nemen en ik geloof dat gezegd kan worden dat we ons woord tegenover hen gehouden hebben.

'We zullen Hitler bestrijden alsof er geen Witboek bestaat en het Witboek bestrijden alsof er geen Hitler bestaat' was een prachtige slagzin, maar hij was niet zo gemakkelijk uit te voeren. In feite was er niet één maar waren er drie nauw verbonden (maar toch afzonderlijke) gevechten in Palestina aan de gang tijdens de eerste jaren van de oorlog en als lid van de *Va'ad Hapoel* nam ik aan elk van ze deel. Daar was de wanhopige strijd om zoveel mogelijk joden in Palestina toe te laten; de vernederende en onbegrijpelijke strijd die we verplicht waren te voeren om de Britten te overtuigen om ons aan de militaire handelingen tegen de nazi's te laten deelnemen, en tenslotte de strijd, ondanks de vrijwel totale onverschilligheid van de Britten, om de economie van de *jisjoev* zo in stand te houden dat we op de een of andere manier sterk en krachtig genoeg uit de oorlog te voorschijn konden komen om een grote immigratie aan te kunnen, vooropgezet dat er nog joden over waren die konden immigreren.

Naderhand heb ik me er wel eens over verwonderd hoe we die jaren zijn doorgekomen zonder eraan te gronde te gaan, maar misschien is fysiek en psychisch uithoudingsvermogen in hoofdzaak een kwestie van gewoonte. Waar we ook gebrek aan hadden, niet aan gelegenheden om onszelf in crisistijden te testen. Sommige mensen, en vooral mijn eigen familie, hebben mij er zo lang ik me kan herinneren van beschuldigd dat ik mezelf te veel voortjaag, wat ze daar ook mee mogen bedoelen. Zelfs nu, terwijl mijn leven betrekkelijk gemakkelijk is, pressen mijn kinderen me steeds omdat ik niet genoeg 'rust'. Maar in die oorlogsjaren heb ik een gewichtige les geleerd: je kunt jezelf *altijd* even verder krijgen dan wat gisteren nog als het absolute einde van je uithoudingsvermogen werd beschouwd. Ik kan me in elk geval niet herinneren dat ik me ooit 'moe' heb gevoeld, dus ik moet aan vermoeidheid gewend zijn geraakt. Net als alle anderen werd ik zo voortgedreven door zorg en angst dat geen enkele dag − of nacht − lang genoeg was om alles te doen dat gedaan moest worden. De belangrijkste reden hiervoor was natuurlijk dat − ongeacht hoe moeilijk anderen het vonden te geloven dat de nazi's bezig waren de joden van Europa te liquideren − de meesten van óns dat meteen geloofden en als je weet dat elke tik van de klok de levens van je eigen mensen kost, dan bestaat er niet zoiets als te veel te doen hebben.

De dag dat die eerste vreselijke rapporten ons bereikten over de gaskamers en de zeep en lampekappen die van joodse lichamen gemaakt werden, staat me nog heel duidelijk voor de geest. We hielden een noodvergadering in de kantoren van de *Histadroet* en besloten ter plaatse iemand naar Ankara te sturen om te proberen van daaruit contact met de joden te zoeken. Het vreemde en vreselijke was dat geen van ons allen de gegevens die wij ontvangen hadden, in twijfel trok. We geloofden de rapporten dadelijk en zonder voorbehoud. De volgende dag had ik een afspraak over een onbelangrijke routinekwestie met een Britse autoriteit die ik altijd wel had mogen lijden. Natuurlijk vertelde ik hem wat we zo juist over de nazigruwelen gehoord hadden. Hij keek me even met een vreemde blik in de ogen aan en zei: 'Maar mevrouw Meyerson, dat gelooft u toch niet allemaal?' Toen begon hij over de gruwelpropaganda uit de Eerste Wereldoorlog te vertellen en hoe vreemdsoortig die wel was geweest. Ik kon hem niet uitleggen hoe of waarom ik wist dat dít anders was, en ik zag aan zijn bezorgde en toch wel vriendelijke blauwe ogen dat hij dacht dat ik stapelgek was geworden. 'U moet niet alles geloven dat u hoort', zei hij nog eens tegen me voor ik wegging.

Op de een of andere manier verrichtten we overdag onze gewone werkzaamheden en daar tussendoor en 's avonds deden we wat we konden voor de oorlog tegen de joden. Omdat ik al meer onderhandelingen voor de arbeidersbeweging had gevoerd, ging ik met dat werk door, maar ik had nu vrijwel uitsluitend met de Britse militaire autoriteiten te maken. Zoals ik al zei waren de Britten er heftig tegen gekant om de joden van Palestina zich vrijwillig voor het leger te laten melden, hoewel toch zo'n 130.000 dat deden. De Engelse autoriteiten verzonnen een reeks gecompliceerde systemen, waarvan de meeste faalden, om de dienstname in de *jisjoev* tot een absoluut minimum te beperken; onder andere hielden ze vast aan gelijke aantallen joodse en Arabische recruten. Doch toen de oorlog zich naar het Midden-Oosten uitbreidde, waren de geallieerden in steeds toenemende mate afhankelijk van de enige bron van goed geschoolde (en natuurlijk politiek absoluut betrouwbare) mankracht in dat gebied. Tienduizenden jonge Palestijnse joden die geen dienst mochten nemen in Britse gevechtseenheden, werkten de hele oorlog als legerchauffeurs, bij de aan- en afvoertroepen en bij het medische corps. Ze stonden natuurlijk bekend als 'Palestijnen', niet als joden, en ze werden als 'inheemsen' behandeld, maar ze waren tenminste in het leger. De *burgerlijke arbeidskrachten* van de *jisjoev*, de geschoolden zowel als de ongeschoolden, werden echter niet alleen als inheemsen behandeld, maar ook volgens de Egyptische loonregeling betaald. Omdat de *Histadroet* dat niet wilde accepteren, bracht ik maanden door met redetwisten en onderhandelen met het Algemene Hoofdkwartier voor het Midden-Oosten. Een groot aantal Palestijnse Arabieren voegde zich uiteindelijk tijdens die stormachtige protesten bij ons, maar één van hen, een heel aardige man uit Haifa heeft met zijn leven voor dat eenheidsfront moeten betalen toen hij in 1947 door Arabische terroristen werd vermoord.

Een typisch voorbeeld uit die periode zijn de gesprekken die ik wekenlang voerde met een firma die in Birma had gewerkt en daarna was aangewezen om als vervoersagent voor de Palestijnse mandaatregering op te treden. Ik geloof niet dat het ooit eerder bij deze heren was opgekomen dat ze niet zonder meer individuele chauffeurs konden huren en ontslaan wanneer hun dat schikte en ik was vastbesloten ze tot erkenning van het bestaan van vakbonden te dwingen en het belang van collectief onderhandelen. Toen we elkaar de eerste keer ontmoetten, vertelden ze me luchtig: 'In Birma hadden we geen arbeiders coöperaties nodig. We hadden onze eigen "coöperatie" van 80.000 arbeiders.' Maar tenslotte stemden ze erin toe met de *Histadroet* te onderhandelen en ik denk dat ze misschien ook iets over de *jisjoev* geleerd hebben en waar het allemaal om ging.

Toen de militaire toestand in het Midden-Oosten van kwaad tot erger verviel, werden meer en meer Palestijnse joden bij de oorlog betrokken en de Palestijnse mandaatregering begon zich verplicht te voelen een of andere openbare instelling in het leven te roepen waar ze mee konden beraadslagen over economische kwesties. Ze zetten een 'Economische Oorlogsadviesraad' op waar ik lid van was tot het eind van de oorlog toe.

Dit waren dingen die gedaan moesten worden en die belangrijk waren, maar ze stonden lang niet centraal. Mijn werkelijke zorgen lagen op een heel ander terrein. De man die we naar Ankara hadden gestuurd (Mellech Neustadt die tegenwoordig Noy heet) kwam op een dag bij de *Va'ad Hapoel* terug met nieuws dat ons deed huiveren. Het was alsof hij met een boodschap van een andere planeet was teruggekeerd. In Turkije had hij mensen gevonden die contact tussen ons en de joodse ondergrondse in Polen tot stand konden brengen. Hij waarschuwde ons dat het natuurlijk geen engelen waren. Afgezien van de grote som geld die ze voor hun diensten vroegen, zouden ze volgens hem waarschijnlijk heel veel van hetgeen ze op zich namen in de getto's af te leveren zelf behouden, en enkelen ervan waren vrijwel zeker nazi's. Maar het was geen kantoorpersoneel dat we in dienst namen. We zochten naar afgezanten die zich min of meer vrij in het door de Nazi's bezette Europa konden bewegen en hun levensloop deed er niet toe. Nog diezelfde dag stichtten we een geheim fonds. We stelden ons zelf een schrikbarend hoog doel – 75.000 Engelse ponden en we wisten dat áls we het al ooit haalden slechts een heel klein deel ervan zijn doel zou bereiken. Maar met dat kleine deel waren de joden misschien in staat genoeg wapens en voedsel te bemachtigen, al kon het onder deze omstandigheden natuurlijk niet veel zijn. Toch was het misschien genoeg om de joodse verzetsbeweging staande te houden, al was het dan maar kort.

Dat was het wezenlijke begin van onze wanhopige pogingen om ons een weg in het door de nazi's bezette Europa te rammen en de joden een reddingsboei toe te werpen. Toen de oorlog voorbij was, was er geen route die we niet onderzocht hadden, geen kans die we niet hadden geprobeerd te benutten, geen mogelijkheid die we niet onmiddellijk onderzocht hadden. Jarenlang smeekten we de geallieerden ons te helpen om jonge mannen in het hart van Europa te brengen, te voet, per onderzeeër en tenslotte door de lucht. En in de zomer van 1943, onder groot voorbehoud, stemden de Engelsen er eindelijk in toe. Ze vonden het goed dat wij – geen honderden zoals we gevraagd hadden – tweeëndertig Palestijnse joden in door de As bezet gebied neerlieten en daar konden ze een tweeledige taak uitvoeren: geallieerde krijgsgevangenen (meestal gevangen genomen vliegers) helpen ontsnappen en de joodse partizanen te hulp komen en aanmoedigen.

Nu ik deze regels schrijf zie ik nog de gezichten voor me van twee mannen die thans geen van beiden meer in leven zijn. Ze verschilden heel erg van elkaar wat achtergrond, persoonlijkheid en manieren betreft, maar beiden waren me heel dierbaar en als ik nu met pijn in het hart aan ze denk zijn ze kenmerkend voor die donkere en vreselijke tijden. De ene was Eliahu Golomb en de ander Enzo Sereni. We moeten het aan schrijvers en historici overlaten om de gedetailleerde geschiedenis te vertellen van hetgeen de joden van Palestina tijdens de algemene slachting trachten te doen en deden. Ik zal alleen over deze twee schrijven, hoewel er nog vele anderen waren, mannen zowel als vrouwen die evenveel aan hun volk hebben gegeven als Eliahu en Enzo.

Ik kende Eliahu langer en beter dan Enzo. Hij hoorde tot een merkwaardige familie: vier zwagers die een belangrijke rol speelden bij de opbouw van de *jisjoev* en de arbeidersbeweging daar. Over een van ze, Mosje Sjarett, zal ik later nog meer vertellen, omdat onze levens en ons werk zo nauw verweven zouden worden. Maar de drie anderen waren in oorlogstijd niet minder belangrijk. Elk van de vier (of allemaal samen) zou zo het onderwerp van een boek kunnen zijn dat volgens mij dan onvermijdelijk een familiekroniek van de gehele *jisjoev* zou worden en ik hoop van harte dat iemand het eens zal schrijven.

Mosje Sjarett was toen het hoofd van de politieke afdeling van het Joods Agentschap. Hij had in 1933 de mantel van Chaim Arlosoroff geërfd en vond zichzelf (toen al, geloof ik) de meest aangewezen kandidaat voor het ambt van minister van buitenlandse zaken als er ooit een joodse staat tot stand zou komen. Hij was het meest van de vier zwagers een man-van-de-wereld, intelligent en een briljant talenkenner. Maar hij was ook erg formalistisch, en nogal verwaand. Ondanks zijn bijzondere gaven was hij geen Ben-Goerion noch een Berl Katznelson. Maar hij heeft zich jarenlang als Israëls minister van buitenlandse zaken onderscheiden en zelfs korte tijd, tussen de eerste en tweede keer aftreden van Ben-Goerion, als premier. Gedurende de oorlog wierp Sjarett zich meer dan iemand anders met hart en ziel op voor de vreselijke strijd om een Joodse Brigade in het leven te roepen. Die kwam tenslotte in het laatste oorlogsjaar tot stand, nog net op tijd om in Italië ingezet te worden.

Een van Sjaretts zusters was met Dov Hos getrouwd die de *Histadroet* jarenlang diende als 'onze man in London'; hij had bijzonder hartelijke en persoonlijke betrekkingen ontwikkeld met vele van de leiders van de Britse Arbeiderspartij. Fysiek was hij geen opvallend indrukwekkende figuur, maar hij had een enorme charme en hij begreep en hield van de Britten. Dus kozen we vaak Dov om ons bij de mandaatsautoriteiten te vertegenwoordigen. Zijn lievelingsproject was de ontwikkeling van de luchtvaart in Palestina. Hij was zelf piloot en dat vonden wij, die allemaal landrotten waren, bijzonder kranig. Hij werd in 1940 in Palestina samen met zijn vrouw Rivkah en dochter bij een verkeersongeluk gedood en met hem verloren we een van onze werkelijke steunpilaren. Ik bracht nogal eens wat tijd met Dov door als ik voor en na de oorlog in Londen was. We moesten vaak samenwerken in verband met de recrutering van vrijwilligers voor het Britse leger.

Dat dienst doen in het Britse leger, tussen haakjes, was iets waarover niet iedereen in de *jisjoev* zo dacht als wij. Er wáren mensen — en niet

148

zo weinig – die vonden dat we te veel op één paard zetten en we zelfs de veiligheid van de joodse steden en nederzettingen op het spel zetten in geval van een Britse nederlaag in het Midden-Oosten. 'Het is alles goed en wel om campagnes voor vrijwilligers voor het leger te voeren om tegen de nazi's in het buitenland te vechten, maar wat zal er met de *jisjoev* gebeuren als de As eens zou overwinnen', vroegen ze. 'Wie is er dan nog over om Tel Aviv, Degania of Rehovot te verdedigen? Een handjevol slecht uitgeruste leden van de *Haganah*?' Ze hadden natuurlijk in zekere zin gelijk, maar toch was ik het niet met ze eens. Het idee om te wachten met Hitler te bestrijden totdat de Duitsers de grenzen van Palestina bereikt hadden, was belachelijk. We wilden helpen de nazi's ten val te brengen waar ze ook waren, en we brachten hele dagen door om te trachten onze tegenstanders in en buiten de *Histadroet* en *Mapai* te overtuigen dat ze ongelijk hadden.

Nog een van Sjaretts zwagers (Zipporah Sjaretts broer) was die fantastische man Sjaul Avigur, die Goddank nog in leven is. Niemand die Sjaul tegenwoordig – of zelfs toen – op straat in Tel Aviv zou tegenkomen, of zag terwijl hij aan het werk was in de tuin van de kibboets Kinneret (waar hij nog steeds lid van is) zou het ooit uit deze vrij verfrommelde en doodgewone verschijning opmaken dat hij alle jaren vóór de stichting van de staat Israël in werkelijkheid onze ondergrondse minister van defensie was. Sjaul was de man die de legendarische inlichtingendienst van de *Haganah* oprichtte en die, na afloop van de oorlog, aan het hoofd stond van wat we de *Mossad* (de 'Instelling') noemden, die de ingewikkelde en gevaarlijke 'onwettige' emigratie naar Palestina organiseerde en leidde, zodat de resten van het Europese jodendom naar ons konden toekomen. Niets aan Sjauls uiterlijk of in zijn manier van spreken wijst erop dat hij, in tegenstelling tot Sjarett, Dov, Eliahu – en ik ook –, een geboren samenzweerder was. Ik heb Sjaul nooit een onnodig briefje zien schrijven of hem een onnodig woord horen zeggen. Wat hij ook deed of beval werd met een maximum aan geheimhouding uitgevoerd. In zijn ogen was iedereen van mogelijke onbezonnenheid te verdenken. Soms lachten we om die volgens ons overdreven voorzichtige houding van hem. Ik herinner me dat toen zijn dochter een tijdje in Engeland was ze hem vroeg haar een stapeltje Hebreeuwse kranten te sturen en ze was helemaal niet verbaasd toen haar vader automatisch op de omslag schreef 'Strikt vertrouwelijk'! Maar we hadden allemaal enorm veel ontzag voor hem, en hebben dat nog. Zijn gezag en kennis van al hetgeen met de ondergrondse te maken had, – de heimelijke pogingen in 1947 in Europa, het brengen van joodse vluchtelingen uit Arabische landen naar Palestina middenin de Tweede Wereldoorlog, de noodzakelijke verzameling van dossiers over de Britse inlichtingen-

149

dienst, – was onbetwist. Typerend voor hem is dat Sjaul de eerste van ons was die zich al jaren en jaren geleden wijdde aan de zaak van de joodse emigratie vanuit Rusland.

Maar het was de vierde zwager, Eliahu Golomb, die in die dagen overal het middelpunt van was. Zíjn huis in Tel Aviv en zíjn kantoor (kamer 17) in het gebouw van de *Histadroet* waren onze werkelijke zenuwcentra. Ik geloof niet dat gedurende de hele oorlog het licht in het huis van Eliahu ooit uitging of dat het huis ooit leeg was. Als we al een eigen hoofdkwartier hadden, dan was het bij hem. Op welke tijd van de dag of nacht je ook binnenviel om Eliahu te raadplegen – om de een of andere reden liepen we altijd via de keuken naar binnen – dan vond je zijn schoonmoeder, de moeder van Sjarett die we allemaal 'Mamochka' noemden, kalm aan het strijken, zelfs midden in de nacht. Ada Golomb stond dadelijk zonder mankeren klaar met een glas thee. Ben-Goerion, Sjarett, Dov Hos en de anderen waren degenen die de politieke gedragslijnen vaststelden, de onderhandelaars, de woordvoerders van de *jisjoev* tegenover de buitenwereld. Maar Eliahu Golomb – evenals Berl op het gebied van de zuivere ideologie – was onze opperbevelhebber, het werkelijke hoofd van de *Haganah* van 1931 totdat hij in 1945 stierf. Evenmin als Berl heeft hij ooit zelf de staat Israël mogen zien, en – ook net als van Berl – was zijn afwezigheid tijdens de eerste jaren van het bestaan van Israël voor ons allen een grote, ik zou zelfs willen zeggen voortdurende teleurstelling, want in veel opzichten was Eliahu een van de werkelijke grondleggers geweest.

Hoe zag onze opperbevelhebber eruit? Tja, hoe zagen we er allemaal uit? Behalve Ben-Goerion met zijn wapperende witte haar geloof ik niet dat één van de 'geestelijke vaders' van de staat Israël door zijn uiterlijk opviel. En dat slaat ook op Eliahu. Hij was een kleine man met een heel hoog voorhoofd dat hij altijd in rimpels trok en hij had diepliggende, vrij mooie ogen. Evenals Berl droeg hij een soort uniform, een *rubasjka* die opzij dichtgeknoopt was en een verkreukelde kaki broek. Ik herinner me niet dat ik hem ooit in een pak gezien heb. Hij sprak erg rustig, heel langzaam en bijzonder overtuigend; bovendien was hij heel belezen. In feite zag hij er absoluut niet als een militair uit en hij had ook niet die aangeleerde manieren die leiders van een ondergrondse beweging zich zo vaak aanleren om hun volgelingen te imponeren. Eigenlijk was er niets opvallends aan hem behalve zijn sterke persoonlijkheid, en zelfs die kwam alleen naar voren bij de mensen waar hij nauw mee samenwerkte. Maar de *Haganah*, de kracht en de levensbeschouwing ervan, is voor een heel groot deel de schepping van Eliahu. Hij was in 1909 uit Rusland naar Palestina gekomen en samen met Sjarett was hij bij de eerste geslaagden van de Herzlia Middelbare School in Tel Aviv. In de

150

Eerste Wereldoorlog had hij in het Joodse Legioen Berl leren kennen en onder diens invloed begon hij zijn opvatting van de joodse zelfverdediging in Palestina te ontwikkelen.

Van het begin af aan zette Eliahu de *Haganah* niet als een guerrillabeweging op of als een soort elitecorps, maar als het nationale antwoord op zo breed mogelijke basis op de behoefte van de *jisjoev* om zichzelf te beschermen en als een integraal onderdeel van de zionistische beweging. Hij vond dat zelfverdediging niet minder noch meer noodzakelijk was dan de verovering van de woestijn of het toelaten van ballingen. En dus moest de *Haganah* groeien en aan de gehele joodse bevolking behoren. Derhalve moest de *Haganah* onder het opperbevel van de nationale instellingen van de *jisjoev* functioneren, ongeacht hoe geheim sommige opdrachten ook mochten zijn. Uit dit standpunt komt ook Eliahu's houding voort ten opzichte van twee afgescheiden militaire organisaties die tenslotte werden opgericht, de *Irgoen Zwaie Leoemie* (IZL) en *Lehi* (de Sterngroep) die in de eerste plaats tot stand kwamen omdat zij de politiek van de *Haganah* tot zelfbeheersing, geen vergelding en het vermijden, om niet te zeggen de afschuw van joods terrorisme afkeurden. Maar van het allereerste begin heeft Eliahu de noodzaak begrepen om de *Haganah* op zijn uiteindelijke rol in de strijd om de onafhankelijkheid voor te bereiden, en hij beschouwde ze altijd als de kern van een joods leger, in staat en gerechtigd om de rechten van de joden om naar Palestina te komen, zich daar te vestigen en er een vrij leven te leiden, te verdedigen.

Volgens déze opvatting had de *Haganah* inderdaad een unieke rol te spelen. In de ogen van Eliahu betekende zelfverdediging dat de *jisjoev* zijn altijd schamele verdedigingsmiddelen daar moest gebruiken waar en wanneer ze het meest nodig waren. Dezelfde jonge mannen en vrouwen die de joden 'illegaal' naar Palestina brachten, bewaakten ook de settlers als ze palissades en watertorens op terrein opzetten dat volgens het Witboek voor joden verboden gebied was; zij maakten wapens en vormden wapenvoorraden teneinde toekomstige aanvallen het hoofd te kunnen bieden en werden zelfs in het door de nazi's bezette Europa neergelaten. Hij kneedde de *Haganah* tot een instrument dat werkelijk op nationale verlossing was gericht, zorgde ervoor dat de verschillende bestanddelen altijd uitwisselbaar waren en klaar stonden, zodat, toen het in 1947 nodig bleek, zij hun rol konden vervullen. Hij hield dit doel steeds voor ogen, week niet van de ingeslagen weg af en zorgde dat de *Haganah* niet bezoedeld werd. Dit kon hij natuurlijk alleen doen omdat hij in de grond een idealist was, een socialist, een goede jood én een leider van de ondergrondse.

Het is een bittere opgave nu over Eliahu te schrijven, in een wereld die

151

het verkiest om het Arabische terrorisme met valse glans te bekleden en tot de zogenaamde Raad der volkeren een man als Yassir Arafat toe te laten. Men kan niet één constructieve gedachte of handeling op zijn tegoed schrijven. Om het met weinig woorden te zeggen is hij slechts een verklede massamoordenaar die aan het hoofd staat van een beweging die als enig doel de vernietiging van de staat Israël heeft. Toch ben ik er volkomen van overtuigd – en dat is mijn troost – dat het zaad van het onvermijdelijk falen van het Arabische terrorisme ligt geborgen in het begrip terrorisme zelf. Geen beweging, onverschillig hoeveel geld ze ter beschikking heeft en op wat voor politiek van verzoening door concessies ze rust, kan op den duur slagen als de kwaliteit van de leiders ondeugdelijk is en als ze zich uitsluitend op chantage en bloedvergieten toelegt. Bovendien heeft deze verzoeningspolitiek de wereld altijd rampen gebracht. Werkelijk goede bewegingen voor nationale bevrijding kunnen hun doel niet bereiken door kinderen te vermoorden en te verminken, door vliegtuigen te kapen of diplomaten te doden. Ze moeten een inhoud hebben, een doel dat nog steeds geldt nadat een onmiddellijke crisis voorbij is en ze moeten, om een ouderwets woord te gebruiken, zich kunnen beroepen op intellectuele en morele zuiverheid. Uiteindelijk was Eliahu's grootste gift aan de *jisjoev* niet de bekwaamheid waarmee de *Haganah* hun operaties uitvoerden, maar hun fundamenteel kader dat – toen de tijd er rijp voor was – vrijwel intact in de gelederen van het Israëlische leger werd overgenomen. Natuurlijk zijn er fouten gemaakt, soms zelfs heel kostbare, en er zijn mislukkingen en teleurstellingen geweest. Maar vanaf de allereerste dag was het de taak van de *Haganah* het joodse volk te dienen en niet om anderen te terroriseren of te domineren, en omdat ze evenveel belang aan ontwikkeling als aan zelfbeschikking toekenden, hielden ze stand en bleef hun moed voortleven.

Hoewel ik zelf niets te maken heb gehad met de keuze van de *Haganah* vrijwilligers die per parachute in Europa werden neergelaten, heb ik ze wel allemaal ontmoet, want ze kwamen bij de *Histadroet* afscheid van ons nemen. Bij een van die gelegenheden heb ik zelfs getracht Enzo Sereni van zijn voornemen af te brengen. Op een middag zat ik in mijn kamer bij de *Va'ad Hapoel* te werken toen de deur openging en Enzo binnenkwam. Achter zijn brilleglazen glansden zijn ogen meer dan anders. 'Ik kom afscheid nemen', zei hij. 'Ik ga weg.' 'Ga niet', zei ik tegen hem. 'Ten eerste ben je heus veel te oud en je bent hier bovendien zo hard nodig. Wees alsjeblieft wijzer en blijf, terwille van ons allemaal.' Ik wist dat ik hem niet zou kunnen overhalen, maar ik heb er een kwartier lang mijn uiterste best voor gedaan. Toen ik eindelijk klaar was, pakte hij mijn hand en zei: 'Golda, jij moet het kunnen begrijpen. Ik kan

152

gewoon niet achterblijven. Vooral omdat ik zelf er zo velen heb heen gestuurd. Maak je niet bezorgd. Ik geef je mijn erewoord dat we elkaar zullen weerzien.' Maar dat is nooit gebeurd. In 1945 stond ik op een strand in Palestina. Het was een winderige nacht en ik keek toe hoe een *Haganah* schip met de naam *Enzo Sereni* meer dan duizend overlevenden van de dodenkampen op het zand uitstortte nadat het schip ze veilig en wel door de Britse blokkade had heen geloodst. Ik herinner me nog dat ik dacht dat elk volk zijn helden zo goed mogelijk eert en op zijn eigen manier; dit was onze manier en Enzo zou die hebben goedgekeurd.

Enzo had een volkomen andere achtergrond dan de meesten van mijn collega's. Hij was in Italië geboren en getogen waar zijn vader lijfarts van de koning was geweest; hij kwam uit een zeer welgestelde en bijzonder beschaafde familie. Een van zijn ooms was een beroemd rechtsgeleerde en een broer werd een vooraanstaande communistische senator. Er was niets dat Enzo aan het zionisme bond, behalve zijn grote belangstelling voor het socialisme en de wijze waarop hij door de kibboetsbeweging geboeid werd. Daar had hij heel veel over gelezen en nagedacht. Aan het eind van de jaren twintig, na een heftige botsing met de fascisten, kwam hij naar Palestina, hielp een kibboets te stichten (Givat Brenner, niet ver van Tel Aviv, en daar heb ik hem ook leren kennen) en ging zich met enthousiasme aan de arbeidersbeweging wijden. Hij geloofde in een speciaal soort socialisme vermengd met een sterk religieus gevoel en, typerend voor hem, hij was een overtuigd pacifist. We konden het erg goed samen vinden, hoewel we vaak redetwistten, vooral tijdens de ongeregeldheden van 1936-1939 toen Enzo erop aandrong dat we 's nachts de Arabische dorpen ongewapend moesten omsingelen, omdat hij vond dat het zijn plicht was om te proberen de Arabische bevolking te kalmeren. En niemand kon hem ooit zo ver krijgen dat hij van mening veranderde als het om zijn principes ging. Als iets de moeite waard was om gedaan te worden, dan moest hij dat zelf doen. We waren dus niet verbaasd toen hij, vrijwel meteen na het uitbreken van de oorlog, zich als vrijwilliger voor het leger aanmeldde.

Zich vrijwillig aanmelden is echter nog iets heel anders dan aan een parachute achter de vijandelijke linies neergelaten te worden. Hij was al veertig jaar, had een gezin, was in Palestina zelf hard nodig en had geen enkele kans gevangenneming door de fascisten te overleven als hij ze in handen viel. En bovendien deed hij al heel veel oorlogswerk. Hij zond regelmatig radio-boodschappen van de geallieerden naar Italië uit en gaf een anti-fascistische krant uit die door duizenden Italiaanse krijgsgevangenen werd gelezen. Ook wat avonturen betrof, kreeg hij zijn deel. Het werkelijke verhaal van Enzo's heldendaden in 1941 in Irak moet nog verteld worden, maar een van de dingen die hij deed was jonge joden uit de getto's van Irak halen en ze door de woestijn naar Palestina brengen waarbij hij enorm grote persoonlijke risico's op zich nam. Maar hij werd steeds vervolgd door het lijden van de Italiaanse joden en hij was vastbe· sloten te trachten ze te redden, of minstens bij ze te zijn in al hun ellende. En dus stond hij erop — nadat hij Eliahu had geholpen de parachutisten uit te zoeken — samen met ze opgeleid te worden en in Italië te worden neergelaten. Hij werd bijna dadelijk gevangen genomen, met een transport joden naar Dachau gestuurd en daar door de Nazi's vermoord. Hij was maar één van de tweeëndertig parachutisten van wie de bekendste de jonge dichteres Hanna Senesh was, maar op een of andere wijze was hij voor mij het symbool van hen allen en van de feitelijke hulpeloosheid van onze situatie.

Tijdens interviews is me wel gevraagd hoe ik tegenover de Duitsers stond en misschien is hier de aangewezen plaats en tijd om die vraag te beantwoorden. Het naoorlogse Duitsland was iets waarmee de staat Israël mee moest onderhandelen, contact moest onderhouden en samenwerken. Dat was een van de feitelijke toestanden na de Tweede Wereldoorlog en die toestanden moet je onder de ogen zien al zijn ze nog zo pijnlijk. Het is natuurlijk vanzelfsprekend dat niets ooit de slag van de algemene slachting kan verminderen. Zes miljoen vermoorde joden is ook een feit, een feit dat nooit uit de herinnering van de mens mag worden verbannen. En zeker de Duitsers moeten dat nooit vergeten. Maar hoewel het jaren duurde voor ik mezelf kon dwingen om weer voet op Duitse bodem te zetten — in 1967 —, was ik altijd wel geporteerd voor herstelbetalingen, om geld van de Duitsers aan te nemen zodat we de staat Israël konden opbouwen, want ik vond dat ze ons dat minstens schuldig waren opdat wij de joden die alles overleefd hadden, konden opnemen. Ik ben ook van mening dat Israël zelf de beste garantie tegen een nieuwe algemene slachting is.

Toen de tijd rijp was, was ik ook voor diplomatieke relaties met de Duitse regering, hoewel ik heftig tegen de keus van een ambassadeur door die regering was gekant. Ik was woedend toen ik hoorde dat Rolf Pauls in de oorlog had gevochten en zelfs gewond was. Hij had een arm verloren. 'Het doet er niet toe dat hij een schitterende beroepsdiplomaat is', zei ik, 'zelfs niet dat hij geen lid van de nazi-partij is geweest. Laten de Duitsers ons tenminste iemand sturen die niet aan de oorlog heeft deelgenomen.' Maar de Duitse regering bleef onverbiddelijk. Rolf Pauls kwam naar Israël en er vonden demonstraties tegen hem plaats. Ik was ervan overtuigd dat hij zou moeten worden teruggeroepen. Gelukkig had ik ongelijk. Tegenwoordig is hij ambassadeur van Bonn in Peking, maar hij is nog altijd een van Israëls trouwste en beste vrienden.

Toen Pauls zijn geloofsbrieven in Jeruzalem kwam overhandigen, was ik minister van buitenlandse zaken voor Israël. Ik nam aan dat hem wel verteld was hoe ik over zijn benoeming dacht en het was dus geen gemakkelijk ogenblik, maar het was tenminste een ogenblik van de waarheid, dacht ik. 'U hebt een heel moeilijke taak voor u liggen', zei ik tegen hem. 'Dit is een land dat voor een groot deel bestaat uit slachtoffers van het nazi-regime. Er is nauwelijks een gezin dat geen nachtmerrieachtige herinneringen aan een crematorium heeft, of aan baby's die gebruikt werden als doelwit voor nazi kogels, of aan 'wetenschappelijke' experimenten door de nazi's bedreven. U kunt geen warm welkom verwachten. Zelfs de vrouwen die aan tafel bedienen, als u ooit bij mij komt eten, hebben nazi-nummers op hun arm getatoeëerd.'

—'Dat weet ik', antwoordde Pauls. 'Ik kom net van het Yad Vashem af (het Israëlisch monument voor de zes miljoen) en er is al één ding dat ik u kan beloven. Zo lang ik hier ben zal ik ervoor zorgen dat elke Duitser die naar dit land komt, eerst naar dat monument gaat, zoals ik vandaag heb gedaan.' En hij heeft zijn woord gehouden.

Ik heb Pauls eens over mijn vierentwintiguurs bezoek aan Duitsland verteld en ik weet nog hoe bleek hij was terwijl hij naar me luisterde. Vlak na de Zesdaagse Oorlog was ik naar Duitsland gegaan. Ik maakte toen geen deel uit van de regering. Ik had een socialistische conferentie in Parijs bijgewoond, samen met een oude kameraad, Reuven Barkatt. Op een morgen ging de telefoon en het was Abba Eban, onze minister van buitenlandse zaken. Hij belde op vanuit New York. Hij was bij de Verenigde Naties en het leek of hij een reeds verloren strijd vocht tegen de zogenaamde Joegoslavische (in wezen Russische) resolutie, een van die standaard resoluties die ons als 'aanvallers' veroordeelden en eisten dat we ons onmiddellijk en onvoorwaardelijk uit de 'bezette gebieden' zouden terugtrekken. De Fransen ondersteunden deze resolutie en zetten de Frans sprekende Afrikaanse staten erg onder druk, vertelde hij. Zo poogden ze die staten zover te krijgen dat ze vóór de resolutie stemden. De belangrijkste Frans-Afrikaanse delegatie was die van de Ivoorkust en de minister van buitenlandse zaken van die staat stond heel sympathiek tegenover Israël. De president, Houphouet Boigny, was en is een heel dierbare persoonlijke vriend van me. Eban vroeg me of ik Houphouet Boigny wilde gaan opzoeken die omstreeks die tijd ergens in Europa was. Waar precies wist hij niet. Zou ik met hem onmiddellijk over die resolutie willen gaan praten?

Het bleek dat Houphouet-Boigny in een Duits kuuroord vertoefde voor hij aan zijn officiële bezoek begon. Ik had mijn rechterarm willen geven om er niet heen te hoeven gaan, maar Eban hield vol en ik begreep natuurlijk wel waarom. Dus ging ik met de president praten, maar ik heb er nauwelijks gegeten of gedronken en ben zodra het mogelijk was, weer vertrokken. Toen ik in Parijs terugkwam, zei Barkatt die wist hoe moeilijk het voor me geweest was om naar Duitsland te gaan: 'Niets dat je ooit voor Israël hebt gedaan was zó moeilijk als deze tocht, hè?' Ik heb hem geen antwoord gegeven. Ik kon zelfs tegenover Barkatt toen en later tegenover Pauls mijn afschuw en afkeer niet onder woorden brengen die ik in die vierentwintig uur gevoeld had. Het enige waar ik aan kon denken waren de gezichten van de mensen die ik bij het proces tegen Eichmann gezien had, Adolf Eichmann zelf en de ogen van de mannen, vrouwen en kinderen die wij uit die hel hadden kunnen redden.

Hoewel niets ooit de slachtoffers weer tot leven kan brengen, was het proces tegen Adolf Eichmann in 1961 in Jeruzalem volgens mij een belangrijke en noodzakelijke historische rechtshandeling. Het vond twintig jaar na die wanhopige jaren plaats waarin wij op alle mogelijke manieren hadden geprobeerd hem zijn prooi te ontfutselen en het hoort ook bij de geschiedschrijving over de algemene slachting.

Ik was, en ben nog, absoluut van mening dat alleen de Israëli's het recht hadden in naam van het jodendom van de hele wereld vonnis tegen Eichmann te wijzen en ik ben er erg trots op dat we dat gedaan hebben. Het was absoluut geen kwestie van wraak. Zoals de Hebreeuwse dichter Bialik eens schreef, zelfs de duivel zelf zou geen juiste wraak kunnen bedenken voor de dood van één enkel kind. Maar zij die in leven bleven, en ook de nog ongeboren generaties, hebben er recht op dat de wereld weet — tot in al zijn verschrikkelijke details — wat de joden van Europa werd aangedaan en door wie.

Zo lang ik leef zal ik niet vergeten hoe ik daar met Sheyna in die rechtzaal in elkaar gedoken zat en luisterde naar de getuigenissen van de overlevenden. Vele vrienden van me hadden de kracht de gerechtelijke verhoren dag in dag uit bij te wonen, maar ik moet bekennen dat ik er maar twee keer heen geweest ben. Er zijn niet veel dingen in het leven waar ik me met opzet van af heb gemaakt, maar deze levende getuigenissen van martelarijen, degradatie en dood, afgelegd in de ijskoude aanwezigheid van Eichmann zelf, kon ik letterlijk niet verdragen. Dus luisterde ik meestal naar het proces via de radio en dat deden de meeste mensen in Israël. Maar ook dat maakte het onmogelijk om gewoon met je werk door te gaan. Natuurlijk werkte ik en ik ging elke dag naar kantoor, at mijn maaltijden, borstelde mijn haar, maar innerlijk was mijn aandacht steeds bij wat er in die rechtzaal gebeurde en de radio stond altijd aan. Het proces domineerde wekenlang al het andere leven, voor mij en alle anderen. Ik weet nog hoe ik luisterde naar mensen die als getuigen optraden en dat ik me afvroeg hoe en waar zij de wil tot leven weer gevonden hadden, de wil om een nieuw gezin te stichten, weer menselijke wezens te worden. Ik geloof dat het antwoord daarop is dat we allemaal uiteindelijk aan het leven hangen, ongeacht wat het verleden ons heeft gebracht, en evenals ik me niet werkelijk kan voorstellen hoe het daar in die dodenkampen toeging, kan ik natuurlijk ook niet wéten hoe het was om -weer helemaal opnieuw te beginnen. Die kennis hebben alleen de overlevenden.

In 1960 stond ik voor de Veiligheidsraad om te antwoorden op beschuldigingen van onwettigheid door de regering van Argentinië tegen Israël ingebracht, nadat Eichmann door Israëlische vrijwilligers uit dat land was ontvoerd. En ik probeerde tenminste uit te leggen wat deze zaak voor de joden betekende. Van alle openbare toespraken die ik gehouden heb, was dat degene die me volkomen leeg achterliet omdat ik wist dat ik namens miljoenen sprak die niet meer voor zichzelf konden opkomen en ik wilde dat elk woord goed zou doordringen en niet maar even ontroerend of afschuwwekkend zou werken. Ik heb ontdekt dat het altijd gemakkelijker is om de mensen te laten huilen of van afgrijzen te vervullen dan ze tot denken aan te zetten.

Het was geen lange verklaring en ik zal een deel ervan hier aanhalen. Dat doe ik niet om mijn eigen woorden gedrukt te zien, maar omdat er helaas nog altijd mensen zijn die niet begrijpen dat wij verplicht zijn zo te leven en handelen dat de joden die in de gaskamers gestorven zijn, de laatste joden waren die ooit gestorven zijn zonder zich te verdedigen. De mensen, die dat niet hebben begrepen of niet hebben willen of kunnen begrijpen, hebben ook nooit onze zogenaamde 'koppigheid' begrepen. Voor de Verenigde Naties zei ik:

In het verslag van de processen in Neurenberg lezen we hetgeen Dieter Wisliceny, de assistent van Eichmann, zei over de procedure betreffende de *Endlösung*.

'Tot 1940 was de algemene politiek binnen de partijafdeling de joodse kwestie in Duitsland en in bezet Duits gebied op te lossen door middel van een opgezet emigratieplan. De tweede fase, na die datum, was om alle joden in Polen en andere door Duitsland in het oosten bezette gebieden in getto's te concentreren. Deze periode duurde tot ongeveer het begin van 1942. De derde periode was de zogenaamde *Endlösung* van de joodse kwestie, d.w.z. de vooropgezette verdelging en uitroeiing van het joodse ras; deze periode duurde tot oktober 1944 toen Himmler bevel gaf de uitroeiing stop te zetten.'

Voorts, in antwoord op een vraag of hij, in zijn officiële verhouding met afdeling IV A 4 had gehoord van een bevel dat inhield dat alle joden vernietigd moesten worden, zei hij: 'Ja, ik hoorde voor het eerst van zo'n bevel via Eichmann in de zomer van 1942.'

'Hitler heeft de joodse kwestie niet volgens zijn plannen opgelost', vervolgde ik. 'Maar hij vernietigde zes miljoen joden, joden uit Duitsland, Frankrijk, België, Holland, Luxemburg, Polen, Sovjet Rusland, Hongarije, Joegoslavië, Griekenland, Ita-

157

lië, Tsjechoslowakije, Oostenrijk, Roemenië, Bulgarije. Met deze joden werden meer dan 30.000 joodse gemeenschappen vernietigd die eeuwenlang het middelpunt van het joodse geloof, wetenschap en kennis waren geweest. Uit dit jodendom kwamen vele vooraanstaande figuren op het gebied van kunst, letterkunde en wetenschap voort. Was het alleen maar deze generatie Europese joden die vergast werd? Een miljoen kinderen – de toekomstige generatie – werd uitgeroeid. Wie kan dit beeld in al zijn verschrikking bevatten en met alle gevolgen die het voor het joodse volk voor vele komende generaties zal hebben, en voor Israël? Hier werd het natuurlijke reservoir vernietigd voor alles dat nodig is om een nieuw land op te bouwen: wetenschap, kennis, bekwaamheid, toewijding, idealisme, de ware pioniersgeest.'

Ik sprak ook over Eichmann zelf en van zijn directe persoonlijke verantwoordelijkheid en ik ging door:

'Ik ben ervan overtuigd dat velen ter wereld verlangend waren Eichmann te berechten, maar het feit bestaat dat vijftien jaar lang niemand hem heeft gevonden. En hij kon de wetten van wie weet hoeveel landen overtreden door daar onder valse naam en met een vals paspoort binnen te komen. Op die manier misbruikte hij de gastvrijheid van landen die, dat weet ik zeker, vol afschuw voor zijn daden terugdeinzen. Maar de joden, waarvan sommigen persoonlijk het slachtoffer van zijn onmenselijkheid waren, vonden geen rust totdat zij hem opgespoord en naar Israël hadden gebracht, naar het land op wiens stranden honderdduizenden van de overlevenden van Eichmanns wreedheden thuiskwamen; naar het land dat in het hart en de geest van de zes miljoen leefde als zij op weg naar de crematoria onze geloofsbelijdenis zongen: *Ani ma'amin be'emuna shlema beviat ha-Mashiah* (Ik geloof onvoorwaardelijk in de komst van de Messias).'

En daarna eindigde ik met de vraag:

'*Is dit* een probleem dat de Veiligheidsraad moet behandelen? Dit is een instelling die zich bezig houdt met vredesbedreigingen. Is dit een bedreiging van de vrede – Eichmann die berecht wordt door juist dat volk dat hij met inzetting van al zijn energie fysiek wilde vernietigen, zelfs al werden bij zijn arrestatie de wetten van Argentinië overtreden? Of lag de vredesbedreiging in een Eichmann die op vrije voeten rondliep, een ongestrafte Eichmann, een Eichmann die het vrij stond het gif van zijn verziekte ziel aan een nieuwe generatie door te geven?'

Naderhand beefden mijn handen, maar ik hoopte dat ik ten dele had kunnen uitleggen waarom wij Eichmann wilden berechten.

Dat was vijftien jaar na de vreselijke slachting. Maar in het begin van de jaren veertig wist niemand hoe of wanneer alles zou eindigen, zelfs niet of het ooit zou eindigen. Ondanks de verscherping van de Engelse blokkade werd het ene na het andere *Haganah* schip gekocht (er waren er totaal zestig), vol gepropt met joden en naar Palestina gestuurd. Elke

158

keer werden de Britse patrouilles feller en de reis op die nauwelijks zeewaardige, volle, vieze schepen werd steeds gevaarlijker. Maar de Britten maakten niet alleen zo bezeten jacht op de joden die uit de Europese kampen ontsnapt waren. Zij hadden het ook op de *Haganah* voorzien en op de eventuele wapens die zij konden bemachtigen en opslaan, en hoewel er nu en dan een tijdelijke stilstand in de Engelse achtervolgingsjacht was, dan kwam daarna toch weer een of andere nieuwe Britse beperking of anti-joodse maatregel die de *Haganah* weer verder ondergronds dreef.

Twee jaar zijn diep in mijn geheugen gegrift om persoonlijke zowel als politieke redenen. In 1943 deelde Sarah me mee dat ze van de middelbare school afging en wilde meehelpen een nieuwe kibboets in de Negev op te richten, en ze had nog maar één jaar school af te maken. Ze was opgegroeid tot een lief, erg verlegen, heel ernstig meisje en ze kon beter leren dan Menachem die helemaal in zijn muziek opging en al besloten had het beroep van cellist te kiezen. Beide kinderen, evenals vrijwel alle tieners in de *jisjoev*, deden werk voor de *Haganah*, maar thuis werd er nooit openlijk over gesproken. Doch zelfs al zeiden ze niets, ouders en leraren wisten dat deze opgroeiende kinderen vaak tot laat in de nacht op waren geweest om dienst te doen als koerier voor de ondergrondse of om aanplakbiljetten en pamfletten van de *Haganah* rond te brengen. Ik herinner me dat ik zelf thuis zo'n aanplakbiljet schreef, al zorgde ik er goed voor de kinderen niet te laten zien wat ik deed. Een paar dagen later zei Sarah: '*Ima*, ik kom vanavond laat thuis, misschien zeifs erg laat.' Natuurlijk wilde ik weten waarom. 'Dat kan ik je niet zeggen', antwoordde ze en liep met een pakje onder haar arm weg. Ik wist heel goed wat er in dat pakje zat en ik wist ook dat het aanplakken van die 'illegale' biljetten uiterst gevaarlijk was in die tijd. Ik bleef die nacht tot het aanbreken van de dag wakker liggen om te horen of ze thuiskwam, maar we namen alle regels in acht en spraken de volgende morgen met geen woord over de zaak, al brandde ik van verlangen om iets te zeggen. Evenals Menachem was ook Sarah al jaren lid van een van de pionierjeugdorganisaties van de arbeidersbeweging, dus ik was niet zó verbaasd toen ze me haar plannen voor die kibboets vertelde. Om te beginnen had ik zelf graag voorgoed op een kibboets willen wonen want ik vond het een heerlijk leven. In de tweede plaats kon ik haar wens om directer deel te nemen aan wat er in het land omging, heel goed begrijpen. De Britten hadden 85% van de Negev als 'absoluut ongeschikt voor ontginning' afgeschreven, hoewel het een gebied was dat bijna de helft van Palestina besloeg. Maar het Joods Agentschap had een gedetailleerd plan op lange termijn opgesteld om te trachten ten minste een deel van die ± 8.000 vierkante kilometer verschroeid zand te irrigeren, in de hoop dat

159

honderdduizenden immigranten zich daar zouden kunnen vestigen. En nu hadden Sarah en haar vrienden uit de jeugdbeweging besloten dat zij aan dit grote experiment wilden meedoen. Volgens het plan zouden er drie nederzettingen worden gesticht, eigenlijk observatieposten, ten zuiden van Beersjeba dat toen nog maar een stoffig Arabisch stadje was. 'Als wij er in slagen te bewijzen dat je in de Negev kunt wonen en er oogsten kunt binnenhalen, dan doen we veel meer voor het land dan als we gewoon de school afmaken', verkondigde Sarah en diep in mijn innerlijk vond ik dat ze gelijk had. Maar dat kon misschien toch wel één jaar wachten? Het diploma van de middelbare school was zo'n belangrijke stap en maar heel weinig mensen die een keer van school zijn afgegaan, zijn er later toegekomen hun opleiding af te maken, hield ik haar voor. Bovendien, was ze er *absoluut* van overtuigd dat het hele plan geen methode was om dat laatste moeilijke schooljaar te vermijden en ook het eindexamen? Als dat zo was, dan keurde ik het zeker af.

We praatten en praatten. Morris was woedend over haar plan om van school te gaan. Eliahu Golomb, wiens nichtje – een wees – met hetzelfde verhaal thuis was gekomen, smeekte me samen met hem ons tegen de tieners te verzetten. Sheyna zei dat ik het me mijn hele leven zou berouwen als ik toegaf, en Sarah zou vast ook spijt krijgen. Maar ik heb nooit in starheid geloofd al komt dit misschien voor sommige mensen als een verrassing – behalve waar het Israël betrof. In zaken die mijn land betreffen, heb ik nooit een haarbreed toegegeven, maar ménsen zijn iets anders. Bovendien dacht ik dat Sarah waarschijnlijk haar plan toch niet zou opgeven, dus ik stemde toe, al deed ik het niet luchthartig.

De eerste keer dat ik haar in Revivim ging opzoeken, dacht ik dat ik het zou besterven. Kilometers rondom was er geen boom, geen grassprietje, geen vogel te zien, niets dan zand en een brandende zon. Er was ook vrijwel niets te eten en het kostbare water dat de pioniers diep uit de grond haalden was zo zout dat ik het niet kon drinken. Toch waren ze erin geslaagd wat groente te verbouwen die gelukkig beter op het water bleek te reageren dan ik! De 'nederzetting' bestond uit een beschermende muur, een uitkijktoren en een paar tenten. Het grootste deel van het jaar was het bijna te warm om uit te houden, maar 's winters was het er ijskoud en ik dacht dat het de laatste plaats ter wereld was voor een meisje dat eens bijna aan een nierziekte was overleden. Maar ik zei nergens iets van. Als ik enigszins kon, reed ik er heen en dan bleef ik een paar uur bij Sarah en luisterde naar de verslagen over de vooruitgang van de kibboets, keek naar de sluizenkanalen en het reservoir dat ze aan het bouwen waren om de winterregens op te vangen en soms praatte ik met een erg aardige jongeman, Zechariah Rehabi, een

Jemenitische jongen uit Jeruzalem op wie Sarah erg gesteld leek te zijn. Zelf dacht ik vaak dat het leven in Revivim, hetgeen 'dauwdruppels' in het Hebreeuws betekent, met enige inspanning gemakkelijker kon worden gemaakt, ondanks de omgeving, maar dan herinnerde ik me hoe iedereen in Merhavia door mij geïrriteerd werd als ik een dergelijke raad gaf, en ik hield mijn mond.

In september 1943 verscheen ik als getuige in een wapenproces dat bijna een *'cause célèbre'* in Palestina werd. Twee jonge joden, Sirkin en Richlin, werden er door de Britten van beschuldigd wapens van het leger te hebben gestolen om ze aan de *Haganah* over te dragen en, als lid van de *Va'ad Hapoel* werd ik opgeroepen om te getuigen voor de Krijgsraad. De officier van justitie was een onprettig mens, een zekere Majoor Baxter, die er duidelijk niet half zoveel belang bij Sirkin en Richlin had als in het afschilderen van de joodse zelfverdedigingsorganisatie als een wijde en verbreide terroristenbeweging die een bedreiging voor de openbare veiligheid in Palestina vormde. Hij veroorloofde het zich ook de *jisjoev* te belasteren door te zeggen dat een van de redenen waarom er zoveel joden in het leger wilden dienen was omdat ze dan de hand op wapens konden leggen. Het was niet alleen een onware beschuldiging, het was laag.

Niemand was verbaasder dan ik toen ik in 1975 een brief van Majoor Baxter uit Ierland kreeg waarin hij me geluk wenste met het feit dat ik als 'Vrouw van het Jaar' gekozen was bij een Amerikaans opinie-onderzoek. 'Als u ooit werk nodig hebt', schreef hij, 'dan kan ik dat hier in Ulster voor u krijgen waar uw talenten van onschatbare waarde zouden zijn!'

Maar om op het proces terug te komen, ik was eigenlijk wel blij de kans te krijgen Majoor Baxter te tonen wat ik van hem dacht, hoewel ik natuurlijk wel moest uitkijken wat ik deed. Ik wist dat Majoor Baxter niets liever wilde dan te bewijzen dat het Joods Agentschap, een officiële instelling, en de *Haganah*, die onwettig was, nauw samenwerkten. Ik nam me vast voor dat Baxter uit mij alleen zou loskrijgen wat hij verdiende en als motto nam ik een van mijn moeders lievelingsgezegdes: 'Als je nee zegt, krijg je nooit spijt.' Ik geloof dat uittreksels van het kruisverhoor door Majoor Baxter meer over de Britse houding en gedragslijn tegenover ons in 1943 zeggen dan iets dat ik er zelf over kan schrijven. Hier volgt een deel van het verslag zoals het in de Engelstalige 'Palestine Post' (nu de 'Jeruzalem Post') verscheen op 7 september 1943. Nog een kleine toelichting: Ben Shemen is een jeugddorp dat door de Britten overhoop werd gehaald in hun koortsachtige gezoek naar wapens daar.

Majoor B.:	U bent een aardige, vredelievende dame die trouw aan de wetten is, nietwaar?
G.M.:	Ik geloof het wel.
Majoor B.:	Bent u dat altijd geweest?
G.M.:	Ik ben nooit ergens van beschuldigd.
Majoor B.:	Zo. Dan moet u eens luisteren naar dit deel van een toespraak van u van 2 mei, 1940 (leest op uit een dossier): 'Twintig jaar lang werden wij ertoe gebracht de Britse regering te vertrouwen, maar we zijn verraden. De Ben-Shemen zaak is daar een voorbeeld van. We hebben in onze jeugd nooit het gebruik van vuurwapens geleerd om aan te vallen, maar alleen om ons te verdedigen. En als zij misdadigers zijn, dan zijn alle joden in Palestina misdadigers.' Wat denkt u daarvan?
G.M.:	Als het een kwestie van verdediging is, dan ben ik, als elke jood in Palestina, voor verdediging.
Majoor B.:	Bent u zelf in het gebruik van wapens getraind?
G.M.:	Ik weet niet of ik op die vraag moet antwoorden. Ik heb in elk geval nooit gebruik van vuurwapens gemaakt.
Majoor B.:	Hebt u de joodse jeugd in het gebruik van vuurwapens getraind?
G.M.:	De joodse jeugd zal joods leven en eigendommen verdedigen in geval van ongeregeldheden en andere noodzaak om lijf en eigendommen te verdedigen. Ik zou mijzelf verdedigen, net zo goed als alle andere joden.
President van het Hof:	Antwoord alstublieft alleen op de vragen.
Majoor B.:	Hebt u in de *Histadroet* een inlichtingendienst?
G.M.:	Nee.
Majoor B.:	Wát?
G.M.:	U hoorde me toch: Néé!
Majoor B.:	Hebt u wel eens van de '*Haganah*' gehoord?
G.M.:	Ja.
Majoor B.:	Hebben ze wapens?
G.M.:	Ik weet het niet, maar ik vermoed van wel.
Majoor B.:	Hebt u van de '*Palmach*' gehoord?
G.M.:	Ja.
Majoor B.:	Wat is dat?
G.M.:	Ik heb het eerst van de *Palmach* gehoord als groepen jongeren die met voorkennis van de autoriteiten werden gevormd en die een speciale training kregen toen het Duitse leger dichterbij Palestina kwam. De functie van de groepen was het Britse leger te helpen waar en wanneer dat nodig was, indien de vijand het land zou binnenvallen.
Majoor B.:	Bestaan deze groepen nog?
G.M.:	Ik weet het niet.
Majoor B.:	Is het een wettige organisatie?
G.M.:	Het enige dat ik weet is dat deze groepen georganiseerd werden om het Britse leger te helpen en met voorkennis van de autoriteiten.

162

Nadat de getuige had verklaard dat een lid van de *Histadroet* ook wel lid van de *Haganah* en de *Palmach* kon zijn, vroeg Majoor Baxter of zij bereid waren te doen wat zij in haar toespraak (in 1940) gezegd had.

G.M.: Ze zijn bereid zich te verdedigen als ze aangevallen worden. We hebben in dit land hele slechte ervaringen opgedaan. Als ik zeg dat we bereid zijn tot verdedigen, wil ik dat duidelijk maken. Die verdediging is geen theorie. We herinneren ons nog de onlusten van 1921, 1922 en 1929 en de vier jaar ongeregeldheden van 1936 tot 1939. Iedereen in Palestina weet, de autoriteiten ook, dat er niet alleen niets zou zijn overgebleven maar dat de joodse eer zou zijn bezoedeld als er geen mensen klaar hadden gestaan om ons te verdedigen en als dappere joodse jongeren de joodse nederzettingen niet hadden verdedigd.

Majoor B.: Weet u niet dat de regering voor 30.000 joodse gewapende speciale politie heeft gezorgd?

G.M.: Ja, dat weet ik, en ik weet dat vóór 1936 de regering ook voor ons zorgde. Maar niemand in de regering kan het feit ontkennen dat als de joden er niet op voorbereid waren geweest zichzelf te verdedigen, ons vreselijke dingen waren overkomen. We zijn verder trots op de joden uit het getto van Warschau die zich praktisch ongewapend tegen hun vervolgers verzetten, en we weten zeker dat zij als voorbeeld de joodse zelfverdediging in Palestina voor ogen hadden.

Majoor B.: En hoe staat het nu met die zaak van de diefstal van 300 geweren en ammunitie van het leger?

G.M.: We hebben belang bij deze oorlog en de overwinning van de Britse strijdkrachten en stelen van het leger is in onze ogen een misdaad.

Majoor B.: Maar deze wapens zouden toch nuttig zijn voor de *Haganah*?

G.M.: Er is geen jood die geen belangstelling voor deze oorlog en de overwinning van de Britse strijdkrachten heeft.

Majoor B.: U wilt toch niet beweren dat die geweren uit zichzelf zijn weggewandeld?

Hij toont de getuige de vrijstellingskaart van een van de verdachten en zegt: Deze vrijstellingskaart schijnt erop te duiden dat u dienstplicht had?

De getuige verklaart dat het geen geheim was dat het Joods Agentschap een tijdlang een campagne voor dienstneming had gevoerd en dat elke jood die gezond van lijf en leden was bevel had gekregen dienst te nemen. 'Wij zijn al sinds 1933 met Hitler in oorlog', zei ze.

President van het hof: Vindt u niet dat de regering moet oordelen of er al dan niet dienstplicht moet komen? Zou het niet verstandiger zijn geweest trouw het regeringsbesluit om in dit land geen dienstplicht in te voeren, te volgen?

G.M.: Wij zijn niet in een positie dat wij in Palestina de dienstplicht kunnen invoeren, maar aan de andere kant vroegen de regering zowel als

163

	het leger aan joden zich bij de strijdkrachten aan te sluiten en ze vroegen het Agentschap om hulp, en wij vonden het juist de joden te zeggen dat dit hun oorlog was.
Majoor B.:	Noemt u het vrijwillig in dienst gaan als iemand uit zijn werk ontslagen wordt omdat hij weigert dienst te nemen?
G.M.:	Het is alleen morele druk. Deze oorlog betekent meer voor de joden dan voor alle anderen.

Bij ondervraging door de verdediger, Dr Joseph, zei mevrouw Meyerson dat zelfs hoge Britse legerofficieren hadden deelgenomen aan de recruteringscampagne van het Joods Agentschap en dat sommigen van hen bij de *Histadroet* waren gekomen en om hulp en raad hadden gevraagd bij het recruteren van joden voor het Britse leger.

Dr Joseph:	Is het waar dat er een vreselijk bloedbad in Hebron heeft plaats gevonden en dat bijna de hele joodse bevolking daar gedood is alleen omdat er daar geen joodse zelfverdediging was?
G.M.:	Ja, dat was in 1929 en hetzelfde gebeurde dat jaar in Safad; in 1936 vonden verschrikkelijke slachterijen plaats in de joodse wijk van Tiberias en dat alleen omdat er daar geen *Haganah* was.
Majoor B.:	Had de *Haganah* ook voor het uitbreken van de oorlog wapenen?
G.M.:	Ik weet het niet, maar ik denk van wel. Er waren ook voor de oorlog ongeregeldheden.
President:	Ik vraag u zich alleen te beperken tot wat deze zaak betreft en niet terug te gaan, of anders zijn we al gauw tweeduizend jaar terug.
G.M.:	Als het joodse vraagstuk tweeduizend jaar geleden was opgelost ...
President:	Houd uw mond!
G.M.:	Ik heb er bezwaar tegen zo toegesproken te worden.
President:	U zoudt moeten weten hoe u zich bij een rechtszitting moet gedragen.
G.M.:	Neemt u me niet kwalijk als ik u in de rede viel, maar u moet me niet op die manier toespreken.

De volgende dag ging ik mijn ouders in Herzlia opzoeken. Mijn moeder deed de deur open en zei: 'Je vader is de hele morgen al uit om de kranten aan de buren te laten zien en tegen iedereen te zeggen: 'Zie je, dat is mijn Golda!'

Toch leek het de meesten van ons waarschijnlijk dat wanneer de oorlog in een geallieerde overwinning eindigde, en dat zou natuurlijk gebeuren, de Britten nog eens over hun rampzalige Palestina politiek zouden nadenken. We waren er in 1945 minstens van overtuigd dat die joden die in Europa in leven gebleven waren, in Palestina zouden worden binnengelaten. Bij het aanbreken van de naoorlogse tijd zou het Witboek zeker worden ingetrokken, vooral omdat er nu een 'Labour' regering in Engeland aan de macht was. Dertig jaar lang hadden de aanhangers van de Britse Arbeiderspartij de beperkingen op de joodse immigratie in

Palestina veroordeeld en de ene pro-zionistische verklaring na de andere afgelegd. Het was misschien heel naïef van ons om te geloven dat alles nu zou veranderen, maar het was toch niet onredelijk, vooral in het licht van de gruwelijke taferelen van de honderdduizenden uitgemergelde overlevenden die de dodenkampen uitgewankeld waren, zo in de armen van het bevrijdende Britse leger. Natuurlijk zagen we het verkeerd. De Britse politiek veranderde inderdaad, maar niet ten gunste van ons. Niet alleen trok de regering van Attlee *niet* het Witboek in, maar ze kondigden aan dat ze er de noodzakelijkheid niet van inzagen om de plechtige beloften over Palestina te houden, beloften die niet alleen tegenover ons waren afgelegd maar ook tegenover miljoenen Britse arbeiders en soldaten. Ernest Bevin, de nieuwe Britse minister van buitenlandse zaken, had een eigen *Endlösung* voor het probleem van de Europese joden die nu de mooiere naam van *displaced persons* kregen. Als ze zich vermanden en daar een werkelijk krachtige poging toe deden, dan konden ze zich weer rustig in Europa vestigen, zei hij, en het deed er niet toe dat het continent een groot kerkhof voor miljoenen vermoorde joden was of dat er maar één plek ter wereld was waar die ongelukkige D.P.'s naar toe wilden gaan, en dat was Palestina.

Ik vond het bijna ongelooflijk dat een Britse arbeidersregering die vlak na een wereldoorlog aan de macht was gekomen ons niet hielp om de grondvesten te leggen voor joodse onafhankelijkheid in Palestina, zoals ze ons al zo lang plechtig hadden beloofd. Men was nu bereid Britse soldaten te sturen om oorlog te voeren tegen onschuldige mensen die maar één ding vroegen: hun dagen te mogen uitleven bij andere joden in Palestina. Alles welbeschouwd was het niet zo'n groot verzoek, maar Bevin wees het zo weergaloos hardvochtig en idioot koppig af alsof het lot en de toekomst van het hele Britse Rijk er van afhing dat deze paar honderdduizend halfdode joden ervan weerhouden werden Palestina binnen te komen. Toen, en nu nog, kon ik de blinde woede niet begrijpen waarmee de Britse regering die joden en ons vervolgde. Maar het was die woede die ons geen keus meer liet dan de uitdaging te aanvaarden, al waren we er totaal niet op berekend en toegerust dat te doen. Tussen de zomer van 1945 en de winter van 1947 vervoerden we ongeveer 70.000 joden vanuit de D.P.-kampen van Europa en wel op die volkomen ontoereikende schepen van ons. We loodsten ze door de blokkade die fel werd gehandhaafd door een regering bestaande uit mannen wier roerende proclamaties over het zionisme ik zelf op talloze conferenties van de Labour Party had beluisterd.

De werkelijke strijd – de *ma'avak* zelf – dateert al van 1945, maar ik geloof dat 1946 het beslissende jaar was. De onmiddellijke achtergrond was de verbazingwekkende weigering van de Britse regering om te voldoen aan een oproep van niemand minder dan president Truman die vroeg om 100.000 joodse vluchtelingen uit Duitsland en Oostenrijk toe te staan Palestina te betreden, buiten de bepalingen van het Witboek om, als een enkel gebaar van genade en menselijkheid. Maar Mr Attlee en Mr Bevin die blijkbaar dachten dat het 'probleem' van de Europese joden alleen geschapen was om hen in verlegenheid te brengen, zeiden ook 'nee' tegen president Truman. Ze voegden er evenwel aan toe dat, als de Amerikaanse regering zich zo bezorgd om de joden maakte, dan zouden ze misschien willen meehelpen om een oplossing voor de Palestijnse kwestie te zoeken. Er werd prompt een Anglo-Amerikaanse Commissie van Onderzoek gevormd. De leden ervan bezochten de D.P.-kampen, hoorden de joden daar verklaren dat ze alleen naar Palestina wilden gaan, spraken met de leiders van het Britse en Amerikaanse jodendom en kwamen daarna in de vroege lente van 1946 naar Palestina om daar hoorzittingen te houden.

Op 25 maart 1946 verscheen ik als vertegenwoordigster van de *Histadroet* voor de commissie. Opnieuw moesten de feiten naar voren worden gebracht, al zou het toch te vergeven zijn dat iemand zou kúnnen veronderstellen dat iedereen ze onderhands wel wist. Tevens moest er een beknopte geschiedenis van de joden worden gegeven en van hun werk in Palestina. Ik probeerde uit te leggen wat het betekend had om vanuit Palestina toe te zien hoe miljoenen joden werden afgeslacht, terwijl we er niets aan konden doen; ik probeerde ook de commissie te waarschuwen dat we vastbesloten waren een eind te maken aan hetgeen de grote Hebreeuwse dichter Chaim Nachman Bialik 'het zinloze leven en zinloze sterven' van ons volk had genoemd.

Ik zei: 'Ik ben gevolmachtigd om namens de bijna 160.000 leden van de *Histadroet* te verklaren, en wel in duidelijke termen, dat er niets is dat de joodse arbeiders niet bereid zijn in dit land te doen ten einde grote massa's joodse immigranten op te vangen, zonder enige beperkingen of voorwaarden.' Maar begrepen de geëerde leden van de commissie werkelijk wat ik bedoelde? Ik wilde heel zeker weten dat er geen verwarring zou ontstaan en ik besloot dus ze te vertellen wat voor gevoel het was in een rechtzaal te staan en over dit soort zaken te moeten 'getuigen'. Het kon geen kwaad en misschien zou het helpen. Tenslotte waren het beschaafde en ontwikkelde mannen.

'Heren', zei ik, 'ik weet niet of u die zo gelukkig bent tot de twee grote democratische naties te behoren, de Britse en de Amerikaanse, wel onze problemen kunt begrijpen, al wilt u het nog zo graag, *of u kunt beseffen wat het betekent te behoren tot een volk waarvan zelfs het bestaansrecht voortdurend wordt betwist*: ons recht om joden te zijn zoals we zijn, niet beter, maar ook niet slechter dan anderen in de wereld, met onze eigen taal, onze cultuur, met het recht tot zelfbeschikking en gaarne bereid om met een ieder dichtbij en ver weg, in vriendschap samen te werken. Samen met de jonge en oudere overlevenden in de D.P.-kampen hebben de joodse arbeiders in dit land besloten nog in deze generatie de hulpeloosheid en afhankelijkheid van anderen af te schaffen. Wij willen alleen hetgeen aan alle volkeren ter wereld natuurlijk wordt gegeven: meester van ons eigen lot zijn, alléén *ons* lot, niet dat van anderen; rechtens leven en niet geduld worden; de kans hebben om de overlevende joodse kinderen – en er zijn er nu niet zoveel meer op de wereld over – hierheen te brengen zodat ze als onze eigen jongeren die hier geboren worden, kunnen opgroeien, vrij van angst en met opgeheven hoofd. Onze kinderen hier begrijpen niet waarom zelfs het bestaan van het joodse volk als zodanig wordt betwist. Voor hén is het tenslotte natuurlijk een jood te zijn.'

Maar aan de uitdrukking op hun gezichten kon ik niet nagaan of ze me nu eigenlijk wel of niet begrepen hadden. Minstens drie leden van de commissie zouden al gauw vrienden van ons worden, Bartley Crum, Richard Crossman en James G. McDonald die als eerste Amerikaanse ambassadeur naar de staat Israël zou komen.

Inmiddels was Palestina in een staat van onrust gekomen. Het ene schip na het andere voerde vluchtelingen naar onze stranden en het enige resultaat was dat de Britten het aantal 'illegale' immigranten van het contingent van die maand aftrokken. Toen de *Haganah* weigerde de immigratie stop te zetten, voerden de Britten noodmaatregelen in en die hielden eigenlijk de staat van beleg in.

Terwijl de commissie nog bezig was zijn rapport op te stellen, gingen de Britten in april weer een stap verder in hun oorlog tegen de vluchtelingen. Het was niet genoeg dat de Britse Marine, de Britse Luchtmacht en duizenden Britse soldaten bezig waren met patrouilles langs de kust van Palestina ten einde te proberen de 'gevaarlijke politieke overtreders' die hielpen de D.P.'s uit Europa te brengen, te vangen. Nu breidde de strijd zich naar een ander land uit. Twee *Haganah*-schepen, de *Fede* die omgedoopt was in *Dov Hos*, en de *Eliahu Golomb*, werden in La Spezia aan de Italiaanse Rivièra vastgehouden net voordat ze met 1.014 vluchtelingen aan boord naar Palestina zouden vertrekken. Onder Britse druk weigerden de Italianen de schepen te laten vertrekken, terwijl de vluchtelingen op hun beurt weigerden van boord te gaan. Ze gingen in hongerstaking en zeiden dat als er geweld tegen ze gebruikt zou worden, zij zelfmoord zouden plegen en de schepen tot zinken zouden brengen.

Ik twijfelde er geen ogenblik aan dat ze wanhopig genoeg waren om dat te doen en ik kon gewoon niet aan die arme, uitgeputte mensen denken die daar samengeperst als sardientjes in die schepen zaten en zich zelfs nog het weinige voedsel ontzegden dat wij ze met moeite konden geven. Als wij zelf de schepen niet mochten binnenbrengen, dan konden we toch minstens de immigranten – en de rest van de wereld –

tonen hoe diep beledigd we waren. Ik ging eerst naar de *Va'ad Hapoel* en daarna naar de *Va'ad Leumi* (de joodse Nationale Raad die de hele *jisjoev* vertegenwoordigde en waar Remez toen voorzitter van was) en stelde voor dat wij in hongerstaking zouden gaan om de vluchtelingen in La Spezia te helpen. We stelden twee voorwaarden: dat elke hoofdgroep in de *jisjoev* niet meer dan één vertegenwoordiger naar de *Va'ad Leumi* in Jeruzalem zou sturen waar de hongerstaking zou plaatsvinden, en dat alleen 15 goed gezonde mensen mochten deelnemen.

Dat was voor mij niet zo goed, want ik was net vrij ziek geweest en ik was eigenlijk niet verbaasd toen mijn dokter me vertelde dat er geen kwestie van was dat ik me bij de hongerstakers kon aansluiten. 'O.k.', zei ik tegen hem. 'U kunt kiezen. Óf ik ga bij hen in de *Va'ad Leumi* zitten of ik blijf thuis en vast. U kunt niet van me verwachten dat ik niet aan die hongerstaking meedoe.' Hij vond het niet prettig, maar tenslotte gaf hij toe en overhandigde me het kostbare medische certificaat. Ik was niet de enige die moeilijkheden met de dokter had. Sjazar was ook ziek geweest, maar híj ging naar een vriend van hem die vrouwenarts in Rehovot was en kreeg zonder enige moeite een certificaat van hem los! Doch na de hongerstaking moest hij regelrecht naar het ziekenhuis gebracht worden, waar hij bijna een maand moest blijven.

We zetten onze bedden in de kantoren van de *Va'ad Leumi* neer, dronken thee zonder suiker als we bijna van de dorst versmacht waren, maar 101 uur lang aten we niets, hoewel ik besloten had – Goddank – dat roken mócht. Er deed zich een moeilijkheid voor en wel dat de derde dag van de hongerstaking samenviel met het begin van het joodse paasfeest. Opperrabbijn Herzog deelde ons mede dat wij onze staking moesten beëindigen, omdat volgens de joodse wetten alle joden de *seder* móeten eten. We hielden krijgsraad en de deskundigen onder ons zeiden dat we niet meer dan een stukje *matzah* (niet groter dan een olijf) hoefden te eten en toen gingen we weer door met de staking. Die sederavond was erg ontroerend. Toen, en trouwens tijdens de hele duur van onze hongerstaking, zat het plein beneden ons vol joden die baden en zongen en overal uit het land vandaan kwamen afvaardigingen om ons het beste te wensen. Op een dag verschenen Menachem en Sarah en daar was ik erg blij om. Ben-Goerion bezocht ons vaak, hoewel hij om de een of andere reden tegen de hongerstaking was geweest. In theorie mochten de mensen ons alleen eens per dag tussen 12 en 1 uur 's middags bezoeken, maar in feite waren we zelden alleen.

Ik herinner me dat we besloten om een paar minuten voor de hongerstaking begon een bezoek aan het hoofd van de Palestijnse regering te brengen en nog een laatste keer te smeken dat de mensen in La Spezia zouden worden toegelaten. Hij luisterde, toen wendde hij zich tot mij en zei: 'Mevrouw Meyerson, denkt u ook maar één ogenblik dat Zijne Majesteits regering haar politiek zal wijzigen omdat ú niet gaat eten?' Ik zei: 'Nee, die illusie heb ik niet. Als de dood van zes miljoen mensen de regeringspolitiek niet heeft veranderd, dan verwacht ik niet dat mijn niet-eten dat zal doen, maar het zal tenminste een blijk van solidariteit zijn.'

Toch maakte de hongerstaking indruk. Op 8 mei mochten de *Dov Hos* en de *Eliahu Golomb* onder zware Britse escorte naar Palestina vertrekken, maar 1.014 certificaten werden keurig van het contingent voor mei afgetrokken. Die maand publiceerde de Anglo-Amerikaanse Commissie zijn rapport. Men stelde voor dat onmiddellijk 100.000 immigranten in Palestina zouden worden toegelaten en dat de reglementen betreffende de landaankoop die in het Witboek vervat waren, ingetrokken zouden worden. Er was ook nog een voorstel op lange termijn dat het mandaat zou worden omgezet in een beheerschap door de Verenigde Naties. Maar Bevin zei weer 'nee'. Als tegen het verzet van de Arabieren in 100.000 vluchtelingen zouden binnenkomen, dan zou het een gehele Britse divisie kosten om de orde in Palestina te herstellen, zei hij. Die week verklaarde ik op een partijconferentie in Haifa: 'In dat geval zullen we Mr Bevin moeten bewijzen dat tenzij zijn politiek veranderd wordt, hij een legerdivisie zal moeten sturen om óns te bestrijden.' In feite was Bevin erg verlangend dat ook te doen — en hij deed het.

Op zaterdag 29 juni 1946 verklaarde de Britse regering officieel de oorlog aan de *jisjoev*. Honderdduizend Britse soldaten en bijna 2.000 politieagenten drongen tientallen kibboetsiem en dorpen binnen, deden een inval in nationale instellingen zoals het Joods Agentschap, de *Va'ad Leumi* en de *Va'ad Hapoel*, stelden in alle steden van het land met een joodse bevolking een avondklok in en namen ruim 3.000 joden gevangen, waaronder de meeste leiders van de *jisjoev*. Het doel was minstens drieledig. Het plan was de *jisjoev* te demoraliseren en te straffen, de *Haganah* te vernietigen en eens en voor al de 'illegale' immigratie ten einde te brengen door alle mensen die er verantwoordelijk voor waren gevangen te zetten. Maar men faalde op alle drie punten, en vanaf die 'Zwarte Zaterdag', zoals die dag nog steeds in Israël bekend staat, werd Palestina letterlijk een politiestaat.

Gelukkig hadden we een wenk gekregen dat een dergelijke operatie werd voorbereid. Tientallen *Haganah* leiders verborgen zich, de wapenen werden naar nieuwe schuilplaatsen overgebracht en er werden nieuwe codes bedacht. Ben-Goerion was in elk geval in het buitenland, maar Remez, Sjarett en praktisch alle leden van het Joods Agentschap en de *Va'ad Leumi* werden opgepakt en naar een gevangenkamp in Latroen gebracht. Ik werd echter niet gearresteerd, hoewel er mensen waren die heel onvriendelijk zeiden dat dit het ergste was dat de mandaatregering me ooit heeft aangedaan! Misschien was ik werkelijk niet belangrijk genoeg, of misschien konden ze in Latroen geen vrouwen onderbrengen. Het werd in elk geval door velen als een eerbewijs beschouwd om die dag gevangen genomen te zijn en een van mijn collega's wilde zo graag met alle anderen gevangen worden gezet dat hij de hele dag op straat ging rondlopen in plaats van zich te verbergen. Tenslotte zei een politie-agent tegen hem dat hij naar huis moest gaan. Ik weet nog dat Paula Ben-Goerion, een dame die niet bepaald om haar tact bekend stond, me elke paar uur opbelde en vroeg: 'Golda, ben je nog altijd thuis? Zijn ze je niet komen halen?' Dan zei ik 'Nee' en hing op. Maar ze belde weer: 'Golda, zijn ze nóg niet geweest?' En dat allemaal per telefoon alsof niemand kon meeluisteren.

De Britten arresteerden niet alleen mensen en zochten naar wapens en documenten, ze veroorzaakten ook enorme moedwillige schade. Een van de grote kibboetsiem, Yagur, werd een hele week bezet. De Britten hadden daar een *Haganah* arsenaal gevonden en ze haalden de hele kibboets overhoop. De leden van de kibboets, waarvan de Britten dachten dat ze tot de *Haganah* behoorden, weigerden zich bij naam te identificeren en zeiden alleen 'joden in Palestina' te zijn. Alle mannen werden naar gevangenkampen gebracht zodat er slechts vrouwen en kinderen in Yagur over waren toen de troepen alles overnamen. Zodra de soldaten vertrokken waren, ging ik erheen om de schade op te nemen en ik zal nooit vergeten dat ik kiekjes van kibboets-kinderen vond waarop de ogen uit de foto's waren gestoken.

Omdat Sjarett in Latroen was, werd ik waarnemend hoofd van het Joods Agentschap — politieke afdeling, en in die hoedanigheid stelde ik voor dat het antwoord van de *jisjoev* op de massa-arrestatie van duizenden mensen alleen maar in burgerlijk verzet kon liggen. Het was niet alleen onmogelijk om zonder meer te aanvaarden wat er gebeurd was, maar tenzij we iets effectiefs deden was ik ervan overtuigd dat de *Irgoen Zwaie Leoemie* en de *Sterngroep* de zaak in handen zouden nemen.

Er is een tijd en een plaats voor alles, en dit boek is noch de plaats en dit is ook niet de tijd om met een gedetailleerd verhaal in te gaan op de hele tragische geschiedenis van de twee afgescheiden ondergrondse organisaties die toen in de *jisjoev* bestonden, of het over hun verhouding met de *Haganah* te hebben. Dat laat ik aan anderen en de toekomst over. Maar ik zou het oneerlijk van mezelf vinden als ik hier niet mijn eigen houding tegenover de methoden — en filosofie — van de *Irgoen Zwaie Leoemie* en de leden van de Sterngroep duidelijk maakte. Ik was en ben nog steeds onwrikbaar tegen elk soort terreur en dat zowel uit morele als tactische overwegingen. Terreur tegen de Arabieren omdat het Arabieren zijn of tegen de Britten omdat ze Brits waren. Het is en blijft mijn vaste overtuiging dat – al waren vele individuele leden van deze afgescheiden groepen ongetwijfeld heel dapper en heel toegewijd – zij van het begin af fout waren, en dus gevaarlijk voor de *jisjoev*. En in die zomer van 1946 was ik ervan overtuigd dat als wíj niets iets radicaals deden als reactie op de gebeurtenissen van 'Zwarte Zaterdag', zij dat zouden doen. En dat zou nog grotere rampen over ons kunnen brengen. Zodra ik kon, ging ik Dr Chaim Weizmann in Rehovot opzoeken in de hoop hem over te halen een massa demonstratie op te roepen. Toentertijd was Dr Weizmann president van de Zionistische Wereldorganisatie en voorzitter van het Joods Agentschap. Zonder twijfel was hij de leider en de belangrijkste woordvoerder van het wereldjodendom.

Hij was een in Rusland geboren bekend natuurgeleerde, maar hij had vele jaren in Engeland gewoond en gewerkt; voorts had hij een leidende rol gespeeld bij het verkrijgen van de Balfourverklaring. Het was een majestueuze man, lang, knap van gezicht en koninklijk van houding. De joden overal ter wereld dachten en spraken over hem als de 'Koning der Joden' en hoewel hij tot geen enkele politieke partij behoorde, voelde hij toch altijd veel belangstelling voor de kibboetsbeweging in het bijzonder en de arbeidersbeweging in het algemeen. Maar er was natuurlijk onvermijdelijk wrijving tussen Weizmann, de gematigde, en Ben-Goerion, de activist. Hun verhouding is tijdens de oorlog verslechterd toen Ben-Goerion vond dat Dr Weizmann niet genoeg op het oprichten van een Joodse Brigade aandrong en hij stelde de partij zelfs voor dat we Weizmann zouden vragen af te treden. We waren het niet met Ben-Goerion eens, maar later, op het zionistencongres van 1946 in Bazel, kreeg Weizmann een motie van wantrouwen.

Ondanks de verhalen die tegenwoordig in Israël de ronde doen over de werkelijke verhouding tussen twee mannen die zo van elkaar in temperament en wijze van aanpakken verschilden, bewonderde Ben-Goerion net als wij allemaal Weizmann en hij was erg op hem gesteld, hoewel hij nooit Weizmanns vertrouwen en optimistische houding ten opzichte van de Britten deelde. Weizmann geloofde, zelfs nog na 1946, dat de Britten op een goede dag wel weer bij zouden draaien en hij vond het onmogelijk de afmetingen van hun verraad tegen ons te aanvaarden. Maar of hij nu al dan niet in een officiële functie werkzaam was, gedurende de dertig jaar van het mandaat was hij de enige man die tegenover de wereld buiten Palestina een symbool voor het zionisme was, en zijn invloed was onmetelijk.

En alleen Weizmann kon op het uur nul in 1948 president Truman overhalen een joodse staat te erkennen waar de Negev deel van uitmaakte. Hij was al oud en zwak en bijna blind, maar toen Truman op de middag van 14 mei 1948 de erkenning van Israël door de Verenigde Staten van Amerika bekrachtigde, dacht en sprak hij over Dr Weizmann. 'De oude doctor zal me nu geloven', zei hij. En er bestond bij Ben-Goerion geen enkele twijfel dat, als we eenmaal een eigen staat hadden, Chaim Weizmann er de eerste president van zou zijn.

Ik ging Weizmann vrij vaak in Rehovot opzoeken waar hij en zijn vrouw Vera in de jaren dertig een huis gebouwd hadden. Het zou van 1948 tot Weizmanns dood in 1952 als presidentiële residentie dienst doen. Af en toe belde hij me op en zei: 'Kom bij ons eten' en dan bracht ik de avond bij hem door terwijl we over gewone onderwerpen en de politiek spraken. Tegen het eind van zijn leven is hij heel verbitterd geworden. Hij sprak over zichzelf als over de 'gevangene van Rehovot' en had het gevoel dat hij met opzet werd buitengesloten van het vastleggen van politieke richtlijnen. Ik herinner me dat ik eens met hem lunchte en dat hij heel bedroefd over De Gaulle sprak en het feit dat als De Gaulle dat wilde, hij de kabinetzittingen kon bijwonen en zelfs het voorzitterschap ervan op zich kon nemen, terwijl ons parlementaire systeem zo anders was. Ik geloof dat het eigenlijk fout was dat Weizmann in Rehovot bleef wonen, hoewel hij natuurlijk dicht bij het Wetenschappelijk Weizmann Instituut wilde blijven, dat prachtige centrum voor wetenschappelijk onderzoek dat uit het Daniel Sieff Onderzoekingsinstituut was voortgekomen dat hij in 1934 had gesticht. Als Weizmann in Jeruzalem had gewoond en zijn huis voor het volk van Israël had open gezet, zoals Ben-Zwi en Sjazar deden toen ze president waren, zou hij minder eenzaam zijn geweest en zich ook niet zo alleen hebben gevoeld. En als Mrs Weizmann minder elegant en op een afstand was geweest, had dat misschien ook geholpen. Toch was hij een heel groot man en ik voelde me zeer vereerd toen het hoofd van het Weizmann Instituut mijn vriend Meyer Weisgal, mij in 1974 vroeg Ere-Wereldvoorzitster van de Weizmann Eeuwfeesten te zijn.

Maar toen ik hem die dag in 1946 ging opzoeken, was hij nog in zijn beste jaren en heel machtig. 'Als je de *jisjoev* oproept om een politiek van burgerlijke ongehoorzaamheid tegenover de Palestijnse regering toe te passen', zei ik, 'zal dat de wereld tonen dat we ons niet bij het gebeurde kunnen neerleggen. Alleen jij hebt het nodige gezag om die proclamatie indrukwekkend te doen zijn.'

'Goed', zei hij, 'Maar ik wil een verzekering van de *Haganah* dat er niets ondernomen zal worden totdat het Joods Agentschap in augustus in Parijs bijeenkomt.' Ik beloofde hem dat ik alles zou doen om die verklaring los te krijgen van de vijf mensen (ik was daar nog niet een van) die over zulke zaken beslisten en ik ging meteen naar Esjkol om na te gaan of dit gedaan kon worden. Eigenlijk was er al met drie stemmen voor en twee tegen besloten tot actie over te gaan, maar toen Esjkol hoorde wat Weizmann wilde, zei hij dadelijk dat hij zijn stem wijzigde. Ook hij besefte dat als de nationale instellingen niet zouden reageren, de Irgoen Zwaie Leoemie ongetwijfeld iets zou doen. Toen krabbelde Weizmann terug. Ik denk dat zijn vrienden in Engeland hem waarschijnlijk uit het hoofd hebben gepraat om een burgerlijke ongehoorzaamheidscampagne te leiden, maar wat zijn redenen ook waren, ik was erg van streek en boos.

In augustus vond de bijeenkomst van het Joods Agentschap in Parijs plaats, zoals het plan was geweest. We wilden niet dat Ben-Goerion, die nog in het buitenland was, naar Palestina zou terugkeren omdat hij daar waarschijnlijk zou worden gearresteerd en dus gingen wij naar Frankrijk en hoorden de details van een nieuw voorstel van Bevin. Dit keer stelde Bevin voor Palestina in kantons te verdelen met één joods kanton. Op dat tijdstip waren de Britten al bezig 'illegale' immigranten uit Palestina naar kampen op Cyprus te deporteren en stortten ze steeds meer troepen over het land uit. Het scheen dat niet één voorstel zin zou hebben tenzij het zou inhouden dat er een joodse staat werd geschapen, maar Weizmann voerde besprekingen met de Britten die niet bepaald in die richting gingen.

Ben-Goerion was er na aan toe de wereld in stukken te scheuren, maar ik stelde voor dat we naar Londen zouden vliegen en zelf met Weizmann zouden gaan praten. De arme man had een zoon in de oorlog verloren, hij was aan het blind worden en zijn hart werd door de Britten gebroken én door zijn bezorgdheid over onze eventuele verwerping van een Brits plan tot verdeling in kantons waardoor we de *jisjoev* in een totale oorlog zouden storten. Maar ik kon de beschuldiging dat wij 'onverantwoordelijk' handelden niet verdragen en verloor mijn kalmte; dat is iets dat me maar zelden is overkomen. Ik stond op en verliet de zaal en het heeft jaren geduurd voordat Dr Weizmann me mijn verzet tegen hem heeft vergeven, toen en later dat jaar in Bazel.

Tussen haakjes: het was niet de enige keer dat ik in die tijd een zaal verliet. Pas een paar maand eerder was ik het hoofd van de regering in Palestina over een of ander onderwerp gaan opzoeken en ik was verbaasd toen ik hem heel rustig hoorde zeggen: 'Mevrouw Meyerson, u zult toch moeten toegeven dat als de nazi's de joden vervolgden, ze daar een reden voor moeten hebben gehad.' Ik stond op en liep zonder een woord te zeggen weg. Ik weigerde verder met hem te spreken. Naderhand hoorde ik dat hij zich niet kon voorstellen waarom ik zo boos was geworden.

Het tweeëntwintigste zionistencongres in Bazel was het eerste dat na de oorlog bijeen werd geroepen. Het leek op de bijeenkomst van een in diepe rouw gedompelde familie die de dood van miljoenen betreurde, maar zich weer herstelde om, ondanks het verdriet, de resten te redden en de huidige problemen onder de ogen te zien. Nu spraken we openlijk tegen de wereld over een joodse staat. Ik sprak in het Jiddisch en bracht de donkere oorlogsdagen en de gebeurtenissen die daarop gevolgd waren in herinnering, en ik had het over onze jeugd, de jonge *sabra's* in Palestina geboren, bij wie we ons hadden afgevraagd: 'Wat moet deze kinderen van ons met het joodse volk overal elders ter wereld verbinden?' Ik wilde dat de zionistische afgevaardigen zouden weten dat deze jongeren, die nog niet zo lang geleden onbekend met de diaspora waren geweest, zich niet minder bij de kwestie van de vrije immigratie van joden betrokken voelden dan wij.

De tijd kwam dat de sabra's zelf ons het antwoord gaven. Ze kennen onze haarkloverij en onze abstracte grondregels niet. *Ze zijn zo ronduit zuiver als de zon van Palestina.* Voor hen is de zaak eenvoudig, duidelijk en ongecompliceerd. Toen de ramp op de joden van de wereld neerdaalde en joden met 'illegale' schepen naar Palestina begonnen te komen, zagen we deze kinderen van ons de zee ingaan en hun leven riskeren. Dit is geen retoriek, maar het is letterlijk waar. Ze waadden door de golven om de boten te bereiken en droegen de joden op hun schouders aan wal. Ook dit is geen retoriek, geen bloemrijke toespraak, maar de letterlijke waarheid: Palestijnse meisjes en jongens van zestien en achttien jaar droegen de overlevenden op hun schouders. Uit de mond van de joden die op die schouders werden gedragen, heb ik gehoord hoe ze voor het eerst huilden na alles wat ze zeven jaar lang in Europa hadden doorstaan toen ze zagen hoe die jonge Palestijnen volwassen mannen en vrouwen naar de grond van hun vaderland droegen. We zijn met deze jeugd gezegend, deze jeugd die zich inzet niet alleen ten behoeve van hun eigen kibboets, of voor de *jisjoev* in Palestina in het algemeen, maar ten bate van elk joods kind of oude man die toegang wil verkrijgen.
Een wonder was dat de joden bleven komen, ondanks Britse gasbommen en knuppels, wetende dat sommigen gedood konden worden en dat ze allen naar gevangenkampen op Cyprus zouden worden verscheept. Maar het andere wonder was dat onze kinderen in onze strijd naast ons stonden.
Wat de toekomst betreft, deze slagen hebben ons in onze vastbeslotenheid gesterkt om die volledige politieke onafhankelijkheid te eisen die alleen bereikt kan worden door het grondvesten van een joodse staat.

Wat ik op het congres níet zei, omdat ik het zelf nog niet wist, was dat de slagen die ons nog wachtten in de eenentwintig maanden voordat Israël geboren werd, veel wreder zouden zijn dan alles wat we tot dan toe in Palestina ondervonden hadden.

8
We hebben een eigen staat

1946 mag dan een moeilijk jaar geweest zijn, maar ik kan 1947 alleen beschrijven als het jaar waarin de situatie in Palestina geheel uit de hand liep voor zover het de Britten betreft. In de loop van dat jaar veranderde de strijd tegen de joodse immigratie in een openlijke oorlog niet alleen tegen de hele *jisjoev* als zodanig, maar ook tegen de vluchtelingen zelf. Het leek alsof Ernest Bevin nergens anders meer aan kon denken dan hoe hij joodse vluchtelingen uit hun vaderland zou weghouden. Het feit dat wij weigerden dit probleem voor hem op te lossen, maakte hem zo woedend dat hij tenslotte zijn beheersing totaal verloor. Ik geloof eerlijk dat sommige beslissingen die hij ten aanzien van Palestina nam alleen maar het resultaat konden zijn van zijn felle persoonlijke woede op de joden omdat ze de beslissing van de Britse minister van buitenlandse zaken hoe en waar ze moesten wonen niet wilden aanvaarden.

Ik weet niet — en het doet er eigenlijk ook niet toe — of Bevin een beetje krankzinnig was of alleen maar antisemitisch, of beide. Wat ik wél weet is dat hij bleef volhouden om de kracht van het Britse Rijk te stellen tegenover de levenswil van de joden. Daardoor bracht hij niet alleen een groot lijden over een volk dat al zo zwaar geleden had, maar hij dwong ook duizenden Britse soldaten en zeelieden een rol te spelen die ze moeten hebben verafschuwd. Ik herinner me nog dat ik naar sommige van die jonge Engelsen keek die de gevangenkampen op Cyprus moesten bewaken; dat was in 1947 toen ik er zelf heenging. Ik vroeg me af hoe zij de feiten met elkaar konden rijmen dat zij nu daar op Cyprus dezelfde mensen achter prikkeldraad opgesloten hielden die ze nog niet zo lang geleden uit de nazikampen hadden bevrijd, alleen maar omdat die mensen het onmogelijk vonden ergens anders dan in Palestina voort te leven. Ik keek naar die aardige Engelse jongens en had diep medelijden met ze. Ik kon het niet helpen, maar ik had de indruk dat zij evenzeer de slachtoffers van Bevins bezetenheid waren dan de mannen, vrouwen en kinderen waar zij nu dag en nacht hun geweren op gericht hielden.

Ik was naar Cyprus gegaan om te zien of ik iets kon doen voor de honderden kinderen die daar werden vast gehouden. Op dat tijdstip bevonden er zich ongeveer 40.000 joden in de kampen op Cyprus. Heel zorgvuldig stonden de Britten elke maand 1500 joden toe om Palestina te betreden: 750 uit de kampen in Europa en 750 uit Cyprus. Ze pasten op Cyprus de regel toe die eerst komt, eerst maalt, hetgeen betekende dat vele kleine kinderen onvermijdelijk gedoemd waren maanden achtereen onder heel moeilijke omstandigheden te leven. Onze doktoren in de kampen op Cyprus maakten zich daar grote zorgen over en op een dag verscheen er een afvaardiging van doktoren in mijn kantoor in Jeruzalem.

'We kunnen geen verantwoordelijkheid meer op ons nemen voor de gezondheid van die kleuters als ze nog een winter in de kampen moeten blijven', deelden ze me mede. Dus begon ik met de Palestijnse regering te onderhandelen. Wij stelden een plan op waarbij D.P.-gezinnen met een kind onder het jaar vóór hun beurt Cyprus zouden mogen verlaten en hun aantal kon dan van het contingent D.P.'s worden afgetrokken dat gewoon volgens hun beurt vertrekken mocht. Dit betekende dat de Palestijnse regering moest worden overgehaald om soepel en redelijk te zijn op een tijdstip dat ze geen van beide waren, en ook de D.P.'s zelf moesten overgehaald worden een speciaal voorrangssysteem in te stellen. Het duurde vrij lang voor ik bij de regering iets had bereikt, maar uiteindelijk slaagde ik erin en ik kreeg zelfs toestemming dat wezen zo gauw mogelijk mochten vertrekken.

De volgende stap was nu dat ik naar Cyprus moest en met de D.P.'s moest gaan praten. 'Ze zullen nooit naar je willen luisteren', waarschuwden mijn vrienden me. 'Je vraagt gewoon om moeilijkheden. Het enige waar deze mensen op wachten is om van Cyprus af te komen, en nu wil jij dat ze erin toestemmen dat sommige lieden die er misschien nog maar een paar weken zijn, voor hun beurt gaan. Dat lukt je nooit!' Maar zo zag ik het niet. Ik vond dat ik het in elk geval moest proberen, en dus ging ik.

Toen ik op Cyprus aankwam, meldde ik me dadelijk op het kantoor van de Britse commandant van het kamp, een oudere, lange, magere Engelsman die jaren in het leger in India had gediend. Het was een beleefdheidsbezoek zou je kunnen zeggen. Ik vertelde hem in het kort wie ik was en wat ik wilde en vroeg of hij er enig bezwaar tegen had dat ik de volgende dag in het kamp rondging. Hij luisterde heel stijf naar me en zei toen: 'Ik weet alles af van die gezinnen met baby's, maar ik heb geen instructies over wezen gekregen.' 'Maar dat heb ik ook bij mijn overeenkomst met het hoofd van de Palestijnse regering besproken', zei ik. 'Tja, maar ik moet het eerst controleren', antwoordde hij vrij onvriendelijk.

Toch bleven we doorpraten en na een tijdje zei hij opeens: 'Och, goed dan. Neem de wezen er maar bij.' Ik begreep niet waarom hij zo snel toegaf, maar de volgende morgen ontdekte ik dat hij een telegram van de regering in Jeruzalem had ontvangen waarin stond: 'Pas op met mevrouw Meyerson. Dat is een geduchte vrouw!' En ik denk dat hij opeens besloot die raad ernstig op te vatten.

De kampen waren nog deprimerender dan ik verwacht had en in sommige opzichten erger dan de vluchtelingenkampen die de Amerikaanse autoriteiten in Duitsland hadden opgezet. Ze zagen eruit als gevangenkampen, lelijke groepen hutten en tenten, een wachttoren aan elk eind, zo maar op het zand neergezet en nergens was iets groens of iets dat groeide te zien. Er was absoluut te weinig drinkwater en nog minder om te baden, ondanks de hitte. Alhoewel de kampen vlak aan de kust lagen, mochten de vluchtelingen niet zwemmen, en ze brachten hun tijd in hoofdzaak door met in die vieze, benauwde tenten te zitten, die hun tenminste tegen de brandende zon beschermden. Terwijl ik door de kampen liep, verdrongen de D.P.'s zich tegen het prikkeldraad dat ze omringde om me welkom te heten en in een kamp kwamen twee kleine kinderen me een boeket papieren bloemen aanbieden. Ik heb daarna nog heel wat bossen bloemen aangeboden gekregen, maar ik ben door geen ervan ooit zo ontroerd geweest als door die bloemen die me daar op Cyprus door kinderen werden aangeboden die waarschijnlijk waren vergeten — als ze het al ooit geweten hadden — hoe echte bloemen eruit zien; ze waren vermoedelijk bij het maken van die zielige boeketten geholpen door kleuterleidsters die wij naar de kampen hadden gestuurd. Toevalligerwijs was een van die Palestijnen op Cyprus toen (later is ze ontsnapt), een meisje dat Aya heette, een aardige jonge radiotelegrafiste van een opgebracht *Haganah* schip. Tegenwoordig is ze kinderpsychiater in Tel Aviv en mijn schoondochter.

Het eerste punt op mijn agenda was een bespreking waar ik mijn taak toelichtte aan de commissie die alleen gevangenen vertegenwoordigde. Daarna volgde een bijeenkomst in de open lucht met de meeste gevangenen zelf. Ik vertelde ze dat ik ervan overtuigd was dat ze niet lang op Cyprus zouden hoeven te blijven en dat uiteindelijk iedereen zou worden vrijgelaten; maar tot die tijd had ik hun samenwerking nodig om de kinderen te redden. De aanhangers van *Irgoen Zwaie Leoemie* in de kampen verzetten zich hevig tegen de overeenkomst die ik met de Britten had gesloten. Ze schreeuwden dat het alles of niets moest zijn en er was zelfs een poging om mij lichamelijk aan te vallen. Maar tenslotte kalmeerden ze en we troffen de nodige maatregelen.

Maar ik maakte me nog over één probleem zorgen. We hadden gevraagd of 'wezen' voor hun beurt Palestina mochten binnenkomen, maar wat moest er gebeuren met de kinderen op Cyprus die nog maar alleen een vader of een moeder hadden? Toen ik in Jeruzalem terug kwam, ging ik de Hoge Commissaris, Sir Alan Cunningham, opzoeken en bedankte hem voor wat hij gedaan had. Daarna zei ik: 'Maar er is nog één tragisch aspect bij onze overeenkomst. Het lijkt zo oneerlijk dat een kind waarvan de vader of moeder in Europa vermoord is, op Cyprus moet achterblijven terwijl een kameraadje dat 'geboft' heeft en beide ouders heeft verloren, weg mag gaan. Is er niet een mogelijkheid daar iets aan te doen?' Cunningham, die de laatste Britse Hoge Commissaris in Palestina zou zijn en die een heel vriendelijk en behoorlijk mens was, schudde somber zijn hoofd. Toen slaakte hij berustend een zucht, glimlachte en zei: 'Maak u niet bezorgd, mevrouw Meyerson. Ik zal daaromtrent meteen maatregelen nemen.' Ik zag hem in die tijd vrij vaak en hoe gespannen en chaotisch de toestand in Palestina ook was, hij en ik waren altijd in staat als vrienden samen te praten. Nadat Cunningham op 14 mei, 1948, Palestina had verlaten, verwachtte ik niet nog ooit iets van hem te horen. Maar op een dag, een paar maand nadat ik premier was geworden, kreeg ik een brief van hem. Hij was met de hand geschreven en kwam van een buitenplaats in Engeland waar hij zich had teruggetrokken, en het kwam erop neer dat hoe groot de druk op ons was, Israël niet zou moeten wijken van enig grondgebied dat we in de Zesdaagse Oorlog hadden genomen, tenzij en totdat we veilige en verdedigbare grenzen gegarandeerd kregen. Ik was heel ontroerd door die brief.

Een minder prettige herinnering aan die dagen was de plechtigheid die ik in 1970 in Haifa bijwoonde. Daar waren de lichamen van 100 kinderen die in die vreselijke kampen gestorven waren naartoe gebracht om in de lieflijke heuvels onderaan de berg Karmel te worden herbegraven. Ik probeerde de gedachte van me af te zetten, maar ik moest steeds weer denken of de twee kleine meisjes die me in 1947 zo plechtig die bloemen hadden aangeboden, er ook bij zouden zijn. Aan de andere kant ontmoet ik vaak mensen die bij die vergadering in Cyprus tegenwoordig zijn geweest en die het zich nog goed herinneren. Vijf jaar geleden bijvoorbeeld bezocht ik een kibboets in de Negev toen een vrouw van middelbare leeftijd heel aarzelend naar me toekwam. 'Neemt u me niet kwalijk dat ik u lastig val', zei ze, 'maar dit is de eerste kans die ik in al die jaren krijg om u te bedanken.' 'Waarvoor?' vroeg ik. 'In 1947 was ik met een baby op Cyprus', antwoordde ze. 'En u hebt ons gered. Ik zou graag willen dat u die "baby" nu ziet.' De baby was een flink gebouwd, knap meisje van twintig jaar dat net klaar was met haar militaire dienst en blijkbaar dacht dat ik gek geworden was toen ik haar zonder omhaal en waar iedereen bij was een stevige kus gaf.

Op het zionistencongres van 1946 in Bazel was besloten dat Mosje

Sjarett de politieke afdeling van het Joods Agentschap in Washington zou leiden en dat ik hoofd daarvan in Jeruzalem zou blijven. Maar in 1947 was wonen in Jeruzalem zoiets alsof je in een stad woonde die door een uiterst vijandig vreemd land was bezet. De Britten sloten zich op in iets dat in feite een geïmproviseerd fort was, een zwaar bewaakt terrein (wij noemden het Bevingrad) middenin de stad, ze stuurden hun tanks rammelend door de straten als zich ook maar het geringste voordeed en hadden hun troepen verboden iets met de joden te maken te hebben. Als de *Irgoen Zwaie Leoemie* en de Sterngroep het recht in eigen handen namen – en dat deden ze helaas vrij geregeld – dan antwoordden de Britten daarop met vergeldingsmaatregelen die op de hele *jisjoev* gericht waren, vooral op de *Haganah*, en er ging vrijwel geen week voorbij zonder een of andere crisis. Zoeken naar wapens, massale arrestaties, instellen van een avondklok die dagen duurde en het dagelijks leven verlamde, en tenslotte de deportatie van joden zonder enige vorm van beschuldiging, laat staan een proces. Toen de Britten begonnen leden van de I.Z.L. en de Sterngroep die ze te pakken kregen, te geselen, antwoordden de twee afgescheiden organisaties daarop door twee Engelse soldaten te executeren, en dat allemaal terwijl onze strijd om vrije immigratie en vrije vestiging in het land in volle gang was.

Als ik nu op die vreselijke tijd terugkijk, zie ik natuurlijk wel dat vrijwel elke koloniale mogendheid zich tegenover een opstandige 'inheemse' bevolking – en zo zagen de Britten ons – nog veel hardvochtiger zou hebben gedragen. Maar de Britten waren hardvochtig genoeg. Het was niet alleen dat soms heel wrede strafmaatregelen de situatie zo onhoudbaar maakten, het was ook de wetenschap dat ze, waar ze maar konden, de Arabieren hielpen en steunden, om er nog niet van te spreken dat ze hen tegen ons opzetten. Aan de andere kant was het idee van een eeuwig bloedbad in Palestina ook niet erg aanlokkelijk voor Engeland, vooral niet in hun naoorlogse stemming, en in februari 1947 besloot Mr Bevin zelf dat zijn regering de hele zaak moe was en dat verkondigde hij in het Lagerhuis. Laten de Verenigde Naties het Palestijnse probleem maar oplossen. De Britten hadden er genoeg van. Ik kan me niet voorstellen dat de Verenigde Naties verrukt waren dat zij nu deze verantwoordelijkheid toegeschoven kregen, maar ze konden het ook niet best weigeren. De Speciale Commissie over Palestina van de Verenigde Naties (UNSCOP) kwam in juni in het land aan. Volgens hun opdracht moesten ze tegen september 1947 aan de Algemene Vergadering van de V.N. rapporteren en een of ander concreet voorstel tot oplossing voorleggen. De Palestijnse Arabieren weigerden als gewoonlijk om samen te werken, maar alle anderen deden dat wel, al waren ze op hun hoede: de leiders van de *jisjoev*, de Palestijnse regering en later zelfs de leiders van sommige Arabische staten. Ik bracht heel wat tijd met de elf leden van de commissie door en schrok toen ik ontdekte hoe weinig ze van de geschiedenis van Palestina of van het zionisme afwisten. Maar omdat het nodig was dat ze die wisten, en wel zo gauw mogelijk, begonnen we ze die uit te leggen en te verklaren zoals we al zo vaak hadden gedaan en tenslotte kregen ze er enig idee van waar het allemaal om ging, en waarom we niet bereid waren ons recht om de overlevenden van de algemene slachting naar Palestina te brengen, op te geven.

Toen, om redenen die ik noch iemand anders, volgens mij, ooit zal begrijpen, verkozen de Britten – vlak voordat UNSCOP Palestina zou verlaten – op onmiskenbare wijze te demonstreren hoe wreed en tiranniek ze ons en de kwestie van de joodse immigratie behandelden. Voor de ontzette ogen van de leden van UNSCOP dwongen ze 4500 vluchtelingen, die met het *Haganah* schip *Exodus 1947* naar Palestina waren gekomen, in kooien en stuurden ze naar Duitsland terug. Ik geloof dat ze daarmee eigenlijk een belangrijke bijdrage leverden aan de slotaanbevelingen van UNSCOP. Al word ik honderd jaar, dan zal ik dat gruwelijke beeld van honderden Britse soldaten in *battle-dress* niet vergeten die met knuppels en pistolen en granaten tegen de ongelukkige vluchtelingen aan boord van de *Exodus* optraden. 400 ervan waren zwangere vrouwen die hun baby's op Palestijns grondgebied het leven hadden willen schenken. Ik zal ook nooit de afkeer vergeten die me beving toen ik hoorde dat die mensen werkelijk teruggestuurd zouden worden, als dieren in ijzeren kooien, naar de D.P.-kampen in het enige land dat het kerkhof van het Europese jodendom symboliseerde.

Ik sprak op een vergadering van de *Va'ad Leumi* een paar dagen voor de passagiers van de *Exodus* hun grimmige reis naar Hamburg moesten aanvangen en ik probeerde de walging en woede van de *jisjoev* onder woorden te brengen en het kleine vlammetje van hoop brandend te houden, dat op de een of andere manier iemand ergens tussenbeide zou komen om de vluchtelingen van deze nieuwe kwelling te redden. Ik zei:

'De Britten hopen dat ze er door deportatie met de *Exodus* in zullen slagen de joden van de D.P.-kampen bang te maken en ook ons schrik aan te jagen. Van onze zijde kan er maar één antwoord zijn: deze stroom van schepen zal niet ophouden. Ik ben me ervan bewust dat de joden die naar Palestina willen emigreren en zij die ze daarbij helpen, nu vreselijke moeilijkheden onder de ogen zullen moeten zien en alle kracht van het Britse Rijk zal zich op één doel concentreren: deze wrakke schepen met hun lading van menselijk lijden aan te vallen. Toch geloof ik dat er maar één doelmatig antwoord kan zijn: de ononderbroken stroom van de 'illegale' schepen. Ik twijfel niet aan het standpunt van de joden uit de kampen; zij zijn bereid elk gevaar te trotseren ten einde die kampen te verlaten. De joodse overlevenden uit vele Europese landen kunnen niet blijven waar ze nu zijn.

Als wij hier in Palestina, samen met het Amerikaanse, Zuidafrikaanse en Britse jodendom ons niet laten bang maken, dan zullen de schepen voortgaan met hierheen te komen. Met veel moeilijkheden zullen ze te kampen krijgen, nog meer dan in het verleden, maar kómen zullen ze. Ik wil geen ogenblik negeren wat de duizenden van die schepen in de komende dagen te wachten staat. Ik weet dat elk van ons zich gelukkig zou achten als hij bij ze kon zijn. We zijn allemaal bezorgd over wat er te gebeuren staat als de joden op de *Exodus* naar Duitsland worden teruggebracht, terwijl de Britse strijdkrachten geheel en al vrij zijn om deze wetsovertreders een lésje te leren. Er kan geen twijfel aan bestaan dat ze standvastig zullen blijven, zoals ze tot nu toe geweest zijn. De vraag is alleen of er geen hoop bestaat op een verandering van inzicht, op het laatste ogenblik, bij de Britten.

Daar wij niet in staat zijn te wanhopen willen we nu en vanaf deze plaats ons nog eens tot de wereld wenden, tot de volkeren, tot de velen die zo vreselijk door en tijdens de oorlog geleden hebben, tot degenen aan wier front joden streden en hielpen bij de bevrijding. Tot deze naties richten we een oproep, nu, op het laatste ogenblik. Is het mogelijk dat er geen stem zal opgaan, dat men de Britse regering niet zal zeggen: Haal de zweep weg en ook dat geweer boven de hoofden van de joden op de *Exodus*? En tegen Engeland moeten we zeggen: het is een grote illusie om te denken dat we zwak zijn. Laat Groot-Brittannië met haar machtige vloot en haar vele kanonnen en vliegtuigen weten dat dit volk niet zo zwak is en dat hun kracht ze straks nog goed te pas zal komen.'

Maar het lot van de *Exodus* was al bezegeld, en het schip ging naar Duitsland terug.

De zomer van 1947 sleepte zich voort. Ondanks het feit dat de weg Tel Aviv-Jeruzalem steeds meer door gewapende Arabische benden werd bestookt die vanaf de heuvels erboven op elk joods transport schoten, had ik toch geen andere keus dan heen en weer te reizen. Ik vertrouwde op de jonge *Haganah* wachten die me vergezelden. Hetgeen werkelijk op het spel stond was niet of ik gedood of gewond zou worden op mijn reizen tussen de twee steden, maar of de Arabieren erin zouden slagen hun aangekondigde doel uit te voeren en de weg geheel en al af te snijden, waardoor ze de joden in Jeruzalem konden uithongeren. En ik was zeker niet van plan ze te helpen hun doel te bereiken door ervan af te zien de enige weg te gebruiken die Jeruzalem met de joodse centra van het land verbond. Een paar keer floot er een kogel door het raam vàn de auto van het Joods Agentschap waar ik mee reisde, en een keer sloegen we ergens verkeerd af en kwamen in een Arabisch dorp terecht waarvan ik wist dat het een broeinest van moordenaars was, maar we ontkwamen zonder een schrammetje.

Soms waren er ook 'avonturen' van andere aard. Bijvoorbeeld de keer dat Britse soldaten mijn auto op wapens onderzochten vlak nadat een hoge landelijke autoriteit zelf mij had beloofd dat die onderzoekingen ten einde zouden zijn gezien het groeiende gevaar voor al het joodse

181

verkeer op de wegen. Mijn protesten hielpen absoluut niet. Op mijn *Haganah* escorte werd een revolver aangetroffen en ze werd prompt gearresteerd.

'Waar slepen jullie haar heen?' vroeg ik de met de leiding van de grote operatie belaste officier. 'Naar Majdal', zei hij. Majdal was zeker geen plaats waar een jong meisje de nacht kon doorbrengen en ik zei tegen de kapitein dat als zij daarheen werd gebracht, ik er op stond om met haar mee te gaan. Inmiddels wist hij wie ik was en ik geloof niet dat het hem erg aanlokte aan zijn meerderen te moeten uitleggen waarom een lid van het dagelijks bestuur van het Joods Agentschap in Majdal was gaan slapen. Hij veranderde van mening en we gingen met z'n allen naar het politiebureau in een dichtbij gelegen joodse stad. Intussen was het al middernacht, maar ik moest nog steeds zien dat ik naar Tel Aviv kwam, en dat lukte me ook, koninklijk geëscorteerd door Britse politieagenten en het *Haganah* meisje dat haastig vrijgelaten werd. Maar anderen hadden niet zo'n geluk. Het dodencijfer op de wegen steeg wekelijks en in november 1947 waren de Arabieren, onder de ogen van de Britten, begonnen beleg voor Jeruzalem te slaan.

Op 31 augustus, slechts een paar minuten voor de vastgestelde tijd, kwamen de elf heren van UNSCOP in Genève bijeen en leverden hun rapport over Palestina in. Acht leden van de commissie bevalen aan, net als de Peel-Commissie gedaan had, dat het land in een Arabische en joodse staat verdeeld zou worden plus een internationale enclave voor Jeruzalem en onmiddellijke omgeving. De minderheid, bestaande o.a. uit vertegenwoordigers van India, Iran en Joegoslavië die allen zelf grote moslim bevolkingsgroepen hadden, stelden voor een federale Arabisch-joodse staat te creëren. Thans moest de Algemene Vergadering van de Verenigde Naties beslissen. Intussen maakten alle betrokken partijen hun antwoorden bekend en ik kan niet zeggen dat in dit verband de Verenigde Naties voor verrassingen kwamen te staan. Wij accepteerden het plan, natuurlijk niet enthousiast maar wel erg opgelucht en eisten dat het mandaat onmiddellijk zou worden opgeheven. Alle Arabieren zeiden dat ze met geen enkel voorstel iets te maken wilden hebben en dreigden met oorlog tenzij heel Palestina een Arabische staat werd. De Britten maakten het duidelijk dat zij tot de uitvoering van enige verdeling niet zouden samenwerken tenzij de joden én de Arabieren er enthousiast over waren, en we wisten allemaal wat dat betekende. En de Amerikanen en Russen publiceerden elk een verklaring ten gunste van de meerderheidsaanbeveling.

De volgende dag hield ik een persconferentie in Jeruzalem. Ten eerste bedankte ik de commissie voor hun snelle werk en legde er de nadruk op dat 'wij ons nauwelijks een joodse staat zonder Jeruzalem konden voorstellen' en dat 'we nog steeds hoopten dat dit onrecht door de Algemene Vergadering van de Verenigde Naties zou worden hersteld.' Ik zei dat we ook erg ongelukkig waren over de uitsluiting van westelijk Galilea van de joodse staat en nam aan dat ook dit door de Algemene Vergadering zou worden besproken. Maar het belangrijkste dat ik naar voren wilde brengen was dat we bijzonder verlangend waren om een nieuwe en andere verhouding met de Arabieren tot stand te brengen; in de joodse staat zouden er, volgens mij, ongeveer 500.000 aanwezig zijn. Ik zei tegen de pers: 'Een joodse staat in dit deel van de wereld is niet alleen een oplossing voor ons. Het zou en móet een grote hulp voor iedereen in het Midden-Oosten kunnen zijn.' Het is hartverscheurend nu te bedenken dat wij die woorden al in 1947 gebruikten, zonder enig succes overigens!

Op 29 november vond in Lake Success in New York de stemming plaats. Net als iedereen in de *jisjoev* zat ik aan de radio gekluisterd, potlood en papier bij de hand om de stemmen op te schrijven meteen dat ze doorkwamen. Eindelijk, omstreeks middernacht onze tijd, werden de resultaten aangekondigd: drieëndertig volkeren (met inbegrip van Amerika en de Sovjet Unie) stemden vóór het verdelingsplan; dertien (met inbegrip van alle Arabische landen) verzetten zich ertegen; tien onthielden zich van stemming (met inbegrip van Groot-Brittannië). Ik ging meteen naar het Joods Agentschapsgebouw dat al stampvol mensen was. Het was een ongelooflijk gezicht: honderden mensen, waartussen Britse soldaten, hielden elkaar bij de hand vast en zongen en dansten, en steeds arriveerden meer vrachtwagens vol mensen. Ik weet nog dat ik alleen naar mijn kantoor liep, niet in staat om aan de algemene feestelijkheden mee te doen. De Arabieren hadden het plan afgewezen en spraken nergens anders over dan oorlog. De menigte was dronken van vreugde en wilde een toespraak horen en ik dacht dat het lelijk zou zijn om een domper op hun stemming te zetten door te weigeren. Dus sprak ik een paar minuten vanaf het balkon van mijn kantoor. Maar eigenlijk sprak ik niet tegen de massa mensen beneden me; het was weer eens tegen de Arabieren.

Ik zei: 'U hebt uw strijd tegen de Verenigde Naties gestreden. De Verenigde Naties, het grootste deel van de landen ter wereld, hebben hun beslissing gegeven. Het verdelingsplan is een compromis; het is niet wat u wilde, het is niet wat wij wilden. Maar laten we nu vriendschappelijk en in vrede samenleven.' Die toespraak was nauwelijks de oplossing voor onze situatie. De volgende dag braken er in heel Palestina Arabische relletjes uit, zeven joden in een bus werden door Arabieren vanuit een hinderlaag gedood, en op 2 december stak Arabisch gepeupel het joods commerciële centrum in Jeruzalem in brand terwijl de Britse politie erbij stond toe te kijken; ze kwamen alleen tussenbeide toen de *Haganah* tot actie probeerde te komen.

We waren natuurlijk totaal niet op oorlog voorbereid. Dat we er zo lang in geslaagd waren om de plaatselijke Arabieren min of meer op een afstand te houden, betekende niet dat we het tegen een beroepsleger konden opnemen. We hadden dringend wapens nodig, als we maar iemand konden vinden die ze aan ons wilde verkopen; maar voor we iets konden kopen, hadden we geld nodig. Niet in hoeveelheden als we gekregen hadden voor de bebossing van ons land, of om vluchtelingen te helpen, maar miljoenen dollars. En er was maar één groep mensen in de hele wereld waarbij we kans hadden die dollars los te krijgen: de joden in Amerika. We konden ons tot niemand anders wenden.

Er was natuurlijk geen sprake van dat Ben-Goerion in die tijd Palestina kon verlaten. Zijn rol was absoluut centraal en leidend. Ik denk dat hij zelf het gevoel had dat niemand dan hij in staat zou zijn de sommen waarover in geheime bijeenkomsten in Tel Aviv werd gesproken, bijeen te brengen. Die bijeenkomsten vonden plaats in december 1947 en begin januari 1948, en ik was het absoluut met hem eens. Maar hij *moest* in het land blijven. Wie moest dan gaan? Tijdens een van die vergaderingen keek ik de tafel eens rond naar mijn collega's die er zo vermoeid en afgemat uitzagen en vroeg me voor het eerst af of ik me voor die taak moest aanbieden. Tenslotte had ik al vaker geld in Amerika ingezameld en ik sprak vloeiend Engels. Mijn werkzaamheden in Palestina konden wel een paar weken wachten en al was ik er niet aan gewend mezelf naar voren te schuiven, toch kreeg ik het gevoel dat ik het aan Ben-Goerion moest voorstellen. Eerst wilde hij er niet van horen. Hij zei dat hij ging en hij zou Eliezer Kaplan, de penningmeester van het Joods Agentschap meenemen.

'Maar niemand kan jouw plaats hier innemen', zei ik. 'En misschien kan ik in Amerika hetzelfde bereiken als jij.'

'Nee', zei hij onvermurwbaar. – 'Ik heb je hier nodig.'

'Laten we er dan over stemmen', zei ik. Hij keek me even aan en knikte. De stemming viel te mijnen gunste uit. 'Maar dan nu meteen', zei Ben-Goerion. 'Je moet zelfs niet proberen om nog naar Jeruzalem terug te gaan.' Dus vloog ik die dag nog naar Amerika, zonder bagage en met de japon aan die ik naar de vergadering had gedragen, met een wintermantel er overheen.

Mijn eerste optreden voor de Amerikaanse joden in 1948 vond plaats zonder dat er plannen voor waren gemaakt en natuurlijk ook zonder dat ik tevoren was aangekondigd. De mensen die ik moest toespreken, kenden me helemaal niet. En zo stond ik op 21 januari voor de Algemene Vergadering van de Raad van Joodse Federaties en Sociale Instellingen;

dat waren niet-zionistische organisaties. In feite stond Palestina niet op de agenda. Maar dit was wel een vergadering van beroepsgeldinzamelaars, van de hardnekkige en ervaren mannen die de joodse machinerie van het geldinzamelen in Amerika beheerden en ik wist: als ik hen kon bereiken, dan was er enige kans om het geld los te krijgen dat ons de sleutel moest verschaffen om ons in staat te stellen ons te verdedigen. Ik sprak niet lang, maar zei alles dat me op het hart lag. Ik beschreef de situatie zoals die was geweest op de dag dat ik uit Palestina was vertrokken en toen zei ik:

'Het punt waar alles om draait is tijd. Het gaat erom wat we nu meteen kunnen krijgen. En als ik meteen zeg, bedoel ik niet volgende maand. Ik bedoel ook niet over twee maanden. Ik bedoel nú.

Ik ben hierheen gekomen om de joden van Amerika ervan te doordringen dat we binnen zeer korte tijd, een paar weken, een som tussen vijfentwintig en dertig miljoen dollar in contanten moeten hebben. In de eerstvolgende twee of drie weken kunnen we gereed zijn. Daar zijn we van overtuigd.

De Egyptische regering kan een budget goedkeuren om onze tegenstanders te helpen. De regering van Syrië kan hetzelfde doen. Wij hebben geen regeringen. Maar we hebben miljoenen joden in de diaspora en we hebben evenveel vertrouwen in de joden in Amerika als in onze jongeren in Palestina; ik geloof dat zij het gevaar van de situatie zullen inzien en doen wat ze moeten doen.

Ik weet dat we niet iets gemakkelijks vragen. Ik ben meermalen bezig geweest in verschillende campagnes om geld bijeen te brengen en ik weet dat het niet eenvoudig is ineens een som als ik vraag op te brengen. Maar ik heb onze mensen thuis gezien. Ik heb gezien hoe ze van hun kantoor naar de klinieken gaan als wij de gemeenschap oproepen om bloed voor een bloedbank ter beschikking te stellen ten einde de gewonden te kunnen helpen. Ik heb gezien hoe ze urenlang in de rij staan wachten opdat een deel van hun bloed aan de bloedbank kan worden toegevoegd. Het is bloed plus geld dat aan Palestina gegeven wordt.

Wij zijn geen beter geslacht; wij zijn niet de beste joden van het joodse volk. Wij zijn toevallig daar en u bent hier. Ik weet zeker dat als u in Palestina was en wij waren in Amerika, dat u precies hetzelfde zou doen als hetgeen wij daar doen en u zoudt ons hier vragen te doen hetgeen u moet doen.

Ik zou willen eindigen met een parafrase van een van de grootste toespraken die tijdens de Tweede Wereldoorlog werden gehouden, de woorden van Churchill. Ik overdrijf niet als ik zeg dat de *jisjoev* in Palestina in de Negev zal vechten, en in Galilea zal vechten, en in de buitenwijken van Jeruzalem tot het einde toe.

U kunt niet beslissen of wij moeten vechten of niet. Maar we doen het. De joodse gemeenschap in Palestina zal niet voor de moefti de witte vlag hijsen. Die beslissing is genomen. Niemand kan die veranderen. U kunt maar één ding beslissen: of wij als overwinnaars uit deze strijd zullen treden of dat de moefti de overwinnaar zal zijn. Die beslissing kunnen de Amerikaanse joden nemen. Maar het moet wel snel gebeuren, binnen een paar uren, of een paar dagen.

En ik smeek u — laat het niet te laat zijn. Zorg dat u over drie maand geen spijt hoeft te hebben over hetgeen u heden niet gedaan hebt. De tijd is nú.'

185

Ze luisterden en huilden en ze gaven geld in hoeveelheden als geen gemeenschap ooit gegeven had. Ik bleef in Amerika zo lang ik het kon uithouden niet thuis te zijn, ongeveer zes weken. En de joden uit heel Amerika luisterden, huilden en gaven geld en als het moest namen ze een lening bij de bank op om hun plechtige beloften gestand te kunnen doen. Toen ik in maart weer in Palestina terugkwam, had ik vijftig miljoen dollar bij elkaar gekregen die onmiddellijk werden overgedragen voor de geheime wapeninkopen van de *Haganah* in Europa. Maar ik maakte mezelf niets wijs, zelfs niet toen Ben-Goerion tegen me zei: 'Eens, als de geschiedenis geschreven zal worden, zal gezegd kunnen worden dat er een joodse vrouw was die het geld verzamelde dat het voortbestaan van de joodse staat mogelijk maakte.' Ik heb altijd geweten dat die dollars niet aan mij gegeven werden, maar aan Israël.

Die reis naar Amerika was echter maar een van de reizen die ik dat jaar maakte. In de zes maanden die aan de oprichting van de staat vooraf gingen, had ik twee keer een ontmoeting met koning Abdoellah van Transjordanië. Hij was de grootvader van koning Hoessein. Hoewel beide gesprekken jarenlang diep geheim zijn gebleven, nog lang nadat Abdoellah in 1951 in Jeruzalem door zijn Arabische vijanden vermoord werd, vermoedelijk door handlangers van de moefti, weet nog steeds niemand in hoeverre geruchten omtrent die besprekingen aanleiding tot zijn dood werden. Moorden is een inheemse ziekte in de Arabische wereld en een van de eerste lessen die de meeste Arabische heersers leren is het verband tussen geheimhouding en een lang leven. De moord op Abdoellah maakte een blijvende indruk op alle volgende Arabische leiders en ik weet nog dat Nasser eens tegen een bemiddelaar die wij naar Cairo hadden gezonden, zei: 'Als Ben-Goerion naar Egypte zou komen om met mij te praten, dan zou *hij* als de overwinnende held naar huis gaan. Maar als ik naar hem toe ging, zou ik bij terugkomst worden doodgeschoten.' En ik vrees dat de situatie nog onveranderd is.

De eerste keer dat ik hem ontmoet heb was in het begin van november 1947. Hij had erin toegestemd mij − in mijn hoedanigheid als hoofd van de politieke afdeling van het Joods Agentschap − in een huis in Naharayim (aan de Jordaan) te ontmoeten. Daar had de Palestijnse Elektriciteitsmaatschappij een waterkrachtstation en vlak daarbij had Pinchas Rutenberg − die de elektriciteitsmaatschappij had opgericht − een huis dat een uitgezochte plaats voor onze ontmoeting kon zijn. Ik kwam met één van onze Arabische deskundigen, Eliahu Sasson. We dronken de gebruikelijke ceremoniële kopjes koffie en begonnen toen te spreken. Abdoellah was een kleine, evenwichtige en heel charmante man. Hij maakte al spoedig duidelijk waar het in hoofdzaak om ging: hij zou zich _niet_ bij een Arabische aanval op ons aansluiten. Hij zou altijd onze vriend blijven, zei hij, en evenals wij wilde hij vrede boven alles. Dat niet alleen, maar tenslotte hadden we een gemeenschappelijke vijand, de moefti van Jeruzalem, Haj Amin al-Hoesseini. Abdoellah stelde ook voor dat we elkaar na de stemming in de Verenigde Naties weer zouden ontmoeten.

Op de terugweg naar Tel Aviv vertelde Ezra Danin, die Abdoellah wel eerder had ontmoet, me meer over de algemene opvatting van de koning over de rol van de joden. De Voorzienigheid had de joden over de westerse wereld verspreid opdat ze de Europese cultuur zouden opnemen en die naar het Midden-Oosten mee zouden terugbrengen waardoor het hele gebied zou opbloeien. Danin twijfelde aan zijn betrouwbaarheid. Het ging er niet om dat Abdoellah een leugenaar was, zei hij, maar hij was een bedoeïen en de bedoeïenen hadden hun eigen opvattingen over de waarheid en die zagen ze niet zo absoluut als wij. Abdoellah was wel oprecht in zijn uitdrukking van vriendschap, zei hij, al bonden die hem tot niets.

De hele maand januari en februari hielden we contact met Abdoellah, meestal via de bemiddeling van een gemeenschappelijke vriend. Hij gaf boodschappen van mij regelrecht aan de koning door. Naarmate de weken verliepen, werden mijn boodschappen bezorgder. Het gonsde van geruchten en er waren berichten dat Abdoellah op het punt stond zich bij de Arabische Liga aan te sluiten, ondanks zijn belofte aan mij. Ik vroeg of dit inderdaad waar was. Het antwoord van Amman kwam prompt en was negatief. Koning Abdoellah was verbaasd en pijnlijk door mijn vraag getroffen. Hij vroeg mij drie dingen te onthouden: dat hij een bedoeïen was en dus een man van eer; dat hij koning was en derhalve dubbel een man van eer; en tenslotte dat hij nooit een belofte aan een vrouw gedaan zou breken. Er kon dus geen enkele rechtvaardiging voor mijn bezorgdheid bestaan.

Maar we zouden merken dat het anders was. In de eerste week van mei bestond er geen enkele twijfel meer dat Abdoellah, ondanks al zijn verzekeringen, gemene zaak met de Arabische Liga had gemaakt. Wij bespraken uitvoerig de voor- en nadelen van een verzoek om nog een bespreking voor het te laat was. Misschien kon hij op het laatste ogenblik nog worden overgehaald om van gedachten te veranderen. Zo niet, misschien konden we dan van hem te weten komen in hoeverre hij verplichtingen voor zichzelf en zijn door de Britten getrainde Arabisch Legioen met Britse officieren op zich had genomen voor de oorlog tegen ons. Er stond heel veel op het spel: niet alleen was het Arabisch Legioen verreweg het beste Arabische leger in dat gebied, maar er was nog een heel belangrijke overweging. Als Transjordanië door een of ander wonder buiten de oorlog bleef, zou het voor het leger van Irak

187

veel moeilijker zijn om Palestina binnen te trekken en zich aan te sluiten bij de aanval op ons. Ben-Goerion was van mening dat we met een nieuwe poging niets konden verliezen en dus vroeg ik om een tweede ontmoeting; ik verzocht Ezra Danin me te vergezellen.

Dit keer weigerde Abdoellah echter naar Naharayim te komen. Via zijn afgezant deelde hij ons mede dat het te gevaarlijk was. Als ik hem wilde spreken, dan zou ik naar Amman moeten komen, en dat risico was geheel voor mijn rekening. Men kon niet van hem verwachten, zei hij, dat hij het Legioen erop opmerkzaam zou maken dat hij joodse gasten uit Palestina verwachtte, en hij wilde geen enkele verantwoordelijkheid aanvaarden als ons onderweg iets zou overkomen. De eerste moeilijkheid was om naar Tel Aviv te komen. Dat was op dat tijdstip bijna even lastig als naar Amman zelf te gaan. Ik wachtte in Jeruzalem van 's morgens vroeg tot bijna 7 uur 's avonds op een vliegtuig uit Tel Aviv en toen het eindelijk kwam, stond er zo'n wind dat we nauwelijks konden opstijgen. Onder normale omstandigheden zou ik hebben getracht de tocht een dag uit te stellen, maar er waren geen dagen over. Het was al 10 mei en de joodse staat zou op 14 mei worden afgekondigd. Dit was onze laatste kans om met Abdoellah te spreken. Dus stond ik erop dat we moesten proberen Tel Aviv te bereiken, zelfs in die Pipercub die eruit zag alsof hij bij een flinke windstoot zou bezwijken, laat staan bij een storm. Nadat we vertrokken waren, kwam er een boodschap op de airstrip van Jeruzalem aan die zei dat het weer veel te slecht was om de vlucht te ondernemen, maar toen waren wij al lang en breed onderweg.

De volgende morgen ging ik per auto naar Haifa waar Ezra en ik elkaar zouden ontmoeten. Er was al besloten dat hij zich alleen in zoverre zou vermommen dat hij de traditionele Arabische hoofdtooi zou dragen. Hij sprak vloeiend Arabisch, kende de Arabische gewoonten en kon gemakkelijk voor een Arabier doorgaan. Wat mij betreft, ik zou reizen in de traditionele donkere en wijde kleren van een Arabische vrouw. Ik sprak totaal geen Arabisch, maar als een mohammedaanse vrouw die met haar man op reis was, was het niet waarschijnlijk dat mij gevraagd zou worden iets te zeggen. De Arabische kleren en sluier die ik nodig had waren al voor mij besteld en Ezra legde me uit welke weg we zouden nemen. We zouden een paar keer van auto verwisselen, zei hij. Dan waren we zeker dat we niet gevolgd werden. En op een gegeven ogenblik zou er die nacht iemand komen, niet ver van het koninklijk paleis, die ons naar Abdoellah zou brengen. Het belangrijkste probleem was dat we moesten vermijden verdenking bij de lieden van het Arabisch Legioen te wekken en we moesten een paar controleposten passeren voor we bij de plek kwamen waar onze gids ons zou opvangen.

Het was een hele reeks lange ritten door de nacht. Eerst in de ene auto, eruit, en toen een paar kilometers in een andere, weer eruit en vanaf Naharayim met een derde auto verder. We hebben de hele tocht geen woord met elkaar gesproken. Ik had het volste vertrouwen in Ezra's vermogen ons veilig en wel door de vijandelijke linies te brengen, en ik moest te veel denken aan het resultaat van onze opdracht, waar ik erg bezorgd om was, om me af te vragen wat er zou gebeuren als, God verhoede het, wij gepakt zouden worden. We moesten ons wel een paar keer identificeren, maar gelukkig bereikten we op tijd en onopgemerkt de afgesproken plaats. De man die ons naar Abdoellah zou brengen, was een van zijn vertrouwdste medewerkers, een bedoeïen die de koning als kind had aangenomen en opgevoed; hij werd nu gebruikt om gevaarlijke taken voor zijn meester uit te voeren.

Hij bracht Ezra en mij in zijn auto, waarvan de raampjes met zwaar zwart materiaal waren afgedekt, naar zijn huis. Terwijl we wachtten totdat Abdoellah zou verschijnen, sprak ik met de knappe en intelligente vrouw van onze gids die uit een welgestelde Turkse familie kwam. Ze beklaagde zich tegenover mij bitter over de vreselijke eentonigheid van haar bestaan in Transjordanië. Ik herinner me nog dat ik toen dacht dat ik zelf wel enige eentonigheid zou kunnen gebruiken, maar natuurlijk knikte ik alleen maar medelevend.

Toen kwam Abdoellah het vertrek binnen. Hij was erg bleek en leek heel gespannen. Ezra trad op als tolk tussen ons en we spraken ongeveer een uur samen. Ik begon het gesprek met onmiddellijk de koe bij de hoorns te vatten. 'Hebt u nu toch uw belofte aan mij gebroken?' vroeg ik hem. Hij gaf me geen regelrecht antwoord. In plaats daarvan zei hij: 'Toen ik die belofte gaf, dacht ik meester over mijn eigen lot te zijn en dat ik kon doen wat mij juist leek, maar sindsdien heb ik gemerkt dat het anders is.' Hij zei verder dat hij vroeger alleen had gestaan, maar nu 'ben ik een van vijf' en wij namen aan dat de andere vier Egypte, Syrië, Libanon en Irak waren. Toch dacht hij dat een oorlog vermeden kon worden.

'Waarom hebt u zo'n haast uw staat af te kondigen?' vroeg hij me. 'Waarom al die haast? U bent zo ongeduldig!' Ik zei tegen hem dat ik niet vond dat een volk dat 2000 jaar gewacht had als 'ongeduldig' afgeschilderd kon worden en het scheen dat hij dat accepteerde.

'Begrijpt u dan niet dat wij uw enige bondgenoten in dit gebied zijn?' vroeg ik. 'De anderen zijn allemaal uw vijanden.'

'Ja', zei hij, 'dat weet ik. Maar wat kan ik eraan doen? Dat is niet aan mij.'

Toen zei ik tegen hem: 'U moet wel weten dat, als ons een oorlog wordt opgedrongen, wij zullen vechten en overwinnen.'

Hij zuchtte en zei weer: 'Ja. Dat weet ik. Het is uw plicht te vechten.

189

Maar waarom wacht u nog niet een paar jaar? Laat uw eisen om vrije immigratie vallen. Dan neem ik het hele land over en u zult in mijn parlement vertegenwoordigd worden. Ik zal u heel goed behandelen en er zal geen oorlog komen.'

Ik probeerde hem uit te leggen dat zijn plan onmogelijk kon worden uitgevoerd. 'U weet wat we allemaal gedaan hebben en hoe hard we gewerkt hebben', zei ik. 'Denkt u dat we dat gedaan hebben om alleen maar in een buitenlands parlement vertegenwoordigd te worden? U weet wat we willen en wat ons doel is. Als u ons niet meer kunt bieden dan wat u zo juist deed, dan kómt er een oorlog en wij zullen die winnen. Maar misschien kunnen we elkaar weer ontmoeten − na de oorlog en nadat er een joodse staat is.'

'U vertrouwt te veel op uw tanks', zei Danin. 'U hebt geen werkelijke vrienden in de Arabische wereld, en wíj zullen uw tanks verpletteren net zoals de Maginotlijn verpletterd werd.' Dat waren dappere woorden, vooral omdat Danin precies wist hoe het met onze gepantserde troepen stond, maar Abdoellah keek nog ernstiger en zei weer dat hij wist dat we onze plicht moesten doen. Hij voegde er ook − en vrij bedroefd, naar het mij scheen − aan toe dat de gebeurtenissen dan hun loop maar moesten nemen. Uiteindelijk zouden we allemaal weten wat het lot met ons voor had.

Er was blijkbaar niets meer te zeggen. Ik wilde vertrekken, maar Danin en Abdoellah waren een nieuw gesprek begonnen.

'Ik hoop dat we ook nadat de oorlog is begonnen contact zullen kunnen onderhouden', zei Danin. 'Natuurlijk', antwoordde Abdoellah. 'U moet me komen opzoeken.' 'Maar hoe zal ik u kunnen bereiken?' vroeg Danin. 'Och, ik vertrouw dat u wel een weg zult vinden', zei Abdoellah glimlachend. Toen berispte Danin hem omdat hij geen betere beveiligingsmaatregelen had getroffen. 'U bidt in de Moskee', zei hij tegen Abdoellah, 'en staat uw onderdanen toe de zoom van uw kleed te kussen. Op een dag zal een of andere boosdoener u letsel toebrengen. De tijd is rijp dat u deze gewoonte moet verbieden, terwille van de veiligheid.' Abdoellah was duidelijk geschrokken. 'Ik wil nooit een gevangene van mijn eigen bewakers worden', zei hij ernstig tegen Danin. 'Ik werd als bedoeïen, een vrij man, geboren en ik zal vrij blijven. Laten degenen die mij willen vermoorden dat maar proberen. Ik ga mezelf niet ketenen.' Toen nam hij afscheid van ons en vertrok. De vrouw van onze gastheer bood ons een maaltijd aan. Aan het eind van de kamer stond een enorme tafel beladen met voedsel. Ik had totaal geen honger, maar Danin zei dat ik mijn bord moest volscheppen, of ik het leeg at of niet, want anders zou het lijken alsof ik de Arabische gastvrijheid niet wilde aannemen. Dus schepte ik het vol, maar speelde maar wat met het

190

voedsel. Innerlijk twijfelde ik er niet meer aan dat Abdoellah oorlog tegen ons zou gaan voeren. Ondanks de dappere woorden van Danin wist ik dat de tanks van het Legioen geen dingen waren om mee te spotten en het hart zonk me in de schoenen als ik dacht aan de berichten waarmee ik in Tel Aviv moest terugkomen. Het was inmiddels bijna middernacht. We hadden nog een lange en gevaarlijke tocht voor ons liggen en dit keer konden we ons niet aan valse hoop vastklemmen.

Een paar minuten later namen wij ook afscheid en vertrokken. Het was een heel donkere nacht en de Arabische chauffeur die ons naar Naharayim zou brengen, vanwaar we naar Haifa zouden rijden, schrok elke keer zichtbaar als de auto bij een controlepost van het Legioen werd aangehouden. Tenslotte dwong hij ons om een eind voor het krachtstation uit te stappen. Intussen was het al een uur of 2, 3 's morgens en we moesten zien dat we de weg terug zelf vonden. We waren geen van beiden gewapend en ik moet toegeven dat ik erg bang was en ook gedeprimeerd. Door de raampjes van de auto hadden we gezien dat de strijdkrachten van Irak zich bij Kamp Mafrak massaal samentrokken en fluisterend hadden we samen gesproken en ons afgevraagd wat er op 14 mei zou gebeuren. Ik herinner me nog dat mijn hart bonsde toen Danin zei: 'Als we boffen en we winnen, dan verliezen we maar 10.000 man. Als we pech hebben, hebben we misschien 50.000 doden en gewonden.' Ik schrok daar zo van dat we eenparig besloten ergens anders over te spreken en de rest van de tocht hadden we het over de Mohammedaanse tradities en de Arabische keuken. Maar toen we zo in het donker ronddoolden, konden we totaal niet praten. Ik durfde zelfs niet te luid adem te halen. De kleren die ik droeg zaten me erg in de weg en ik was er helemaal niet van overtuigd dat we de goede richting opgingen. Bovendien kon ik een gevoel van depressie en de afschuwelijke gedachte aan ons falen in ons gesprek met Abdoellah maar niet van me afzetten.

Ik geloof dat Danin en ik ongeveer een half uur gelopen hadden toen het jonge *Haganah* lid uit Naharayim, dat de hele nacht in doodsangst op ons had gewacht, ons plotseling ontdekte. Ik kon zijn gezicht in het donker niet zien, maar ik geloof niet dat ik ooit zo opgelucht en zo stevig iemands hand heb vastgehouden. Zonder enige inspanning leidde hij ons de heuvels over, de wadi's door, terug naar Naharayim. Ik heb hem een paar jaar geleden weer ontmoet toen een man van middelbare leeftijd in de hal van een hotel in Jeruzalem naar me toe kwam. 'Mevrouw Meir', zei hij, 'herkent u me niet?' Ik dacht diep na, maar kon hem niet thuisbrengen totdat hij vriendelijk tegen me lachte en zei: 'Ik heb u die nacht op de weg terug naar Naharayim gebracht.'

Maar Abdoellah heb ik nooit meer ontmoet, hoewel er na de Onafhan-

kelijkheidsoorlog uitvoerige onderhandelingen met hem hebben plaatsgevonden. Later heb ik gehoord dat hij van mij zei: 'Als er iemand voor
die oorlog verantwoordelijk is, dan is zij dat, want ze was te trots om
het aanbod dat ik haar deed, aan te nemen.' Ik moet zeggen dat als ik
eraan denk wat ons overkomen zou zijn als een 'beschermde' minderheid in het koninkrijk van een Arabisch heerser die zelf ruim twee jaar
later door de Arabieren vermoord werd, dan kan ik mezelf niet zover
krijgen dat ik het feit betreur Abdoellah die nacht zo teleurgesteld te
hebben. Maar ik wilde wel dat hij dapper genoeg was geweest om zich
buiten de oorlog te houden. Het was voor hem veel beter geweest, en
voor ons ook, als híj maar wat trotser was geweest.

In elk geval werd ik regelrecht van Naharayim naar Tel Aviv terug
gereden. De volgende morgen zou er een vergadering op het hoofdkwartier van de Arbeiderspartij zijn en ik wist dat Ben-Goerion aanwezig zou
zijn. Die hele week vonden er natuurlijk bijna onafgebroken vergaderingen plaats. Toen ik de kamer binnenkwam, keek Ben-Goerion op en
vestigde zijn blikken op me. 'En?' vroeg hij. Ik ging zitten en krabbelde
iets op een blaadje papier. 'Het heeft niet geholpen', schreef ik. 'Er
komt oorlog. Bij Mafrak in de buurt hebben Ezra en ik troepenconcentraties gezien, en veel lichten.' Ik kon me bijna niet bedwingen naar
Ben-Goerions gezicht te kijken toen hij mijn briefje las, maar Goddank
veranderde hij niet van mening die ook de onze was.

Binnen twee dagen moest nu tenslotte de beslissing worden genomen:
zouden we een joodse staat afkondigen, of niet? Nadat ik verslag over
mijn gesprek met Abdoellah had uitgebracht, drong een aantal mensen van de *Minhelet Ha'am* (letterlijk Volksregering) die samengesteld
was uit leden van het Joods Agentschap, de *Va'ad Leumi* en een paar
andere kleine partijen en groepen die later de voorlopige regering van
Israël zouden worden, er bij Ben-Goerion op aan om voor het laatst de
situatie nog eens te overzien. Ze wilden weten wat de *Haganah* ervan
dacht – op het uur nul. Dus riep Ben-Goerion twee mannen bij zich:
Yigael Yadin die operationeel opperbevelhebber van de *Haganah* was,
en Israel Galili die *de facto* opperbevelhebber was. Hun antwoorden
waren praktisch gelijk – en verschrikkelijk. We konden maar van twee
dingen zeker zijn, zeiden ze: De Britten zouden zich terugtrekken en de
Arabieren zouden binnenvallen. En dan? Beiden zwegen. Maar na een
tijdje zei Yadin: 'Het beste dat we u kunnen zeggen is dat we een
"fifty-fifty" kans hebben. We kunnen net zo goed winnen als verliezen.'
En met die opgewekte mededeling voor ogen werd de uiteindelijke
beslissing genomen. Op 14 mei 1948 (het 5de jaar van Iyar 5708 volgens de Hebreeuwse kalender) zou de joodse staat tot stand komen. De
bevolking bestond uit 650.000 zielen en de kans op overleven van de

LOUISE G. BORN

Classical Course; Girls' Club; coln; Pageant.

"Ready to make a day of night, Goddess excellently bright!"

Louise Born

HARRY MARTENS

Science Course; President M. N. Football, '12, '14, '15; Senior P Track, '12, '13; Basket Ball, '12, '14; Cap't. Indoor Baseball, '13

"Has a smile for everybody."

Harry Martens

GOLDIE MABOWEHZ

Elective Course, 3 yrs.; Lincoln So ty; Science Club; Pageant.

"Those about her From her shall read the perfect of honor."

WILLIAM L. KICKHAEFER

Science Course; Lincoln; Gridi Senior Vaudeville, '15; Pageant.

"Frequently seen in public place Social dances, sports and races."

PEARL GILBERT

Commercial Course, 3½ yrs.; Pa ium; Girls' Club.

"The learning ear is always fo close to the speaking tongue."

De eerste van Golda in Milwaukee gemaakte foto

Golda (in het midden) op achttienjarige leeftijd gefotografeerd voor het jaarboek van de Milwaukee Normal School, 1916

Golda en Morris Meyerson
trouwden op 24 december 1917

Aan het werk op de kippenfarm te Merhavia in de jaren twintig

Een foto, genomen voor de Grote Synagoge in Moskou, 1948. Golda Meir is omcirkeld

Golda Meir met David Ben-Goerion; rechts een hoge Israëlische officier en mevrouw Ben-Goerion

Golda, de Israëlische *hora* dansend met studenten van een sociale academie in Afrika

Golda Meir met haar zusters Sheyna (links) en Clara (midden)

Als minister van Buitenlandse Zaken, achter een kinderwagen met een van haar kleinkinderen

Als Israëls premier ontmoet Golda Meir in Washington de Amerikaanse president
Richard Nixon

Links: Golda Meir, onmiddellijk na haar verkiezing tot premier

Golda Meir richt zich tot de Raad van Europa, enige dagen voor het uitbreken van de Jom Kippoeroorlog

Bij de troepen op de Hoogten van Golan na de gevechten in de Jom Kippoeroorlog

De Westduitse kanselier Willy Brandt met Golda Meir in Israël

De aftredende premier Golda Meir en de minister van Defensie Mosje Dajan, met Israëls nieuwe chef staf, brengen een heildronk uit op de staat Israël

start hing er van af of de *jisjoev* het hoofd zou kunnen bieden aan de aanval van vijf Arabische beroepslegers die actief geholpen werden door de één miljoen Arabieren in Palestina.

Volgens het oorspronkelijke plan zou ik die donderdag naar Jeruzalem terugkeren en daar de hele duur van de oorlog blijven. Ik hoef niet te zeggen dat ik heel graag in Tel Aviv wilde blijven, in elk geval lang genoeg om de afkondigingsplechtigheid bij te wonen. De tijd en plaats daarvan werden – behalve voor de ongeveer 200 genodigden – geheim gehouden tot omstreeks een uur voor de gebeurtenis. De hele woensdag hoopte ik dat Ben-Goerion zou toegeven, maar hij was onvermurwbaar. 'Je moet naar Jeruzalem teruggaan', zei hij. Dus was ik donderdag 13 mei weer terug in die kleine Pipercub. De piloot had bevel mij naar Jeruzalem te brengen en meteen terug te keren met Yitzhak Gruenbaum die minister van binnenlandse zaken in het voorlopige kabinet zou worden. Maar zodra we de kustvlakte achter ons hadden gelaten en de heuvels van Juda bereikten, begon de motor griezelig te sputteren. Ik zat naast de piloot, want die kleine vliegtuigjes die we vol liefde primussen noemden, hadden maar twee zitplaatsen. Ik zag dat zelfs deze man erg zenuwachtig werd. Het leek alsof de motor uit het vliegtuig zou wegvallen en ik was niet echt verbaasd toen de piloot verontschuldigend zei: 'Het spijt me erg, maar ik geloof niet dat ik over die heuvels heen kom. Ik moet terug.' Hij wendde het vliegtuigje om, maar de motor bleef vreselijke geluiden produceren en ik zag dat de piloot beneden rondkeek. Ik zei geen woord, maar even later deed de motor weer iets normaler en hij vroeg me: 'Weet u wat er gebeurt?' 'Ja', antwoordde ik. 'Ik zocht naar het beste Arabische dorp waar we konden landen', zei hij. En dat was op 13 mei! Meteen voegde hij eraan toe: 'Ik geloof dat ik de machine in Ben Shemen aan de grond kan zetten.' Op dat ogenblik haalde de motor wat op. 'Nee', zei hij, 'ik geloof dat ik nog wel naar Tel Aviv kan vliegen.'

En op die manier kon ik toch de plechtigheid nog bijwonen en de arme Yitzhak Gruenbaum moest in Jeruzalem blijven en kon de Onafhankelijkheidsverklaring pas na het eerste staakt-het-vuren tekenen.

Op de morgen van 14 mei nam ik deel aan een vergadering van de *Nationale Raad* waar we over de naam van de staat moesten beslissen en over de uiteindelijke formulering van de verklaring. De naam was niet zo'n groot probleem als de verklaring, omdat er op het laatste ogenblik een geredetwist ontstond of er al dan niet aan God moest worden gerefereerd. In feite was dat punt al de vorige dag naar voren gebracht. De allerlaatste zin, zoals die tenslotte aan het kleine subcomité werd voorgelegd dat belast was met de slotversie van de verklaring, begon met de woorden: 'Met vertrouwen in de Rotssteen Israëls zetten we hier onze handtekening ten getuige van deze verklaring.' Ben-Goerion had gehoopt dat de uitdrukking 'Rotssteen Israëls' voldoende tweeledig op te vatten was om die joden voldoening te schenken voor wie het ondenkbaar was dat het document dat de joodse staat grondvestte geen verwijzing naar God zou inhouden, en ook diegenen die vast en zeker hevige bezwaren tegen zelfs de kleinste zinspeling op godsdienst in de verklaring zouden maken.

Maar dat compromis werd niet zo maar aangenomen. De woordvoerder van de religieuze partijen, rabbijn Fishman-Maimon, eiste dat het noemen van God ondubbelzinnig zou geschieden en zei dat hij alleen dan met de 'Rotssteen Israëls' zou instemmen als de woorden 'en diens Verlosser' er aan werden toegevoegd, terwijl Aaron Zisling van de linkervleugel van de Arbeiderspartij even vastbesloten was in tegengestelde richting. 'Ik kan geen document tekenen waarin naar God wordt verwezen in wie ik niet geloof', zei hij. Ben-Goerion had er bijna de hele morgen voor nodig om Maimon en Zisling te overtuigen dat de betekenis van de 'Rotssteen Israëls' in feite tweeledig was: ondanks dat het 'God' betekende voor heel veel joden, waarschijnlijk de meesten, kon het ook als een symbolische en een niet-kerkelijke verwijzing naar de 'kracht van het joodse volk' beschouwd worden. Eindelijk stemde Maimon erin toe dat het woord 'Verlosser' uit de tekst zou worden weggelaten, hoewel – vreemd genoeg – de eerste Engelse vertaling van de verklaring die dezelfde dag nog in het buitenland werd vrijgegeven geen enkele verwijzing naar de 'Rotssteen Israëls' bevatte. De militaire censuur had de hele laatste alinea bij wijze van veiligheidsmaatregel doorgehaald, omdat daar de tijd en plaats van de plechtigheid waren vermeld. Het argument zelf was echter verre van zo maar een argument over terminologie, al was het dan misschien niet zo dat je van een benoemde maar nog niet in functie zijnde premier zou hebben verwacht dat hij daaraan zijn tijd zou besteden slechts een paar uur voor de afkondiging van een nieuwe staat en dan nog wel een die met onmiddellijke invasie werd bedreigd. We waren ons er allen terdege van bewust dat de verklaring niet alleen het formele eind van 2000 jaar joodse omzwervingen betekende, maar dat de tekst ook uitdrukking gaf aan de meest fundamentele principes van de staat Israël. Daarom was elk woord op zichzelf belangrijk. Tussen haakjes: mijn goede vriend Ze'er Sjaref de eerste minister van de staat-in-wording, die de basis voor de regeringsmachinerie had gelegd, vond zelfs nog tijd eraan te denken dat het document dat wij die middag zouden tekenen, onmiddellijk na plechtigheid nog snel naar de kluizen van de 'Anglo-Palestine Bank' moest worden overgebracht zodat het althans voor het nageslacht bewaard zou blijven, zelfs al zouden de staat en wijzelf de tekening ervan niet lang overleven.

Om ongeveer 2 uur n.m. ging ik terug naar mijn hotel aan het strand, waste mijn haar en deed mijn beste zwarte japon aan. Toen ging ik even zitten, gedeeltelijk om enigszins op adem te komen, gedeeltelijk om voor het eerst in de afgelopen twee à drie dagen aan de kinderen te denken. Menachem was toen in Amerika en studeerde aan de Muziekschool van Manhattan. Ik wist dat hij zou terugkomen nu een oorlog onvermijdelijk was en ik vroeg me af wanneer en hoe we elkaar zouden weerzien. Sarah was in Revivim, en hoewel het hemelsbreed niet zo ver weg was, waren we van elkaar afgesneden. Maanden geleden hadden bendes Palestijnse Arabieren en gewapende infiltranten uit Egypte de weg die de Negev met de rest van het land verbond geblokkeerd. Ze waren nog steeds systematisch bezig de meeste pijpleidingen op te blazen of af te snijden, de leidingen die water naar de zevenentwintig joodse nederzettingen brachten waarmee de Negev toen bestrooid was. De *Haganah* had zijn best gedaan het beleg te breken. Ze hadden een niet geplaveide weg geopend die parallel met de hoofdweg liep en daarop slaagden nu en dan konvooien erin voedsel en water naar de omstreeks 1000 settlers in het zuiden te brengen, maar wie wist wat er met Revivim en de andere kleine, slecht bewapende en slecht uitgeruste nederzettingen in de Negev zou gebeuren als er een volledige Egyptische invasie in Israël begon. En het was vrijwel zeker dat die binnen een paar uur zou aanvangen. Sarah en haar Zechariah waren beiden radiotelegrafisten in Revivim en tot dan toe had ik het klaar gespeeld met ze in verbinding te blijven. Maar nu had ik al een paar dagen niets van een van beiden gehoord en ik maakte me ernstige zorgen. Van jongeren als zij, van hun moed en hun geest hing de toekomst van de Negev en daarmee die van heel Israël af en ik sidderde bij de gedachte dat ze de binnenvallende troepen van het Egyptische leger het hoofd zouden moeten bieden.

Ik was zo in gedachten over de kinderen verdiept dat ik nog weet dat ik plotseling opschrok van het geluid van de telefoon die in mijn kamer begon te rinkelen; ik kreeg de boodschap dat een auto op me wachtte om me naar het museum te brengen. Er was besloten dat de plechtigheid in het Tel Aviv Museum op de Rothschild Boulevard zou plaatsvinden, niet omdat het zo'n indrukwekkend gebouw was – dat was het níet – maar omdat het klein genoeg was om zonder te veel moeilijkheden te worden bewaakt. Het was een van de oudste gebouwen van Tel Aviv en was oorspronkelijk eigendom geweest van de eerste burgemeester van de stad die het aan de burgers van Tel Aviv had nagelaten om als kunstmuseum te gebruiken. De totale som van ongeveer 200 dollar was toegewezen om het waardig voor de plechtigheid te versieren; de vloeren waren geschrobd, de naaktschilderijen aan de wanden waren keurig van draperieën voorzien, de ramen waren verduisterd voor geval er een luchtaanval zou plaatsvinden en een groot portret van Theodor Herzl hing achter de tafel waaraan de dertien leden van de voorlopige regering zouden zitten. Hoewel eigenlijk alleen de omstreeks 200 genodigden de details mochten weten, stond er al een grote menigte voor het museum te wachten toen ik daar aankwam.

Een paar minuten later, om precies 4 uur 's middags, begon de plechtigheid. Ben-Goerion, die een donker pak en das droeg, stond op en tikte met de voorzittershamer. Volgens plan was dit het teken voor het orkest dat weggestopt op de galerij van de tweede etage zat, om 'Hatikwa' te spelen. Maar er liep iets fout en er klonk geen muziek. Spontaan stonden we op en zongen ons volkslied. Toen schraapte Ben-Goerion zijn keel en zei rustig: 'Ik zal nu de Onafhankelijkheidsverklaring voorlezen'. Het duurde slechts een kwartier voor hij met het lezen van de hele verklaring gereed was. Hij las hem langzaam en heel duidelijk en ik herinner me dat hij zijn stem enigszins wijzigde en verhief toen hij bij de elfde alinea kwam:

Derhalve zijn wij, de leden van de Nationale raad die het joodse volk in het land Israël en de zionistische beweging vertegenwoordigen, heden op de dag van de beëindiging van het Britse mandaat voor Palestina bijeengekomen en krachtens onze natuurlijke en historische rechten én krachtens de resolutie van de Algemene Vergadering van de Verenigde Naties kondigen wij hierbij de grondvesting van een joodse staat af in het land Israël, de staat Israël.

De staat Israël! De tranen sprongen me in de ogen en mijn handen trilden. We hadden het voor elkaar. We hadden de joodse staat in leven geroepen, en ik, Golda Mabowitz Meyerson, had het mogen beleven die dag mee te maken. Wat er nu ook gebeurde, welke prijs wij er ook voor zouden moeten betalen, we hadden het joods nationaal thuis heropend. De lange verbanning was voorbij. Vanaf deze dag zouden we niet meer in het land van onze voorvaderen geduld worden. We waren nu een natie net als andere naties, voor het eerst sinds twintig eeuwen meesters van ons eigen lot. De droom was waarheid geworden, te laat om degenen die bij de algemene slachting waren omgekomen te redden, maar niet te laat voor de komende generaties. Bijna vijftig jaar geleden, bij de sluiting van het eerste zionistencongres in Bazel, had Theodor Herzl in zijn dagboek geschreven: 'In Bazel heb ik de grondslagen voor de joodse staat gelegd. Als ik dat vandaag zou zeggen, zouden mijn woorden met gelach worden begroet. Maar over vijf jaar, en zeker over vijftig, zal iedereen het zien.' En zo was het gebeurd.

Terwijl Ben-Goerion las, dacht ik weer aan mijn kinderen en de kinderen die zij zouden krijgen, hoe verschillend hun leven van het mijne zou zijn en hoe anders mijn leven al was dan vroeger. En ik dacht aan mijn collega's in het belegerde Jeruzalem, samengestroomd in de kantoren van het Joods Agentschap om ondanks de luchtstoringen naar de plechtigheid via de radio te luisteren terwijl ik door puur toeval in het museum zelf zat. Het scheen me toe dat geen jood ter aarde ooit meer bevoorrecht was dan ik die vrijdagmiddag.

Toen, alsof er een teken was gegeven, stonden we allemaal op, huilden en klapten in onze handen terwijl Ben-Goerion — voor het eerst met brekende stem — las:

De staat Israël zal openstaan voor joodse immigratie en het binnenhalen van bannelingen.

Dit was de kern van de verklaring, de reden voor het bestaan van de staat en het doel van alles. Ik weet nog dat ik hardop snikte toen ik die woorden in die warme, volle, kleine zaal hoorde uitspreken. Maar Ben-Goerion tikte alleen maar even met zijn voorzittershamer om de orde te herstellen en ging door:

Zelfs temidden van de heftige aanvallen die de afgelopen maanden op ons hebben plaatsgevonden, roepen wij de zonen van de Arabische bevolking met woonplaats in Israël op om de vrede te bewaren en hun rol te spelen in het opbouwen van de staat op basis van volledige en gelijke burgerrechten en evenredige vertegenwoordiging in alle instellingen, voorlopig en permanent.
Wij strekken vreedzaam de handen als goede buren uit naar al de om ons liggende staten en hun bevolking, en wij roepen ze op in onderlinge hulpvaardigheid samen te werken met de onafhankelijke joodse natie in het land. De staat Israël is bereid bij te dragen in een gezamenlijke poging tot de vooruitgang van het gehele Midden-Oosten.

Toen hij klaar was met de 979 Hebreeuwse woorden van de verklaring voor te lezen, vroeg hij ons op te staan en 'het geschrift der grondvesting van de joodse staat goed te keuren', en dus stonden wij weer op. Toen gebeurde er iets totaal onverwachts en heel ontroerends. Plotseling stond rabbijn Fishman-Maimon op en sprak met trillende stem het traditionele Hebreeuwse dankgebed uit. 'Gezegend zijt Gij, O God de Heer, Koning van het Heelal, die ons in leven heeft gehouden en gezorgd heeft dat wij voortbestonden tot aan deze dag. Amen.' Het was een gebed dat ik vaak gehoord had, maar het heeft nooit zo'n betekenis voor me gehad als op die dag.

Voordat we in alfabetische volgorde om de beurt naar voren kwamen om de verklaring te tekenen, was er nog een 'zakelijk' punt dat onze aandacht vroeg. Ben-Goerion las de eerste decreten van de nieuwe staat

197

voor. Het Witboek werd ongeldig verklaard, maar om een wettig vacuüm te vermijden werden alle andere mandaatsreglementen tijdelijk geldig verklaard. Daarna begon het tekenen. Toen ik opstond om mijn naam op het geschrift te zetten, zag ik Ada Golomb niet ver van me vandaan staan. Ik wilde naar haar toe, had haar willen omhelzen en zeggen dat ik wist dat Eliahu en Dov daar in mijn plaats hadden moeten zijn, maar ik kon de rij ondertekenaars niet ophouden, dus liep ik regelrecht naar het midden van de tafel waar Ben-Goerion en Sjarett zaten met het geschrift tussen zich in. Het enige dat ik me van het ogenblik van tekenen herinner, is dat ik openlijk huilde en niet in staat was de tranen van mijn gezicht af te vegen. Ik weet nog dat – terwijl Sjarett het document voor me vasthield – een man die David Zwi Pincus heette en die tot de religieuze *Mizrachi* Partij behoorde, naar me toekwam en poogde me te kalmeren. 'Waarom huil je zo erg, Golda?' vroeg hij me. 'Omdat mijn hart breekt als ik aan al degenen denk die vandaag hier hadden moeten zijn en er niet meer zijn', antwoordde ik, maar ik kon nog steeds mijn tranen niet bedwingen.

Op 14 mei tekenden slechts vijfentwintig leden van de Nationale Raad de verklaring. Elf anderen waren in Jeruzalem en één was in Amerika. De laatste die tekende was Mosje Sjarett. Hij zag er heel zelfverzekerd en kalm uit vergeleken met mij – alsof hij een gewone routinehandeling verrichtte. Later, toen we eens over die dag praatten, vertelde hij me dat hij bij het neerschrijven van zijn naam op het geschrift zich voelde alsof hij op een rots stond terwijl er een storm om hem heen woedde terwijl hij zich nergens aan kon vasthouden behalve aan zijn eigen vaste wil om niet in de brullende zee beneden te worden geblazen, maar daar was op dat ogenblik niets van te zien.

Nadat het Palestijnse Philharmonisch Orkest 'Hatikwa' had gespeeld, tikte Ben-Goerion voor de derde keer met zijn voorzittershamer op tafel: 'De staat Israël is gegrondvest. Deze vergadering is ten einde.' We gaven elkaar de hand en omhelsden elkaar. De plechtigheid was voorbij. Israël was werkelijkheid.

Niet onverwacht heerste er die avond onzekerheid. Ik bleef in het hotel en praatte met vrienden. Iemand maakte een fles wijn open en we stelden een toost op de staat in. Een paar gasten en hun jeugdige *Haganah* escortes zongen en dansten – en we hoorden mensen op straat lachen en zingen. Maar we wisten dat om middernacht het mandaat afgelopen zou zijn, de Britse hoge commissaris zou vertrekken, de laatste Britse soldaten zouden Palestina verlaten en we waren er van overtuigd dat de Arabische legers over de grenzen van de staat zouden marcheren die we net hadden ingesteld. Nu waren we onafhankelijk, maar over een paar uur zouden we in oorlog zijn. Ik was niet alleen niet vrolijk, ik was ook erg bang; en met reden. Toch is er een groot verschil tussen bang zijn en geen vertrouwen hebben, en, hoewel de hele joodse bevolking van de herboren staat maar 650.000 mensen omvatte, wist ik die avond zeker dat we ons hadden ingegraven en dat niemand in staat zou zijn ons ooit weer uiteen te jagen of te verdringen.

Maar ik geloof dat ik pas de volgende dag werkelijk begreep wat er in het Tel Aviv Museum was gebeurd. Drie verschillende maar wel nauw met elkaar verbonden voorvallen brachten me de waarheid bij en ik begreep, misschien voor het eerst, dat nooit meer iets hetzelfde zou zijn. Niet voor mij, niet voor het joodse volk, niet voor het Midden-Oosten. Om te beginnen zag ik die zaterdag vlak voor zonsopgang door de ramen van mijn kamer hetgeen het formele begin van de Onafhankelijkheidsoorlog kan worden genoemd: vier Egyptische Spitfires vlogen dwars over de stad heen, op weg om het krachtstation en de luchthaven van Tel Aviv te gaan bombarderen; het was de eerste luchtaanval van de oorlog. Toen, even later, zag ik hoe de eerste scheepslading joodse immigranten – niet meer 'illegaal' – de haven van Tel Aviv binnenkwam, openlijk en trots. Niemand maakte meer jacht op ze, of verjoeg ze, of strafte ze omdat ze naar hun eigen land kwamen. De schandelijke tijd van de 'certificaten' en het gereken met mensen was voorbij. Ik stond daar in de zon, mijn ogen op dat schip gevestigd, een oud Grieks schip dat s.s. *Teti* heette, en ik voelde dat geen prijs die ons voor deze gift gevraagd zou worden te hoog kon zijn. De eerste legale immigrant die in de staat Israël aan land ging was een vermoeide, slordige, oude man die Samuel Brand heette en die Buchenwald overleefd had. In zijn hand hield hij een verkreukeld stukje papier geklemd. Daar stond alleen op: 'Hierbij wordt het recht verstrekt zich in Israël te vestigen', maar het was door de 'Immigratie-afdeling' van de staat getekend en het was het eerste visum dat we ooit verstrekten.

En daarna was er natuurlijk het heerlijke ogenblik van onze formele toetreding tot de familie der volkeren. Een paar minuten na middernacht in de nacht van 14 mei rinkelde mijn telefoon. Hij was de hele avond al gegaan en terwijl ik er hard naar toeliep om hem op te nemen, vroeg ik me af wat voor slechte berichten ik nu weer zou horen. Maar de stem aan de andere kant van de lijn klonk juichend. 'Golda? Luister je? Truman heeft ons erkend!' Ik weet niet meer wat ik zei of deed, maar ik herinner me wel hoe ik me voelde. Het leek een wonder en kwam op een tijdstip dat we zo vreselijk kwetsbaar waren, aan de vooravond van de invasie, en ik was dolblij van vreugde en opluchting. In zekere zin – hoewel heel Israël zich verheugde en dankbaar was – geloof ik dat hetgeen president Truman die nacht deed voor mij misschien meer betekend heeft dan voor mijn meeste collega's, omdat ik de

'Amerikaanse' onder ons allen was, degene die het meest van Amerika af wist, van zijn geschiedenis, van zijn volk, de enige die in die grote democratie was opgegroeid. En al was ik even verbaasd als alle anderen over de snelheid van deze erkenning, dan was ik toch niet verrast door de edelmoedige en goede opwelling die de erkenning had veroorzaakt. Nu terugblikkend denk ik dat, evenals met de meeste wonderen, dit vermoedelijk door twee heel gewone dingen tot stand kwam: het feit dat Harry Truman onze drang naar onafhankelijkheid respecteerde omdat hij het soort man was die zelf een van ons had kunnen zijn – onder andere omstandigheden – en door de diepe indruk die Chaim Weizmann op hem gemaakt had. Truman had hem in Washington ontvangen toen Dr Weizmann daar onze zaak ging bepleiten en uitleggen op een manier zoals nog nooit in het Witte Huis was gebeurd. Weizmanns werk was van onschatbare waarde geweest. De Amerikaanse erkenning was het heerlijkste dat ons die nacht had kunnen overkomen.

Wat de Sovjet erkenning van Israël betreft die na de erkenning door Amerika volgde, daaraan lagen andere redenen ten grondslag. Volgens mij bestaat er geen enkele twijfel aan dat de belangrijkste overweging van de Sovjets was de Engelsen uit het Midden-Oosten te krijgen. Maar tijdens alle debatten die in de herfst van 1947 in de Verenigde Naties hadden plaatsgevonden, had het geleken alsof het Sovjet blok ons steunde omdat de Russen zelf zo'n vreselijke tol aan mensenlevens in de wereldoorlog hadden betaald, dat ze daarom diep met de joden meevoelden. Zij hadden ook zwaar onder de nazi's geleden en verdienden nu een eigen staat te hebben. Hoe radicaal de Sovjet houding in de tussenliggende vijfentwintig jaar ook veranderd is, ik kan toch het beeld zoals ik het toen zag, niet anders bekijken. Als we toen geen wapens en munitie in Tsjechoslowakije hadden kunnen kopen en in die donkere dagen van het begin van de oorlog door Joegoslavië en andere Balkaneilanden hadden kunnen vervoeren, dan weet ik niet of we het werkelijk hadden kunnen volhouden totdat het getij keerde, zoals dat in juni 1948 gebeurde. In de eerste zes weken van de Onafhankelijkheidsoorlog steunden we in hoofdzaak (hoewel natuurlijk niet helemaal) op de granaten, mitrailleurs, geweren, kogels en zelfs vliegtuigen die de *Haganah* in Oost-Europa had kunnen kopen in een tijd waarin zelfs Amerika een embargo op de verkoop en het vervoer van wapens naar het Midden-Oosten had gelegd. Je moet nooit trachten het verleden uit te wissen omdat het niet bij het heden past, en het feit blijft bestaan dat die 18de mei de erkenning van de staat Israël door de Sovjet-Unie voor ons van enorm grote betekenis was, hoewel ze zich naderhand fel tegen ons zouden keren. Het betekende dat de twee grootste mogendheden in de wereld het samen eens waren, voor het eerst sinds de Tweede Wereldoorlog, en dat ze beiden achter de joodse staat stonden en al verkeerden we dan nog steeds in levensgevaar, we wisten eindelijk dat we niet alleen stonden. Door die wetenschap, gecombineerd met de harde noodzaak, vonden we de geestelijke, zo niet de materiële kracht die ons naar de overwinning zou leiden.

En nu ik het toch over erkenningen heb, wil ik hier even voor de annalen aanhalen dat de tweede staat die aanbood Israël op zijn geboortedag te erkennen het kleine Guatemala was. De ambassadeur daarvan bij de Verenigde Naties, Jorge Garcia Granados, was een van de meest actieve leden van UNSCOP geweest.

We waren nu dus een erkend feit. De enige kwestie die nog open bleef — en ongelooflijk genoeg tot nu toe nog open is gebleven — was hoe we in leven zouden blijven. Niet 'als', maar 'hoe'. Op de morgen van de 15de mei werd Israël al gewapenderhand door de Egyptenaren vanuit het zuiden aangevallen, door de Syriërs en Libanezen vanuit het noorden en noordoosten, door de Jordaniërs en de Irakiërs vanuit het oosten. Op papier leek het dat — hoe zwak ze ook waren — er toch wel enige grond voor de Arabische snoeverijen was dat Israël binnen tien dagen verpletterd zou zijn.

Het meest meedogenloze oprukken was dat van de Egyptenaren, hoewel zij van alle binnenvallende legers toch het minst te winnen hadden. Abdoellah had een reden. Het was geen goede, maar hij had er een en hij kon hem zelfs omschrijven: hij wilde het hele land hebben en vooral Jeruzalem. Libanon en Syrië hadden ook een reden: zij hoopten samen Galilea te kunnen verdelen. Irak wilde deelnemen aan het bloedvergieten en als bijkomstigheid een uitgang naar de Middellandse Zee verkrijgen, indien nodig door Jordanië heen. Maar Egypte had geen werkelijk oorlogsdoel, behalve te plunderen en te vernietigen wat de joden hadden opgebouwd. Eigenlijk ben ik er steeds verbaasd over geweest dat de Arabische staten altijd zo graag oorlog met ons voeren. Vrijwel vanaf het prille begin van de zionistische vestigingen tot nu toe, worden ze verteerd door haat jegens ons. De enige mogelijke uitleg — en het is eigenlijk een belachelijke — is dat ze onze aanwezigheid niet kunnen verdragen en ons niet kunnen vergeven dat we bestaan. Maar ik kan moeilijk geloven dat de leiders van álle Arabische staten zo hopeloos primitief dachten en denken.

Aan de andere kant, wat hebben wij ooit gedaan om de Arabische staten te bedreigen? Goed, we stonden niet meteen klaar om ze het grondgebied terug te geven dat we in oorlogen gewonnen hebben die zij begonnen waren, maar tenslotte ging het bij de Arabische agressie nooit om grondgebied, en in 1948 dreef de jacht naar land zeker niet de Egyptenaren noordwaarts in de hoop Tel Aviv en joods Jeruzalem te bereiken en te vernietigen. Maar wat was het dan? Een overweldigende, redeloze drang om ons fysiek uit te roeien? Angst om de vooruitgang die wij misschien in het Midden-Oosten zouden brengen? Een afkeer van de westerse beschaving? Wie weet? Wat het ook was, het bestaat nóg — net als wij, overigens — en de oplossing zal waarschijnlijk nog in geen jaren gevonden worden, al twijfel ik er niet aan dat de tijd zal komen dat de Arabische staten ons zullen accepteren zoals we zijn en om wat we zijn. Kortom: vrede is totaal afhankelijk van maar één ding en is dat ook altijd geweest: de Arabische leiders moeten berusten in onze aanwezigheid hier.

Maar in 1948 was het begrijpelijk dat de Arabische staten, die toch al neiging hadden zich chronisch door hersenschimmen te laten beheersen, dachten in een paar dagen heen te hollen door wat toen Israël was. Om te beginnen waren zij de oorlog begonnen en dat gaf ze een grote tactische voorsprong. Ten tweede konden ze gemakkelijk, vrijwel zonder moeite, over land Palestina bereiken waar de Arabische bevolking al jaren tegen de joden was opgehitst. Ten derde konden de Arabieren zich zonder enige moeilijkheid van het ene deel van het land naar het andere bewegen. Ten vierde hadden de Arabieren de meeste heuvelachtige streken van Palestina in bezit van waaruit onze laag gelegen nederzettingen zonder veel moeite bestookt konden worden. En tenslotte hadden de Arabieren een absolute meerderheid in mankracht en wapens, en ze hadden enorme hulp van de Britten ondervonden, zowel direct als indirect.

En wat hadden wij? Niet veel op elk gebied — en zelfs dat is overdreven. Een paar duizend geweren, een paar honderd mitrailleurs, een assortiment andere vuurwapens, maar op 14 mei 1948 hadden we geen enkel kanon of tank, hoewel we wel totaal negen vliegtuigen hadden en het was toch niet erg dat maar één ervan tweemotorig was! De machinerie om wapens te maken was in het buitenland aangekocht, dank zij Ben-Goerions fantastische vooruitziendheid, maar die kon Israël niet binnengebracht worden voordat de Britten weg waren. Daarna moest alles nog geassembleerd worden en aanlopen. De situatie wat getrainde mankracht betreft was ook weinig indrukwekkend zover het statistiek betreft. De *Haganah* omvatte ongeveer 45.000 mannen, vrouwen en tieners; er waren een paar duizend leden bij de twee afgescheiden ondergrondse organisaties, de I.Z.L. en de Sterngroep, en in de gevangenkampen in Duitsland en Cyprus hadden enkele honderden van de onlangs in het land aangekomen vluchtelingen enige training gekregen, met houten geweren en namaakkogels. Verder waren daar na de onafhankelijkheid nog een paar duizend vrijwilligers uit het buitenland bijgekomen, joden en niet-joden. Dat was alles. Maar we konden ons ook niet de luxe veroorloven pessimistisch te zijn, dus maakten we een heel andere berekening gebaseerd op het feit dat alle 650.000 inwoners van Israël hogere motieven om in leven te blijven had dan iemand daarbuiten zou kunnen begrijpen en de enige keus die ons bleef — wilden we niet in zee gedreven worden — was de oorlog te winnen. Dus wonnen we die. Maar het ging niet gemakkelijk, niet snel en we moesten een hoge prijs betalen. Vanaf de dag, 29 november 1947, dat de resolutie van de Verenigde Naties om Palestina te verdelen was aangenomen tot aan de dag dat de eerste wapenstilstandsovereenkomst door Israël en Egypte werd getekend, 24 februari 1949, werden er 6000 jonge Israëli's gedood, één percent van de totale bevolking. En ondanks het feit dat we het toen nog niet wisten, hadden we met al die levens toch nog geen vrede gekocht.

Het viel me moeilijker dan ik zeggen kan om Israël te moeten verlaten zodra de staat was gegrondvest. Mijn laatste wens was om op dat ogenblik naar het buitenland te gaan, maar op zondag 16 mei kwam er een telegram van Henry Montor, de vice-president van het Verenigd Joods Appel: het Amerikaanse jodendom was diep ontroerd door wat er had plaatsgevonden. Hun opwinding en trots ging alle perken te buiten. Als ik nu terugkwam, zelfs al was het maar voor korte tijd, dan dacht hij dat we 50 miljoen dollar meer bij elkaar zouden kunnen krijgen. Niemand wist beter dan ik wat die som geld voor Israël zou betekenen, hoe wanhopig we de wapens nodig hadden die we daarmee konden kopen, of hoeveel het zou kosten om de 30.000 joden die nog in Cyprus zaten opgesloten en zo lang hadden gewacht om naar Israël te komen, te vervoeren en op te nemen. Het hart zonk me in de schoenen bij de gedachte dat ik me van mijn land zou moeten losscheuren, maar ik had werkelijk geen enkele keus. Na de zaak met Ben-Goerion besproken te hebben, telegrafeerde ik terug dat ik met het eerstvolgende vliegtuig zou vertrekken. Gelukkig hoefde ik niet veel voorbereidingen voor die tocht te treffen. Al mijn kleren — en zoveel had ik er niet — waren in Jeruzalem, en dat was even onbereikbaar als de maan. Het enige dat ik moest inpakken was een haarborstel, een tandenborstel en een schone blouse. Maar toen ik in New York aankwam, ontdekte ik dat de sluier die ik naar Amman had gedragen nog in mijn koffer zat! Ik kon net nog even met Sarah spreken en haar zeggen dat ik hoogstens over een maand zou terug zijn. Toen kreeg ik een haastig geproduceerd *laissez-passer* en dat was in feite het eerste reisdocument dat aan een burger van de staat Israël werd uitgereikt. Vervolgens vertrok ik met het allereerste vliegtuig dat beschikbaar was.

In Amerika werd ik begroet alsof ik de personificatie van Israël was. Steeds opnieuw moest ik het verhaal van de Onafhankelijkheidsverklaring vertellen, van het begin van de oorlog, van de maar voortdurende belegering van Jeruzalem en steeds opnieuw verzekerde ik de Amerikaanse joden dat met hun hulp Israël zou zegevieren. Ik sprak in Amerika in de ene stad na de andere, op lunches van joodse verenigingen, bij diners en theegezelschappen, zelfs op avondjes bij mensen thuis. En als ik me al eens moe voelde hetgeen vrij vaak gebeurde, dan hoefde ik me alleen maar voor te houden dat ik nu als de afgezante van een joodse staat sprak en mijn vermoeidheid verdween als sneeuw voor de zon. Het duurde zelfs een paar weken voor ik aan de klank van het woord 'Israël' gewend was en aan het feit dat ik nu een andere nationaliteit had, maar het doel van mijn reis was totaal niet sentimenteel. Ik was gekomen om geld bijeen te brengen, zoveel als mogelijk en zo snel als mogelijk, en mijn boodschap was in mei net zo duidelijk als die in december geweest was. De staat Israël kon alleen door toejuichingen niet in leven blijven, zei ik tegen de joden overal in Amerika. De oorlog kon niet met toespraken en verklaringen, of zelfs met vreugdetranen, gewonnen worden. De tijd was de belangrijkste factor, of er zou niets meer zijn om toe te juichen.

'We kunnen zonder uw hulp niet voortgaan', zei ik tijdens die tientallen openbare en particuliere bijeenkomsten. 'Wij vragen van u een deel van onze verantwoordelijkheden op u te nemen met alles dat zoiets inhoudt: moeilijkheden, problemen, ontberingen en vreugde. Hetgeen thans in de joodse wereld gebeurt is immers zo belangrijk dat ook u uw manier van leven een jaar, of misschien twee of drie jaar, kunt veranderen totdat we samen Israël weer op de been hebben. Kom tot een besluit en geef me uw antwoord!'

Ze antwoordden me met weergaloze gulheid en spoed, met heel hun hart en ziel. Niets was te veel of te goed, en door hun reactie bevestigden ze weer eens hun gevoel van saamhorigheid met ons zoals ik had gehoopt dat ze zouden doen. Al was er dan nog geen speciale inzameling voor Israël en al ging er minder dan 50% van de totale $ 150 miljoen die in 1948 door het Verenigd Joods Appel bijeengebracht werd regelrecht naar Israël (de rest werd aan het Verenigd Distributie Comité afgedragen voor hulp aan de joden in Europese landen), die 50% heeft ons ongetwijfeld geholpen om de oorlog te winnen. De reactie maakte ons ook duidelijk dat de betrokkenheid van het Amerikaanse jodendom een factor was waar wij op konden rekenen.

Terwijl ik rondreisde, ontmoette ik vele mensen die later zelf woordvoerders voor de staat zouden worden, mannen die vóór 1948 niet nauw betrokken waren geweest bij de zionistische pogingen, maar die nu opgewekt waren om Israël tot hun levenswerk te maken en die mijn trouwe bondgenoten zouden worden bij het oprichten van de Obligatieorganisatie voor Israël in 1950. Als ik in het verleden naar Amerika kwam, was het altijd met opdrachten van de *Histadroet* geweest en dan had ik de meeste tijd met de zionistische arbeidersbeweging doorgebracht. Maar in 1948 ontmoette ik een heel ander slag Amerikaanse joden, welgestelde en uiterst efficiënte mensen vol toewijding aan de zaak. In de eerste plaats was er natuurlijk Montor zelf, bruusk, begaafd en vol belangstelling voor Israël, een slavendrijver die zichzelf zowel als anderen genadeloos voortdreef bij zijn pogingen om steeds grotere sommen geld bijeen te brengen. Maar er waren ook zakenlieden, nuchtere en ervaren industriëlen zoals Bill Rosenwald, Sam Rothberg, Lou Boyar en Harold Goldenberg, om er maar een paar te noemen. En op die in vliegende haast uitgevoerde rondreis vond ik toch nog tijd om snel besprekingen met ze te voeren over de mogelijkheid van de verkoop van obligaties voor Israël en een beroep om de liefdadigheid te doen.

Maar de hele tijd wachtte ik vol verlangen op het ogenblik dat ik weer naar huis kon gaan, hoewel ik al wist dat het zo juist geschapen ministerie van buitenlandse zaken, en vooral de nieuwe minister van buitenlandse zaken, Mosje Sjarett, andere plannen met me had. De dag voor ik naar Amerika vertrok hadden Sjarett en ik een bespreking in mijn hotel gehad en hij had met me gesproken over de problemen van het bezetten van de ambassades en consulaten die Israël in die landen zou moeten openen die ons al erkend hadden of dat waarschijnlijk binnen een paar weken zouden doen.

'Ik heb niemand voor Moskou', zei hij heel bezorgd. 'Nou, Goddank dat je mij dat niet kunt aanbieden', antwoordde ik. 'Mijn Russisch is minder dan niets.' 'Dat doet er eigenlijk niet toe', vond hij en ik maakte me er verder met een grapje af. Hij ging er niet op door en al moest ik nu en dan aan dat gesprek denken als ik in Amerika van de ene plaats naar de andere vloog, toch hoopte ik vurig dat Sjarett zelf alles al vergeten had. Maar op een dag kwam er een telegram uit Tel Aviv. Ik keek even naar de ondertekening voor ik de tekst las om zeker te weten dat het niet over Sarah of Menachem ging. Hij was toen bij zijn Brigade en bij de gevechten betrokken. Maar toen ik de naam 'Mosje' zag staan, wist ik dat het om Moskou ging en ik moest me vermannen om het bericht te lezen. De staat was nog geen maand oud. De oorlog was niet voorbij. De kinderen waren nog niet in veiligheid. Ik had familie en dierbare vrienden in Israël en het leek me bijzonder oneerlijk om me al zo gauw weer te vragen mijn koffers te pakken en naar zo'n verafgelegen en in wezen onbekende post te vertrekken. 'Waarom moet het altijd mij treffen?' dacht ik in een opwelling van zelfbeklag. Er zijn genoeg mensen die dat werk net zo goed en zelfs beter kunnen doen. En dan nog wel Rusland, het land dat ik als kind verlaten had en waar ik geen enkele prettige herinnering aan had. In Amerika deed ik tenminste iets werkelijks, iets concreets en praktisch, maar wat wist ik van diplomatie af en wat gaf ik daarom? Ik vond dat van al mijn kameraden ik toch het minst voor het diplomatieke leven geschikt was. Maar ik wist ook dat Sjarett de goedkeuring van Ben-Goerion voor deze benoeming moest hebben verkregen en het was niet erg waarschijnlijk dat Ben-Goerion voor enige persoonlijke overwegingen zou zwichten. En dan bestond er nog zoiets als discipline. Wie was ik dat ik zou kunnen weigeren gehoorzaam te zijn of zelfs maar te protesteren op een tijdstip dat er elke dag opnieuw slachtoffers vielen? Plicht was plicht en die had niets met rechtvaardigheid te maken. Wat kwam het er op aan dat ik zo graag in Israël wilde zijn? Andere mensen wilden graag dat hun kinderen weer in leven of gezond zouden zijn. Na nog een paar telegrammen en telefoongesprekken beantwoordde ik het telegram van Sjarett, niet erg enthousiast maar wel bevestigend. 'Als ik in Israël terug ben, zal ik proberen Mosje en Ben-Goerion ervan te overtuigen dat ze een vergissing begaan hebben', beloofde ik mezelf. Maar aan het eind van de eerste week van juni werd mijn aanstelling als gezant van Israël in Moskou bekend gemaakt.

Ik nam een dag vrij om oude vrienden in New York op te zoeken en afscheid van nieuwe vrienden te nemen. Ik was vastbesloten Fanny en Jacob Goodman te bezoeken voor ik vertrok. De kinderen noch ik hadden ooit het contact met hen verloren en ik dacht dat het me zou opvrolijken om een paar uur bij ze te zijn om ze alles van Sarah en Zechariah te vertellen en van Sheyna's kinderen die ze zo lang niet meer gezien hadden. Maar ik bereikte hun huis zelfs niet meer. Op weg naar Brooklyn reed een auto mijn taxi aan en toen ik weer bijkwam had ik een gecompliceerde beenbreuk en mijn been zat helemaal in het gips; de eerstkomende weken was mijn adres niet Moskou of Tel Aviv maar het New Yorks ziekenhuis voor gewrichtsziekten! Nu ik aan die tijd en aan mijn stemming toen terugdenk, geloof ik dat niets (met inbegrip van die zalige aderontsteking en trombose die ik kreeg) me in het ziekenhuis had kunnen houden als op 11 juni de gevechten in Israël niet tijdelijk beëindigd waren.

Tegen 11 juni was aan de vorderingen van de Arabische invasie een halt toegeroepen. De Egyptische pogingen om Tel Aviv en Jeruzalem te veroveren hadden gefaald, al beschoten de Jordaniërs Jeruzalem nog steeds van het oosten en noorden uit, en de joodse wijk was in handen van Abdoellahs Arabisch Legioen gevallen. En al waren de Syriërs bij hun oprukken in het noorden tegengehouden, toch hadden ze nog een bruggehoofd bij de Jordaan, en de Irakiërs lagen nog steeds tegenover het smalste deel van het land in Samaria. De Verenigde Naties had wekenlang geprobeerd een wapenstilstand tot stand te brengen, maar zo

206

lang ze nog enige hoop hadden Israël te verslaan, waren de Arabieren totaal niet geïnteresseerd. Maar zodra het hun zowel als ons duidelijk werd dat dit niet zou gebeuren, stemden ze toe in een staakt-het-vuren – de eerste wapenstilstand die achtentwintig dagen zou duren en ons een kans gaf om wat tot rust te komen, ons opnieuw te verzamelen en plannen te maken voor de grote offensieven die in juli de laatste bedreigingen voor Tel Aviv en de kustvlakte wegruimden, het beleg van Jeruzalem ophieven en de belangrijkste Arabische bases in Galilea vernietigden.

In theorie – pijn of niet – had ik in het ziekenhuis enigszins kunnen bekomen, fysiek en psychisch, maar in feite lag ik daar de hele tijd onder grote druk. Om te beginnen waren er al die televisiecamera's en journalisten. In 1948 was een vrouwelijke gezant in Moskou in elk geval al een nieuwigheid, maar een gezant in Moskou die het kleine door oorlog verscheurde Israël vertegenwoordigde en die nu buiten gevecht gesteld in een New Yorks ziekenhuis lag, dat was een enorm buitenkansje. Misschien had ik wel kunnen weigeren om geïnterviewd te worden en tegenwoordig zou ik dat onder die omstandigheden ook vast en zeker gedaan hebben. Maar toen dacht ik dat het Israël ten goede zou komen als we veel publiciteit kregen en ik had het gevoel dat ik geen enkel verzoek van de pers mocht afslaan, al waren verschillende familieleden, vooral Clara, ontzet over het circus dat zich daar in mijn kamer afspeelde.

Maar veel erger was de druk waaraan ik was blootgesteld om naar Moskou te gaan. Ik werd letterlijk met telegrammen uit Israël gebombardeerd. 'Wanneer kan je uit New York vertrekken?' 'Wanneer kan je die post betrekken?' 'Hoe gaat het met je?' In Israël hadden geruchten de ronde gedaan dat het om een 'diplomatieke' ziekte ging en dat ik niets had behalve dat ik niet naar Rusland wilde gaan. En alsof deze afschuwelijke fluistercampagne nog niet genoeg was, waren er ook aanwijzingen dat de Sovjet regering zelf beledigd was door mijn verondersteld 'simuleren'. Het was in feite een tactiek met het doel om de uitwisseling van gezanten te vertragen zodat de Amerikaanse gezant eerst in Israël zou arriveren en dus hoofd van het 'corps diplomatique' worden. En dit alles móest ik wel heel ernstig opvatten, ongeacht mijn gezondheidstoestand. Ik kon niets anders doen dan mijn dokters het leven zuur maken door om toestemming te zeuren om het ziekenhuis te mogen verlaten. Ik hoef niet te zeggen dat dit helemaal verkeerd was. Ik had in New York moeten blijven totdat ik geheel en al hersteld was. Ons ministerie van buitenlandse zaken en ook het ministerie van buitenlandse zaken van de Sovjet Unie zouden het ook zonder mij nog wel een paar weken hebben kunnen stellen, en ik had mezelf heel wat ellende en minstens één latere operatie bespaard. Maar een van de nadelen van een openbaar ambt is dat je geneigd bent in sommige opzichten je gevoel voor verhoudingen uit het oog te verliezen en ik was ervan overtuigd dat er een of andere vreselijke crisis zou ontstaan als ik niet zo gauw mogelijk in Moskou verscheen.

Bij terugkeer in Israël deed ik nog een poging om Sjarett te vermurwen, maar het was toen al geen erg overtuigde poging meer. Op een dag hoorde ik een interessant verhaal dat me erg goed deed: Ehud Avriel, een van de *Haganah* mannen die het meest gedaan hadden om wapens voor ons in Tsjechoslowakije te bemachtigen en die later Israëls eerste gezant in Praag werd, was door de Sovjet ambassadeur daar voor een bespreking uitgenodigd. In de loop van het gesprek zei de Sovjet ambassadeur tegen Avriel: 'Ik neem aan dat jullie mensen aan het uitkijken zijn naar iemand om naar Moskou te sturen. Denk niet dat het iemand moet zijn die vloeiend Russisch kan spreken of die een deskundige is op het gebied van het Marxisme of het Leninisme. Geen van beide is belangrijk.' En, even later, of hij net op de gedachte kwam, zei hij tegen Avriel: 'Tussen haakjes, wat gebeurt er met mevrouw Meyerson? Blijft ze verder in Israël of heeft ze andere plannen? Hieruit maakten mijn vrienden – en ook Sjarett – op dat de Russen op hun manier min of meer om me gevraagd hadden en ik begon anders over het naar Rusland gaan te denken.

Ook was een van de weinige prettige dingen die me in het ziekenhuis overkomen waren geweest dat ik op een morgen een telegram uit Tel Aviv kreeg: 'Heb je er enig bezwaar tegen als Sarah en Zechariah als radiotelegrafisten bij de ambassade in Moskou benoemd worden?' Ik was erg ontroerd en dankbaar. Het was bijna waard uit Israël verbannen te worden als ik Sarah en Zechariah bij me in Rusland kreeg. Een van de eerste dingen die ik deed toen ik in Tel Aviv terugkwam, was Sheyna vragen of Sarah en Zechariah in het huisje konden trouwen dat zij en Shamai jaren geleden hadden gekocht. We besloten dat het een echt familiehuwelijk zou worden met maar weinig andere gasten. In 1946 was mijn vader gestorven, ook een van degenen die mij dierbaar waren en die niet de geboorte van de staat Israël had mogen beleven. Mijn moeder, de arme ziel, was al een paar jaar uitgeschakeld, haar geheugen had haar in de steek gelaten, ze kon heel slecht zien, van haar persoonlijkheid was niet veel meer te merken en er was nog maar weinig van de kritische, energieke, heetgebakerde vrouw over die ze eens was geweest. Maar daar was Morris, even vriendelijk als altijd en stralend van trots, net als de ouders van Zechariah. Zijn vader was uit Jemen naar Palestina gekomen toen de Turken daar nog heer en meester waren. Hij was heel arm, heel godsdienstig en niet erg opgevoed, maar hij kende de *Torah*.

Toch had hij een goed en liefdevol gezin gesticht, al deed Zechariah zelf nu niets meer aan de zeden en gewoonten van Jemen.

Ik nam weer een kamer in het hotel aan het strand. Sarah vloog van Revivim naar Tel Aviv en trok een paar dagen bij mij in. En Zechariah die erg ziek was geweest en wekenlang in een ziekenhuis in Tel Aviv had gelegen, werd eindelijk ontslagen. Van onze eigen familie ontbraken alleen Clara en Menachem bij het huwelijk in Sheyna's tuin. Ik moest er steeds weer aan denken hoe anders mijn eigen huwelijk was geweest, onder welke andere omstandigheden dat had plaatsgevonden en hoe anders Morris en ik ons leven samen waren begonnen. Het had geen zin me nu af te vragen wiens schuld het was, of waarom ons huwelijk gefaald had, maar ik had het gevoel, en terecht naar later bleek, dat Sarah en Zechariah — al waren ze even oud als wij toen wij onder het bruidsbaldakijn stonden, daar in Milwaukee — volwassener waren en beter bij elkaar pasten en dat zij zouden slagen waar Morris en ik gefaald hadden.

Tussen het gehol van de ene partijbijeenkomst naar de andere en het ontvangen van instructies voor de Sovjet Unie en het plannen maken voor ons vertrek in, concentreerde ik me op gedachten over de soort vertegenwoordiging die Israël in de Sovjet Unie zou moeten hebben. Hoe wilden wij onszelf in het buitenland vertonen? Wat wilden we dat de wereld in het algemeen en de Sovjet Unie in het bijzonder van ons dacht? Wat voor staat waren we aan het opbouwen en hoe konden we daar het best een afspiegeling van zijn? Hoe meer ik erover nadacht, hoe minder ik vond dat onze gezantschappen die van andere landen moesten nabootsen. Israël was klein, arm en nog in oorlog. Onze regering was nog maar een voorlopige (de eerste verkiezingen voor de Knesset vonden pas in januari 1949 plaats), maar het merendeel van de leden zou ongetwijfeld de arbeidersbeweging vertegenwoordigen. Ik was ervan overtuigd dat het gezicht dat wij de wereld lieten zien, geen make-up nodig had. We hadden een pioniersstaat gesticht in een volkomen belegerd land zonder bodemschatten of andere rijkdommen, een staat waar honderdduizenden vluchtelingen heenstroomden, die zelf niets hadden, in de hoop daar een nieuw bestaan op te bouwen. Als we door andere landen begrepen en gerespecteerd wensten te worden, dan zouden we ons in het buitenland niet anders dan thuis moeten voordoen. Verkwistende feesten, grootse behuizingen, in het oog lopende verteringen — dat was alles niets voor ons. Soberheid, bescheidenheid en een gevoel van eigenwaarde met een doel voor ogen, dat was wat we aan te bieden hadden en al het andere zou vals zijn.

Er zat steeds iets in mijn achterhoofd toen ik hierover nadacht en op een dag wist ik opeens wat het was. Het gezantschap in Moskou kon in de meest typerende Israëlische stijl gedreven worden die ik kende: als een kibboets. We zouden samen werken, samen eten, allemaal gelijke bedragen aan zakgeld krijgen en om beurten corvée doen. Net als in Merhavia en Revivim zou iedereen dat doen waar hij voor opgeleid was en waar hij volgens ons ministerie van buitenlandse zaken geschikt voor was, maar de geest van de legatie, de sfeer zou die van een collectieve nederzetting zijn. Ik dacht dat dit — afgezien van alle andere overwegingen — vooral de Russen bijzonder zou aantrekken, al was hun eigen soort collectivisme dan niet zo geslaagd. We zouden totaal met zesentwintig mensen zijn, met inbegrip van Sarah, Zechariah en ikzelf, de gezantschapsraad Mordechai Namir, een weduwnaar die zijn vijftienjarige dochtertje, Yael, zou meebrengen. Naderhand zou Namir ambassadeur van Israël in de Sovjet Unie worden, daarna werd hij minister van arbeidszaken en vervolgens was hij tien jaar lang burgemeester van Tel Aviv. Als mijn persoonlijke assistente koos ik een allercharmantste vrouw, Eiga Shapiro, die niet alleen Russisch sprak maar die ook veel meer van de verfijndheden van het leven afwist dan ik en die ik kon vertrouwen. Zij kon me helpen bij de voor mij zo vreselijke taken als het kiezen van meubels en kleding voor het personeel van de legatie en voor mij, als gezant.

Zelfs voor ik nog naar Tel Aviv terugkeerde, schreef ik aan Eiga om haar te vragen of ze mee wilde gaan als ik inderdaad naar Moskou zou vertrekken en ik was erg blij dat ze daar meteen in toestemde. Een van de briefjes die ze eind juni naar New York stuurde, ligt nu voor me en het deelt me een en ander mede van wat er allemaal komt kijken als een vrouw naar een belangrijke diplomatieke post gestuurd wordt, vooral een vrouw als ik die zo vastbesloten was om in Rusland net te leven als ze thuis deed.

'Ik heb eens met Ehud gepraat', schreef Eiga. 'Hij zegt dat we erg comme-il-faut zullen moeten zijn. Dus, Golda alsjeblieft, denk eens aan een bontmantel voor jezelf. Het is erg koud daar waar je naar toe gaat en de meeste mensen dragen daar 's winters bontmantels. Je hoeft geen nertz te kopen, maar een goede kwaliteit Perzisch lam zal zijn diensten vast bewijzen. Je zult ook een paar avondjaponnen nodig hebben. En koop wat warm wollen ondergoed. Warme nachtjaponnen, wollen kousen en wollen ondergoed. En schaf alsjeblieft een paar goede tegen sneeuw bestendige schoenen aan.'

De kwestie kleding nam in mijn gedachten duidelijk niet de eerste plaats in en even vond ik het jammer dat wij geen speciale kleding droegen die het land eigen was. Dat had althans één probleem voor mij opgelost, net als voor Mrs Pandit die de enige andere vrouwelijke diplomaat in Moskou was en die natuurlijk bij alle plechtige gelegenheden haar sari droeg.

Tenslotte kwamen Eiga en ik overeen dat ik bij het overhandigen van mijn geloofsbrieven een lange, zwarte japon zou dragen die in Tel Aviv voor me gemaakt zou worden. En als het nodig was, zou ik daar een zwart fluwelen tulband bij dragen. Wat het meubileren van de legatie betrof, nam Eiga op zich daar in Scandinavië inkopen voor te doen zodra we een permanent onderdak in Moskou hadden gevonden. Intussen zouden we onze 'kibboets' in een hotel opzetten. We moesten nog zien iemand te vinden om mee naar Rusland te nemen die absoluut vloeiend Frans sprak, want er was besloten dat Frans in plaats van Engels de diplomatieke taal voor Israël zou zijn. Eiga stelde me voor aan een knappe, vrolijke en griezelig magere jonge vrouw die Lou Kaddar heette en in Parijs geboren was. Haar Frans was onberispelijk. Ze had tijdens het hele beleg in Jeruzalem gewoond en was zwaar gewond geweest. Ik mocht haar dadelijk graag lijden, en dat was maar goed ook want het grootste deel van de komende zevenentwintig jaar zou Lou mijn trouwe vriendin zijn, mijn onontbeerlijke hulp en ook heel vaak mijn reisgenote. Ze stemde erin toe met ons naar Rusland te vertrekken.
Ik bleef die zomer nog lang genoeg in Israël om daar de eerste Amerikaanse ambassadeur te verwelkomen, die verrukkelijk oprechte en hartelijke man James G. MacDonald die ik al eerder had leren kennen, en ik kon ook de Russische gezant, Pavel I. Yershov, nog begroeten. Het was kenmerkend voor de onvolwassenheid van de nieuwe staat − en voor ons tekort aan voldoende woonruimte − dat de Amerikaanse en Sovjet gezantschappen in Tel Aviv eerst beide in hetzelfde hotel moesten wonen, niet ver van het mijne, en ik heb er nooit goed aan kunnen wennen om de 'Stars and Stripes' aan de ene kant van het hoteldak te zien wapperen en de Hamer en de Sikkel aan de andere kant. In de eerste weken van deze 'co-existentie' waren er van allerlei 'incidenten'. Ik herinner me bijvoorbeeld een gala voorstelling van de Israëlische Nationale Opera waar het orkest opende met de '*Hatikwa*' en toen, ter ere van MacDonald de 'Star-Spangled Banner' speelde, maar niet de 'Internationale', hoewel de gezantschapsraad van Yershov aanwezig was. Dat wil zeggen: tot de pauze; toen verlieten hij en zijn gezelschap vrij luidruchtig de zaal. Iedereen bij ons ministerie van buitenlandse zaken zat in doodsangst totdat Yershov zelf erin toestemde onze uitleg te aanvaarden dat, als hij er zelf was geweest, het volkslied van de Sovjet Unie natuurlijk zou zijn gespeeld. Tegenwoordig lijken dat soort onbelangrijke voorvallen grappig, maar toen namen we dat allemaal heel ernstig op. Niets was ooit onbelangrijk voor ons, en van nature was Sjarett al bijzonder veeleisend en gevoelig. Hij vond, net als de Russen zelf, dat protocol uitermate belangrijk was, hoewel ik nooit heb kunnen inzien waarom het er zoveel toe deed.

Op 19 juli begon er een tweede wapenstilstand en daarmee een lange en pijnlijke ronde van onderhandelingen over de Negev. Graaf Bernadotte, de Zweedse onderhandelaar van de Verenigde Naties, had aanbevolen dat het stuk grondgebied aan de Arabieren zou worden overgedragen. Gezien het feit dat hij alleen maar een bemiddelaar was, schoot hij merkwaardig in neutraliteit tekort en hij werd bijzonder impopulair, vooral toen hij de ene belediging op de andere stapelde door ook aan te raden dat ons Jeruzalem afgenomen moest worden en dat de Verenigde Naties toezicht zouden moeten houden op de zee- en luchthavens van Israël. God weet dat die aanbevelingen onacceptabel waren en dat ze alleen maar bewezen dat Bernadotte nooit werkelijk begrepen heeft waar het in de staat Israël allemaal om ging. Maar het is geen misdaad om stompzinnig te zijn en ik was ontzet toen ik op 17 september, net twee weken nadat ik in Moskou gearriveerd was, hoorde dat Bernadotte in een stil straatje in Jeruzalem was doodgeschoten. Hoewel de daders nooit geïdentificeerd zijn, wisten we dat men de joden van deze misdaad zou verdenken. Ik dacht dat dit het eind van onze wereld kon betekenen en ik had er veel voor over gehad om naar huis te kunnen vliegen en daar in de nu volgende crisis aanwezig te zijn. Maar in die tijd was ik al helemaal opgeslokt door een volkomen nieuwe en zeer veeleisende manier van leven.

9
Gezant in Moskou

Het was een grauwe, regenachtige middag toen we op 3 september 1948 via Praag in Moskou aankwamen. Het eerste dat de autoriteiten van het Sovjet ministerie van buitenlandse zaken, die me op het vliegveld waren komen verwelkomen, me zeiden was dat het misschien moeilijk zou zijn het hotel te bereiken, omdat juist op dat tijdstip de begrafenis van Andrei Zdanov in de stad plaatsvond; hij was een van Stalins beste vrienden geweest. Mijn eerste indrukken van de Sovjet-Unie waren daardoor de lengte en de plechtigheid van die begrafenis en de honderdduizenden, misschien wel miljoenen, mensen die we op straat zagen op weg naar het Hotel Metropole. Het hotel, dat uitsluitend voor buitenlanders bestemd was, zag er uit als iets uit een ander tijdperk. De kamers waren enorm groot met grote kristallen kroonluchters, lange fluwelen gordijnen en zware pluche fauteuils. In één kamer stond zelfs een vleugel. Op elke overloop zat een strengkijkende oude vrouw aan wie je je sleutels moest afgeven als je het hotel uitging, maar het was duidelijk haar taak over de gasten aan de K.G.B. te rapporteren. Ze zal waarschijnlijk niet de enige informatiebron geweest zijn. We hebben nooit microfoons in onze kamers gevonden, al hebben we daar regelmatig naar gezocht. Leden van het corps diplomatique die al langer in Moskou waren, namen het als vanzelfsprekend aan dat elk woord dat ik in onze suite met twee slaapkamers, die ik met Sarah en Zechariah deelde, sprak ergens werd opgenomen.

Toen we een week in het hotel waren, drong het tot me door dat we zo gauw mogelijk ons kibboetsleven zouden moeten beginnen want anders raakten we in geldnood. De kosten voor levensonderhoud waren ongelooflijk hoog en de eerste rekening van het hotel deed me versteld staan. 'Er is maar één manier waarop we met ons uiterst bescheiden budget kunnen rondkomen', zei ik tegen mijn staf, 'en dat betekent dat we allen maar één keer per dag in de eetzaal van het hotel eten. Ik zal voor het ontbijt en de lunch zorgen, en op vrijdagen zullen we samen 's avonds de hoofdmaaltijd gebruiken.' Meteen de volgende dag gingen

Lou Kaddar en ik erop uit om elektrische kookplaatjes te kopen en die verdeelde ik over onze kamers samen met wat bestek en aardewerk dat ik van het hotel geleend had. In de winkels van het naoorlogse Moskou was er niets op dat gebied te krijgen. Wat het voedsel betreft: een paar keer per week kochten Lou en ik manden vol kaas, worstjes, brood, boter en eieren op een markt die iets goedkoper was dan de zaken in de stad. We zetten alles tussen de grote dubbele ramen van onze kamer waar het niet zo snel kon bederven. Op zaterdagen maakte ik voor mijn eigen familie en de vrijgezellen onder het personeel, o.a. Eiga en Lou, een gecombineerd ontbijt/lunch klaar en dan gebruikte ik de kookplaat in de eetkamer van mijn suite.

Ik geloof dat die tochten naar de markt, vroeg op de heldere vriesmorgens, het prettigst waren van mijn hele verblijf van zeven maand in de Sovjet Unie. Lou en ik spraken geen van beiden Russisch, maar de boeren op de markt waren erg aardig tegen ons en wachtten geduldig; met glimlachjes en gebaren maakten ze ons duidelijk dat we ons niet hoefden te haasten terwijl we eens proefden en overwogen wat we wilden kopen. Evenals vrijwel iedereen was ik verrukt van de beleefdheid, oprechtheid en vriendelijkheid van de gewone Rus, maar als socialiste schrok ik steeds opnieuw van wat ik zag van die zogenaamde klasseloze Sovjet maatschappij. Ik kon mijn ogen niet geloven als ik daar door de straten van Moskou reed en zag hoe vrouwen van middelbare leeftijd greppels groeven en de wegen veegden terwijl ze bij een temperatuur van 40 graden onder nul alleen maar vodden om hun voeten gebonden hadden; andere vrouwen waren in bont gehuld, hadden schoenen met hoge hakken aan en stapten daarmee in enorme, glanzende auto's.

Van het begin af aan hielden we op vrijdagavond open huis in mijn kamers. Ik had gehoopt dat mensen vanuit de stad bij ons zouden binnenlopen, zoals dat in Israël de gewoonte is. Zo maar, om een kop thee met ons te drinken of een stukje cake te eten. Maar dat was een heel naïeve hoop, hoewel die vrijdagavond-traditie nog lang nadat ik uit Moskou weg was, werd voortgezet. Er kwamen journalisten, joden en niet-joden van de andere ambassades bezochten ons, rondreizende zakenmensen zoals enkele bonthandelaren uit Amerika, doch er kwamen nooit Russen en helemáál nooit Russische joden, maar daarover later meer.

Mijn eerste officiële taak was een formele condoléancebrief aan Mr Molotov, de Sovjet minister van buitenlandse zaken, te schrijven ter gelegenheid van het overlijden van Zdanov en daarna moest ik mijn geloofsbrieven gaan overhandigen. De president van de Sovjet Unie, Mikhail Shvernik, was afwezig en daarom vond de plechtigheid in aanwezigheid van de plaatsvervangende president plaats. Ik zal niet ontkennen dat ik erg zenuwachtig was. Stel dat ik eens iets verkeerds zei of deed? De gevolgen voor Israël konden dan ernstig zijn. Of stel dat ik de Russen teleurstelde? Ik had nog nooit iets gedaan dat zelfs in de verste verte hiermee kon worden vergeleken en de verantwoordelijkheid drukte me zwaar. Maar Eiga kalmeerde me, haalde me over haar parelsnoer te dragen en vergezeld van Namir, Arieh Levavi, onze eerste secretaris en Yohanan Rattner, onze militaire attaché, ging ik vrij kalm op weg om aan het korte ritueel deel te nemen dat eigenlijk pas het werkelijke begin van het officiële bestaan van het Israëlische gezantschap in de Sovjet-Unie aanduidde. Nadat mijn geloofsbrieven gelezen waren, hield ik een korte toespraak in het Hebreeuws (we hadden die tevoren naar de Sovjet chef protocol gestuurd zodat hij er een vertaling van had kunnen laten maken) en daarna was er een bescheiden en vrij gezellige receptie te mijner ere.

Nu de belangrijkste formaliteit achter de rug was, verlangde ik er hevig naar om contact met de joden te krijgen. Ik had al tegen mijn staf gezegd dat, zodra ik mijn geloofsbrieven had aangeboden, we allemaal de synagoge zouden bezoeken. Daar zouden we toch de Russische joden moeten leren kennen van wie we reeds dertig jaar gescheiden waren, sinds de revolutie, en van wie we vrijwel niets wisten. Hoe waren ze? Wat was er van hun joods-zijn overgebleven na zoveel jaren onder een regime dat niet alleen alle godsdiensten de oorlog had verklaard, maar dat speciaal van toepassing vond op de joodse leer, een regime dat het zionisme als een misdaad beschouwde waar de enige juiste straffen voor waren: dwangarbeid in een werkkamp of verbanning naar Siberië. Hoewel het Hebreeuws was verboden, was Jiddisch nog een tijdlang toegestaan en er was zelfs officiële hulp toegezegd voor een Jiddisch sprekende joodse autonome streek, Birobidzhan, bij de Chinese grens. Maar er was nooit iets van terecht gekomen en na de Tweede Wereldoorlog, waarin miljoenen Russen omkwamen, zorgden de Sovjet autoriteiten ervoor dat de meeste Jiddische scholen niet heropend werden en dat er geen Jiddische kranten meer verschenen. Omstreeks de tijd dat wij in de Sovjet Unie aankwamen, was er niet alleen sprake van openlijke onderdrukking maar ook van een kwaadaardig door de regering geleid antisemitisme dat binnen enkele jaren tot een algehele en meedogenloze vervolging van joden en de gevangenneming van joodse intellectuelen — acteurs, doktoren, schrijvers — zou uitgroeien. Zij werden van 'cosmopolitanisme' en 'zionistisch imperialisme' beschuldigd. De situatie was al zo tragisch dat de leden van de gezantschapsstaf die familie in Rusland hadden, broers, zusters, zelfs ouders, gekweld werden door twijfel of ze nu al dan niet contact met de mensen moesten opnemen die ze zo graag wilden terugzien. Maar het zou kunnen zijn dat ze hun verwanten tot deportatie veroordeelden als hun verhouding tot Israëli's onthuld werd. Het was een vreselijk dilemma en we brachten vaak dagen door met de voor- en nadelen te overwegen van hetgeen er zou gebeuren als X zich in verbinding stelde met zijn zuster of als Y geld aan zijn oude, zieke moeder zou sturen. Meestal kwamen we tot de slotsom dat wat we ook deden, we er alleen hun verwanten ellende mee zouden bezorgen en dat het om hun bestwil beter zou zijn helemaal niets te doen. Natuurlijk waren er uitzonderingen, maar zelfs nu durf ik daar nog niet vrijuit over te schrijven want ik zou daarmee misschien joden die nog in Rusland verblijven aan vreselijk gevaar kunnen blootstellen. Tegenwoordig weet de hele beschaafde wereld wat er gebeurt met Sovjet burgers die de verdraaide reglementen negeren waarmee hun leiders trachten ze in bedwang te houden. Maar 1948 was nog een jaar van 'wittebroodsweken' en wij vonden het erg moeilijk een systeem te begrijpen of te accepteren waarbij het een vergrijp tegenover de staat was dat een oude vrouw haar'zoon graag wilde spreken die ze in dertig jaar niet had gezien, vooral als die zoon een erkend lid van het corps diplomatique was en zijn aanwezigheid in de Sovjet Unie toch welkom werd verondersteld.

In elk geval gingen we de eerste zaterdag na het overhandigen van de geloofsbrieven te voet naar de Grote Synagoge (de beide andere synagoges van Moskou waren slechts kleine, houten gebouwtjes) en alle mannen van de legatie droegen hun gebedsmantel en een *sidoer* (gebedenboek). In de synagoge troffen we maar ongeveer 100 à 150 oudere joden aan die er natuurlijk geen idee van hadden dat wij zouden komen, al hadden we wel rabbijn Schliefer ervan in kennis gesteld dat wij hoopten de sabbatdienst bij te wonen. Volgens de traditie werd er aan het eind van de dienst de zegen afgesmeekt voor een goede gezondheid voor de hoofden van de staat, en daarna, tot mijn verbazing, ook voor mij. Ik zat op de vrouwengalerij (in orthodoxe synagoges worden de mannen en de vrouwen gescheiden) en toen mijn naam werd genoemd, draaide de hele gemeente zich om en keek me aan alsof ze mijn gezicht wilden onthouden. Niemand zei iets. Ze keken alleen maar naar me, heel lang. Toen de dienst voorbij was, stelde ik me aan de rabbijn voor en we praatten een paar minuten. Intussen was de rest van de legatiestaf al vooruit gegaan en ik liep alleen terug naar het hotel, mijn hoofd vol van die dienst en die paar vermoeide, armzalige, oude mannen en vrouwen die in Moskou nog steeds elke week naar de synagoge gingen. Ik was nog niet ver toen een oudere man tegen me opliep en wel zo dat ik meteen begreep dat het geen ongelukje was. 'Zeg niets', fluisterde hij in het Jiddisch. 'Ik loop door; volgt u me.' Toen we dichtbij het hotel waren, bleef hij opeens staan, draaide zich om, keek me aan en terwijl we daar in die winderige straat in Moskou stonden zei hij het dankgebed op, het '*Shehehiyanu*' dat ik het laatst door rabbijn Fishman-Maimon op 14 mei in Tel Aviv had horen aanheffen. Voor ik iets kon zeggen of doen, sloop de oude jood weg en ik liep alleen de hal van het hotel in terwijl de tranen over mijn wangen gleden. Ik vroeg me af of die vreemde, intens zielige ontmoeting werkelijk had plaatsgevonden of dat ik het maar gedroomd had.

Een paar weken later was het *Rosj Hasjana*, het joods Nieuwjaar. Ik had gehoord dat er op grote feestdagen veel meer mensen naar de synagoge kwamen dan op gewone zaterdagen en ik besloot dat weer de hele legatiestaf de *Rosj Hasjana* dienst zou bijwonen. Toen verscheen er een paar dagen voor de feestdag een lang artikel in de *Pravda*, geschreven door Ilya Ehrenburg, de bekende Sovjet journalist en 'verdediger' van het doctrine; hij was zelf ook joods. Eerbiedig schreef Ehrenburg dat, als Stalin er niet geweest was, er geen joodse staat zou hebben bestaan. 'Maar we moeten goed begrijpen dat de staat Israël niets te maken heeft met de joden van de Sovjet-Unie; we hebben hier geen joods probleem en dus geen behoefte aan Israël. Dat bestaat alleen voor de joden uit de kapitalistische landen waar het antisemitisme natuurlijk weelderig tiert. En er bestaat ook geen eenheid als een joods volk. Dat is even belachelijk als dat iemand zou beweren dat iedereen met rood haar of een zekere vorm van neus tot hetzelfde volk zou behoren.' Niet alleen ik, maar ook de joden van Moskou lazen dit artikel. En, net als ik, waren ze er aan gewend tussen de regels door te lezen en ze begrepen waar het om ging. Ze wisten dat ze gewaarschuwd werden bij ons uit de buurt te blijven! Het antwoord dat duizenden en nog eens duizenden van deze joden met opzet en heel dapper op deze onheilspellende waarschuwing verkozen te geven was iets dat me overstelpte en schokte toen ik het meemaakte en dat me sindsdien steeds heeft geïnspireerd. Alles wat er op die Nieuwjaarsdag gebeurd is herinner ik me nog zo levendig en zo ontroerd alsof het pas een paar uur geleden is voorgevallen.

Op *Rosj Hasjana* gingen we naar de synagoge, zoals we al van plan waren geweest. We waren allemaal, mannen, vrouwen en kinderen van de legatiestaf, op ons best gekleed zoals het joden op een joodse feestdag betaamt. Maar de straat voor de synagoge was nu anders. Nu was het er vol mensen die zich zo vlak bij elkaar bevonden als sardientjes in een blik, honderden en honderden, van alle leeftijden, onder anderen officieren uit het Rode Leger, soldaten, tieners en baby's in de armen van hun ouders. In plaats van de ongeveer 2000 joden die gewoonlijk op feestdagen naar de synagoge kwamen, wachtte er nu een menigte van bijna 50.000 mensen op ons. Even begreep ik niet wat er gaande was,

217

zelfs niet wie dat waren, maar toen drong het tot me door. Ze waren gekomen, die goede dappere joden, om bij ons te zijn, om hun gevoel van verwantschap te demonstreren en om de stichting van de staat Israël te vieren. Binnen enkele seconden was ik omringd en werd ik bijna letterlijk opgetild en verpletterd, en steeds weer herhaalden ze mijn naam. Eindelijk gingen ze opzij en lieten ze me de synagoge binnengaan, maar ook daar ging de demonstratie door. Aldoor opnieuw kwam iemand op de vrouwengalerij naar me toe, raakte mijn hand aan, streelde mijn japon, kuste me zelfs af en toe. Zonder toespraken of optochten, eigenlijk zonder een enkel woord, bewezen de joden van Moskou hun innige wens — en hun behoefte — om aan het wonder van het grondvesten van de joodse staat deel te nemen, en ik was het symbool van die staat voor ze.

Ik kon niets zeggen of glimlachen of wuiven. Ik zat daar als versteend op de galerij, kon me niet verroeren en duizenden ogen waren op me gevestigd. Er bestond geen eenheid als een joods volk, had Ehrenburg geschreven. De staat Israël betekende niets voor de joden van de Sovjet Unie! Maar zijn waarschuwing werd tot dovemansoren gericht. Dertig jaar lang waren zij en wij gescheiden geweest. Nu waren we weer samen en terwijl ik ze gadesloeg wist ik dat geen enkele bedreiging, hoe verschrikkelijk ook, de extatische mensen die ik die dag in de synagoge zag met enige mogelijkheid ervan had kunnen weerhouden op hun manier te zeggen wat Israël voor ze betekende. De dienst was voorbij en ik stond op om weg te gaan, maar ik kon nauwelijks lopen. Het leek alsof ik door een stroom van liefde werd meegesleept die zo sterk was dat hij me letterlijk de adem benam en mijn hart langzamer deed slaan. Ik geloof dat ik op het punt stond flauw te vallen. Maar de menigte deinde nog steeds om me heen, stak de handen uit en zei 'Nasja Golda' (onze Golda) en 'Sjalom, Sjalom' en ze huilden.

In die mensenzee zie ik nog steeds twee figuren duidelijk voor me. Een kleine man die aldoor voor me opdook en zei: 'Goldele, leben zolst du. Sjana Tova!' (Goldele, ik wens je een lang leven en een Gelukkig Nieuwjaar), en een vrouw die maar herhaalde: 'Goldele! Goldele!'; daarbij lachte ze en wierp me kushanden toe.

Ik kon onmogelijk naar het hotel terug lopen. En hoewel er een uitdrukkelijk bevel bestaat tegen het rijden op de sabbat of een joodse feestdag, duwde iemand me toch in een taxi. Maar de taxi kon niet in beweging komen, want de menigte juichende, lachende en huilende joden had hem omstuwd. Ik wilde iets zeggen, wat dan ook, tegen die mensen om ze te laten weten dat ik ze om vergiffenis smeekte dat ik niet naar Moskou had willen komen en dat ik niet had geweten dat er zulke sterke banden tussen hen en ons bestonden. Dat ik me zelfs had afgevraagd óf er wel banden waren. Maar ik kon geen woorden vinden. Ik kon alleen maar één zin in het Jiddisch zeggen, heel onhandig en met een stem die ik niet als de mijne herkende. Ik stak mijn hoofd uit het portierraampje en zei: '*A dank eich vos ihr seit geblieben Yidden*' (Dank u dat u joden gebleven bent) en ik hoorde hoe dat volkomen onvoldoende zinnetje overal in de menigte werd doorgegeven en herhaald alsof het een wonderbaarlijk profetisch gezegde was.

Eindelijk lieten ze na een paar minuten de taxi vrij en we konden wegrijden. In het hotel kwam de hele staf naar mijn kamer. We waren diep ontroerd. Niemand zei iets. We zaten daar maar. Het was een te grote belevenis geweest om die te bespreken, maar we hadden er wel behoefte aan samen te zijn. Eiga, Lou en Sarah snikten alsof hun hart zou breken en verscheidene mannen begroeven hun gezicht in de handen. Maar ik kon zelfs niet huilen. Ik zat daar maar voor me uit te staren en had geen kleur meer in mijn gezicht. En zo bleven we uren zitten, vol emoties die zo krachtig waren dat we ze zelfs met elkaar niet konden bepraten. Ik kan niet beweren dat ik toen zeker wist dat ik binnen twintig jaar veel van die joden in Israël zou zien. Maar ik wist wél iets anders: Ik wist dat de Sovjet Unie er niet in geslaagd was hun geest te breken; dat Rusland, met al zijn kracht, gefaald had. De joden waren joden gebleven.

Iemand heeft een foto van die *Rosj Hasjana* menigte genomen en ik geloof dat er duizenden exemplaren van gemaakt zijn, want later fluisterden mensen op straat vaak heel zachtjes tegen me, zo zacht dat ik het eerst niet eens verstond: 'We hebben de foto.' Natuurlijk weet ik wel dat ze dezelfde liefde en trots over een bezemsteel uitgestort zouden hebben wanneer die als vertegenwoordiging van Israël naar ze toe was gestuurd, maar toch was ik heel ontroerd toen jaren later Russische immigranten naar Israël me óf vergeelde, twintig jaar oude exemplaren van die foto brachten óf een foto waarop ik sta terwijl ik mijn geloofsbrieven in het Kremlin overhandig. Die foto had in 1948 in een Sovjet tijdschrift gestaan en was ook twintig jaar lang zuinig en vol liefde bewaard.

Op *Jom Kippoer* (Grote Verzoendag) die tien dagen na het joods Nieuwjaar valt, verdrongen zich wederom duizenden joden in de synagoge en dit keer bleef ik daar de hele dag bij ze. Ik herinner me goed dat toen de rabbijn de slotwoorden van de dienst aanhief, de woorden '*Leshanah ha ba'ah b'jeroesjalajim*' (Volgend jaar in Jeruzalem), er een schok door de hele synagoge ging en ik deed snel zelf een gebedje. 'God, laat dat gebeuren. Als het niet volgend jaar is, laat de joden van Rusland dan toch gauw naar ons toekomen.' Maar zelfs toen verwachtte ik niet echt dat zoiets nog tijdens mijn leven zou kunnen gebeuren.

Niet lang daarna viel mij het voorrecht te beurt Mr Ehrenburg te ontmoeten. Een van de buitenlandse correspondenten die in Moskou gestationeerd waren, een Engelsman die op vrijdagavond altijd op bezoek kwam, vroeg me een keer of ik Ehrenburg zou willen ontmoeten. 'Ja, eigenlijk wel', zei ik. 'Er zijn een paar dingen die ik graag eens met hem zou willen bespreken.' 'Ik zal ervoor zorgen', beloofde de Engelsman, maar hij deed het nooit. Toen vond er een paar weken later een feest in de Tsjechische ambassade plaats ter gelegenheid van Onafhankelijkheidsdag en deze zelfde journalist kwam op me toe. 'Mr Ehrenburg is er', zei hij. 'Zal ik hem naar u toe brengen?' Ehrenburg was erg dronken hetgeen voor hem niet zo ongewoon was, werd me verteld. En hij begon al meteen erg agressief. Hij sprak me in het Russisch aan. 'Het spijt me, maar ik spreek geen Russisch', zei ik. 'Spreekt u Engels?' Hij keek me heel naar aan en antwoordde: 'Ik heb een enorme hekel aan in Rusland geboren joden die Engels spreken.' 'En ik heb medelijden met joden die geen Hebreeuws of althans Jiddisch spreken', antwoordde ik. Natuurlijk hoorden veel mensen om ons heen deze woordenwisseling en ik geloof niet dat het de eerbied voor Mr Ehrenburg deed toenemen.

Ik had een veel interessanter en prettiger ontmoeting met een andere Sovjet burger; dat was bij een receptie die Mr Molotov elk jaar op de verjaardag van de Russische revolutie gaf en waar alle diplomaten in Moskou voor werden uitgenodigd. De hoofden van de legaties werden door de minister van buitenlandse zaken in een speciale zaal ontvangen. Nadat ik Molotov de hand had geschud, kwam zijn in Engeland geboren vrouw, Ivy Molotov, naar me toe. 'Ik vind het zo prettig u eindelijk te leren kennen', zei ze echt hartelijk en zelfs enigszins opgewonden. 'Ik spreek Jiddisch, weet u', voegde ze eraan toe. 'Bent u dan joods?' vroeg ik wel wat verbaasd. 'Ja', antwoordde ze in het Jiddisch, *'Ich bin a Jiddische tochter'* (Ik ben een dochter van het joodse volk). We praatten vrij lang samen. Ze wist alles van de gebeurtenissen bij de synagoge af en zei dat het goed was dat we gegaan waren. 'De joden wilden u zo graag zien', zei ze. Daarna spraken we over de Negev waar net een debat in de Verenigde Naties over gaande was. Ik zei iets in de richting dat we dat stuk grond niet konden opgeven omdat mijn dochter daar woonde en voegde eraan toe dat Sarah nu bij me in Moskou was. 'Ik wil haar graag ontmoeten', zei mevrouw Molotov. En dus stelde ik Sarah en Yael Namir aan haar voor en ze praatte met ze over Israël en vroeg Sarah honderduit over de kibboetsiem, wie daar woonden en hoe ze gedreven werden. Ze sprak Jiddisch tegen de meisjes en was verrukt omdat Sarah haar met een paar zinnen in die taal antwoordde. Toen Sarah haar vertelde dat alles in Revivim gemeenschappelijk eigendom was en dat er geen particulier bezit bestond, keek mevrouw Molotov bezorgd. 'Dat is niet zo'n goed idee', zei ze. 'De mensen vinden het niet prettig alles te delen. Zelfs Stalin is daartegen. Je moet eens lezen wat Stalin daarover denkt en schrijft.' Voor ze naar haar andere gasten terugkeerde, sloeg ze haar arm om Sarah heen en zei met tranen in de ogen: 'Houd je goed. Als alles met jou goed gaat, gaat het goed voor alle joden overal.'

Ik heb nooit meer iets van mevrouw Molotov gezien of gehoord. Vele jaren later vertelde Henry Shapiro, de United Press correspondent die jarenlang in Moskou vertoefde me tijdens een verblijf in New York dat Ivy Molotov na haar gesprek met ons was gearresteerd. Ik herinner me ook nog de rest van die viering van de Russische revolutie en hoe we vroeger op de dag de militaire parade op het Rode Plein hadden gade geslagen. Ik had de Russen om al die wapens benijd; zelfs maar een klein gedeelte ervan lag al buiten ons bereik. En alsof hij mijn gedachten gelezen had, had Molotov later zijn glas wodka tegen me opgeheven en gezegd: 'Denk niet dat we dat allemaal in één enkele dag verkregen hebben. De tijd komt dat ook u die dingen zult hebben. Het komt allemaal wel in orde.'

Maar in januari 1949 werd het duidelijk dat het Russische jodendom een zware tol zou moeten betalen voor het welkom dat ze ons gegeven hadden, voor het 'verraad' aan de communistische idealen die – volgens de Sovjet regering – zich onder de vreugde verschool waarmee wij begroet waren. De Jiddische krant *Enigkeit* werd verboden. De Jiddische uitgeversmaatschappij *Emes* werd gesloten. Het deed er niets toe dat beide trouw de communistische richtlijnen hadden gevolgd. Het feit bleef bestaan dat de Russische joden veel te veel aandacht aan Israël en de Israëli's hadden geschonken en dat beviel het Kremlin niet. Binnen vijf maand was er praktisch geen enkele joodse organisatie in Rusland over en de joden hielden zich op een afstand van ons.

Intussen ging ik plichtsgetrouw de nodige beleefdheidsbezoeken aan andere hoofden van legaties en ambassades in Moskou afleggen en wachtte op een definitief onderdak. Eindelijk kregen we een huis, een villa van twee verdiepingen met een grote binnenplaats met enkele bijge-bouwtjes die ook als onderdak konden dienen. Het viel me moeilijk mijn gedachten niet naar Israël te laten afdwalen en naar wat daar gebeurde en me te houden aan de diners en theegezelschappen waar ik heen moest, om nog niets te zeggen over het meubileren van het nieuwe huis. Maar hoe eerder we verhuisden, des te beter en ik vroeg dus aan Eiga om naar Zweden te gaan en daar de meubels, gordijnen en lampen te kopen die we nodig hadden. Het duurde een paar weken voor ze gevonden had wat wij nodig hadden tegen de prijs die we ons konden veroorloven, maar ze speelde het klaar en meubileerde onze zeven slaap-kamers, ontvangstzaal, eetkamer, keuken en alle kantoren. Ze was erin geslaagd alles erg aardig in te richten en dat voor niet veel geld. Toen ze naar Stockholm ging, pakte ze alle post die wij naar andere landen in Europa wilden verzenden in haar koffer, maar onderweg vond ze dat Israël eigenlijk een diplomatieke tas nodig had en ze liet er een voor ons in een Stockholms warenhuis ontwerpen. Ze bracht ook warme kleren en blikjes voedsel voor allemaal mee terug.

Tijdens mijn zeven maanden in Moskou ging ik twee keer naar Israël terug en beide keren had ik het gevoel alsof ik van een andere planeet was gekomen, uit een uitgestrekt koud land vol wantrouwen, vijandigheid en stilte naar de warmte van een klein land, nog steeds in oorlog en vol ontberingen, maar open, vol hoop, democratisch − en mijn eigen. Ik vond het vreselijk weer naar mijn post terug te moeten gaan. Bij de eerste van die twee bezoeken, na onze verkiezingen in januari 1949, vroeg Ben-Goerion me of ik deel wilde nemen in een kabinet dat hij aan het vormen was. 'Ik wil dat jij dienst doet als minister van arbeidszaken', zei hij. *Mapai*, de Arbeiderspartij in Israël, had geen enorme stembusoverwinning behaald; ze kregen slechts 35% van de stemmen, hetgeen 20% meer was dan *Mapam*, de concurrerende partij, kreeg. Bij deze verkiezing waren 87% van alle kiesgerechtigden in Israël naar de stembus gegaan. De eerste regering van de staat werd gevormd door een coalitie die het Verenigd Religieus Front, de Progressieve Partij (hoofdzakelijk samengesteld uit middenstands zakenlieden die *Mapai* georiënteerd waren hoewel ze de nadruk op een onpartijdig standpunt legden) en de *Sephardim* (een heel kleine partij die de belangen van de zogenaamde oosterse joden vertegenwoordigde) omvatte.

Het religieuze blok maakte enkele bezwaren tegen het idee van een vrouwelijke minister, maar accepteerde uiteindelijk het betoog dat in het oude Israël Deborah een rechter was geweest, en dat was toch minstens even belangrijk of zelfs nóg belangrijker dan een minister van het kabinet! Dit bezwaar van het religieuze blok tegen het vervullen door mij, als vrouw, van een openbaar ambt, dook in de jaren zestig weer op toen ik kandidaat werd gesteld voor de post van burgemeester van Tel Aviv. Maar toen kon het niet overwonnen worden, zoals in 1949. Ik was dolblij met het aanbod van Ben-Goerion. Dan zou ik in elk geval op de plaats zijn waar ik wilde en doen wat ik het liefst wenste. En, voor de verandering, had ik nu ook het gevoel dat ik volkomen in staat was dat werk goed te doen. Niet dat ik, of iemand anders in de regering, op dat tijdstip precies wist wat binnen het kader van het ministerie van arbeidszaken viel. Maar ik kon me geen opbouwender en bevredigender taak voorstellen dan een die − wat er verder ook allemaal toe zou behoren − in ieder geval te maken zou hebben met de honderdduizenden immigranten die al in Israël aankwamen aan het werk te zetten en onderdak te verschaffen. Ik zei dadelijk 'ja' tegen Ben-Goerion, zonder ook maar een ogenblik te aarzelen en daar heb ik nooit spijt van gehad. Mijn zeven jaar op het ministerie van arbeidszaken waren ongetwijfeld de meest voldoening schenkende en gelukkigste jaren van mijn leven.

Maar voordat ik me op mijn nieuwe werk kon werpen, moest ik eerst nog een paar weken naar Moskou terug. Het duurde niet lang voor het effect van mijn reis naar huis weer verdween. De duidelijke sociale ongelijkheid, de algemene angst en vrees van de bevolking, de isolatie waarin het corps diplomatique moest laten zien wat het kon – dat alles deprimeerde me enorm en ik voelde me erg schuldig met de wetenschap dat ik het al gauw achter me zou kunnen laten terwijl Namir, Levavi en de rest van de staf zouden moeten blijven. Sarah en Zechariah wilden beiden dolgraag terug, en Lou ook, maar ook zij moesten nog een paar maand op de legatie blijven. Ik begon aan een ronde afscheidsfeesten en zei de paar Sovjet autoriteiten waar ik regelrecht contact mee had gehad, goedendag. Zij waren allen, zonder uitzondering, beleefd geweest, maar ook – zonder uitzondering – vol uitvluchten bij negen van de tien verzoeken of vragen die we stelden. Toch werden we niet slechter, of beter, behandeld dan de andere legaties en evenals zij waren we gewend geraakt aan de praktisch totale afwezigheid van bevestigende antwoorden, of van enige antwoorden. Het liefst wilde ik niet goedendag maar 'tot ziens' zeggen tegen de joden, maar vrijwel geen enkele durfde nog naar de legatie te komen en bij de synagoge waren geen menigten meer te zien.

20 april 1949 keerde ik naar Israël terug. Ik geloof dat het belangrijk is hier even in te gaan op wat er daar plaatsvond, want in de loop van 1949 en 1950 onderging Israël een proces als geen ander land ooit op die wijze ondergaan heeft, en het gevolg was dat binnen slechts twee jaar de bevolking verdubbeld werd. De Onafhankelijkheidsoorlog kwam in de lente van 1949 ten einde (als hij eigenlijk ooit ten einde is gekomen) en er waren wapenstilstandsovereenkomsten met Egypte, Libanon, Jordanië en Syrië getekend, geen vredesverdragen. Deze overeenkomsten waren door de goede diensten van Ralph Bunche, die de plaats van graaf Bernadotte als bemiddelaar voor de Verenigde Naties had overgenomen, tot stand gekomen. Helaas betekende deze tekening niet dat de Arabische staten zich nu met ons bestaan verzoend hadden. Integendeel, het betekende dat de oorlog die ze zo graag tegen ons voerden en die ze op het slagveld verloren hadden, nu op een andere manier gestreden werd, een manier die niet hun nederlaag ten gevolge zou hebben, hoopten ze, maar wel de vernietiging van de joodse staat. Nu ze in het gevecht een pak slaag hadden gehad, schakelden de Arabie-

ren van militaire wapens over op economische. Ze boycotten maatschappijen en/of personen die handel met Israël dreven. Ze sloten het Suezkanaal af voor Israëlische schepen, tegen de internationale conventie in die inhield dat het Suezkanaal te allen tijde voor alle landen moest openstaan.

En ze hielden niet op joden te vermoorden. Door de jaren heen kwamen er steeds infiltraties over onze grenzen voor van gewapende Arabische benden die Israëli's vermoordden en beroofden, velden en boomgaarden in brand staken, vee stalen en in elk opzicht het leven in onze grensnederzettingen tot een hel maakten. Als we protesteerden of trachtten de Verenigde Naties te overtuigen dat deze onophoudelijke overvallen in feite een voortgang van de oorlog waren en een flagrante schending van de wapenstilstandsovereenkomsten inhielden, dan verkondigden de Arabische staten luidkeels dat ze onschuldig waren, zeiden dat ze totaal niets aan deze 'incidenten' konden doen, maar wíj wisten precies dat zij het geld, de wapens en de steun verschaften. We konden zelfs onze beweringen bewijzen. Onder normale omstandigheden zou dit voortdurende, kwaadaardige en uiterst gevaarlijke bestoken ons zo woedend hebben gemaakt, dat — volgens mij — wij op een manier en een schaal zouden hebben teruggeslagen die een soevereine staat past. Maar omdat we omstreeks dat tijdstip allemaal zo druk bezig waren met het probleem om de 684.201 joden uit zeventig landen te eten te geven, onderdak en werk te verschaffen, — allemaal mensen die tussen 14 mei 1948 en eind 1951 in Israël waren aangekomen — dat het enige dat we aanvankelijk deden alleen bestond uit klachten over deze overvallen bij de Verenigde Naties uit te brengen en hopen dat er iets aan gedaan zou worden.

Tegenwoordig is het moeilijk zich voor te stellen hoe die stroom mensen was. Het waren geen immigranten van het soort uit de tijd dat Sheyna en ik gekomen waren, stevige jonge idealisten in uitstekende lichamelijke conditie die gewoon niet konden wachten om zich op deze grond te vestigen en die de ongemakken van het pionieren opvatten als een onderdeel van het grote zionistische experiment waar ze zo geestdriftig aan deel namen. Het waren ook geen zakenmensen, handelaren of handwerkslieden zoals die in de jaren dertig kwamen, velen met enig eigen kapitaal, en hun bijdrage aan de economie van de *jisjoev* begon zodra ze Palestina bereikt hadden. De honderdduizenden joden die in de eerste jaren van het bestaan van de staat het land binnenstroomden waren volkomen berooid. Ze hadden niets dan hun levenswil en de wens met het verleden te breken. De meesten waren lichamelijk, maar niet geestelijk, gebroken. Vele duizenden waren het beide. Alle Europese joden hadden verschrikkelijke tragedies meegemaakt. Wat de

224

joden uit de Arabische landen betreft, uit het Midden-Oosten en Noord-Afrika, zij hadden meestal in armoede en onwetendheid en zonder enige onderwijsmogelijkheden gewoond in getto's en kasbahs waar ze geterroriseerd werden door sommige van de ergste onderdrukkers van de landen ter wereld en ze wisten weinig of niets van het leven in de twintigste eeuw. Kortom, het was een stroom joden uit tegenovergestelde gebieden die verschillende talen spraken, uit totaal verschillende omgeving met verschillende achtergrond kwamen, verschillend voedsel aten en die heel vaak niets wisten van elkaars traditie en gewoontes. Het enige dat ze gemeen hadden was dat het allen joden waren; maar dat was heel veel, zo niet alles.

Ik weet dat statistiek en cijfers vervelend zijn; dat vind ik zelf tenminste. Maar misschien wordt het me vergeven als ik nu wat getallen noem om de omvang van de problemen die we onder de ogen moesten zien te illustreren. Het waren problemen die ik zelf tot op zekere hoogte, als Israëls minister van arbeidszaken, moest zien op te lossen. In 1949 waren er 25.000 Europese joden uit de kampen op Cyprus naar Israël gekomen en 75.000 uit de D.P.-kampen in Duitsland en Oostenrijk. Van de 80.000 joden die begin 1948 in Turkije woonden, waren er tegen het eind van 1950 al 33.000 in Israël. Tsjechoslowakije liet de daar overlevende joden vertrekken in aantallen van 20.000 per jaar, en 37.000 Bulgaarse joden plus 7.000 Joegoslavische joden, vrijwel alles wat er na de slachting was overgebleven, hadden in de herfst van 1950 de weg naar Israël gevonden. Het nieuws van de geboorte van de joodse staat veroorzaakte binnen drie jaar de immigratie van 5.000 joden uit China, 35.000 uit Marokko, Tunesië en Algerije. Eerst wilden Polen en Roemenië hun joden niet laten gaan, maar tegen eind 1949 veranderden de regeringen daar korte tijd van inzicht en tussen december 1949 en februari 1951 kwamen er 28.000 joden uit Polen. In 1950 en 1951 ontvingen we 88.000 Roemeense joden. In 1950 begonnen er 3.000 joden per maand uit Hongarije binnen te trekken en de immigratie uit Perzië, eens een clandestien binnendruppelen, werd nu een grote golf waarin zich ook vluchtelingen bevonden die zich uit de omringende landen in Perzië verzameld hadden. 1950 was ook het jaar dat er in Irak een wet werd aangenomen waarbij joodse emigratie over een periode van twaalf maand werd toegestaan en een totaal van 121.000 joden uit Irak kwamen per vliegtuig in een *airlift* naar Israël nu het nog mogelijk was!

Elk van deze volksverhuizingen, die massale antwoorden op het grondvesten van de staat Israël, had zijn eigen bijzonder geschiedenis en ze waren allemaal verschillend. Maar de *airlift* van de joden uit Jemen uit Zuidwest-Arabië naar Israël was toch wel de meest merkwaardige trek

225

van alle. Niemand weet precies wanneer de eerste joden in Jemen aankwamen. Misschien in de dagen van koning Salomo, of misschien waren er joden bij de Romeinse troepen die de bergen van Arabië bedwongen en daar aan het begin van de christelijke jaartelling vochten. In elk geval hadden er al vele eeuwen joden in het mohammedaanse Jemen gewoond, afgesloten van de rest van de joodse wereld, vervolgd, beroofd van burgerrechten en verarmd, maar altijd trouw aan hun geloof en aan de Bijbel die honderden jaren lang hun enige bron van wetenschap en wijsheid was. Ze speelden het klaar alles als lijfeigenen te overleven, als het eigendom van de heerser van Jemen; ze mochten geen handwerk uitoefenen dat voor anderen open stond. Ze mochten zelfs niet aan dezelfde kant van de straat als de mohammedanen lopen. In dat achterlijke, schijnheilige en verarmde land waren de joden de armsten en nederigsten van alle burgers, maar in tegenstelling tot de rest van de bevolking konden zij lezen en schrijven. In hun synagoges en scholen leerden ze hun mannelijke kinderen Hebreeuws te lezen en schrijven. Ik herinner me dat een van mijn eerste indrukken van de joden uit Jemen was dat ze ondersteboven konden lezen. Dit kwam omdat boeken zo zeldzaam waren en de kinderen die in een kring in de hutten van gebakken modder zaten – die als scholen in de joodse wijken van Jemen dienst deden – moesten leren de Bijbel vanuit elke gezichtshoek te lezen.

Hoe hadden ze zich in leven kunnen houden? Ze werden heel bekwame vaklieden, zilversmeden, juweliers, wevers en timmerlieden. Tegenwoordig kunt u overal in Israël hun tere, exotische filigraanwerk zien en kopen. Zij die hun gezin niet konden onderhouden met hetgeen hun vak opbracht, werden rondtrekkende arbeiders en marskramers, maar voor hen allen was het leven meer dan vernederend, en ook uiterst hachelijk. Van elke 1000 in Jemen geboren joodse kinderen stierven er bijna 800 en alle mannelijke joodse wezen werden gedwongen zich te bekeren. Maar op de een of andere manier verdween de joodse gemeenschap nooit helemaal uit Jemen, en af en toe kregen joden daar vergunning van de imam om het land te verlaten, of ze ontsnapten door de woestijn naar Aden in de hoop het Heilige Land te bereiken, doch slechts weinigen slaagden daarin.

Toch waren er toen ik in 1921 in Palestina aankwam al enkele joden uit Jemen daar en ze boeiden me hevig. Ze hadden over de hervatting van onze pogingen tot het opzetten van nederzettingen in Palestina gehoord van Samuel Yavrieli, een Oosteuropese jood, die al in 1908 door Jemen was getrokken en daar deze verdwaalde resten van zijn volk had aangetroffen. Hij had ze de boodschap over de terugkeer naar Zion overgebracht. Ik wist dat ze tot krachtdaden in staat waren, maar mij leken het net tere poppen met een donkere huid in hun kleurige traditionele kledij. In Jemen mochten ze namelijk niet dezelfde kleren als de Arabieren dragen. De meeste vrouwen uit Jemen in Palestina droegen in die tijd mooie hoofdbedekkingen en prachtig geborduurde doeken over nauwe japonnen. De mannen hadden allemaal lange haarlokken langs de oren en droegen losse gestreepte gewaden. Tijdens de oorlogsjaren hadden een paar duizend joden uit Jemen toestemming van de Britten gekregen om Aden te verlaten en naar Palestina te gaan; zij voeren door de Rode Zee via het Suezkanaal. Maar het grootste deel was in de val blijven zitten. In 1947, een paar dagen na de stemming in Verenigde Naties over de verdeling van Palestina, vonden er verschrikkelijke Arabische rellen in Aden plaats en de toestand van de joden in Jemen zelf werd ook slechter. In hun wanhoop en angst namen duizenden van deze joden tenslotte hun lot in eigen hand en vluchtten toen ze hoorden dat de staat Israël eindelijk was geboren. Ze lieten hun schamele bezittingen in de steek, verzamelden hun gezinnen en – net als de Bijbelse Kinderen Israëls – verlieten ze de slavernij op weg naar de vrijheid in het vaste geloof dat ze op een of andere wijze het Heilige Land zouden bereiken en dat niets ze zou kunnen weerhouden. Ze liepen in groepen van dertig tot veertig en werden bestookt door Arabische rovers; ze aten alleen de *pitta* (plat Arabisch brood), honing en dadels die ze konden dragen en betaalden enorme sommen geld aan de verschillende woestijnsultanaten die ze onderweg passeerden, voor elke man, pasgeboren baby en Bijbel. De meesten bereikten Aden waar het Verenigd Distributie Comité kampen voor ze had gereed gemaakt en waar Israëlische doktoren en sociale werkers ze bijstonden. Daar konden ze rusten, bidden en hun Bijbel lezen. Maar omdat de Egyptenaren het Suezkanaal voor de Israëlische scheepvaart hadden gesloten, was er nog maar één weg om Israël te bereiken – en dat was door de lucht, samengeperst in reusachtige omgebouwde vrachtvliegtuigen die ze langs de Rode Zee route vervoerde in een operatie die al gauw als 'Operatie Tovertapijt' bekend werd. Die *airlift* ging heel 1949 door en toen hij eindigde waren er 48.000 joden uit Jemen naar Israël overgebracht.

Ik ging wel eens naar Lydda en keek als de vliegtuigen uit Aden landden en ik bewonderde het uithoudingsvermogen van die uitgeputte passagiers. 'Had u ooit wel eens een vliegtuig gezien?' vroeg ik aan een oude man met een witte baard. 'Nee', antwoordde hij. 'Maar was u dan niet erg bang om te vliegen?' hield ik aan. 'Nee', zei hij weer, heel duidelijk. 'Het staat allemaal in de Bijbel. In Jesaja: "Zij zullen opvaren met vleugelen gelijk de arenden".' En daar op het vliegveld haalde hij de hele passage voor me aan, zijn gezicht straalde van geluk over de vervulde profetie en van blijdschap het eind van de reis bereikt te hebben. Tegenwoordig zijn er praktisch geen joden meer in Jemen en de littekens van hun lange verbanning beginnen te vervagen. Ben-Goerion zei altijd dat het zijn heerlijkste dag zou zijn als een jood uit Jemen als chef staf van de Israëlische Verdedigende Strijdkrachten zou worden benoemd, en ik heb zelf het gevoel dat die dag nu niet meer zo ver af is.

Terwijl ik eens overlees wat ik net geschreven heb, ben ik nog verwonderd over het enorme aantal immigranten dat we opnamen. Maar destijds hadden we niet met abstracte getallen te maken. Ik maakte me niet bezorgd om het gereken van de 'Wet op de Terugkeer' die in juli 1950 door de Knesset was aangenomen en waarbij alle joden het recht tot immigratie werd toegezegd terwijl hun tevens automatisch het Israëlisch burgerschap werd gegarandeerd. Waar ik me wél bezorgd om maakte was hoe we die duizenden immigranten zouden kunnen voeden, kleden, onderdak verschaffen en onderwijs bezorgen. Hoe, en waarmee? Toen ik in Israël terugkwam, woonden er 200.000 mensen in tenten verspreid over het hele land. Als je dat tenminste 'wonen' kon noemen. Vaak moesten twee gezinnen een tent delen en dat waren dan niet eens altijd families uit hetzelfde land of zelfs hetzelfde continent. Afgezien van het feit dat geen van de diensten die we zo haastig geïmproviseerd hadden echt goed werkte of in staat was zo vele duizenden te helpen, waren er ook vele zieken, ondervoeden en gehandicapten die het er misschien beter hadden afgebracht als ze anders onderdak waren gebracht, maar die er onder deze omstandigheden niet tegen opgewassen waren. De man die maanden nazi slavenarbeid had overleefd, de D.P.-kampen was doorgekomen en de tocht naar Israël had getrotseerd en die – op zijn best – niet goed gezond was en – op zijn slechtst – er fysiek lelijk aan toe was en recht had op de best mogelijke omstandigheden, moest met zijn gezin (als hij dat nog had) het zien te verdragen samen te wonen met mensen met wie hij zelfs de taal niet gemeen had. Maar al te vaak beschouwde hij zelfs zijn nieuwe buren als primitief omdat ze nog nooit een watercloset hadden gezien. Desondanks was hij er misschien sneller bovenop gekomen als we in staat waren geweest hem meteen werk te verschaffen of hem in een beter huis neer te zetten, als we hem op een of andere manier het gevoel van bestendigheid hadden kunnen geven waar hij, net als alle vluchtelingen, zo naar verlangde. Of denk eens aan de ongeletterde vrouw uit Lybië of Jemen of de holen van het Atlasgebergte die met haar kinderen in een tochtige, lekkende tent zat samen met Poolse of Tsjechische joden die hun eten anders klaar maakten, dingen aten die haar misselijk maakten en die – volgens haar normen – helemaal geen joden waren, want ze deden niet meer aan hun godsdienst of op een heel andere manier; hun gebeden en hun ritueel kwamen haar totaal onbekend voor.

In theorie had dit allemaal natuurlijk onbelangrijk moeten zijn. In theorie zou deze overbevolking, deze ellende, dit culturele en intellectuele verschil van geen enkel gewicht moeten zijn voor mensen die de slachting hadden meegemaakt of voor degenen die letterlijk Jemen waren uitgelopen dwars door de schroeiend hete woestijn. Maar theorie is voor theoretici. Mensen zijn mensen en de spanningen en ongemakken van die afschuwelijke tentsteden die ik in 1949 overal zag, waren werkelijk te erg. Er moest iets aan de huisvesting van deze ongelukkige mensen gedaan worden en er moest werk voor ze gevonden worden, zo gauw mogelijk. Er werd in vrij voldoende mate voor hun gezondheid en voedsel gezorgd. De tuberculose, trachoma, ringworm, malaria, tyfus, dysenterie, mazelen en pellagra die de immigranten meebrachten, werden verholpen, hoewel ik niet weet hoe onze overwerkte doktoren en verpleegsters dat klaarspeelden. En al die tentensteden hadden 'scholen', hoe ze er dan ook uitzagen, en daar werd intensief Hebreeuws onderwezen. Maar in 1949 scheen de huisvesting een onoverkomelijk probleem.

Wat onze hulpbronnen betreft: ondanks de prachtige reactie van het wereldjodendom was er nooit genoeg geld. Dank zij onze buren moest ons defensiebudget krankzinnig hoog blijven en op de een of andere wijze moest er ook in de andere behoeften van de staat voorzien worden. We konden onze scholen niet sluiten of onze ziekenhuizen of ons vervoer of onze industrieën (wat er dan ook was) of de ontwikkeling van de staat te veel besnoeien. Alles moest tegelijkertijd geschieden. Maar er wáren dingen die we konden missen en dat deden we dan ook. We rantsoeneerden vrijwel alles: voedsel, kleding en schoenen, en wenden aan een opvatting over soberheid die nog jaren duurde. Onlangs kreeg ik een van mijn eigen bonboekjes in handen, een grauw boekje in 1950 uitgegeven door het ministerie van handel en industrie en ik herinnerde me de uren die ik in de rij had gestaan om een paar aardappels of drie eieren of bevroren vis te krijgen waar we dan, als we het kregen, een dankbaar feestmaal van maakten. Gelukkig had ik nog kleren van mijn verblijf in Rusland. Maar de meeste Israëli's hadden het in die tijd erg moeilijk. Hun levensstandaard werd plotseling drastisch lager. Wat in 1948 genoeg was geweest voor één gezin, moest nu met twee of drie andere gezinnen gedeeld worden. Degenen die al lang in het land waren en die net uit een maandenlang durende vreselijke oorlog kwamen, kan het vergeven worden dat ze in opstand kwamen tegen de nieuwe eisen die hun nu weer gesteld werden. Sommige mensen zeiden dat het misschien beter zou zijn als de immigranten zouden wachten waar ze waren totdat de tijden hier ook beter werden. Maar niemand, absoluut niemand, zei ooit dat de last te zwaar was of dat de nog in de kinderschoenen verkerende staat onder het gewicht ineen zou storten. We haalden als natie de buikriem aan, en nóg wat meer, en we konden nog steeds ademhalen. En over een ding waren we het allemaal eens: zonder die joden was Israël niet de moeite van het bezit waard.

Maar er waren dingen die allereerst aan de beurt kwamen en ik vond dat huisvesting en werk voor de immigranten bovenaan de lijst moesten staan. Niet al mijn collega's waren het daar mee eens. Een leger van deskundigen legde me tot in alle details uit, met kaarten en grafieken, waarom een huisvestingsprogramma zoals ik bedoelde onmogelijk was. Het zou zeker tot inflatie leiden, zeiden ze. Het zou veel wijzer zijn om het kleine beetje geld dat we hadden in fabrieken te steken en in strengzakelijke landbouwmethoden. Maar ik kon geen enkel plan accepteren of steunen als dat niet iets met de opname van de immigranten te maken had, in de allereerste plaats vanuit een menselijk standpunt. En ik geloofde absoluut niet dat iets ooit zo 'produktief' voor de toekomst van Israël kon zijn als behoorlijke huizen. Het was mij volkomen duidelijk dat een goed burgerschap, een gevoel zich werkelijk thuis te voelen, het begin van integratie, met andere woorden de schepping van een goede samenleving, in overstelpende mate afhing van hóe de mensen woonden en het had totaal geen zin om hooghartig over sociale verantwoordelijkheid te spreken, over onderwijs of zelfs openbare gezondheidszorg tenzij we niet tenminste de nieuwe immigranten uit die vreselijke tenten weg kregen en in behoorlijke huizen, en dan wel zo spoedig mogelijk.

Een paar weken na mijn terugkeer uit Moskou ging ik naar de Knesset met een plan om te beginnen met de bouw van 30.000 huisvestingseenheden, en ik kreeg het erdoor, ondanks de bezwaren. Maar we konden die huizen niet uit melk en honing samenstellen (niet dat die artikelen voorradig waren) en dus ging ik naar Amerika om te zien de nodige gelden bijeen te krijgen en opnieuw vroeg ik de Amerikaanse joden om hulp, dit keer niet om een oorlog te winnen maar om leven te handhaven.

'Vorige dinsdag twee weken geleden ging ik naar ons parlement en legde ze een project voor 30.000 huisvestingseenheden voor, die tegen het eind van het jaar klaar moesten zijn. Het parlement keurde het plan goed en er heerste blijdschap in het land. Maar ik deed eigenlijk iets vreemds: ik legde een plan voor waar ik geen geld voor had.

Wat wij willen doen is elk gezin een luxueuze flat van één kamer geven; een kamer die we uit betonblokken willen opbouwen. We willen zelfs de muren niet pleisteren. We maken een dak, geen plafonds. Wat wij hopen is dat deze mensen die met het bouwen van hun huis een vak leren, ze zelf zullen afmaken, en uiteindelijk, op een dag, er een kamer aan zullen toevoegen. Intussen zijn wíj dan gelukkig en zíj ook, zelfs al betekent het dat we een gezin van twee, drie, vier of vijf personen in één kamer moeten zetten. Maar dat is beter dan dat we twee of drie gezinnen in één tent moeten onderbrengen. ...

Het is erg als je een handtekening op een cheque vervalst, maar ik heb het gedaan. Ik heb de mensen thuis en de mensen in de kampen beloofd dat de regering deze 30.000 wooneenheden zal bouwen, en met het weinige geld dat we hebben, zijn we daar al mee begonnen. Maar we hebben niet genoeg voor die 30.000 eenheden. Nu is het aan u of u die mensen in de kampen wilt houden en ze voedselpakketten sturen, of dat u ze aan werk wilt helpen en ze zo hun waardigheid en zelfrespect teruggeven.'

Ik kreeg het geld en we begonnen die eenheden te bouwen. Natuurlijk maakten we in het begin veel fouten, soms zelfs ernstige, en dat betrof zowel de planning als de uitvoering. We verrekenden ons, kozen verkeerde plaatsen, raakten achter op de immigrantenstroom en tenslotte konden we niet snel of goed genoeg bouwen. In oktober 1950 hadden we nog pas een derde van de eenheden klaar die we op ons genomen hadden gereed te hebben, omdat een ongewoon strenge winter ons dwong geld bestemd voor de bouw nu voor een noodmaatregel te gebruiken, namelijk de aankoop van duizenden metalen hutten die 's winters beter waren dan tenten, maar tijdens de lange warme Israëlische zomer waren het ovens. Toch heeft nooit één gezin dat Israël met deze enorme immigratiegolven betrad, geen onderdak gekregen. Op de een of andere manier vonden we altijd iets. Toen er geen golfijzeren hutten meer waren, gebruikten we canvas, spijkerden het op houten geraamtes vast en maakten zo duizenden hutten. Op een gegeven ogenblik waren ook deze op en we moesten helaas weer even de tenten gebruiken. Maar niemand sliep ooit buiten en we zijn nooit met bouwen opgehouden.

Tegen het eind van 1950 wisten we echter dat we deze 'tijdelijke kampen' niet als ontvangstcentra konden blijven beschouwen die binnen een paar maand opgeruimd konden worden. Ze zouden blijkbaar enkele jaren mee moeten en als dat zo was, dan moest de hele aanpak veranderd worden. De centra zouden in werkdorpen veranderd moeten worden en verplaatst naar de buitenwijken van de steden zodat de nieuwe immigranten dichtbij de plaats konden wonen waar vraag naar arbeiders was. Ze zouden zo opgezet moeten worden dat de mensen min of meer zichzelf zouden kunnen bedruipen, zelf koken in plaats van uit gaarkeukens eten, en ze zouden moeten deelnemen aan het onderhoud van de openbare diensten. We konden van duizenden mannen en vrouwen zonder een cent geen belastingen heffen, maar we konden wél voorkomen dat ze zich als liefdadigheidsgevallen gingen beschouwen.

De nieuwe kampen werden *ma'abarot* genoemd, het meervoud van het Hebreeuwse woord *ma'abara* (doorgangsplek) en in november 1951

231

hadden we al 112 *ma'abarot* gereed die een totale bevolking van 227.000 nieuwe immigranten onderdak verschaften. Maar als we niet twee klassen Israëli's wilden scheppen: de verhoudingsgewijs goed gevestigde 'ouderen' aan de ene kant en de nieuwe immigranten in hun volle, lelijke *ma'abarot* aan de andere, dan zouden we nog heel wat meer moeten doen dan alleen voor behuizing zorgen. We moesten zorgen dat de nieuwe immigranten werk kregen en daar betaling voor ontvingen, en ik vond dat er maar één manier was om dat te doen: er zou een programma voor openbare werken moeten worden opgesteld.

Maar dat was ook niet zo eenvoudig. De meerderheid van de z.g. oosterse joden (die uit het Midden-Oosten en Noord-Afrika kwamen) hadden praktisch geen handwerk geleerd dat in de nieuwe staat van pas kwam. Wij waren bang dat velen van hen aan het nietsdoen en jarenlang steuntrekken zouden wennen. Inmiddels zou de kloof tussen hen en ons zich dan steeds verbreden. En sociale bijstand, hoe verstandig ook toegepast, was hier niet de oplossing. Er moest werkgelegenheid geschapen worden en dus ontwierpen we een aantal bijzondere projecten die werk boden aan mensen die nog nooit een drilboor of baksteen in hun hand gehad hadden of zelfs maar op het land gewerkt hadden. Het ministerie van arbeidszaken zette een massaal plan op voor het aanleggen van wegen overal in het land en honderden en nog eens honderden vierkante kilometers stenig, moeilijk te bewerken land werden opnieuw bebost, vrijgemaakt of in terrassen aangelegd, en alles met de hand. De hele tijd bleven we aan het bouwen en trainden we de immigranten, maar de immigratievloed nam pas in 1952 af.

Het werkelijke probleem was natuurlijk niet om mankracht te vinden of huizen te bouwen of duizenden immigranten in onze economie in te passen. Dat waren allemaal dringende kwesties, maar het was niet de kern van de zaak, niet onze grootste zorg. Wat ons destijds het meest bezig hield – en hetgeen nog steeds veel doordenkende Israëli's bezighoudt – was hoe we die mensen die oppervlakkig beschouwd zo weinig gemeen hadden en elkaar zo moeilijk begrepen, moesten samensmeden. Maar we slaagden vaak waar succes onmogelijk had geschenen en weer omdat we geen keus hadden. Ik weet bijvoorbeeld nog hoe pessimistisch, om niet te zeggen afkeurend, sommigen van mijn collega's stonden tegenover het wegenaanlegproject. We hadden in de eerste plaats niet zoveel toegangswegen nodig en de import van het bouwmateriaal was op zichzelf al een luxe, en die wegen zouden toch niet deugen want we hadden niet de arbeiders die daarvoor opgeleid waren. Maar ik vertrouwde op drie dingen: de toewijding en vindingrijkheid van de bewoners die hier al langer waren, het toenemende verlangen van de nieuwe immigranten om een eerlijk stuk brood te verdienen en geen

232

eeuwige beschermelingen van de staat of van het Joods Agentschap te worden, en het begrip en de edelmoedigheid van het wereldjodendom dat steeds weer opnieuw gunstig reageerde op onze eindeloze smeekbeden om hulp. Nu terugkijkend moet ik zeggen dat ik maar zelden teleurgesteld werd, hoewel iemand die zag hoe die wegen in 1949 en in het begin van de jaren vijftig werden aangelegd gelijk zou hebben als hij ons allemaal voor min of meer getikt hield. Meestal namen we een geschoolde bouwvakarbeider uit Jeruzalem of Tel Aviv, schoolden hem binnen de kortste tijd om tot een voorman van een ploeg wegwerkers ergens in het zuiden en dan lieten we het aan hem over om de problemen onder de ogen te zien verbonden aan het toezicht op tien mannen die negen verschillende talen spraken, uit negen verschillende landen kwamen en nog maar een paar moeilijke en verwarrende maanden in Israël hadden doorgebracht. Maar op een of andere manier, al was het misschien niet erg doelmatig en veel te duur, kwamen de wegen klaar. Ze kregen de wrange bijnaam van 'golden' wegen, als toespeling op mijn naam.

Toen in 1952 de toevloed van immigranten eindelijk enigszins afnam tot maar 1000 per dag, begonnen we de pas aangekomenen niet meer naar de *ma'abarot* te sturen maar naar gewone huizen in de ontwikkelingsgebieden en grensdorpen over heel Israël en we legden meer de nadruk op landbouw dan op openbare werken. We gaven elk immigrantengezin niet alleen een huisje maar ook een stuk land, levende have en lessen in landbouwkunde. Daarbij maakten we ook fouten. Waarschijnlijk te snel trachtten we de snelkoker in een smeltpot te veranderen. We schiepen dorpen die bewoond werden door combinaties van mensen zoals die wegwerkersploegen. Ze hadden niet veel met elkaar gemeen en vonden het moeilijk, soms onmogelijk, om in een totaal geïsoleerd deel van het land samen te leven en vaak hadden ze geen enkele ervaring voor het boerenbedrijf, en waren daar ook niet in geïnteresseerd. Velen rebelleerden en trokken naar de steden waar ze in de achterbuurten terecht kwamen. Maar de meesten bleven en werden uitstekende boeren. Hun kinderen verbouwen tegenwoordig de Israëlische vruchten, bloemen en groenten die overal in de wereld te koop zijn.

Ik ben er helemaal niet zo zeker van dat mijn voortdurende bezoeken aan de bouwterreinen, de nieuwe wegen en de nieuwe nederzettingen wel altijd door de ingenieurs en architecten die met de leiding belast waren, werden gewaardeerd. Ik kon niet een van die huisjes binnenlopen en niet merken dat de muur tussen de eethoek en de keuken het hele huis alleen maar kleiner maakte dan nodig was; zien dat het aanrecht zodanig was dat het niet schoon gehouden kon worden en zeker niet door vrouwen die nooit eerder in een keuken binnenshuis gekookt

233

hadden; merken dat twee treden die naar een huis leidden dat op een helling gebouwd was, niet genoeg waren en dat er een derde tree bij moest komen, vooral voor gezinnen met acht of negen kleine kinderen, een zwangere moeder en minstens een en soms twee of drie grootouders. 'Maar het wordt dan veel duurder', was het onvermijdelijke antwoord op mijn voorstellen.

Het was natuurlijk veel eenvoudiger geweest om zonder meer te accepteren dat de meeste immigranten, vooral die uit Jemen en Noord-Afrika, zelfs beter af waren in die slecht opgezette huizen dan ze gewend waren. 'Ze weten niet eens hoe ze in een huis, zoals u ze wilt geven, moeten wonen', werd me vaak gezegd. 'Ze weten niet wat badkamers en waterclosets zijn. Ze gebruiken die ruimtes gewoon om rommel op te bergen.' Het was waar. Ze wisten niet wat badkamers waren of hoe ze een douche moesten gebruiken, maar dat betekende nog niet dat ze er geen recht op hadden of dat hun niet geleerd moest worden hoe die dingen te gebruiken. En hetzelfde was op keukens, scholen en de staat zelf van toepassing, als het erop aankwam. Maar het was ook waar dat we zonder geld niets konden doen.

En dus, hoewel ik elke minuut die ik uit Israël weg was betreurde, ging ik weer door met mijn toespraken houden in het buitenland om geld in te zamelen en daarbij reisde ik vaak naar Europa, Amerika en ook Zuid-Amerika. Maar geld inzamelen moest ook aan de nieuwe omstandigheden worden aangepast. Het Verenigd Joods Appel was een prachtige instelling geworden om geld in te zamelen, maar het was nog altijd een appèl en het geld was nog altijd 'gegeven' geld. Ik maakte me al jaren zorgen over het beeld dat de joodse staat zou opleveren als we op liefdadigheidsgeld moesten vertrouwen dat — afgezien van alle verdere overwegingen — zelfs niet het begin kon vormen van onze groeiende behoefte aan ontwikkelingskapitaal. Ik was evenmin een econoom als bouwkundig ingenieur, maar evenmin als ik een rekenlineaal nodig had om te weten hoe hoog een keukenaanrecht moest zijn, had ik ook geen jaren ervaring als financier nodig om te weten dat een vermindering van de liefdadigheidsfondsen onvermijdelijk was. Maar het was niet alleen de *hoeveelheid* geld waar ik me bezorgd over maakte, het was ook het *soort* geld dat we kregen. Ik vond dat een voortdurend afhankelijk zijn van liefdadigheid inbreuk maakte op de meest elementaire begrippen van het zionisme, zelfvertrouwen en zelfdoen, om nog niets te zeggen van nationale onafhankelijkheid. En ik begon naar andere mogelijke geldbronnen te zoeken, bronnen die het wereldjodendom vollediger partners in de zionistische onderneming zouden maken en in het opvangen van de bannelingen. Na mijn bezoeken aan Amerika in 1948 had ik geregeld hierover met Henry Montor gecorrespondeerd en tientallen

brieven en telegrammen uitgewisseld, en als hij en ik en Eliézer Kaplan
(Israëls eerste minister van financiën) elkaar spraken, hadden we het in
den brede over de mogelijkheid om nieuwe economische activiteiten te
ontplooien die tot uitdrukking zouden komen in het uitschrijven van
een emissie van Israëlische obligaties.

De eerste keer dat het idee van de obligaties in het openbaar kwam was
in september 1950 tijdens een speciale drie dagen durende conferentie
die door Ben-Goerion in Jeruzalem was bijeengeroepen; de conferentie
werd bijgewoond door de leden van de belangrijkste joodse gemeenschappen in Amerika. Aanvankelijk was men niet erg enthousiast over
het idee. Als de uitgifte van die obligaties de pogingen van het Verenigd
Joods Appel nu eens zou ondermijnen, wat dan? En wie zou er nu geld
aan Israël willen verdienen, of − hetgeen waarschijnlijker was − verliezen? Filantropische bijdragen konden van de belasting afgetrokken worden, maar de obligaties niet. En dan nog iets: stel dat de Amerikaanse
regering de emissie van obligaties nu eens niet zo zou waarderen? Onder
al die reserves en zorg was volgens mij een algemene onrust verborgen
over een veranderde verhouding met Israël. Niemand kwam ermee naar
voren en zei ronduit dat Israël nu niet zo'n goede belegging was, maar ik
kon er niets aan doen dat ik het gevoel kreeg dat het hele idee van het
aanvaarden van een schuld door ons op dit tijdstip heel ongewenst was.
Maar er was één heel machtige voorstander voor de uitgifte van obligaties, iemand met veel meer invloed dan Ben-Goerion, Kaplan, Montor
en ik allemaal samen. Henry J. Morgenthau, de vroegere Amerikaanse
minister van financiën, met wie ik in 1948 naar zoveel gemeenschappen
was gereisd en die destijds algemeen voorzitter van het Verenigd Joods
Appel was geweest, begreep het voorstel meteen en keurde het goed. Hij
deed nog meer. Hij ging president Truman in het Witte Huis opzoeken
en we ontdekten dat de president eveneens alles begreep en goedkeurde.
Dus werd er weer een conferentie belegd, dit keer in Washington D.C.
En ik kreeg de 'uitverkoren' taak om te trachten ongelovigen te bekeren
en hun scepticisme en weerstand te veranderen in steun en samenwerking.

Ik verloor niet te veel tijd met inleidingen en mooie woorden. Als Israël
zich moest ontwikkelen, groeien en gedijen, zelf in staat moest zijn zich
te voeden, dan hadden we anderhalf miljard dollar nodig in de komende
drie jaar! Wij zelf, één miljoen mensen, zouden ons verantwoordelijk
stellen voor een derde van dat enorme bedrag, zei ik. Maar de joden van
Amerika zouden een miljard dollar moeten verschaffen, op verschillende manieren met inbegrip van het kopen van obligaties.

'Een deel van dat geld zal ons geschonken moeten worden, maar een ander deel, het grootste deel, moet geld zijn dat wij voordelig moeten kunnen investeren, geld dat terugbetaald zal worden, geld dat rente kan opbrengen. Afgezien van een krachtig en sterk appel van het V.J.A., hebben wij investeringskapitaal nodig. We willen obligaties verkopen. We willen dat u ons geld léént. Ik weet niet wat voor garanties we u kunnen geven of wat voor garanties u kunt vragen. Ik geloof dat ik u maar één garantie namens de regering van Israël kan geven. Ik kan u de solide garantie van het volk van Israël aanbieden, van de honderdduizenden joden die nog steeds naar Israël toekomen en de tienduizenden joden van Israël die nog steeds in tenten wonen. Maar ik kan u ook onze kinderen aanbieden, de kinderen van de mensen die al langer in Israël wonen en de kleine Jemenitische kinderen en de kinderen van de joden uit Irak en de Roemeense kinderen die nu in Israël tot trotse, veilige, zichzelf respecterende joden opgroeien. *Zij* zullen deze schuld terugbetalen: op hen rust de eervolle verplichting dat te doen, mét rente.'

Terwijl ik sprak, zag ik die kinderen voor mijn ogen, met hun vaders in de lange rijen die elke morgen hun tenten, houten keten en canvas hutten verlieten om bomen op de heuvels te gaan planten of wegen aan te leggen. Het waren niet allemaal jonge mannen, hun kleren waren gescheurd, hun lichamen tenger, maar nog slechts een paar maand geleden hadden ze met gebogen hoofd en gekromde rug door de straten van Jemen gelopen of hadden wanhopig en lusteloos in de D.P.-kampen in Europa rondgehangen. Nu hieven ze hun hoofd omhoog en hun rug was recht terwijl ze schop en houweel in de hand hielden. Ik wist dat zij een goede investering waren, en Goddank had ik gelijk. Vanaf de tijd dat de eerste campagne voor Israëlische obligaties werd gelanceerd, in mei 1951, zijn er tot nu toe obligaties tot een totale waarde van bijna drie miljard dollar verkocht en reeds één miljard daarvan is terugbetaald. Het geld werd in Israëls economie opgenomen als een ontwikkelingsbudget en de obligaties hielpen in elk opzicht de economische levensvatbaarheid van de nieuwe staat te bevestigen.

Maar tijdens die periode was werk niet alles voor me. Er waren ook persoonlijke vreugden en smarten, zoals in elk leven. Op een dag in 1951, toen ik niet thuis was en er weer op uit was getrokken op een van die nooit eindigende tochten om geld bijeen te brengen, kreeg ik een telegram dat me vertelde dat Morris dood was. Ik vloog meteen naar Israël terug om de begrafenis bij te wonen en was vol gedachten over het leven dat wij samen hadden kunnen hebben als ik maar anders geweest was. Het was een verlies waar ik met andere mensen niet over kon of wilde praten, zelfs niet met mijn eigen familie. Ik ben ook niet in staat er nu over te schrijven, behalve dan om te zeggen dat — ondanks dat wij zo lang van elkaar gescheiden waren geweest — ik bij zijn graf nog eens besefte welk een hoge prijs ik betaald had, en Morris had laten betalen voor wat ik had meegemaakt in alle jaren van onze scheiding.

236

Toen kwam Sarahs zwangerschap, ziekte en de geboorte van een dode baby — en de dagen van zorg over haar herstel toen Zechariah en ik trachtten de dokters te dwingen ons te zeggen dat alles in orde zou komen. In plaats daarvan moesten wij vol angst horen dat er maar heel weinig kans was dat ze in leven bleef. Ik kon het niet geloven, misschien omdat ik diezelfde woorden al zoveel jaren eerder ook gehoord had, of misschien omdat er woorden zijn die je nooit echt gelooft. Maar ze kwam er die keer bovenop en, typerend voor haar, drong erop aan om zodra ze kon naar Revivim terug te keren en te zien dat ze weer een baby kreeg. Ik had er echter maanden voor nodig om bij te komen van de angst die ik gekend had, en elke keer dat ik eraan dacht hoe vreselijk ziek ze geweest was, had ik wel naar Revivim willen vliegen en haar naar Jeruzalem mee terugslepen zodat ik zelf voor haar kon zorgen. Maar ik wist dat het me niet zou lukken en dat ik haar haar eigen leven moest laten leven, waar en hoe ze dat zelf verkoos, onverschillig hoe bezorgd ik me ook maakte.

Een van de grootste persoonlijke vreugden van mijn leven in de tijd dat ik minister van arbeidszaken was, was de flat waar ik in Jeruzalem in woonde. Ik had nooit bijzonder veel belangstelling voor mijn naaste omgeving gehad zo lang alles maar schoon, netjes en redelijk gezellig was. Tenslotte is een huis maar een huis, en ik heb in heel wat huizen gewoond sinds de staat geboren werd: de officiële residentie van de minister van buitenlandse zaken, die van de premier en nu het kleine twee-onder-één-dak huis in een tuinstad van Tel Aviv; in het andere huis wonen Menachem, Aya, hun drie zoons en een cocker-spaniel die Daisy heet en die veel doller op mij is dan ik op haar. Maar geen van die huizen heeft ooit zoveel voor me betekend als die mooie flat waar ik van 1949 tot 1956 in woonde. De geschiedenis ervan is veel meer dan zo maar het verhaal van een stuk onroerend goed.

Eind 1949 verhuisden op instructie van Ben-Goerion de Knesset en de meeste regeringskantoren van Tel Aviv naar Jeruzalem. Het was geen gemakkelijk besluit voor Ben-Goerion, maar het was wel helemaal typerend voor hem. Hoewel de openingszitting van de Knesset in Jeruzalem had plaatsgevonden en Dr. Weizmann daar als Israëls eerste president beëdigd was, schenen alleen de Israëli's zelf te beseffen welke absoluut unieke plaats Jeruzalem door de eeuwen heen in het hart van de joden overal ter wereld heeft ingenomen. De rest van de wereld nam geen notitie van de band die altijd tussen ons en de Stad van David bestaan heeft. Zowel de Commissie-Peel als UNSCOP waren de mening toegedaan dat Jeruzalem niet moest worden opgenomen in de voorgestelde joodse of Arabische staat, en de Algemene Vergadering van de Verenigde Naties besliste dat Jeruzalem geïnternationaliseerd zou worden en bestuurd zou worden door een Speciale Raad, zijn eigen gouverneur zou hebben en bewaakt zou worden door een internationale politiemacht. Het doel van dit alles was zogenaamd om de heilige plaatsen te beschermen zodat er voor altijd 'orde en rust' in Jeruzalem zou heersen. Natuurlijk verwierpen de Arabieren dit plan met alles wat eraan vastzat en ook het gehele verdelingsvoorstel. Maar wij aanvaardden het, al waren we er niet blij mee, en we troostten ons met de belofte van de Verenigde Naties dat er over tien jaar een volksstemming gehouden zou worden 'die tot zekere wijzigingen kon leiden'. Omdat er in 1948 100.000 joden en slechts 65.000 Arabieren in Jeruzalem woonden, leek het niet onmogelijk dat Jeruzalem uiteindelijk van ons zou worden. Niet dat we ooit van plan waren de Arabische bevolking daar dan van huis en goed te verdrijven (en dat is, vind ik, duidelijk gebleken uit de gebeurtenissen in die stad na de Zesdaagse Oorlog). Maar we voelden ons wel beledigd door de stilzwijgende gevolgtrekking dat wij wel eens de 'orde en rust' zouden kunnen verstoren in een stad die al meer dan tweeduizend jaar heilig voor ons was. Tenslotte kenden wij uit het hoofd wat voor opstanden en gewelddaden de Arabieren in Jeruzalem sinds 1921 hadden gepleegd, al hadden anderen dat dan vergeten. En wij wísten dat niet één incident door de joden was veroorzaakt of uitgelokt.

Die 'Speciale Raad' is nooit tot stand gekomen, maar Jeruzalem kwam wel onder Arabisch vuur te liggen en bleef dat maandenlang. Tijdens het beleg van Jeruzalem werd de stad genadeloos door de Egyptenaren en Jordaniërs met granaten bestookt en de hele internationale bezorgdheid om de heilige plaatsen verdween in het niets. Afgezien van een paar zwakke resoluties die de Verenigde Naties aannamen, deed of zei niemand – behalve de joden – iets om de Arabische aanval op de stad tot staan te brengen, en niemand – behalve de joden – trachtte de bevolking of de oude plaatsen te redden. Het Arabisch Legioen bezette de Oude Stad en elke jood daar die nog in leven was, werd eruit gegooid. In feite werden wíj het enige volk dat geen toegang meer tot de heilige plaatsen kreeg, maar nog steeds zei niemand – behalve de joden – een woord. Niemand vroeg zelfs: 'Hoe komt het dat de joden niet meer naar de synagoge in het joodse deel van de Oude Stad kunnen gaan, of kunnen bidden bij de Klaagmuur?' Gezien deze doodse stilte kan men moeilijk van ons verwachten dat wij nog ooit op iemand anders vertrouwen bij de bescherming van Jeruzalem of dat wij christelijke of mohammedaanse uitingen van zorg om de heilige plaatsen ernstig zullen opnemen. We waren in elk geval volkomen in staat om ze zelf te beschermen, evenals alle andere historische en religieuze oorden in Israël. Er was geen reden meer dat we op een volksstemming over Jeruzalem zouden wachten. In plaats daarvan werd ons een oorlog opgedrongen.

238

Niettemin was er heel wat moed bij Ben-Goerion voor nodig om te beslissen — tegen een resolutie van de Verenigde Naties van december 1949 in waarin de onmiddellijke internationalisatie van Jeruzalem geëist werd — de regering daarheen te verhuizen voordat die resolutie kon worden uitgevoerd. Zelfs in Israël gingen er van politieke en militaire kant stemmen op tegen de mogelijke gevaren van een dergelijke verhuizing, maar Ben-Goerions innerlijke stem was nog sterker. Hoewel de meeste buitenlandse vertegenwoordigingen (en daarom ook ons ministerie van buitenlandse zaken) in Tel Aviv bleven, pakten mijn ministerie en de meeste andere hun zaken in en verhuisden naar Jeruzalem, de hoofdstad.

Dat hield in dat ik in Jeruzalem onderdak moest zien te vinden en ik had absoluut geen zin om in een hotel te gaan of een kamer bij vreemde mensen te nemen. Ik wist beter dan de meeste anderen hoe moeilijk huisvesting in Jeruzalem was en ik smeekte mijn medewerkers op het ministerie van arbeidszaken de stad af te stropen om te zien of ze onderdak voor me konden vinden. 'Het enige dat ik nodig heb', zei ik, 'is één kamer met een eigen ingang. Dat zal toch wel ergens te vinden zijn.' Het duurde even, maar tenslotte ging mijn telefoon. 'Golda, we hebben een kamer met een eigen ingang gevonden, maar we denken niet dat hij erg geschikt voor je is. Maar als je hem eens wilt zien ...' Ik ging natuurlijk meteen kijken. Hij was in de wijk Talbieh van de stad, in een huis dat Villa Haroen al Raschid heette (!) en had destijds als hoofdkwartier voor het Britse Leger dienst gedaan. Het huis had twee verdiepingen en een enorm dak waarop een vervallen kamer lag en het zag er allemaal onbeschrijflijk vies en vuil uit. De ingenieur had gelijk. Het hele huis, laat staan die kamer erbovenop, was niet alleen ongeschikt, maar totaal onmogelijk. Toch ging ik het dak op. Ik bleef daar vijf minuten rondkijken en bewonderde het prachtige uitzicht op Jeruzalem; toen kwam ik terug en deed een aankondiging. 'Dit is precies geschikt. Ik zal me best in dat vieze kamertje kunnen redden terwijl jij meteen eraan begint een flatje voor mij op een ander deel van het dak te bouwen.' Ik stuitte meteen op een muur van afwijzingen. Dat was toch niet groot genoeg voor een minister. Het was te dicht bij de grens. Het zou te lang duren voor er een flatje voor mij gebouwd was en ik zou maandenlang in dat vreselijke kamertje moeten huizen. Maar ik lachte alleen en zei dat ik zou verhuizen zodra het kamertje was schoongemaakt. Het duurde inderdaad een paar maanden voor het flatje klaar was, maar het was de moeite van het wachten waard. Uit de ene grote erker kon ik over heel Jeruzalem uitkijken zoals het daar tegen de heuvels van Juda aan lag en ik kreeg er nooit genoeg van dit uitzicht te bewonderen. Het deed er niet toe hoe lang en hoe zwaar de dag geweest was, hoeveel nieuwe nederzettingen ik bezocht had of hoeveel vergaderingen ik had bijge-woond. Als ik de deur van die flat op het dak achter me dicht deed, een kop thee zette en eindelijk ging zitten met de lichten van de stad voor me verspreid, dan was ik gelukkiger dan ooit. Zo zat ik daar soms uren achter elkaar, met vrienden of alleen en genoot van de schoonheid van Jeruzalem. Later zijn Menachem en Aya in die flat getrouwd en hij hoort nu helemaal bij de familiegeschiedenis.

Terwijl ik over die periode in mijn leven schrijf, moet ik steeds weer denken hoe ik bofte door steeds weer het begin van zoveel dingen te hebben meegemaakt. Niet dat ik de loop van de gebeurtenissen be-invloed heb, maar ik maakte deel uit van wat er allemaal om me heen plaatsvond. Soms was mijn ministerie en ook ik persoonlijk zelfs in staat een beslissende rol bij de opbouw van de staat te spelen. Ik geloof dat als ik me wil beperken tot het noemen van twee of drie ontwikke-lingen die mij in die zeven jaar het meest voldoening gaven en van de grootste betekenis waren, dat ik dan moet beginnen met de wetgeving waar mijn ministerie de verantwoording voor had. Voor mij symboli-seerde dat, meer dan iets anders, de sociale gelijkheid en rechtvaardig-heid zonder welke zaken ik me zelfs niet zou kunnen voorstellen dat de staat zou kunnen functioneren. Ouderdomspensioen, uitkeringen voor weduwen en wezen, verlof bij bevalling en uitkering van een vergoeding daarbij, verzekering tegen beroepsongelukken, invaliditeits- en werk-loosheidsuitkeringen waren in elke zichzelf respecterende maatschappij van essentieel belang en wat ons ook allemaal ontbrak of wat we uitstel-den, dat waren fundamentele zaken.

Zelfs al konden we ons niet veroorloven om álle bereikte resultaten van de arbeidersbeweging onmiddellijk door wetten te dekken, we waren volgens mij wel verplicht zo veel mogelijk wettelijke maatregelen op korte termijn te treffen en het betekende heel veel voor me om in januari 1952 in staat te zijn Israëls eerste wetsontwerp voor Nationale Verzekering, in hoofdzaak gebaseerd op vrijwillige verzekeringssyste-men van de *Histadroet,* aan de Knesset voor te leggen waardoor de weg geplaveid werd voor de Nationale Verzekeringswet die in de lente van 1954 van kracht werd. Nationale Verzekering was geen tovermiddel. Hij bande in Israël de armoede niet uit, en evenmin dichtte hij de kloof op onderwijs- en cultureel gebied tussen onze burgers, noch loste hij onze veiligheidsproblemen op. Maar hij betekende wel, zoals ik de Knesset die dag zei: 'dat de staat Israël binnen zijn grenzen geen armoede zal tolereren die een beschaming voor het menselijk leven betekent, — dat nu de mogelijkheid geschapen is dat de mooiste uren in een moederle-ven niet bedorven worden door zorgen om voedsel, — dat mannen en vrouwen die een hoge leeftijd bereiken niet meer de dag waarop ze

240

geboren werden, behoeven te vervloeken.' Was het te veel gevergd van onze middelen? Natuurlijk, en daarom moesten we een en ander ook in verschillende fases invoeren. Maar de wet had economische en sociale betekenis, de verdienste om kapitaal te accumuleren en geld aan de circulatie te onttrekken en dat hielp ons weer inflatie te bestrijden. Bovenal bracht hij evenwicht in de financiële last, maakte hij de ene groep voor de ander verantwoordelijk en spreidde het risico. Er was nog een nevenfactor die voor mij van betekenis was: omdat het percentage van in ziekenhuizen geboren baby's steeg als gevolg van de uitkering bij bevalling, waarbij ziekenhuiskosten waren inbegrepen, daalde de zuigelingensterfte die onder de nieuwe immigranten en de Arabieren hoog was. Ik ging zelf naar Nazareth om de eerste cheque aan de eerste Arabische vrouw te overhandigen die haar baby in het ziekenhuis daar ter wereld had gebracht, en ik geloof dat ik nog opgewondener was dan zij.

Nog een project van het ministerie van arbeidszaken waar ik sterk bij betrokken raakte, was de beroepsopleiding zowel voor volwassenen als voor jongeren. Ook dit was geen kwestie van zwaaien met een toverstokje en opeens werden nieuwe immigranten vaklieden of geschoolde technici. Het duurde jaren om mensen klaar te maken voor nieuwe beroepen en vakken, en honderden nieuwe immigranten konden nooit ten volle in het arbeidsproces opgenomen worden omdat ze of te ziek waren, of psychologisch al te veel gewend aan niet werken, of doodgewoon niet in staat om zich aan de eisen van het moderne leven aan te passen. Maar duizenden andere mannen en vrouwen volgden beroepsopleidingen of cursussen, leerden met machinerieën om te gaan, pluimvee te fokken, werden loodgieter en elektricien, en ik kreeg er nooit genoeg van deze transformatie gade te slaan. Iedereen hielp mee om van het beroepsopleidingprogramma een succes te maken. Het ministerie van arbeidszaken werkte samen met het ministerie van sociale zaken, het ministerie van onderwijs, het leger, de *Histadroet* en reeds bestaande vrijwillige organisaties zoals de Organisatie voor Rehabilitatie door Training, *Hadassah* en de Internationale Vrouwelijke Zionistenorganisatie die door joden in het buitenland werden gefinancierd. We deden alles om arbeiders op te leiden die gebreide goederen maakten, industriediamanten polijstten, deel uitmaakten van lopende-band ploegen en tractoren bestuurden. En dit alles nog afgezien van de werkelijk reusachtige inspanning die vereist werd om doodgewoon analfabetisme te bestrijden en Hebreeuws te onderwijzen.

Dan waren er de nieuwe steden die in die jaren overal in Israël als paddestoelen uit de grond verrezen. Ze werden niet allemaal zoals ze op de tekentafel gepland waren en sommige werden een totale mislukking.

Maar andere groeiden en bloeiden en deden de mensen die ze ontworpen hadden én hun bewoners eer aan. Vrijwel alle bouwarbeid werd door de regering verricht. Een van die nieuwe steden was Kiryat Shmonah in het uiterste noorden, Opper Galilea, dat altijd een speciale bekoring voor me had, misschien omdat het in zo'n adembenemende omgeving lag of omdat ik er van het begin af aan van overtuigd was dat Kiryat Shmonah het zou halen, ondanks alle moeilijkheden. In elk geval was vanaf 1949 mijn band ermee nooit alleen maar formeel.

De stad begon het leven als een doorgangskamp, een *ma'abara* bestaande uit metalen hutten en verbijsterde immigranten die regelrecht van het vliegtuig of het schip daarheen waren gebracht. Ze wisten eigenlijk niet waar ze waren en ook niet waarom ze er waren. Het was wel iets heel anders dan de verlokkingen van Tel Aviv. Er waren totaal geen andere steden in de nabijheid, alleen maar een paar kibboetsiem met velden en boomgaarden; dicht in de buurt lagen ook de moerassen van het Huleh-dal die we juist aan het ontginnen waren. Maar de regering had besloten daar een stedelijk centrum te stichten dat de dynamische kern van een pas bevolkt gebied zou worden en we zaten wekenlang over kaarten en blauwdrukken gebogen en trachtten de toekomstige behoeften te voorzien. De *ma'abara* werd door de meest elementaire onderdelen van een stad vervangen. Scholen, een gemeenschapscentrum, lichte industrie, zelfs een zwembad kwam er in Kiryat Shmonah en alles was tot de laatste spijker toe gepland, behalve de reactie van de nieuwe immigranten op het leven daar. Ja, de omgeving was prachtig en, ja, het klimaat was opwekkend en, ja, de keurige huizen waren mooi, vertelden ze me, maar het was er zo eenzaam en er was niet genoeg werk voor iedereen. De Europese joden zeiden dat we ze zo maar ergens hadden neergezet en de oosterse joden maakten het duidelijk dat we ze te snel nieuwe manieren wilden bijbrengen, dat we hun levenswijze in de war schopten en dat we ze als tweederangs burgers behandelden.

Er was een voortdurend wisselende bevolking en elke keer dat ik naar Kiryat Shmonah ging, luisterde ik naar de klachten en zag ik de ontevredenheid; dan kwam ik weer met een lijst vol nieuwe voorstellen naar Jeruzalem terug en meestal was er geen geld genoeg om ze uit te voeren. Ik vond het vreselijk als ik zag hoe de huizen die we daar zo moeizaam hadden neergezet, leeg stonden. Maar we verhoogden de subsidie en er kwamen nieuwe groepen immigranten en de meesten daarvan bleven hangen. Ze bleven zelfs toen – na de Zesdaagse Oorlog – Kiryat Shmonah een geliefkoosd doelwit voor de Arabische raketten werd die door terroristen aan de andere kant van de grens met Libanon werden afgevuurd. En zelfs bleven ze nog toen kort geleden de terroristen de stad zelf binnenkwamen en er mensen vermoordden. Wanneer ik even kan, ga ik naar Kiryat Shmonah terug om daar op het stadsplein met een paar oudere mensen te zitten praten en verhalen uit te wisselen uit de tijd dat zij en ik dachten dat de stad het nooit zou halen. Niet dat ik nu niet meer met lijsten vol wensen en verlangens terugkom, maar — net als vroeger — is er ook nu geen geld genoeg om alles te doen dat daar nodig is.

Iets anders is misschien een verrassing voor sommigen van Israëls 'opbouwende critici', vooral die van de z.g. Nieuw Linksen. Al het bouwen en plannen dat we in die zeven drukke jaren deden gebeurde ook voor de Arabieren, omdat als wíj over de burgers van Israël spreken, dan bedoelen we álle burgers van Israël. Wanneer ik gesprekken met de plaatselijke bevolking in Kiryat Shmonah of een andere soortgelijke stad had, dan was er altijd wel iemand in de menigte die schreeuwde dat de Arabieren het beter hadden. Dat was natuurlijk niet waar, maar het is ook niet waar — en veel gemener — te beweren dat wij de Arabieren totaal negeerden. De waarheid is dat wij de huizen van de Arabieren die in 1948 het land verlieten, gebruikten voor de nieuwe immigranten, als dat met enige mogelijkheid kon. Maar het bezit ervan bleef onder toezicht van een speciale conservator. Tegelijkertijd wezen we meer dan 10 miljoen pond toe voor nieuwe Arabische behuizingen en brachten honderden Arabieren onderdak die in Israël gebleven waren, maar die als gevolg van de gevechten de wijk hadden moeten nemen. Er werd zoveel drukte gemaakt over de wijze waarop wij de eigendommen van de afwezigen gebruikten (alsof er een betere manier was om ze te gebruiken) dat we in 1953 een Landaankoopwet aannamen krachtens welke minstens twee derde van alle Arabieren die eisen instelden vergoedingen ontvingen, hun eigendom terug kregen of daarvoor in de plaats andere eigendommen ontvingen, en geen van allen werd gevraagd een eed van trouw af te leggen voor hun eisen werden ingewilligd.

Als ik over de Arabieren lees of hoor die we zo lelijk behandeld zouden hebben, dan gaat mijn bloed koken. In april 1948 stond ik zelf urenlang op het strand in Haifa en smeekte de Arabieren uit die stad letterlijk niet weg te trekken. Bovendien is het een beeld dat ik niet gauw zal vergeten. De *Haganah* had zo juist Haifa overgenomen en de Arabieren begonnen te vluchten, omdat hun leiders ze er met mooie woorden van overtuigd hadden dat het de verstandigste oplossing was en de Britten hadden heel edelmoedig tientallen vrachtauto's tot hun beschikking gesteld. Niets dat de *Haganah* zei of trachtte te doen, hielp, ook niet de smeekbeden via luidsprekers die op vrachtwagens gemonteerd waren, de pamfletten die we op de Arabische wijken van de stad deden neerkomen. 'Vrees niet', stond daar in het Arabisch en Hebreeuws op. 'Door weg te trekken zult u zich armoede en vernedering bezorgen. Blijf in de

243

stad die van u en ons is.' Ze waren getekend door de Joodse Arbeidersraad van Haifa. Om de Britse generaal Sir Hugh Stockwell aan te halen die destijds bevelhebber van de aanwezige troepen was: 'De Arabische leiders vertrokken eerst en niemand deed iets om de plotselinge trek tegen te houden die daarop in paniek veranderde.' Ze waren vastbesloten weg te gaan. Honderden reden de grens over, maar sommigen gingen ook naar de kust om op schepen te wachten. Ben-Goerion riep me bij zich en zei: 'Ik wil dat je meteen naar Haifa gaat en zorg ervoor dat de Arabieren die in Haifa blijven, goed behandeld worden. Ik wens ook dat je probeert die Arabieren aan de kust over te halen om terug te komen. Je moet het goed tot ze laten doordringen dat ze niets te vrezen hebben.' Ik ging dus onmiddellijk en ik zat daar bij ze op het strand en smeekte ze naar hun huizen terug te keren. Maar ze hadden slechts één antwoord. 'We weten dat we nergens bang voor hoeven te zijn, maar we moeten weg. We komen wel terug.' Ik was er absoluut van overtuigd dat ze niet gingen omdat ze bang voor ons waren, maar ze verkeerden in doodsangst om als verraders van de Arabische zaak te worden beschouwd. In elk geval praatte ik wat ik kon, maar het hielp niet.

Waarom wilden we dat ze bleven? Daar waren twee goede redenen voor: ten eerste wilden we de wereld bewijzen dat de joden en Arabieren best samen konden leven ongeacht wat de Arabische leiders uitbazuinden, en ten tweede wisten we heel goed dat het een grote weerslag op 's lands economie zou veroorzaken als op dat tijdstip een half miljoen Arabieren Palestina verlieten. Dat brengt me op een ander punt dat ik net zo goed nu meteen kan behandelen. Ik zou graag eens en voor altijd de vraag willen beantwoorden: 'Hoeveel Palestijnse Arabieren hebben in werkelijkheid in 1947 en 1948 hun huis verlaten?' Het antwoord is: 'Hoogstens 590.000.' Hiervan vertrokken er ongeveer 30.000 meteen na de verdelingsresolutie die de Verenigde Naties in november 1947 aannam. Een volgende 200.000 gingen in de loop van die winter en in het voorjaar van 1948 weg, met inbegrip van de overgrote meerderheid van de 62.000 Arabieren uit Haifa. Na de grondvesting van de staat in mei 1948 en de Arabische invasie in Israël vluchtten er nog 300.000 Arabieren. Het was inderdaad erg tragisch en het had ook heel tragische gevolgen, maar laat iedereen tenminste duidelijk weten wat de feiten waren en nog zijn. De Arabieren verklaren dat er 'miljoenen Palestijnse vluchtelingen' zijn en dat is even onwaar als de bewering dat wij de Arabieren dwongen hun huis te verlaten. De 'Palestijnse vluchtelingen' werden gemaakt als *gevolg* van de Arabische wens (en poging) om Israël te vernietigen. Zij zijn niet de oorzaak van deze wens. Natuurlijk waren er sommige joden in de *jisjoev* die zelfs in 1948 zeiden dat de Arabische exodus het beste was dat Israël kon overkomen.

De Arabieren die in Israël bleven, hadden het gemakkelijker dan degenen die vertrokken waren. In heel Palestina was er voor 1948 nauwelijks één Arabisch dorp geweest waar elektriciteit en stromend water aanwezig waren en binnen twintig jaar was er nauwelijks één Arabisch dorp in Israël dat niet op het nationale elektrische net was aangesloten en dat huizen zonder stromend water had. Toen ik minister van arbeidszaken was, kwam ik vaak in die dorpen en ik was even blij met wat wij voor hen deden als over het verdwijnen van de *ma'abarot*. Horen-zeggen en propaganda is één ding; feiten zijn iets anders. Als minister van arbeidszaken opende ik wegen en bezocht nieuwe huisvestingseenheden in de Arabische dorpen overal in Israël; het waren geen leden van Nieuw Links die dat deden. Tussen haakjes: een van mijn beste herinneringen aan die tijd is aan een dorp in Beneden Galilea dat een weg nodig had omdat het op een heuvel lag en de dorpsbron was onderaan die heuvel; steeds water tegen die heuvel opdragen was geen grapje. Dus legden we een weg aan en toen die klaar was, werd dat gevierd met verfrissingen, toespraken en vlaggen. Toen sprong er plotseling een jonge vrouw op en begon te spreken, en dat is niet gewoon onder de Arabieren. Ze zag er erg knap uit en had een lange, violetkleurige japon aan; haar speech was heel aardig. 'We willen het ministerie van arbeidszaken en de minister bedanken dat ze de taak die op de voeten van onze mannen rustte, lichter hebben gemaakt', zei ze. 'Maar nu zouden we de minister willen vragen of ze ook de taak van de hoofden van onze vrouwen wat lichter kan maken.' Ze drukte het heel poëtisch uit, maar wat ze bedoelde was dat ze stromend water wilde hebben, zodat ze die zware kruiken niet meer op haar hoofd hoefde te dragen, zelfs over die nieuwe weg. En een jaar later ging ik daar weer heen om iets te vieren; dit keer draaide ik tientallen kranen om!

Omstreeks die tijd raakte ik bijna mijn werk als minister van arbeidszaken kwijt. In 1955 waren er verkiezingen. *Mapai* wilde erg graag een burgemeester die tot de Arbeiderspartij behoorde in Tel Aviv hebben en Ben-Goerion besloot dat ik de enige kandidate was die een kans had. Ik vond het niet zo prettig want ik wilde het ministerie niet opgeven, maar omdat het een besluit van de partij was, had ik het gevoel dat ik geen keus had. 'Je moet wel begrijpen dat het zal betekenen dat ik dan niet meer in het kabinet zit', zei ik tegen Ben-Goerion. 'Daar is geen sprake van', antwoordde hij, 'dan maken we je minister zonder portefeuille.' 'Nee', zei ik, 'als ik burgemeester moet worden, dan is dat een volledige dagtaak.' Hij was erg boos, maar gelukkig voor mij haalden we geen meerderheid in de gemeenteraad van Tel Aviv, omdat mijn verkiezing door de raad afhing van de stemmen van twee mannen die tot het religieuze blok behoorden en een ervan weigerde voor een vrouw te stemmen. Dus werd ik geen burgemeester en ik ging door op het ministerie van arbeidszaken en ik hoopte vurig dat ik dat nog vele jaren zou mogen doen.

Hoewel het voor mij persoonlijk een opluchting was, was ik woedend dat het religieuze blok op het laatste ogenblik het had klaargespeeld het feit uit te buiten dat ik een vrouw was. Alsof de vrouwen van Israël niet hun volle aandeel – en meer – hadden bijgedragen tot de opbouw van de joodse staat. Er was geen nederzetting in de Negev of in Galilea waar niet vanaf het prille begin ook vrouwen waren geweest. En in die tijd zaten de vertegenwoordigers van het religieuze blok ook samen met vrouwen in de Knesset, evenals ze ook de aanwezigheid van vrouwen in het Joods Agentschap en de *Va'ad Leumi* hadden geaccepteerd. Ik verachtte hun politieke tactiek om tegen mijn burgemeesterschap van Tel Aviv bezwaren te maken omdat ik een vrouw was en dat heb ik ook ronduit gezegd.

De religieuze kwestie – en daar bedoel ik mee de wijze waarop de clericale partijen hun zin doordreven – laaide tijdens de jaren vijftig nog af en toe op. Maar we waren vastbesloten om ons niet in een open conflict met het religieuze blok te laten betrekken als we het enigszins konden vermijden. Zonder dat hadden we al moeilijkheden genoeg. Toch kwamen er zo nu en dan uitbarstingen voor die kabinetscrises veroorzaakten. De plaats van de godsdienst in de joodse staat bracht ons toen vaak in verwarring en doet dat, in zeker opzicht, nog steeds. Het zij voldoende op te merken dat we nog geen eenvoudige manier hebben gevonden om dit probleem te omzeilen.

Een van de grappen die de Israëli's elkaar in die dagen vertelden was over de man die zuchtte: 'Nou hebben we tweeduizend jaar op een joodse staat gewacht, en nou moest ik net meemaken dat we hem krijgen!' Ik geloof dat we er allemaal, al was het maar eventjes, wel eens zo over gedacht hebben gedurende die eerste jaren van het bestaan van de staat. In elk geval, omdat niets in Israël ooit blijvend is, kwam Ben-Goerion in 1956 met een nieuw plan voor me.

10
Het bestaansrecht

Voordat ik verder over dat plan vertel en wat er met mij gebeurde, moet ik uitleggen dat tijdens mijn ministerschap van arbeidszaken Ben-Goerion, geestelijk en lichamelijk uitgeput, besloot af te treden als premier en als minister van defensie. De afgelopen twintig jaar hadden hem al zijn krachten gekost, zei hij, en hij verzocht om twee jaar verlof. Hij had verandering van omgeving nodig en wilde weg naar een kleine kibboets in de Negev, Sdeh Boker, niet ver van Beersjeba. Hij vertelde ons dat hij daar weer als pionier wilde gaan leven en zich als lid van een collectieve nederzetting wijden aan de ontginning van de wildernis. Het kwam voor ons als een donderslag bij heldere hemel. Wij smeekten hem niet weg te gaan. Het was veel te gauw; de staat was pas vijf jaar oud; het opvangen van ballingen was nog lang niet gereed; onze buren waren nog steeds met ons land in oorlog. Het was geen tijdstip waarop Ben-Goerion ons kon verlaten, evenmin als het land dat zo vele jaren voor leiding en inspiratie naar hem had opgekeken. Het was onvoorstelbaar dat hij zich zou terugtrekken! Maar hij was vastbesloten weg te gaan en niets dat wij zeiden had enig effect op hem. Mosje Sjarett behield de portefeuille van buitenlandse zaken, en werd Israëls premier. In januari 1954 vertrok Ben-Goerion naar Sdeh Boker, waar hij tot 1955 bleef; toen kwam hij terug in het openbare leven, eerst als minister van defensie, daarna als premier terwijl Sjarett weer volledig minister van buitenlandse zaken werd.

Als premier was Sjarett dezelfde intelligente en voorzichtige man die hij altijd geweest was. Toch moet ik bekennen dat, al waren de leiders van de *Mapai* erg op hem gesteld en hadden ze groot ontzag voor hem (en de meesten van ons waren méér gesteld op Sjarett dan op Ben-Goerion), als er een werkelijk moeilijk probleem was op te lossen, dan wendden de mensen zich nog steeds om raad tot Ben-Goerion, met inbegrip van Sjarett zelf. Er was een gestadige stroom van bezoeken en correspondentie naar Sdeh Boker, dat opeens een van de beroemdste plaatsen van Israël werd. En hoewel Ben-Goerion zichzelf graag beschouwde als een eenvoudige filosoof-schaapherder die de ene helft van de dag voor de kibboetsschapen zorgde en de andere helft doorbracht met lezen en het schrijven van de geschiedenis van Israël, toch bleef hij zijn hand heel dicht bij, zo niet aan, het roer van het schip van staat houden. Ik geloof dat het onder de omstandigheden onvermijdelijk was, maar wat tot moeilijkheden leidde was het feit dat Ben-Goerion en Sjarett nooit goed met elkaar hadden kunnen opschieten, ondanks alle jaren van samenwerking. Hun fundamentele persoonlijkheid was zo verschillend, al waren beiden vurige socialisten en vurige zionisten.

Ben-Goerion was een activist, een man die er voor was dingen te dóen in plaats van ze uit te leggen en hij was ervan overtuigd dat het enige dat uiteindelijk telde — en dat altijd zou blijven tellen — was wát de Israëli's deden en hoe ze het deden, niet wat de wereld buiten Israël van ze dacht of zei. De eerste vraag die hij zichzelf en ons over vrijwel elk punt dat in die dagen naar voren kwam, stelde was: 'Is het goed voor de staat?' En wat hij bedoelde, was: 'Is het *op den lange duur* goed voor de staat?' Tenslotte zou de geschiedenis Israël beoordelen naar wat er over de daden van het land vastgelegd was, niet naar zijn verklaringen of zijn diplomatie en zeker niet naar het aantal gunstige hoofdartikelen die in de internationale pers verschenen. Of hij al dan niet aardig werd gevonden of zelfs of men goed- of afkeurde wat hij deed, vond Ben-Goerion niet terzake doen. Hij dacht in termen van soevereiniteit, veiligheid, consolidatie en werkelijke vooruitgang, en hij beschouwde de wereldopinie, of zelfs de publieke opinie, in verhouding daarmee als betrekkelijk onbelangrijk.

Sjarett daarentegen maakte zich altijd enorm bezorgd hoe politieke figuren elders op Israël reageerden en wat de joodse staat een 'goed figuur' zou doen slaan in de ogen van andere ministers van buitenlandse zaken of de Verenigde Naties. Hij had vaak neiging als maatstaf aan te leggen wat Israëls 'image' en het oordeel van zijn eigen tijdgenoten zou zijn, in plaats van aan de geschiedenis of toekomstige historici te denken. Ik geloof dat hetgeen hij werkelijk het liefst voor Israël wenste was dat het zou beschouwd worden als een progressief, gematigd, beschaafd Europees land over wiens gedrag geen Israëli, en zeker hijzelf niet, zich ooit zou hoeven te schamen.

Gelukkig werkten beiden jarenlang, tot de jaren vijftig, goed samen. Sjarett was een geboren diplomaat en onderhandelaar. Ben-Goerion was een geboren nationale leider en strijder. En de zionistische beweging in het algemeen zowel als de arbeidersbeweging in het bijzonder ondervonden enorme voordelen van hun gecombineerde talenten en zelfs, zou ik bijna zeggen, van hun zo verschillende temperamenten en houding. Ze waren niet gelijk en ze waren geen echte vrienden, maar ze vulden elkaar aan en natuurlijk hadden ze dezelfde fundamentele doelstellingen gemeen. Maar na de grondvesting van de staat, groeide hun tegenstrijdige geaardheid. Misschien werd die ook alleen maar meer zichtbaar en belangrijker. In elk geval, toen Ben-Goerion in 1955 uit Sdeh Boker terugkwam (om redenen waar ik later verder op zal ingaan), werden de spanningen en meningsverschillen tussen hen zó intens dat het onhoudbaar werd.

Een heel belangrijk punt van wrijving tussen beiden was de kwestie van Israëlische vergelding tegenover terroristische activiteiten. Sjarett was er even hard als Ben-Goerion van overtuigd dat er aan de onophoudelijke strooptochten van bendes Arabische infiltranten over onze grenzen een einde moest komen, maar ze verschilden totaal van mening over de toe te passen methodes. Sjarett sloot vergelding niet uit. Maar meer dan wij anderen geloofde hij er vast in, dat de beste manier om deze dringende aangelegenheid op te lossen was doorgaan met maximum druk uit te oefenen op de gestelde machten zodat die, op hun beurt, maximum druk op de Arabische staten zouden uitoefenen om op te houden met de infiltranten op allerlei manieren te helpen. Juist gekozen bewoordingen in protesten bij de Verenigde Naties, bekwame en uitvoerige diplomatieke nota's en een duidelijke en herhaalde uiteenzetting van onze situatie tegenover de wereld — hij was ervan overtuigd dat zoiets uiteindelijk succes zou opleveren. Maar gewapende represailles door Israël zouden alleen maar een storm van kritiek ontketenen en onze internationale positie zelfs nog moeilijker maken dan die al was. Hij had honderd procent gelijk wat de kritiek betrof. Het was meer dan een storm, het was een orkaan. Wanneer de Israëlische Verdedigende Strijdkrachten wraak op de infiltranten namen waarbij soms onvermijdelijk onschuldige Arabieren gedood of gewond werden samen met de schuldigen, dan werd Israël prompt en ernstig wegens gruweldaden veroordeeld.

Maar Ben-Goerion vond dat zijn verantwoordelijkheid niet in de eerste plaats tegenover de westerse staatslieden of tegenover de rechterstoel van de wereld lag, maar tegenover de gewone burgers die in de Israëlische nederzettingen woonden die voortdurend door de Arabieren werden aangevallen. Hij vond dat de eerste en belangrijkste plicht van de regering van een staat was zichzelf te verdedigen en zijn burgers te beschermen, ongeacht hoe negatief de reactie in het buitenland tegenover die bescherming ook zou zijn. Ben-Goerion had nog een belangrijke overweging: de burgers van Israël, dat conglomeraat van mensen, talen en beschavingen, moesten leren dat de regering — en alléén de regering — verantwoordelijk was voor hun veiligheid. Het zou natuurlijk veel gemakkelijker zijn geweest om toe te staan dat er een aantal antiterroristische burgerwachtgroepen gevormd werd, officieel het oog sluiten voor alle particuliere vergeldingsdaden en wraakoefeningen, en daarna luid alle verantwoordelijkheid voor de daaruit voortvloeiende 'incidenten' van de hand wijzen. Maar dat lag niet in onze aard. De hand die vreedzaam naar de Arabieren werd uitgestrekt, zou uitgestrekt blijven, maar tegelijkertijd hadden de kinderen van de Israëlische boeren in de grensdorpen er recht op 's nachts veilig in hun bed te kunnen slapen. En als de enige manier om dat te bereiken was om genadeloos tegen de kampen van de Arabische benden terug te slaan, dan moest dat gedaan worden.

In 1955 waren er al tientallen dergelijke Israëlische strafexpedities geweest, allemaal in antwoord op onze groeiende dodencijfers, het ondermijnen van onze wegen en het overvallen van verkeer. Ze maakten geen einde aan de terreur, maar ze maakten het leven van onze settlers veel veiliger en ze leerden de Israëli's dat ze op onze strijdkrachten konden vertrouwen. In feite onderstreepten ze voor de nieuwere helft van onze bevolking het werkelijke verschil van in een land geduld te worden en te leven in een land waar ze deel van uitmaakten, waar ze toe behoorden. Helaas verwijdden deze maatregelen ook de kloof tussen Ben-Goerion en Sjarett die sommige represailles bleef afkeuren.

Na een tijdje noemde Ben-Goerion Sjarett niet langer bij zijn voornaam en begon over hem te spreken alsof hij een vreemde was. Sjarett was erg gekwetst door deze kilte van Ben-Goerion, maar hij zei er in het openbaar nooit iets over. Maar 's avonds thuis krabbelde hij zijn dagboek vol met woedende analyses van Ben-Goerions karakter en de manier waarop Ben-Goerion hem behandelde. Toevallig zocht de *Mapai* in 1956 naar een nieuwe algemeen secretaris. Ben-Goerion vond dat dit een ideale baan voor mij was en hij vroeg me wat ik ervan dacht. Hij stelde voor dat we met een paar collega's in zijn huis in Jeruzalem erover zouden praten. Niet iedereen deelde zijn enthousiasme, maar hoewel het betekende dat ik uit het kabinet zou treden en het ministerie van arbeidszaken moest verlaten, was ik bereid de beslissing aan de partij over te laten en ik luisterde vol aandacht naar de discussies die plaatsvonden. Ik voelde er weinig voor om mijn ministerie aan een ander over te dragen, maar aan de andere kant was ik ernstig bezorgd over de toekomst van de *Mapai* die bij de verkiezingen van juli 1955 erg had geleden. Ik vond dat het lidmaatschap ervan op belangrijk bredere basis moest — en kón — gesteld worden en dat de bedreiging van de *Mapai* zowel van uiterst links als van uiterst rechts overwonnen kon worden, vooropgesteld dat er intensieve pogingen door de leiders van de *Mapai* werden gedaan. Zij hadden neiging, waarschijnlijk niet onnatuurlijk, om te veel op Ben-Goerion te vertrouwen die het werk wel voor ze zou opknappen. Opeens hoorde ik Sjarett schertsend opmerken: 'Tja, misschien zou *ik* algemeen secretaris van de partij kunnen worden.' Iedereen lachte, behalve Ben-Goerion, die meteen op Sjaretts grapje inging. Ik geloof niet dat hij zichzelf ooit zo ver gekregen zou hebben om Sjarett te vragen het kabinet te verlaten, maar hier deed zich onverwacht een mogelijkheid voor, en Ben-Goerion was er de man niet naar om mogelijkheden niet waar te nemen.

'Prachtig', zei hij dadelijk. 'Een prachtig idee! Dat zal de *Mapai* redden.' Wij waren allemaal enigszins verrast en geschrokken, maar bij nader inzien leek het toch ook voor de partij een heel goed idee. De kabinetszittingen werden steeds meer het terrein voor openlijke disputen over beleidskwesties tussen Ben-Goerion en Sjarett, en al was het dan geen elegante oplossing, het was wél — of leek dat althans — een manier om de groeiende druk op ons allen te verminderen, een druk die veroorzaakt werd door de eeuwigdurende twisten tussen de beide mannen.

'Vind *jij* het geen goed idee dat Mosje secretaris van de partij wordt?' vroeg Ben-Goerion me een paar dagen later. 'Maar wie moet er nu minister van buitenlandse zaken worden?' wilde ik weten. 'Jij', antwoordde Ben-Goerion kalm. Ik kon mijn oren niet geloven. Het was nooit in de verste verte bij me opgekomen en ik wist zelfs niet of ik het wel aan kon en alles wat eraan vast zat onder de ogen wílde zien. Eigenlijk wist ik maar één ding: Ik wilde niet bij het ministerie van arbeidszaken weg en dat zei ik tegen Ben-Goerion. Ik zei hem ook dat ik op deze manier niet in Sjaretts schoenen wilde stappen. Maar Ben-Goerion luisterde niet naar mijn bezwaren. 'Dat is dan in orde', zei hij, en daar bleef het bij.

Sjarett was erg verbitterd. Ik geloof dat hij altijd gedacht heeft dat als ik geweigerd had zijn geliefd ministerie van buitenlandse zaken over te nemen, Ben-Goerion erin zou hebben toegestemd hem voor onbeperkte tijd te laten doorgaan. Maar hij vergiste zich. De spanning tussen Ben-Goerion en Sjarett zou nooit zonder meer zijn overgegaan; daar was het veel te laat voor, hoewel Sjarett dat heel lang niet scheen te willen inzien. Pas toen twee heel goede vrienden van hem, Zalman Aranne en Pinchas Sapir, hem zeiden dat tenzij hij uit het kabinet ontslag nam Ben-Goerion wel eens opnieuw kon vertrekken, gaf Sjarett toe. Esjkol heeft eens gezegd: 'Als premier is Ben-Goerion minstens drie leger divisies voor Israël waard' en in zekere zin was dat een goede maatstaf voor Ben-Goerions prestige en persoonlijke kracht en in die tijd was Sjarett het ook nog helemaal met deze uitspraak eens. Natuurlijk hebben later Ben-Goerions tegenstanders hem ervan beschuldigd dat hij zich van Sjarett wilde ontdoen zodat hij door kon gaan met plannen maken voor de Sinaï-campagne zonder steeds lastig te worden gevallen door Sjaretts gebrek aan enthousiasme daarvoor, maar ik zelf ben ervan overtuigd dat

251

dit niet waar is. De geschiedenis van hun verhouding eindigde echter niet hiermee. Sjarett trok zich een tijd uit het openbare leven terug en werd later voorzitter van het Joods Agentschap. In 1960 toen de z.g. 'Lavon-affaire' losbarstte, werd Sjarett – die al leed aan de ziekte die hem in 1965 zou vellen – een van de meest uitgesproken critici van Ben-Goerions weigering de zaak een natuurlijke dood te laten sterven. Nu ik het toch over de Lavon-affaire heb, kan ik er net zo goed even op ingaan, hoewel ik niet van plan ben er een uitgebreid verslag over te schrijven. Waar het aanvankelijk om ging was een blunder in verband met een spionagekwestie in Egypte; het plan was al rampzalig opgezet om nog niets te zeggen van de uitvoering ervan. De fout was begaan in 1954 toen Sjarett premier en minister van buitenlandse zaken was. De nieuwe minister van defensie die door Ben-Goerion zelf was uitgezocht, was Pinchas Lavon, een van de bekwaamste zij het dan niet standvastigste leden van de *Mapai,* een knappe, gecompliceerde intellectueel die altijd in alle opzichten een 'duif' was geweest, maar die een heel felle 'havik' werd zodra hij zich met militaire zaken begon te bemoeien. Velen van ons vonden dat hij absoluut ongeschikt voor dat uiterst gevoelige ministerie was. Hij had er noch de nodige ervaring voor, vonden wij, noch het nodige beoordelingsvermogen. Niet alleen ik, maar ook Zalman Aranne, Sjaul Avigur en verscheidene andere collega's hadden vergeefs getracht Ben-Goerion de keus van zijn opvolger uit het hoofd te praten. Maar, als gewoonlijk, wilde hij niet van gedachten veranderen. Hij ging naar Sdeh Boker en Lavon nam het ministerie van defensie over. Doch hij kon niet opschieten met de intelligente jonge mannen die Ben-Goerions meest toegewijde discipelen waren geweest, o.a. Mosje Dajan die toen Israëls chef staf was, en Sjimon Peres, die directeur-generaal van het ministerie van defensie was. Geen van beiden was op Lavon gesteld of vertrouwde hem en dat maakten ze hem ook heel duidelijk, terwijl hij van zijn kant het even duidelijk liet blijken dat hij niet van plan was in Ben-Goerions schaduw te leven en dat hij zichzelf wilde onderscheiden. En op die manier was het zaad voor de moeilijkheden al gezaaid.

Toen de blunder met de sabotage-actie plaatsvond die het begin van de hele affaire was, werd er een commissie van onderzoek ingesteld. Het staat me niet vrij om in alle details op het geval op zichzelf in te gaan en dat wil ik ook niet. Ik geloof dat het voldoende is te zeggen dat Lavon beweerde totaal niets van de operatie te hebben geweten en hij beschuldigde het hoofd van de inlichtingendienst ervan het plan achter zijn rug te hebben beraamd. De commissie publiceerde geen werkelijk afdoende bevindingen de een of andere kant op, maar ze spraken Lavon ook niet geheel en al vrij van de verantwoordelijkheid over het gebeurde. In elk geval was het publiek zich totaal niet bewust van deze hele uiterst geheime zaak en de weinige mensen die ervan afwisten, namen aan dat het nu een afgesloten hoofdstuk was. Niettemin, en ongeacht wie de schuldige was, was er een ernstige fout gemaakt. Lavon had geen andere keus dan ontslag aan te bieden en Ben-Goerion werd van Sdeh Boker naar het ministerie van defensie teruggeroepen.

Toen, zes jaar later, laaide de hele zaak weer op, en dit keer werd het een groot politiek schandaal met de meest tragische nasleep in de *Mapai* zelf. Heel Israël was er maandenlang door in de war en van streek en het leidde indirect tot mijn eigen breuk met Ben-Goerion en tot zijn tweede en laatste aftreden als premier. In 1960 beweerde Lavon dat bij het oorspronkelijk onderzoek onware bewijzen geleverd waren en dat er zelfs documenten vervalst waren. Derhalve eiste Lavon dat Ben-Goerion openlijk zijn naam zuiverde. Ben-Goerion weigerde; hij zei dat hij Lavon nergens van beschuldigd had en hij kon hem dus ook niet vrijspreken. Dat zou door een gerechtshof moeten gebeuren. Er werd onmiddellijk een commissie gevormd die het gedrag van de legerofficieren moest onderzoeken die Lavon ervan beschuldigd had tegen hem te hebben samengezworen, maar voordat de commissie zijn werk kon voltooien, had Lavon de hele zaak onder de aandacht van een belangrijke Knesset-commissie gebracht en tenslotte bereikte de zaak de pers.

De rest van de strijd tussen Lavon en Ben-Goerion werd hoofdzakelijk in het openbaar uitgevochten. Levi Esjkol, typerend voor hem, nam het op zich om te trachten iedereen te kalmeren, maar Ben-Goerion was onvermurwbaar wat zijn wensen voor een juridisch onderzoek betrof. Hij was blijkbaar volkomen bereid zijn naaste collega's schade toe te brengen, evenals de partij die hij leidde, ten einde het probleem op te lossen op de enige manier die hij juist achtte en iedereen ervan te weerhouden het leger of het ministerie van defensie te belasteren. Hij eiste een wettig onderzoek terwijl Esjkol, Sapir en ik probeerden het conflict op kabinetniveau op te lossen, rustig en discreet. Er werden zeven ministers in een speciale onderzoekscommissie benoemd en we waren allemaal dankbaar dat Ben-Goerion daar geen bezwaar tegen maakte. Maar te zijner tijd kondigde de ministeriële commissie, waarvan Ben-Goerion had gehoopt dat ze hem zou steunen in zijn eis tot een gerechtelijk onderzoek, aan dat er verder niets gedaan hoefde te wor-den: Lavon was niet verantwoordelijk geweest voor het bevel dat tot de blunder geleid had en er bestond geen enkele noodzakelijkheid verder op de zaak door te gaan. Ben-Goerion was woedend en zei dat als de commissie zeker wist dat Lavon het bevel niet had gegeven, dan kon de schuld alleen bij het hoofd van de militaire inlichtingendienst gezocht worden. Daar dit echter niet bewezen kon worden, kon alleen een gerechtelijke commissie beslissen wie verantwoordelijk was geweest. Hij zei dat bovendien de ministeriële commissie zich uiterst onbehoorlijk had gedragen. Ze hadden niet gedaan wat ze hadden moeten doen; ze hadden het voor Lavon opgenomen en alles bij elkaar genomen was het schandalig. In januari 1961 trad Ben-Goerion weer af en de regering viel. Op voorstel van Ben-Goerion werd Levi Esjkol premier en Ben-Goerion begon opnieuw een campagne voor een gerechtelijk onderzoek. Maar Esjkol had nu genoeg van de Lavon-affaire. Hij verwierp het voorstel. Ben-Goerion leek wel bezeten. Hij had erop gerekend dat Esjkol hem zou gehoorzamen, en Esjkol had geweigerd. Dus nu werden die arme Esjkol en al zijn aanhangers binnen de partij het doelwit van Ben-Goerions woede.

Ik heb Ben-Goerion de meedogenloze manier waarop hij Esjkol vervolgde niet kunnen vergeven, evenmin als voor de wijze waarop hij over de rest van ons, mijzelf incluis, sprak en ons behandelde. Het leek of alle jaren die wij hadden samengewerkt niet meer meetelden. In Ben-Goerions ogen waren we persoonlijke vijanden geworden en zo gedroeg hij zich tegen ons. Daarna hebben we elkaar in jaren niet gezien of gesproken. Ik vond zelfs dat ik in 1969 met deze gevoelens het feest voor Ben-Goerions tachtigste verjaardag niet kon bijwonen, waarvoor Esjkol niet geïnviteerd was, al had Ben-Goerion dan ook een speciale afgezant gestuurd om me uit te nodigen. Ik wist dat het hem erg zou kwetsen als ik weigerde, maar ik kon gewoon geen 'ja' zeggen. Hij had ons allemaal zo'n pijn gedaan en ik kon er niet overheen komen. Als we werkelijk zo dom waren als hij gezegd had, nou ja, als mensen dom geboren werden, dan konden ze daar niets aan doen; dat is niemands schuld. Maar niemand wordt corrupt geboren, en dat is een vreselijke beschuldiging! Als andere partijleiders bereid waren het feit over het hoofd te zien dat Ben-Goerion dacht, of althans zei, dat ze corrupt waren, was dat goed en wel. Maar Esjkol was dat niet, en ik ook niet. Ik kon niet doen alsof het niet gebeurd was. Ik kon de geschiedenis niet opnieuw schrijven en ik wilde mezelf niet voor de gek houden. Ik ging niet naar dat verjaarsfeest.

Toen ik in 1969 mijn eerste kabinet aan de Knesset voorstelde, onthield Ben-Goerion (die zich intussen van de *Mapai* had losgemaakt en de *Rafi* had gevormd, de Israëlische Arbeiderslijst) zich samen met Dajan en Peres van stemming. Maar hij legde wel een verklaring af. 'Er bestaat geen enkele twijfel', zei hij tegen de Knesset, 'dat Golda Meir in staat is premier te zijn. Maar er mag niet vergeten worden dat zij de hand in een immorele zaak heeft gehad.' En hij begon weer opnieuw over de Lavon-affaire. Tegen het eind van zijn leven hebben we het echter bijgelegd. Voor zijn vijfentachtigste verjaardag ging ik naar Sdeh Boker en hoewel

we geen formele verzoening hadden, zijn we toch weer vrienden geworden. En hij stond erop om in 1973 naar Revivim te komen toen Sarahs
kibboets een feest gaf ter ere van mijn vijfenzeventigste verjaardag.
Natuurlijk was Ben-Goerion toen niet meer de echte Ben-Goerion. Maar
toch hadden we tenminste die vreselijke en onnodige breuk hersteld
waarvoor ik tot nu toe geen afdoende verklaring heb kunnen vinden.
Dat was heel in het kort de Lavon-affaire, waarvan we het eerste deel al
achter de rug hadden toen ik in 1956 Israëls minister van buitenlandse
zaken werd.

Hoewel het de gewoonte is dat de formele overdracht van een ministerie
door de scheidende minister geschiedt in tegenwoordigheid van de
nieuwe functionaris, nam Sjarett op andere wijze afscheid van zijn ministerie. Hij ging er alleen heen, riep de afdelingshoofden bij elkaar en
nam afscheid van ze. Toen vroeg hij mij of ik hem wilde komen opzoeken en gaf me drie dagen lang zulke nauwkeurige instructies als ik nog
nooit van iemand gekregen heb. Het was typerend voor Sjarett dat hij
alles tot in de kleinste details wist van alle zaken die het ministerie
betroffen tot en met de naam, gezinstoestand en persoonlijke problemen van ieder die er werkte. Hij wist zelfs de namen van alle kinderen.
Maar hij zei dat hij me niet op de eerste dag naar het ministerie zou
vergezellen. Ik zou er alleen heen moeten gaan. Dus verscheen ik op een
dag, helemaal alleen, op het ministerie van buitenlandse zaken. Ik voelde me ellendig en zag er waarschijnlijk ook zo uit; ik was me er terdege
van bewust dat ik een man opvolgde die het ministerie niet alleen had
opgericht maar er ook sinds 1948 aan het hoofd van gestaan had.

Mijn eerste paar maanden als minister van buitenlandse zaken voelde ik
me niet veel gelukkiger dan die eerste dag. Het ging er niet alleen om
dat ik een nieuweling tussen experts was, maar Sjaretts stijl was ook zo
anders dan de mijne en het soort mensen dat hij als medewerkers gekozen had, hoewel ze allemaal bijzonder competent en volkomen toegewijd waren, waren toch niet de mensen waarmee ik gewend was te
werken. Velen van de oudere ambassadeurs en autoriteiten hadden aan
Engelse universiteiten gestudeerd en hun soort intellectuele wereldwijs-
heid — die Sjarett zo bewonderde — was niet altijd volgens mijn smaak.
En, om eerlijk te zijn, had ik er evenmin illusies over dat sommigen van
hen duidelijk dachten dat ik niet de juiste figuur voor dit werk was. Ik
stond zeker niet bekend om mijn subtiele wijze van uitdrukken of om
mijn eerbied voor protocol, en zeven jaar op het ministerie van arbeidszaken was niet hun opvatting van een geschikte achtergrond voor een
minister van buitenlandse zaken. Maar na een tijdje raakten we allemaal
aan elkaar gewend en ik moet zeggen dat we, over het geheel genomen,
heel goed konden samenwerken.

255

In de zomer van 1956 was ik bij het ministerie van buitenlandse zaken begonnen, net omstreeks een tijdstip dat de activiteiten van de Arabische *fedayeen* (de bendes gewapende overvallers die door Egypte gesteund en getraind werden) weer een onverdraaglijk hoogtepunt bereikt hadden. De *fedayeen* opereerden in hoofdzaak vanuit de Gazastrook, maar ze hadden ook bases in Jordanië, Syrië en Libanon. Tot midden in Israël vermoordden ze joden in plaatsen zoals Rehovot, Lydda, Ramle en Jaffa. De Arabische staten hadden al lang geleden hun standpunt toegelicht. 'We oefenen oorlogsrecht uit', had in 1951 een Egyptische vertegenwoordiger gezegd als verdediging van de weigering door Egypte om Israëlische schepen door het Suezkanaal te laten varen. 'Een wapenstilstand maakt geen einde aan een oorlogstoestand.' Dat deze 'rechten' in 1955 en 1956 nog steeds gehandhaafd werden, wisten we maar al te goed. Kolonel Gamal Abdel Nasser, die in 1952 in Egypte aan de macht was gekomen, was nu de machtigste figuur in de Arabische wereld en hij juichte openlijk de *fedayeen* toe. Hij zei tegen ze: 'Jullie hebben bewezen dat jullie helden zijn waarop ons hele land kan vertrouwen. De geest waarmee jullie het land van de vijand betreden, moet zich verspreiden.' En Radio Cairo prees ook steeds de moordenaars in een taal die volkomen duidelijk was: 'Ween, O, Israël', was een refrein, 'de dag der vernietiging nadert.'

De Verenigde Naties deden niets doelmatigs om de schanddaden van de *fedayeen* een halt toe te roepen. De algemeen secretaris van de Verenigde Naties, Dag Hammarskjöld, slaagde erin een staakt-het-vuren tot stand te brengen dat slechts een paar dagen duurde; dat was in de lente van 1956. Maar toen de *fedayeen* opnieuw de grenzen overschreden, deed hij niets en hij kwam niet meer naar het Midden-Oosten terug. Ik weet dat er tegenwoordig een soort verering voor de persoon en scherpzinnigheid van Mr. Hammarskjöld bestaat, maar daar doe ik niet aan mee. Ik zag hem vrij vaak in die tijd, nadat hij met Ben-Goerion een paar uur over boeddhisme en andere filosofische onderwerpen had gesproken, waar ze beiden in geïnteresseerd waren. Daarna spraken hij en ik over gewone onderwerpen als een clausule in de wapenstilstandsovereenkomst met Jordanië die overtreden werd of een of andere klacht die wij tegen de Verenigde Naties hadden. Geen wonder dat Hammarskjöld dacht dat Ben-Goerion een engel was en dat ik iemand waar je onmogelijk mee kon opschieten. Ik heb hem nooit als een vriend van Israël beschouwd en al probeerde ik hevig dat niet te tonen, geloof ik toch dat hij mijn opvatting aanvoelde dat hij minder dan neutraal was wat de toestand in het Midden-Oosten betrof. Als de Arabieren ergens 'nee' op hadden gezegd – en dat deden ze steeds – dan ging Hammarskjöld nooit verder. Niet dat U Thant, de Birmaanse staatsman die hem bij de Verenigde Naties opvolgde, nu zo'n enorme verbetering was. Ondanks alle jaren van vriendschap tussen Birma en Israël en zijn eigen hartelijke betrekkingen met het land en met ons, beleefden we heel moeilijke tijden vanaf het ogenblik dat U Thant algemeen secretaris werd. Ook hij vond het blijkbaar absoluut onmogelijk om flink tegen de Russen of Arabieren te zijn, hoewel het hem totaal geen moeite kostte om uiterst flink tegenover Israël op te treden.

Maar dat is allemaal terzijde. Natuurlijk was de algemeen secretaris van de Verenigde Naties niet verantwoordelijk voor de bijna dagelijkse moordpartijen, berovingen en sabotage door de *fedayeen*. Bij een van die aanvallen werd er over de Jordaanse grens heen op een groep archeologen geschoten die in Ramat Rachel bij Jeruzalem werkten. Er werden vier mensen gedood en velen gewond. Een van de vier was aangetrouwde familie. Het was Menachems schoonvader, Aya's vader, een voortreffelijk en vriendelijke geleerde die in zijn hele leven nooit iemand kwaad had gedaan en ik weet nog dat ik verbitterd dacht dat er toch iets krankzinnigs aan de hand was met een wereld die kalm het begrip 'oorlogsrecht' accepteerde, maar onverschillig tegenover het 'vredesrecht' stond. Maar de werkelijke verantwoordelijkheid lag bij de Russen. In 1955 was er een overeenkomst tussen Tsjechoslowakije (lees Sovjet Unie) en Egypte gesloten krachtens welke Egypte een bijna oneindige voorraad wapens, van onderzeeërs en topedojagers tot tanks en transportvliegtuigen ontving. Men kan zich wel afvragen waarom de Sovjet Unie plotseling besloot een staat te bewapenen die er geen geheim van maakte dat de bedoeling was 'Palestina te heroveren', zoals kolonel Nasser het noemde. Het antwoord is dat het eigenlijk helemaal niet 'plotseling' kwam. In de wereldstrijd in de jaren vijftig die bekend staat (niet erg accuraat wat ons betreft) als de Koude Oorlog, waren Amerika en de Sovjet Unie beide druk bezig elkaar te overtroeven om de gunsten van de Arabische staten te verkrijgen, speciaal die van Egypte. Amerika en Engeland hebben zich misschien wat onbehaaglijk gevoeld omdat ze Nassers Egypte zo het hof maakten, maar de Sovjet Unie had totaal geen gewetenswroeging. Het feit dat Rusland de Egyptische droom van een tweede oorlogsronde tegen Israël vervulde, werd gerechtvaardigd – voor zover Russen ooit het gevoel hebben dat ze zich moeten rechtvaardigen – omdat het zionisme, dat zoiets slechts was, overal onderdrukt moest worden. En om te bewijzen hoe slecht het was, werd in 1953 in Moskou het z.g. 'dokterscomplot' uitgevonden. Men vertelde het Russische volk dat negen doktoren, waarvan er niet minder dan zes joden waren, hadden geprobeerd Stalin te vermoorden tegelijk met een aantal andere Sovjetleiders en er werd een schandelijk proces ten tonele gevoerd als onderdeel van een anti-joodse campagne die overal in de Sovjet Unie in actie kwam.

257

Toen ontplofte er op een nacht een kleine bom in de tuin van de Sovjet legatie in Tel Aviv. De Russen beschuldigden onmiddellijk de regering van Israël het incident op touw gezet te hebben en verbraken de diplomatieke relaties. Maar zelfs toen een paar maand later de diplomatieke banden opnieuw werden aangeknoopt, ging de antisemitische propaganda in Rusland door met onophoudelijke verwijzingen naar het zionisme; en het verhaaltje over de 'zionistische stromannen voor de imperialistische oorlogsophitsers' werd in Tsjechoslowakije overgenomen en ze zetten daar hun eigen verachtelijke campagne tegen de joden op.

Ondanks dit alles en de onverholen Sovjet-Arabische voorbereidingen tot een nieuwe oorlog weigerden Amerika en Engeland ons wapens te verkopen. Het deed er niet toe hoe vaak en hoe luid we op hun deur klopten. Het antwoord was steeds negatief, al gaf Amerika in het begin van 1956 aan Frankrijk en Canada te kennen dat — hoewel zij zelf nog steeds weigerden ons wapens te verkopen — zij het niet erg zouden vinden als die twee landen het wél deden. Maar Frankrijk had niet op de toestemming van Amerika gewacht. Om eigen redenen had men daar besloten Israël te hulp te komen en al was het dan absoluut onmogelijk de grenzenloze 'edelmoedigheid' van de Sovjet Unie tegenover Egypte te evenaren, we waren althans niet meer totaal weerloos noch alleen.

In de zomer van 1956, net terwijl ik bezig was aan mijn nieuwe kantoor te wennen én o.a. aan het feit om mevrouw Meir genoemd te worden (dat was de beste Hebreeuwse versie van Meyerson en in overeenstemming met Ben-Goerions bevel dat ik een Hebreeuwse naam moest aannemen — Meir betekent 'verlichten' in het Hebreeuws) werd de strop om onze hals wat steviger aangetrokken. Nasser maakte zijn meest dramatische gebaar. Hij nationaliseerde het Suezkanaal! Geen Arabische leider had ooit zo iets spectaculairs gedaan en de Arabische wereld was diep onder de indruk. Er was nu eigenlijk nog maar één ding dat Nasser moest doen opdat het Egypte waar hij over heerste er zich op kon beroemen de allerhoogste mohammedaanse macht te zijn, en dat was ons uit te roeien. Elders in de wereld werd de nationalisatie van het Suezkanaal vol zorg besproken in termen van grote machtspolitiek, maar wij in Israël waren bezorgder over de toeneming van de militaire kracht van Egypte en Syrië die een verdrag hadden getekend om hun oppercommando's te verenigen. Er bestond geen twijfel meer aan dat een oorlog onvermijdelijk was en dat de Egyptenaren weer eens ten prooi waren aan een fantasie over een zege over Israël. Overigens een zichzelf verheerlijkende fantasie die Nasser zelf ontwikkeld had in zijn 'Filosofie van een Revolutie'.

Er bestaat al zoveel literatuur — veel ervan behelst feiten, maar evenveel is fictie — over de Sinaï-campagne dat ik geloof dat mijn eigen bijdrage heel bescheiden kan zijn, maar ik moet wel op één feit de nadruk leggen: ongeacht de vruchteloze Frans-Britse poging om het Suezkanaal te bemachtigen, had Israëls aanval in 1956 op de Egyptenaren maar één doel, slechts één. En dat was om de vernietiging van de joodse staat te voorkomen. De bedreiging was niet te miskennen. Zoals ik later tegen de Algemene Vergadering van de Verenigde Naties zei: 'Zelfs al verkoos niemand anders dat te doen, wíj herkenden de symptomen.' Wij wisten dat dictators, met inbegrip van degenen die de wereld heel onschuldig van tevoren al hun plannen vertellen, gewoonlijk hun beloftes houden en niemand in Israël had de les van de crematoria vergeten, of wat totale vernietiging werkelijk betekende. Tenzij we bereid waren om allemaal gedood te worden, langzaam − stukje bij beetje, of in één onverwachte aanval, dan moesten we het initiatief nemen, hoewel God weet dat het geen eenvoudige beslissing voor ons was. Maar we namen hem. We begonnen in het geheim plannen voor de Sinaï-campagne te maken die in Israël bekend staat als de 'Operatie Kadesh'.

De Fransen boden ons wapens aan en begonnen hun eigen geheime plannen te maken voor een gezamenlijke Engels-Franse aanval op het Suezkanaal. In september nodigden ze Ben-Goerion uit een delegatie naar Frankrijk te sturen voor besprekingen met Guy Mollet; hij was het hoofd van de Franse socialistische regering. Daarbij zouden ook aanwezig zijn Christian Pineau, de Franse minister van buitenlandse zaken, en Maurice Bourges-Manoury, de Franse minister van defensie. En men vroeg mij, als minister van buitenlandse zaken van Israël, er eveneens bij tegenwoordig te zijn. Verder kwamen nog mee Mosje Dajan, Sjimon Peres en Mosje Carmel, onze minister van verkeer die zich tijdens de Onafhankelijkheidsoorlog als brigade-generaal had onderscheiden. Ik hoef niet te zeggen dat ik zelfs tegen Sarah geen woord kon zeggen over een buitenlandse reis. Eigenlijk kon je in die fase op de vingers van één hand het aantal mensen tellen − behalve degenen die zelf op reis gingen − die iets van het hele plan afwisten. Het was een goed bewaard geheim. Zelfs het kabinet werden pas een paar dagen voor het begin op maandag, 29 oktober, details verteld over de gezamenlijke acties met de Fransen en Britten. Ben-Goerion vertelde het de oppositieleiders zelfs nog later. Iedereen, kortom, werd voor een verrassing gesteld − niet alleen Nasser!

Van een geheim vliegveld vlogen we in een gammel oud Frans legervliegtuig dat slecht verlicht was naar Frankrijk. We waren allemaal erg stil en gespannen. Deze gemoedstoestand werd niet veel beter toen Mosje Carmel die wat rondliep bijna uit het bovenruim viel waarvan het luik niet goed dicht bleek te zijn; gelukkig kon hij zich weer omhoog trekken het vliegtuig in, al brak hij daarbij drie ribben! Onze eerste stop was in Noord-Afrika waar we onderdak kregen in een heel plezierig bescheiden Frans hospitium, daar werd ons ook een uitstekend maal voorgezet. Onze gastheren hadden geen idee wie we waren en ik weet nog goed hoe verbaasd ze waren toen ze ontdekten dat zich onder die geheimzinnige missie een vrouw bevond. Vandaar vlogen we naar een militair vliegveld bij Parijs en onze ontmoetingen met de Fransen. Ik heb me Parijs zelf niet in gewaagd en ik herinner me dat ik woedend op Dajan was die het wel gedaan had. Gelukkig had niemand hem herkend. Het hoofddoel van die besprekingen was de verschillende details voor de militaire hulp uit te werken die de Fransen ons beloofd hadden, vooral de zo belangrijke Franse belofte ons luchtruim te beschermen als we dat zouden verzoeken. Maar dit was pas de eerste van een reeks conferenties waarvan er een door Ben-Goerion zelf werd bijgewoond.

Op 24 oktober begonnen we in alle stilte onze reserves te mobiliseren. Het publiek – en daardoor, denk ik, ook de Egyptische inlichtingendienst – moest de indruk krijgen dat dit geschiedde omdat Iraakse troepen onheilspellend Jordanië (dat zich juist bij het verenigd Egyptisch-Syrische oppercommando had aangesloten) waren binnengetrokken en dat wij ons nu voorbereidden op een aanval tegen dat land. Onze troepen die zich bij de Jordaanse grens samentrokken, hielpen dit gerucht te versterken. Een week voor de Sinaï-campagne zou beginnen, had er in het ministerie van buitenlandse zaken een conferentie van Israëlische ambassadeurs plaats, gedeeltelijk omdat ik op die manier met onze belangrijkste vertegenwoordigers in het buitenland kon spreken voordat de Algemene Vergadering van de V.N. bijeenkwam. Vier dagen voor de oorlog uitbrak gingen ze naar hun resp. posten terug, hoewel ze niets van die oorlog afwisten. Sjarett die zodra ik het ministerie had overgenomen naar India was vertrokken, was net in gesprek met Nehroe toen ze hoorden dat de Sinaï-campagne was begonnen. Nehroe kon niet geloven dat zijn gast er niets van wist. Maar totale geheimhouding was van het allergrootste belang.

De laatste paar weken voor de campagne zou beginnen en terwijl ik op het ministerie van buitenlandse zaken werkte of probeerde me thuis te voelen in de residentie van de minister van buitenlandse zaken waar ik die zomer naartoe verhuisd was, verlangde ik er af en toe naar om met iemand te kunnen praten over hetgeen ik wist dat op 29 oktober zou gaan gebeuren. Er bestaat niets eenzamers of onnatuurlijkers voor een mens dan een geheim te moeten bewaren dat op alle levens rondom van invloed is en ik geloof dat het alleen mogelijk is door enorme, bijna bovenmenselijke, inspanning.

Waar ik ook heen ging en wat ik ook deed, steeds kwam weer bij me boven dat we binnen een paar dagen in een oorlog gewikkeld zouden

260

zijn. Ik twijfelde er absoluut niet aan dat we zouden zegevieren, maar hoe groot onze overwinning ook zou zijn, er zou toch veel geleden moeten worden en er bestond gevaar. Ik keek naar de jonge mannen in het ministerie van buitenlandse zaken of naar de jongen die mij de kranten bracht of naar de bouwvakarbeiders die aan de overkant bij mij thuis bezig waren en vroeg me af wat er met hen gebeuren zou als de oorlog uitbrak. Het was geen prettig gevoel maar er was geen andere oplossing om de *fedayeen* kwijt te raken of de Egyptenaren te dwingen om te begrijpen dat Israël niet totaal onbelangrijk was. Het laatste weekeinde van die lange, warme oktobermaand bracht ik met Sarah, Zechariah en de kinderen in Revivim door. Sjaul was een half jaar toen, een schat van een baby die ik sinds zijn geboorte nog nauwelijks gezien had. Op weg naar de kibboets probeerde ik niet aan de oorlog te denken, maar dat was onmogelijk. Als er iets verkeerd ging, zou het Egyptische leger zich door de Negev en door Revivim een weg banen en Israël binnentrekken met als enige gedachte: vernietiging. Ik speelde met de kinderen, zat met Sarah en Zechariah in de schaduw onder de jonge bomen waar Revivim zo trots op was, bracht een avond met vrienden van hen, en van mij, door en praatte met ze, zoals Israëli's altijd doen, over 'de situatie', hetgeen betekent, steeds opnieuw, het huidige gevaar voor Israëls bestaan. En de hele tijd dacht ik bij mezelf: 'Moeten we werkelijk eeuwig zo doorgaan? Ons zorgen maken om kinderen en kleinkinderen en vechten, doden en gedood worden?' Maar ik kon ze zelfs niet waarschuwen voor wat er te gebeuren stond.

Vlak voordat ik Revivim wilde verlaten om naar Jeruzalem terug te gaan, kwam er een jongeman naar me toe. Ik kende zijn gezicht (hij was een van degenen die al lang in de kibboets woonden) maar ik herinnerde me zijn naam niet. Hij stelde zich voor, vertelde me dat hij met de bescherming van de veiligheid van Revivim belast was en zei dat hij wist dat er iets zou gebeuren. Hij gebruikte het woord 'mobilisatie' niet, maar we begrepen elkaar uitstekend. 'Ik weet dat u niets kunt zeggen', zei hij verontschuldigend, 'en dat ik u dit zelfs niet zou mogen vragen. Maar moeten we beginnen met het maken van loopgraven?' Ik keek eens om me heen naar die kleine kibboets, zo open en kwetsbaar middenin de Negev, en toen in de ernstige ogen van die jongeman. 'Ik geloof dat ik het misschien zou doen als ik jullie was', antwoordde ik en stapte in mijn auto. Op de hele terugweg naar Jeruzalem zag ik tekenen dat de mobilisatie al begonnen was; mondeling, per telegram en telefoon waren de boodschappen doorgegeven. Bij bijna elke bushalte stonden mannen in burger in de rij op de bus te wachten die ze naar hun eenheden moest brengen.

De Sinaï-campagne begon volgens plan: na zonsondergang op 29 oktober en eindigde, volgens plan, op 5 november. Het duurde minder dan 100 uur voor de Israëlische Verdedigingsstrijdkrachten, die hoofdzakelijk uit reservisten bestaan en die zich in een merkwaardig samenraapsel van militaire en burgervoertuigen verplaatsten, de hele Gazastrook en het schiereiland Sinaï op de Egyptenaren veroverd hadden en daar doorheen waren getrokken. Dat is een gebied twee en half keer zo groot als Israël zelf. We hadden op het verrassingselement gerekend, op snelheid en op de totale verwarring van het Egyptische leger, maar pas toen ik later voor een bezoek naar Sharm el-Sheikh aan het zuidelijkste puntje van de Sinaï vloog en per auto door de Gazastrook reed, begreep ik de werkelijke omvang van onze zege. .De enorme uitgestrektheid en verlatenheid van het gebied waardoor die tanks, halfrupsvoertuigen, ijsbestelwagens, privé auto's en taxi's binnen een week doorheen waren gestormd, was onvoorstelbaar. De Egyptische nederlaag was absoluut. De broeinesten van de *fedayeen* werden vernietigd. Het ingewikkelde Egyptische systeem ter verdediging van de Sinaï, de forten en bataljons die in de woestijn verborgen lagen, werd totaal uitgeschakeld. De honderdduizenden wapenen en miljoenen en nog eens miljoenen patronen, hoofdzakelijk Russische, die daar in voorraad opgeslagen werden om tegen ons te worden gebruikt, waren nu waardeloos. Een derde van het Egyptische leger werd verpletterd. Van de 30.000 Egyptische soldaten die we zielig in het zand vonden ronddolen, namen we er 5000 gevangen om ze voor de dood door gebrek aan water te behoeden. Naderhand wisselden we ze uit voor één Israëli die de Egyptenaren kans hadden gezien gevangen te nemen.

Maar we hadden de Sinaï-campagne niet gevochten om grondgebied of buit of gevangenen, en voor zover het ons betrof hadden we het enige dat we wilden bereikt: vrede, of in elk geval de belofte voor vrede voor een paar jaar, misschien langer. Hoewel onze doden- en gewondencijfers niet hoog waren, hoopten we vurig dat de 172 Israëli's die gedood waren — omstreeks 800 waren gewond — de laatste oorlogsslachtoffers zouden zijn die we ooit te bewenen hadden. Dit keer zouden we erop staan dat onze buren met ons onderhandelden en ons bestaan erkenden. Natuurlijk liep het niet zo. Al hadden wij onze oorlog tegen Egypte gewonnen, de Fransen en Britten hadden de hunne verloren, in zeker opzicht ten gevolge van hun eigen dwaasheid, maar hoofdzakelijk door de overweldigende negatieve publieke reactie in Frankrijk en Groot-Brittannië; men beschouwde het als een imperialistische aanval op een onschuldige derde. Ik ben altijd van mening geweest dat, als de Anglo-Franse aanval op Suez snel en doelmatig was geweest, de storm van protest in die landen was gaan liggen tegenover een *fait accompli*. Maar nu was de gezamenlijke aanval mislukt en de Fransen en Britten haalden bakzeil zodra de Verenigde Naties, onder enorme Amerikaanse en Russische druk, eisten dat ze hun troepen uit de Suezkanaalzone terugtrokken. De Verenigde Naties eisten eveneens dat Israël zich uit het schiereiland Sinaï en de Gazastrook terugtrok.

Dat was het begin van een vier en een halve maand durend vreselijk diplomatiek gevecht dat we voerden, en verloren. Het vond plaats in de Verenigde Naties en wij poogden de landen der wereld te overtuigen dat, als wij ons op de bestandslijnen van 1949 terugtrokken, er eens weer oorlog in het Midden-Oosten zou uitbreken. Die mensen, die miljoenen mensen die zelfs nu nog steeds niet hebben begrepen waar het in de strijd om Israël om in leven te blijven om gaat en die er zo snel bij zijn ons te veroordelen omdat we niet 'soepeler' zijn en omdat we niet rustig naar onze vroegere grenzen terugtrekken elke keer nadat ons een oorlog is opgedrongen, zouden er goed aan doen eens over de gang van zaken na 1956 na te denken, en zich af te vragen wat erbij gewonnen werd tóen we ons schoorvoetend terugtrokken uit de Sinaï en Gazastrook. Het antwoord alleen is: meer oorlogen, elk voor zich nog bloediger en kostbaarder dan de Sinaï-campagne was geweest. Hadden we mogen blijven waar we waren totdat de Egyptenaren erin toestemden met ons te onderhandelen, dan zou de recente geschiedenis van het Midden-Oosten er ongetwijfeld heel anders hebben uitgezien. Maar de druk was enorm en tenslotte gaven we toe. President Eisenhower die door zijn Europese bondgenoten totaal onkundig was gelaten was woedend en zei dat, tenzij Israël zich onmiddellijk terugtrok, Amerika zijn steun in de Verenigde Naties aan sancties tegen ons zou verlenen.

De bron van grootste druk was echter de Sovjet Unie die niet alleen getuige van een complete Egyptische nederlaag was geweest, ondanks alle Sovjet hulp, maar nu konden ze ook hun recente inval in Hongarije achter een rookgordijn verhullen door luidkeels te schreeuwen over de verschrikkelijke koloniale samenzwering tegen Egypte en, vooral, over Israëls onbedwingbare agressie. Achteraf bezien is het niet waarschijnlijk dat de dreigementen van de Sovjet premier, Nikolai Boelganin, betreffende directe Sovjet interventie in het Midden-Oosten een derde wereldoorlog ten gevolge zouden hebben gehad, maar toentertijd werd dat uit zijn grimmige waarschuwingen opgemaakt. Het zag er naar uit alsof praktisch de hele wereld tegen ons was, maar toch vond ik niet dat we zonder enig gevecht moesten toegeven.

In december 1956 vertrok ik naar New York en de Verenigde Naties en had allerlei nare voorgevoelens. Maar voor ik ging, wilde ik de Sinaï en de Gazastrook zelf zien, en ik ben blij dat ik dat deed, want anders zou ik nooit helemaal de volle ernst hebben kunnen begrijpen van de situatie waarin we verkeerd hadden voor de Sinaï-campagne. Ik zal nooit dat eerste gezicht op de uitgebreide Egyptische militaire installaties vergeten die opgebouwd waren tegen de instructies van de Verenigde Naties in en wel in Sharm el-Sheikh met als enig doel om een onwettige blokkade tegen onze scheepvaart te handhaven. Het gebied bij Sharm el-Sheikh is ongelooflijk mooi. Het water van de Rode Zee moet het blauwst en helderst van de wereld zijn en het wordt ingesloten door bergen die in kleur variëren van dieprood tot violet en purper. Daar, in die prachtige rustige omgeving, op een leeg strand, stond de groteske batterij reusachtig scheepsgeschut die Eilat zo lang had lamgelegd. Het leek mij een beeld dat alles symboliseerde. Daarna maakte ik een rondrit door de Gazastrook van waar de *fedayeen* maandenlang erop uitgetrokken waren om hun moorddadig werk te verrichten en waar de Egyptenaren ongeveer een kwart miljoen mannen, vrouwen en kinderen (bijna 60% ervan waren Arabische vluchtelingen) in schandelijke armoede en gebrek bijeen hadden gedrongen. Ik was ontzet door wat ik daar te zien kreeg en door het feit dat die arme mensen meer dan vijf jaar lang onder de meest vreselijke omstandigheden bijeen gedreven waren opdat de Arabische leiders aan bezoekers de vluchtelingenkampen konden laten zien en er politieke munt uit slaan. Die vluchtelingen hadden dadelijk in de andere Arabische landen van het Midden-Oosten opgenomen moeten worden, en dat was ook best mogelijk geweest; bovendien hadden ze daarmee de taal, tradities en godsdienst gemeen. De Arabieren waren toch wel in staat geweest hun twist met ons voort te zetten, maar de vluchtelingen zouden dan tenminste niet steeds in doodsangst hebben hoeven te verkeren voor hun Egyptische meesters.

Ik kon niet nalaten om een vergelijking te treffen tussen wat ik in de Gazastrook zag en wat wij hadden gedaan, zelfs met alle fouten die we gemaakt hadden, voor de joden die tijdens die zelfde acht jaar naar Israël toegekomen waren. Ik denk dat ik daarom mijn verklaring van 5 december 1956 voor de Algemene Vergadering van de V.N. begon met niet over de oorlog die we gewonnen hadden te spreken, maar over de joodse vluchtelingen die wij hadden opgenomen:

Het volk van Israël trok de woestijn in of schoot wortel in rotsige heuvels om daar nieuwe dorpen op te zetten, wegen aan te leggen, huizen, scholen en ziekenhuizen te bouwen terwijl de Arabische terroristen, die vanuit Egypte en Jordanië het land binnenvielen, gestuurd werden om te moorden en te vernietigen. Israël boorde bronnen, bracht via buizen het water over grote afstanden; Egypte stuurde *fedayeen* om die bronnen en buizen op te blazen. Joden uit Jemen brachten zieke, ondervoede kinderen mee en dachten dat twee van elke vijf zouden sterven: wij hebben dat aantal teruggebracht tot één op de vijfentwintig. Terwijl wij die kleuters voedden en van hun ziekten genazen, werden de *fedayeen* gestuurd om bommen naar kinderen in synagogen te gooien en granaten in kindertehuizen.

Toen sprak ik over die steeds weer verkondigde 'oorlogsrechten', over die schandelijke excuses van een 'staat van oorlog' tegen Israël, het scherm waarachter kolonel Nasser de *fedayeen* had getraind en losgelaten.

Er is een prettige taakverdeling tot stand gebracht. De Arabische staten bezitten eenzijdig de 'oorlogsrechten'; Israël heeft de eenzijdige verantwoordelijkheid de vrede te bewaren. Maar een staat van oorlog is geen straat met éénrichtingsverkeer. Is het verwonderlijk dat een volk dat te kampen heeft met zo'n monsterachtig onderscheid tenslotte rusteloos wordt en eindelijk een weg zoekt om zich het leven te redden uit al de gevaren van de oorlog die geregeld en van alle kanten tegen hen gevoerd wordt?

Het werkelijke doel van die toespraak was echter niet om de bekende beschuldigingen te uiten, hoe gerechtvaardigd ze ook waren, of zelfs om de zogenaamde familie der volkeren de onmiddellijke achtergrond van de Sinaï-campagne trachten bij te brengen. Het ging er zelfs niet om de ons bekende en goed voorbereide Egyptische plannen voor de vernietiging van Israël voor de geschiedenis vast te leggen. Er was iets anders, iets veel belangrijkers: we moesten nogmaals en in het openbaar proberen de bron van de haat te ontdekken die de Arabische leiders tegen Israël koesterden en concrete voorstellen voor een mogelijke vrede doen. Ik zou er de nadruk op willen leggen dat ik deze toespraak eind 1956 hield, twintig jaar geleden. Als hij op een of andere manier bekend klinkt, dan komt dat doordat we sindsdien steeds weer hetzelfde gezegd hebben, met ongeveer evenveel succes als we in 1956 hadden!

Het fundamentele probleem van de hele toestand is de systematisch georganiseerde Arabische vijandschap tegen Israël. Deze Arabische vijandschap is geen natuurlijk verschijnsel. Het is niet – zoals hier beweerd is – Israël dat een instrument van het kolonialisme zou zijn. Het is het Israëlisch-Arabisch concflict dat het gebied aan de genade van gevaarlijk worstelende krachten van buitenaf overlevert. Alleen als dat conflict wordt opgelost zal het volk in dat gebied in staat zijn hun eigen lot onafhankelijk en vol hoop te bepalen. Alleen in zo'n vooruitzicht ligt hoop voor een betere toekomst van gelijkheid en vooruitgang voor alle betrokken volkeren. Als de haat niet meer het principe van de Arabische politiek is, dan wordt alles mogelijk.
Steeds weer opnieuw heeft de regering van Israël de hand vreedzaam naar haar buren uitgestrekt. Maar het hielp niet. Tijdens de negentiende zitting van de Algemene Vergadering heeft de afgevaardigde van Israël voorgesteld dat, als de Arabische landen nog niet gereed waren voor de vrede, het nuttig zou zijn – als een tussenfase – overeenkomsten te sluiten waarbij partijen beloven niet tot agressie over te gaan en een politiek vreedzame regeling toe te passen. Het antwoord was een totale verwerping van dat voorstel. Ons aanbod om de vertegenwoordigers van alle of van een van de Arabische landen te ontmoeten, is nog steeds van kracht. Maar

nooit hebben we over onze grenzen een echo gehoord op ons geroep om vrede.
De gedachte om Israël uit te roeien is een erfenis van Hitlers oorlog tegen het joodse volk, en het is geen toeval dat Nassers soldaten een Arabische vertaling van *Mein Kampf* in hun ransels bij zich hadden. Zij die zich ernstig met vrede en vrijheid in de wereld bezighouden, zouden – denk ik – het prettiger hebben gevonden als men deze mannen wat verheffender literatuur als gids had meegegeven. Toch zijn we ervan overtuigd dat dit gevaarlijke zaad er nog niet in is geslaagd de Arabische volkeren te besmetten. Dit dodelijk spel is iets dat de Arabische politieke leiders tot staan zouden moeten brengen in het belang van de Arabische volkeren zelf.
Wat moet er nu gedaan worden? Moeten we terug naar een bestandsregime dat alles behalve vrede heeft gebracht en dat door Egypte op allerlei manieren bespottelijk is gemaakt? Moet de Sinaï woestijn wederom nesten *fedayeen* verbergen en het toneel zijn van agressieve legers die klaar staan voor de aanval? Moet de tragedie zich opnieuw in het kruitvat dat het Midden-Oosten is, gaan afspelen? De vrede in ons gebied en misschien nog verder, hangt af van de antwoorden die op deze vragen gegeven zullen worden.

Of, vroeg ik, zou de Algemene Vergadering zich er nu op toeleggen aan de toekomst te denken 'met hetzelfde vuur en dezelfde aandrang' waarmee zij een beroep op ons deden om onze troepen terug te trekken over een grens die 'open kon blijven voor de *fedayeen*, maar gesloten voor Israëlische soldaten'? Vrede was toch zeker niet alleen nodig, maar ook mogelijk? Slechts een paar dagen voor mijn toespraak hoorde ik de afgevaardigde van Egypte vanaf hetzelfde spreekgestoelte een toespraak houden die – al was het dan misschien niet erg origineel – tenminste voor de afwisseling eens niet al te oorlogszuchtig klonk. Terwijl ik naar hem luisterde doemde er –- even – voor mijn ogen een beeld op hoe het Midden-Oosten er zou kunnen uitzien als de barrières, die nu tot barricades waren geworden, tussen de Arabieren en ons ooit zouden wegvallen. Toen het mijn beurt werd om te spreken dacht ik dat het geen kwaad kon om zijn woorden te herhalen:

Met de overgrote meerderheid van de volkeren ter wereld heeft Egypte gezegd, en het zal voortgaan dat te zeggen, dat alle volkeren voor hun eigen bestwil, moreel zowel als materieel, kunnen en moeten samenleven in vrijheid, gelijkheid en broederschap. De moderne wetenschap en de uitgebreide mogelijkheden die deze aan de mens schenkt, stellen hem in staat om, gedragen door de drang naar vrijheid en geloof, een oneindig produktiever en voller leven te leiden.

Ik had om een kopie van die toespraak gevraagd en nu las ik die regels hardop aan de Algemene Vergadering voor; daarna zei ik:

Wij gaan van ganser harte met die verklaring accoord. Wij zijn bereid die praktisch uitvoerbaar te maken. De volkeren van het Midden-Oosten vallen thans inderdaad

266

nog onder de categorie van 'ontwikkelingsvolken': de levensstandaard, ziekten, het analfabetisme bij de grote massa, de onontgonnen stukken grond, woestijn en moeras – dat alles roept wanhopig op hersenen, handen, financiële middelen en technische bekwaamheid. Kunnen we ons voorstellen wat een vrede tussen Israël en haar buren gedurende de acht afgelopen jaar voor ons allemaal betekend zou hebben? Kunnen we trachten jachtvliegtuigen te vervangen door irrigatiesystemen en tractoren voor de volkeren in deze landen? Kunnen wij, in onze verbeelding, de emplacements voor kanonnen vervangen door scholen en ziekenhuizen? De vele honderden miljoenen dollars die aan wapens zijn uitgegeven hadden voor veel constructievere doelen kunnen worden gebruikt. Vervang een steriele haat en zin tot vernietiging door samenwerking tussen Israël en haar buren en u zult leven en hoop en geluk aan alle volkeren van die landen geven.

Maar toen ik naar mijn stoel terugliep, kon ik zien dat niemand in die grote zaal dat korte toekomstbeeld met mij gedeeld had, en ik weet nog hoe verbaasd ik was toen een afgevaardigde die ergens achter me zat, applaudisseerde toen ik ging zitten. De zitplaatsen bij de Verenigde Naties zijn altijd volgens alfabet; bij de eerste vergadering van elke sessie wordt geloot welk land eerst gaat zitten en alle andere nemen dan in alfabetische volgorde daarna plaats. Bij die zitting zat Holland toevallig achter ons. Ik knikte dankbaar naar de Nederlandse afgevaardigde – een van de weinigen die niet tegen ons gestemd had – maar toch ging ik met een gevoel van grote leegte zitten, en vol ongeloof. Ik had tegen de Verenigde Naties gesproken en te oordelen naar de uitdrukking op de gezichten van de meeste afgevaardigden zou men denken dat ik om de maan gevraagd had terwijl ik in feite alleen maar voorgesteld had – het enige dat Israël altijd bij de Verenigde Naties gedaan heeft – dat de Arabieren, medeleden van die organisatie, ons bestaan erkenden en te vragen dat ze met ons wilden samen werken om een vrede tot stand te brengen. Dat niemand was opgesprongen en de kans had benut om te zeggen: 'Goed, laten we praten. Laten we het uitpraten. Laten we trachten een oplossing te vinden' kwam als een lichamelijke slag aan, al had ik niet veel illusies meer betreffende de soort familie die de familie der volkeren was. Toch nam ik me voor dat – wat er ook gebeurde – ik voor de zitting voorbij was weer eens zou proberen de Arabieren te bereiken, een persoonlijk beroep op ze te doen, omdat – tenzij er snel iets gedaan werd – de toekomst er volgens mij erg somber uitzag.

Het waren vreselijke maanden. Ons geleidelijk terugtrekken uit de Gazastrook en de Sinaï ging steeds door, maar er werd niets gezegd of gedaan om de Egyptenaren te dwingen toe te stemmen om onderhandelingen met ons aan te knopen, te garanderen dat zij de blokkade van de Straat van Tiran ophieven of het probleem van de Gazastrook oplosten. De vier vragen die wij in november 1956 gesteld hadden, waren in februari 1957 nog steeds niet beantwoord en ik kon de Amerikanen niet aan het verstand brengen – het minst van al de Amerikaanse minister van buitenlandse zaken, die koude, grijze man, John Foster Dulles – dat ons hele leven van voldoende garanties afhing, werkelijke garanties, en dat we niet konden terugkeren naar de toestand die tot voor de Sinaï-campagne bestaan had. Maar niets hielp. Geen enkel argument, geen enkel beroep, geen enkele logica, zelfs niet de welsprekendheid van Abba Eban, onze ambassadeur in Washington. Wij spraken gewoon niet dezelfde taal en we hadden niet dezelfde zaken waarvan we vonden dat ze voor alle andere gingen. Dulles was bezeten door de grote risico's die hij moest nemen, door zijn angst voor een opdoemende wereldoorlog, en hij zei tegen me, meer dan eens, dat Israël voor zo'n oorlog verantwoordelijk zou zijn als die uitbrak, omdat we zo 'onredelijk' waren.

Er waren heel wat dagen in die periode dat ik had willen weglopen, terug naar Israël; dan moest iemand anders maar proberen Dulles en Henry Cabot Lodge, het hoofd van de Amerikaanse delegatie bij de Verenigde Naties, te bewerken. Ik had er alles voor over gehad om niet steeds opnieuw die doodvermoeiende toespraken aan te horen die altijd schenen te moeten eindigen in verwijten. Maar ik bleef en trachtte mijn verbittering en gevoel van verraden te zijn opzij te zetten en eind februari bereikten we een soort compromis. Onze laatste troepen zouden de Gazastrook en Sharm el-Sheikh verlaten in ruil voor de 'onderstelling' dat de Verenigde Naties het recht van vrije passage voor Israëlische schepen door de Straat van Tiran zouden garanderen en dat er geen Egyptische soldaten in de Gazastrook zouden mogen terugkomen. Het was niet veel en het was zeker niet waar we voor hadden gestreden, maar het was het beste dat we konden krijgen, en het was beter dan niets.

Op 31 maart 1957 deed ik onze eindverklaring nadat elke punt en komma ervan door Mr Dulles in Washington was gecontroleerd en goedgekeurd:

De regering van Israël is nu in staat haar plannen aan te kondigen voor algehele en onmiddellijke terugtrekking uit het gebied om Sharm el-Sheikh en de Gazastrook. Overeenkomstig resolutie 1 van 2 februari 1957 in ons enig doel geweest dat bij het terugtrekken van de Israëlische strijdkrachten er vrije scheepvaart voor Israël en de internationale scheepvaart zal bestaan in de Golf van Akaba en de Straat van Tiran.

En daarna zei ik, zoals ik me al had voorgenomen:

Mag ik thans nog een paar woorden hieraan toevoegen bestemd voor de staten in het Midden-Oosten en, meer in het bijzonder, de buren van Israël? Kunnen we van nu af niet allemaal een bladzijde omslaan en in plaats van elkaar te bestrijden, kunnen we niet samen armoede, ziekte, analfabetisme bestrijden; is het niet mogelijk dat we al onze kracht, onze energie voor één doel kunnen bundelen: verbetering, vooruitgang en ontwikkeling van ons aller landen en volkeren?

Maar ik had nog niet weer plaats genomen of Henry Cabot Lodge stond op. Ik hoorde vol verbazing hoe hij de Verenigde Naties verzekerde dat — al waren de rechten van vrije doorvaart voor alle naties door de Straat van Tiran nu inderdaad gegarandeerd — de toekomst van de Gazastrook nog nader worden uitgewerkt moest worden binnen het kader van de bestandsovereenkomst. Misschien begreep niet iedereen in de Verenigde Naties die dag wat Cabot Lodge bedoelde, maar wíj begrepen het maar al te goed. Het Amerikaanse ministerie van buitenlandse zaken had zijn strijd tegen ons gewonnen en het Egyptisch militair bestuur met zijn garnizoen zou naar Gaza terugkeren. En ik kon niets doen of zeggen. Ik zat daar maar en beet op mijn lip en ik was zelfs niet in staat die knappe Mr Cabot Lodge aan te kijken terwijl hij iedereen tot bedaren bracht die zo bezorgd was dat wij zouden weigeren onvoorwaardelijk terug te trekken. Het was níet een van de mooiste ogenblikken uit mijn leven.

Maar we moesten de waarheid onder de ogen zien en alles was niet verloren. Voorlopig was de terreur door de *fedayeen* voorbij; het principe van vrije doorvaart in de Straat van Tiran was gehandhaafd; de hulptroepen van de Verenigde Naties trokken de Gazastrook en het gebied van Sharm el-Sheikh binnen — en wij hadden een zege bevochten die militaire geschiedenis had gemaakt; we hadden weer bewezen in staat te zijn, als dat moest, om de wapenen te onzer verdediging op te nemen.

In oktober van dat jaar ging ik weer naar de Verenigde Naties en probeerde opnieuw de reeds tien jaar durende impasse tussen de Arabische staten en ons te doorbreken. Ik sprak tot ze uit mijn innige overtuiging dat de tijd rijp was om met elkaar te onderhandelen, en ik sprak voor de vuist weg, zoals mijn hart het me ingaf, zonder enige voorbereiding of tekst.

Israël nadert zijn tiende verjaardag. U wilde niet dat het land geboren werd. U streed tegen de beslissing in de Verenigde Naties. Daarna viel u ons met militaire strijdkrachten aan. Wij zijn allen getuige geweest van leed, verwoesting, bloedvergieten en tranen. Toch bestaat Israël en groeit, ontwikkelt zich, gaat vooruit. We zijn een oud, taai volk en, zoals de geschiedenis wel bewezen heeft, niet gemakkelijk te vernietigen. Evenals u, de Arabische landen, hebben wij onze nationale onafhankelijkheid teruggekregen, en evenals dat bij u het geval is zal ook niets ons bewegen die ooit weer op te geven. We zijn en blijven waar we zijn. De geschiedenis heeft beslist dat het Midden-Oosten bestaat uit een onafhankelijk Israël en onafhankelijke Arabische staten. Deze beslissing zal nooit herroepen worden.

Gezien deze feiten, wat is dan het nut of het realisme of de rechtvaardigheid van een politiek of houding gebaseerd op de fictie dat Israël niet bestaat of op een of andere wijze zal verdwijnen? Zou het voor ons allen niet beter zijn om in het Midden-Oosten een toekomst op te bouwen die op samenwerking gegrondvest is? Israël zal bestaan en vooruitkomen zelfs zonder vrede, maar een vreedzame toekomst zou toch voor Israël én zijn buren beter zijn. De Arabische wereld met zijn tien soevereine staten en bijna 5 miljoen vierkante kilometer land kan zich best veroorloven zich aan te passen aan vreedzame samenwerking met Israël. Maakt de haat tegen Israël en het streven naar de vernietiging ervan één kind in uw land gelukkiger? Verandert het één hut in een huis? Bloeit een beschaving op een ondergrond van haat? We twijfelen er niet in het minst aan dat er uiteindelijk vrede en samenwerking tussen ons zal komen. Dat is een historische noodzaak voor ons beider volken. Wij zijn bereid: wij verlangen ernaar daarmee thans een aanvang te maken.

Ik had me de moeite kunnen sparen. Onze paar vrienden in de Algemene Vergadering klapten in de handen, misschien zelfs enthousiast; maar de Arabieren keken zelfs niet op. Gedurende de periode dat ik het ambt van minister van buitenlandse zaken bekleedde, ging ik vaak naar de Verenigde Naties. Als hoofd van Israëls delegatie bij de Algemene Vergadering was ik daar minstens een keer per jaar, en geen enkele keer verzuimde ik pogingen te doen om op een of andere wijze contact met de Arabieren te zoeken, maar tot mijn spijt is me dat niet één keer gelukt. Ik herinner me dat ik eens, in 1957, Nasser vanuit de verte zag en ik vroeg me af wat er zou gebeuren als ik zo maar naar hem toe ging en een praatje maakte; maar hij was omringd door een lijfwacht en ik had de mijne en het kon dus blijkbaar niet. Maar Tito was bij diezelfde zitting aanwezig en ik dacht dat ik misschien met hém kon spreken en dat hij dan iets kon arrangeren. Dus vroeg ik aan iemand in onze delegatie om met een lid van de Joegoslavische afvaardiging te gaan praten en te proberen een ontmoeting tussen Tito en mij te bewerkstelligen. Ik wachtte, wachtte en wachtte nog eens. Ik stelde zelfs mijn terugkeer naar Israël erom uit, maar er kwam geen antwoord. Toen, de dag nadat ik uit New York vertrokken was, kregen we een antwoord: Tito wilde me in New York ontmoeten. Maar ik was inmiddels al thuis en toen we het nog eens probeerden, heerste er dezelfde stilte.

Er was geen enkele mogelijke bemiddelaar die ik in die periode niet benaderde. Op een zitting van de Algemene Vergadering raakte ik erg bevriend met de vrouw van het waarnemend hoofd van de Pakistaanse afvaardiging, de ambassadeur van dat land in Londen. Op een dag kwam ze uit zichzelf naar me toe en zei: 'Mevrouw Meir, als wij vrouwen in de

270

politiek zijn, dan is het onze plicht te proberen vrede te stichten.' En dat was net waarop ik wachtte. Ik zei tegen haar: 'Ik zal u eens iets zeggen. Nog geen zorgen over vrede. Nodigt u een paar Arabische gedelegeerden bij u thuis en vraag mij ook. Ik beloof u op mijn erewoord dat zo lang de Arabieren niet willen dat iemand van onze ontmoeting afweet, niemand er iets van zal horen. En ik wil ze niet ontmoeten om over vredesonderhandelingen te spreken. Alleen maar om te praten. Samen in één kamer te zijn.' Ze zei: 'Dat is uitstekend. Ik zal het doen. Ik zal meteen voorbereidingen treffen.' En ik wachtte en wachtte, maar er gebeurde niets. Op een dag vroeg ik haar een kop koffie met mij in de lounge voor de afgevaardigden te drinken en terwijl we daar zaten, kwam de minister van buitenlandse zaken van Irak binnen. Hij was degene die eens vanaf het spreekgestoelte van de Algemene Vergadering naar me had gewezen en gezegd had: 'Mevrouw Meir, ga terug naar Milwaukee; daar hoort u thuis.' Ze werd bleek. 'O God', zei ze. 'Hij ziet dat ik met u praat.' In paniek stond ze op en liep weg. En daarmee was onze vriendschap ten einde.

Zo ging het maar door, zelfs tot toevallige ontmoetingen die we misschien hadden kunnen hebben bij een of andere diplomatieke lunch. Elk hoofd van een delegatie bij de Verenigde Naties hoorde al heel snel dat als hij wilde dat de Arabieren kwamen, hij ons niet moest uitnodigen. Er was één minister van buitenlandse zaken die het spel nog niet kende en hij nodigde de Arabieren én de Israëli's uit. Hij nodigde ons niet alleen uit, maar hij plaatste zelfs een gedelegeerde uit Irak tegenover me aan tafel. De Arabier ging zitten, begon zijn gerookte zalm te eten, sloeg zijn ogen op, zag mij, stond op – en vertrok. Het was natuurlijk wel mogelijk dat een gastheer bij grote ontvangsten of cocktailparties voor honderden mensen de Arabieren én de Israëli's uitnodigde, maar nooit voor een lunch of diner, nooit! Zodra een Arabische afgevaardigde één van de Israëli's zag, liep hij de kamer uit, en we konden er niets aan doen.

Maar er waren ook vrolijker ogenblikken in die jaren en enkele heel gedenkwaardige ontmoetingen. De interessantste en gedenkwaardigste waren misschien wel die met John F. Kennedy, Lyndon Johnson en Charles de Gaulle. Kennedy heb ik twee keer ontmoet. De eerste keer was vlak na de Sinaï-campagne toen hij nog senator voor Massachusetts was. De zionisten in Boston hadden een enorme demonstratie en een gala-diner ter ondersteuning van Israël georganiseerd en dat werd door het gehele consulaire corps, de twee senatoren van de staat en de minister van buitenlandse zaken van Israël bijgewoond. Ik zat naast Kennedy die een van de sprekers was en ik herinner me nog hoe diep ik onder de indruk van hem was omdat hij zo jong was en zo goed sprak, al was hij dan geen gemakkelijk mens om mee te praten. Ik had het gevoel dat hij erg verlegen was en we hebben maar een paar woorden gewisseld. De volgende keer dat ik hem ontmoette was kort voor hij vermoord werd. Ik ging naar Florida waar hij met vakantie was en sprak heel lang en erg informeel met hem. We zaten op de veranda van het grote huis waar hij logeerde en ik zie hem nog voor me in zijn schommelstoel, zonder das, opgerolde mouwen, terwijl hij aandachtig luisterde naar mijn pogingen hem uit te leggen waarom we zo wanhopig wapens van Amerika nodig hadden. Hij zag er zo knap en nog zo jongensachtig uit dat ik het moeilijk vond niet te vergeten dat ik tegen de president van Amerika sprak, hoewel ik aanneem dat hij dacht dat ik er ook niet erg als een minister van buitenlandse zaken uitzag! Het was in elk geval een vreemde achtergrond voor zo'n belangrijk gesprek. Er waren nog een paar mensen aanwezig, o.a. 'Mike' Feldman, een van Kennedy's belangrijkste adviseurs, maar ze namen geen deel aan het gesprek.

Eerst ging ik in op de huidige situatie in het Midden-Oosten. Toen kwam het ineens bij me op dat deze intelligente jonge man misschien niet veel van de joden begreep en niet wist wat Israël werkelijk voor ze betekende, en ik besloot dat ik hem dat moest uitleggen voor ik doorging met vertellen waarom wij die wapens zo nodig hadden. Dus zei ik: 'Meneer de president, mag ik u vertellen in welk opzicht Israël van andere landen verschilt.' Om dat te doen moest ik ver teruggrijpen omdat de joden zo'n oud volk zijn. Toen zei ik: 'De joden stammen van meer dan 3000 jaar geleden en leefden tegelijk met volkeren die al lang niet meer bestaan, de Ammonieten, Moabieten, de Assyriërs, de Babyloniërs en andere. In vroeger tijden werden ze allemaal wel eens door andere machten onderdrukt en uiteindelijk aanvaardden ze allen hun lot en werden een deel van de toentertijd heersende beschaving. Allen, behalve de joden. Evenals de landen van andere volken werd ook dat van de joden door vreemde mogendheden bezet, maar het lot van de joden was anders, omdat − van al die volkeren − alleen het volk van Israël vastbesloten was te blijven wat ze waren. De mensen van andere naties bleven in hun land, maar verloren hun identiteit terwijl de joden, die over alle landen ter wereld verspreid werden en hun land verloren, nooit de wil opgaven om joods te blijven − en bleven hopen om naar Zion terug te keren. Nu zijn we daar dan terug en dat legt een bijzondere last aan de leiders van Israël op. In veel opzichten is de regering van Israël niet anders dan elke andere behoorlijke regering. Ze zorgen voor het welzijn van de mensen, voor de ontwikkeling van de staat, enzovoort. Maar daarenboven hebben ze nog één grote verantwoordelijkheid − en dat is die voor de toekomst. Als we nu onze soevereiniteit weer zouden verliezen, zouden diegenen van ons die in leven bleven − en dat zouden er niet veel zijn – wederom verspreid worden. Maar we hebben nu niet meer dat grote reservoir dat we eens hadden en waar we voor onze godsdienst, onze beschaving en ons geloof uit konden putten. Veel daarvan hebben we verloren toen zes miljoen joden bij de grote slachting omkwamen.'

Kennedy wendde zijn ogen niet van me af en ik ging door: 'Er zijn vijf en half of zes miljoen joden in Amerika. Dat zijn prachtige, edelmoedige, goede joden, maar ik denk dat zíj de eersten zouden zijn om het met me eens te zijn als ik zeg dat ik ernstig twijfel of zij die vasthoudendheid of de liefde voor Israël hebben die de verloren zes miljoen hadden. En als ik gelijk heb, dan staat voor ons op de wand geschreven: "Zorg dat jullie je soevereiniteit niet verliest, want dit keer zou het wel eens voor altijd kunnen zijn." Als dát zou gebeuren, dan zou mijn generatie de geschiedenis ingaan als de generatie die Israël weer soeverein maakte, maar niet wist hoe de onafhankelijkheid te behouden.'

Toen ik klaar was, boog Kennedy zich naar me toe. Hij nam mijn hand, keek me in de ogen en zei heel plechtig: 'Ik begrijp het, mevrouw Meir. Maakt u zich niet bezorgd. Er zal Israël *niets* overkomen.' En ik denk dat hij het werkelijk begrepen heeft.

Ik heb Kennedy nog eens bij een formele receptie van de Verenigde Naties ontmoet, waar hij de hoofden van de delegaties begroette, maar toen zeiden we elkaar alleen goedendag en daarna heb ik hem nooit weer gezien. Maar ik ben wel naar zijn begrafenis gegaan en naderhand heb ik, evenals alle andere hoofden van delegaties, mevrouw Kennedy de hand geschud. Ik heb ook haar niet meer gezien, maar ik zal nooit vergeten hoe ze daar stond, bleek met tranen in de ogen, maar toch kon ze nog iets persoonlijks tegen ons allen zeggen. Ook bij Kennedy's begrafenis, of eigenlijk aan het galadiner dat de nieuwe president die avond gaf, ontmoette ik Lyndon B. Johnson. Ik was al eens eerder aan hem voorgesteld bij de Algemene Vergadering van de V.N. in 1956-1957 toen hij de leider van de democratische meerderheid in de senaat was en zich krachtig en in het openbaar verzette tegen de dreigementen van president Eisenhower om sancties op ons toe te passen, dus ik wist al hoe hij ten opzichte van Israël voelde. Maar toen ik die avond in de ontvangstfile voor hem stond, sloeg hij zijn arm om me heen, hield die daar even en zei: 'Ik weet dat u een vriend verloren hebt, maar ik hoop dat u begrijpt dat ook ik een vriend ben' – en dat heeft hij later ook bewezen.

Vaak tijdens de duur van de Zesdaagse Oorlog toen president Johnson onze weigering steunde om naar de vóór-1967 linies terug te trekken tenzij we dat konden doen binnen het kader van een vreedzame regeling en hij ons hielp om de militaire economische standaard te bereiken om die posities te handhaven, moest ik terugdenken aan die avond na de begrafenis van Kennedy en de woorden die hij toen tegen me gezegd had op een ogenblik dat hij aan zoveel andere dingen moest denken en er zich bezorgd over maken. Ik heb ook hem nooit weer ontmoet, hoewel ik niet verbaasd was dat hij zo goed met Levi Esjkol kon opschieten toen hij premier was. Ze waren in veel opzichten gelijk: open, hartelijk en gemakkelijk in de omgang. Ik weet hoe onpopulair Johnson tenslotte in Amerika is geworden, maar hij was een heel trouwe vriend en Israël heeft heel wat aan hem te danken. Ik geloof dat hij een van de weinige buitenlandse leiders was die begreep welke fout de regering van Eisenhower na de Sinaï-campagne gemaakt had toen wij gedwongen werden terug te trekken voordat er onderhandelingen met de Arabieren aan de gang waren.

Toen Johnson in 1973 overleed, was ik premier en ik heb natuurlijk een condoléancebrief aan mevrouw Johnson geschreven. Ik heb haar antwoord nu voor me liggen. Ik werd er destijds erg door ontroerd, vooral omdat ik wist hoe oprecht het was.

'Lieve mevrouw Meir', schreef ze. 'U moet weten dat mijn man erg verlangde naar uw komend bezoek hier. Hij had het er vaak over dat hij Israël wilde bezoeken. Zijn bezorgdheid om uw land was oprecht en diep en zijn eerbied voor uw volk kwam regelrecht uit zijn hart.'

Nog een persoonlijkheid die zo'n beslissende invloed op Israëls toekomst zou hebben en die ik bij de begrafenis van president Kennedy ontmoette, was generaal de Gaulle. Ik had hem in 1958 voor het eerst gezien toen de Franse ambassadeur in Israël, Pierre Gilbert (die op zichzelf al een verhaal waard is) besloot dat ik de generaal moest opzoeken. Gilbert was een even vurig Gaullist als zionist en ik kon hem zijn plan niet uit het hoofd praten. Toch moet ik zeggen dat ik erg nerveus was toen ik de Gaulle zou ontmoeten. Alles wat ik over hem gehoord had, maakte me bang, vooral het feit dat hij van iedereen verwachtte perfect Frans te spreken en dat deed ik totaal niet. Maar toen Gilbert alles voor mijn bezoek geregeld had, kon ik niet meer terug en ik ging een paar dagen naar Parijs. Eerst ontmoette ik de toenmalige minister van buitenlandse zaken, Couve de Murville, de meest Engelse Fransman die ik ooit gezien heb. Hij had in verscheidene Arabische landen dienst gedaan en was heel correct, heel koel en, over het geheel genomen, onvriendelijk. En dat hielp niet bepaald om naar de ontmoeting met de Gaulle de volgende dag te verlangen. Ik werd met alle pracht en praal op het paleis ontvangen. Toen ik de trappen opliep, had ik het gevoel dat ik het hele Franse leger in ogenschouw nam en ik vroeg me af wat die prachtige Franse gardisten in hun rode jassen van me dachten terwijl ik naar het kantoor van de generaal sjokte, de legendarische Charles de Gaulle. Ik voelde me helemaal niet op mijn gemak. Walter Eytan die toen directeur-generaal van ons ministerie van buitenlandse zaken was en die naderhand onze ambassadeur in Frankrijk werd, was met me mee gekomen en met de hulp van de Gaulles tolk en Eytan slaagden de generaal en ik erin met elkaar te converseren. Hij was opmerkelijk hartelijk en we hadden een heel bevredigend gesprek over de problemen in het Midden-Oosten en hij verzekerde me van zijn onsterfelijke vriendschap voor Israël.

Toen op de begrafenis van Kennedy zag ik hem terug, eerst in de kathedraal (de enige mensen die niet knielden waren, geloof ik, de Gaulle, Zalman Sjazar, die toen president van Israël was, en ik) en later bij het diner dat ik net al noemde. Voor we aan tafel gingen, zag ik de Gaulle, hetgeen niet zo bijzonder is omdat hij boven iedereen uittorende; hij bevond zich aan de andere kant van de zaal. Ik overwoog net of ik al dan niet naar hem toe zou gaan toen hij mijn richting uitkwam. Er ontstond een zenuwachtige drukte. Naar wíe ging de Gaulle toe? 'Hij gaat nooit zelf naar iemand toe; de mensen worden altijd bij hem geroepen', zei iemand naast me tegen me. 'Hij moet met een heel belangrijk persoon gaan praten.' Het leek alsof de Rode Zee terugweek zodat de kinderen Israëls er door konden lopen; de Gaulle liep recht vooruit en iedereen schoot opzij. Ik viel ondersteboven toen hij vlak voor mij stilstond en iets deed dat hij nog nooit gedaan had: hij sprak Engels tegen me. 'Ik ben blij u weer te zien, zelfs al is de aanleiding tragisch', zei hij en boog. Het maakte een enorme indruk op iedereen, maar het meest op mij. In de loop van de tijd werd ik zelfs goede vrienden met Couve de Murville die me vaak zei dat de Gaulle een zacht plekje in zijn hart had voor me. Ik wilde dat dat zo gebleven was, maar we deden niet wat hij in 1967 ons zei dat we moesten doen (en dat was niets doen) en die ongehoorzaamheid heeft hij ons nooit vergeven. In die vreselijke dagen voor de Zesdaagse Oorlog zei hij tegen Abba Eban dat er twee dingen waren die Israël moest weten. 'Als u werkelijk in gevaar verkeert, kunt u op me rekenen; maar als u *begint,* zult u vernietigd worden en dan zult u de hele wereld in een ramp betrekken.' Maar de Gaulle had geen gelijk. We werden niet vernietigd en er kwam geen wereldoorlog, maar onze verhoudingen met hem, en met de Franse regering, is van die dag af nooit meer dezelfde geweest.

Dezelfde de Gaulle die in 1961 dronk op 'Israël, onze vriend en bondgenoot' vatte na de Zesdaagse Oorlog zijn houding tegenover de joden samen door ons te beschrijven als 'een uitverkoren en heerszuchtig volk vol zelfvertrouwen'.

De opwindendste en, volgens mij, belangrijkste bijdrage die ik als minister van buitenlandse zaken leverde lag echter in een totaal andere sfeer:

die had betrekking op Israëls nieuwe rol in de ontwikkelingslanden van Zuid-Amerika, Azië en misschien in het bijzonder Afrika, en het opende voor mij ook een totaal nieuw hoofdstuk in mijn eigen leven.

11
Vriendschap met Afrikaanse en andere landen

Ik geloof dat, voor zover het mijn persoonlijke gevoelens betreft, een deel van de aanvankelijke drang om me aan het eind van de jaren vijftig in te zetten voor Afrika en de bewoners ervan, zeker een soort emotionele reactie was op de toestand waarin wij ons na de Sinaï-campagne bevonden: in veel opzichten geheel alleen, niet populair en volkomen onbegrepen. Frankrijk was een bondgenoot en een goede vriend, een paar andere Europese landen hadden sympathie voor ons, maar onze verhouding met Amerika was gespannen, met het Sovjet-blok was die meer dan gespannen, en in Azië – ondanks al onze pogingen een werkelijke aanvaarding te verkrijgen – waren we in de meeste gevallen voor een muur te komen staan. Goed, we hadden diplomatieke vertegenwoordigingen in Birma, Japan en Ceylon, en consulaire kantoren in de Filippijnen, Thailand en India, maar hoewel wij tot de eerste groep volkeren behoorden die de Volksrepubliek China hadden erkend, waren de Chinezen er in het geheel niet in geïnteresseerd een Israëlische ambassade in Peking te hebben, en Indonesië en Pakistan, als mohammedaanse staten, waren openlijk vijandig tegenover ons. De 'Derde Wereld', waarin Nehroe aan de ene kant en Tito aan de andere, zo'n belangrijke rol speelden, keken naar Nasser en de Arabieren, en niet naar ons. Toen er in het voorjaar van 1955 te Bandoeng een conferentie van Aziatische en Afrikaanse landen plaatsvond en wij hoop koesterden ook uitgenodigd te worden, dreigden de Arabische staten de conferentie te boycotten als Israël aanwezig zou zijn – en we werden ook bij die 'club' buitengesloten. In 1957 en 1958 keek ik wel eens in de Verenigde Naties om me heen en dacht: Hier hebben wij geen familie. Niemand die onze godsdienst, onze taal of ons verleden deelt. De rest van de wereld schijnt in blokken gegroepeerd te zijn die ontstaan zijn omdat geografie en geschiedenis samen hun volken gelijke belangen hebben gegeven, maar onze buren – en natuurlijke bondgenoten, – willen niets met ons te maken te hebben en we horen nergens bij, en niemand bij ons, behalve wij zelf. We waren de eerstelingen van de Verenigde Naties, maar we werden behandeld als ongewenste stiefkinderen, en ik moet erkennen dat het pijn deed.

Maar tenslotte bestond de wereld niet alleen uit Europeanen en Aziaten. In Afrika traden naties naar voren die toen op het punt stonden onafhankelijkheid te bereiken en aan die zwarte staten-in-wording was er heel veel dat Israël kon en wilde geven. Evenals zij hadden wij vreemde heerschappij afgeschud, we hadden zelf moeten leren hoe het land te ontginnen, hoe onze oogsten te vergroten, hoe te irrigeren, hoe hoenderen gefokt moesten worden — hoe we moesten samenleven en hoe we ons moesten verdedigen. Onafhankelijkheid was ons niet op een zilveren schaal opgediend maar was na jaren strijd veroverd, evenals bij vele Afrikaanse landen, en we hadden moeten leren, vaak door eigen fouten, hoe hoog de prijs van de vrijheid, van het zelfbeschikkingsrecht, was. In een wereld die keurig verdeeld was in rijke en arme landen, was Israëls ervaring uniek omdat we gedwongen waren geweest oplossingen te vinden voor problemen die de grote, rijke en machtige landen nooit gekend hadden. We konden Afrika geen geld of wapens aanbieden, maar we waren onbezoedeld als koloniale uitbuiters, en het enige dat we van Afrika wilden, was vriendschap. Laat ik de cynici meteen voor zijn. Gingen we ons met Afrika bemoeien omdat we stemmen in de Verenigde Naties wilden bemachtigen? Ja, natuurlijk was dat een van onze motieven, en een heel eervolle reden die ik nooit en te nimmer voor mezelf of voor de Afrikaanse landen verhuld heb. Maar het was bij lange na niet het belangrijkste motief, al was het niet te verwaarlozen. De hoofdzaak van ons Afrikaans 'avontuur' was dat we iets hadden om aan andere naties door te geven die nog jonger en minder ervaren dan wij waren.

Tegenwoordig, nu als de nasleep van de Oktoberoorlog de diplomatieke banden tussen de meeste Afrikaanse staten en Israël werden verbroken, hebben zich vele gedesillusioneerde Israëli's bij het koor van cynici aangesloten. 'Het was allemaal verknoeid geld, tijd en moeite', zeggen ze, 'een misplaatst, doelloos, Messiaans gebaar dat in Israël veel te ernstig werd opgevat en dat wel mis móest gaan vanaf het ogenblik dat de Arabieren de Afrikaanse landen onder enige werkelijke druk zetten.'

Maar niets is natuurlijk goedkoper, gemakkelijker of vernietigender dan dat soort kritiek achteraf en in dit verband moet het me van het hart dat ik er niet de minste waarde aan hecht. Dingen overkomen landen net als aan mensen. Niemand is volmaakt en er zijn altijd tegenslagen, sommige schadelijker en pijnlijker dan andere, maar je kunt niet verwachten dat elk plan snel en goed slaagt. Tóch zijn teleurstellingen géén mislukkingen en ik ben het helemaal niet eens met het soort politiek eigenbelang dat onmiddellijke resultaten wil zien. De waarheid is dat wij, hetgeen we in Afrika deden, niet gedaan hebben omdat het alleen maar een 'politiek' van verlicht eigenbelang was, een kwestie van voorwat-hoort-wat, maar omdat het een voortzetting was van onze eigen meest op prijs gestelde tradities en een uitdrukking van onze eigen diepste historische instincten. Wij gingen naar Afrika om er iets te brengen, te leren en wat we daar voor lessen gebracht hebben, werden geleerd. Niemand kan inniger dan ik betreuren dat de meeste Afrikaanse naties hebben verkozen ons voorlopig de rug toe te keren, maar wat werkelijk belangrijk is, is wat wij en zij samen hebben bereikt, wat de duizenden Israëlische deskundigen op het gebied van landbouw, hydrologie, regionale planning, volksgezondheid, bouwkunde, gemeenschapsdiensten, medicijnen en tientallen andere zaken werkelijk tussen 1958 en 1973 overal in Afrika hebben gedáán. En wat de duizenden Afrikanen die in Israël in die jaren een opleiding kregen, aan kennis hebben meegenomen. Die voordelen kunnen nooit meer verloren gaan en deze prestaties moeten ook nooit verkleind worden. Zij zijn van blijvende waarde en niets kan ze uitwissen, ook niet het huidige verlies voor Israël van mogelijke politieke of andere voordelen die wij hadden van onze banden met de regeringen van de Afrikaanse staten. Die regeringen zijn inderdaad ondankbaar geweest en het zal ze heel wat werk en moeite kosten om de nare indruk uit te wissen van het feit dat ze ons in de steek hebben gelaten, en dat nog wel in een crisis. Maar dat is geen verontschuldiging om die dingen te verloochenen of te kleineren waarvan ik oprecht geloof dat het een intens belangrijke, om niet te zeggen een poging zonder precedent was die ons land heeft gedaan om het menselijk leven in andere landen te verbeteren. En ik ben trotser op Israëls Internationale Samenwerkingsprogramma en op de technische hulp die wij aan de volkeren van Afrika hebben versterkt dan ik op enig ander project ben dat we ooit ondernomen hebben.

Voor mij typeert dát programma, meer dan iets anders, de drang naar sociale rechtvaardigheid, wederopbouw en herstel die de kern van het socialistisch zionisme en het jodendom is. De levensfilosofie die in de jaren twintig de mannen en vrouwen van Merhavia aanzette om zich aan pioniersarbeid in het kader van een coöperatie te wijden, die mijn dochter en haar kameraden ertoe leidde om datzelfde veeleisende levenspatroon in de jaren veertig in Revivim voort te zetten en die oorzaak is van de stichting van elke nieuwe kibboets tegenwoordig in Israël, is volgens mij geheel identiek met de visie die de Israëli's jarenlang naar de Afrikaanse landen dreef om met de Afrikanen de praktische en theoretische kennis te delen. Alleen die kennis kon in Afrika's behoeften in een veranderende wereld voorzien, een wereld waarin ze eindelijk zelf voor hun eigen lot verantwoordelijk waren. Niet dat allen

279

die meededen aan het delen van onze nationale ervaringen met de Afrikanen, socialisten waren. Dat is verre van waar, maar voor mij althans was het programma wél een logische uitbreiding van onze principes waar ik altijd in geloofd had. Ze hebben inhoud aan mijn leven gegeven. En ik kan dus geen enkel facet van dat programma als 'tevergeefs' beschouwen en ik kan evenmin geloven dat de Afrikanen die erbij betrokken waren of er de vruchten van plukten het ooit in dat licht zullen zien.

Iets anders. Wij deelden met de Afrikanen niet alleen de uitdaging gesteld door de noodzaak tot snelle ontwikkeling, maar ook de herinnering aan eeuwen lijden. Onderdrukking, discriminatie, slavernij – dat zijn geen woorden die alleen op joden van toepassing zijn, of op Afrikanen. Het zijn geen ervaringen die honderden jaren geleden door halfvergeten voorouders zijn opgedaan, maar kwellingen en vernederingen die nog pas gisteren ondervonden zijn. In 1902 heeft Theodor Herzl een roman geschreven waarin hij de joodse staat van de toekomst beschrijft, zoals hij zich die voorstelde. De roman heette *Altneuland* (Oud Nieuw Land) en op de titelpagina stonden de woorden: 'Wanneer gij het wilt, is het geen droom': woorden die het motto en de inspiratie van de zionistische beweging werden. In *Altneuland* komt een passage over Afrika voor die ik wel eens voor Afrikaanse vrienden aanhaalde en die ik ook hier graag opneem:

... Er is nog een kwestie die uit het onheil der volkeren voortvloeit en die tot op heden niet is opgelost. De diepe tragedie ervan kan alleen een jood beseffen. Dat is de Afrikaanse kwestie. Denk eens aan al die vreselijke periodes van de slavenhandel toen menselijke wezens als vee werden gestolen, gevangen genomen en verkocht alleen omdat ze zwart waren. Hun kinderen groeiden in vreemde landen op en werden een voorwerp van verachting en vijandigheid omdat hun huidskleur anders was. Ik schaam me niet te zeggen – al stel ik mezelf er mee aan spot bloot – dat als ik eenmaal getuige heb mogen zijn van de verlossing van de joden, mijn volk, ik ook hoop te helpen bij de verlossing van de Afrikanen.

Ik geloof – en hoop – dat ik oorspronkelijk vaak de stoot heb gegeven aan de omvang en intensiviteit van de bijna 200 ontwikkkelingsprogramma's die Israël tot nu toe in meer dan tachtig landen van Afrika, Azië, Zuid-Amerika en, korter geleden, ook om de Middellandse Zee heeft uitgevoerd. Daarbij werd gebruik gemaakt van het enorme enthousiasme, doorzettingsvermogen en talent van ongeveer 5000 Israëlische adviseurs. Helaas kan ik niet beweren dat ik het idee heb uitgevonden. De eerste Israëli die deze vorm van internationale samenwerking heeft onderzocht, was mijn goede vriend Reuven Barkatt die als hoofd van de politieke afdeling van de *Histadroet* verscheidene Afrikanen en Aziaten naar Israël heeft gehaald om zelf te zien hoe wij allerlei problemen hadden opgelost. En omstreeks de tijd dat ik in 1956 minister van buitenlandse zaken werd, aan de vooravond van de onafhankelijkheid van Ghana, was een jonge Israëlische diplomaat, Chanan Yavor, aangesteld door Sjarett, al bezig zijn koffers te pakken en zich gereed te maken om Israël daar te vertegenwoordigen. Toen Ghana in 1957 onafhankelijk werd, werd Ehud Avriel als Israëls ambassadeur bij die staat en Liberia benoemd. Hij stelde voor dat ik de eerste verjaardag van Ghana's onafhankelijkheid in 1958 kwam bijwonen en dan ook Liberia Senegal, de Ivoorkust en Nigeria bezocht. Ik begon plannen voor die reis te maken en er werd besloten dat Ehud en onze toenmalige ambassadeur in Frankrijk, Jacob Tsur, me daarbij zouden vergezellen.

Ik had natuurlijk al eerder Afrikanen ontmoet, hoofdzakelijk bij de verschillende socialistische bijeenkomsten, maar ik was nog nooit in Afrika geweest en ik kon het me totaal niet voorstellen. Ik weet nog dat ik voor die tocht aan het pakken was en een van mijn slechte hoedanigheden als reizigster is dat ik altijd veel te veel meeneem. Ik droomde uren over Afrika en de rol die wij misschien bij het ontwaken van dat grote continent konden spelen. Ik had er geen enkele illusie over dat die rol onvermijdelijk klein zou moeten zijn, maar ik stond helemaal in vuur en vlam door het vooruitzicht om naar een deel van de wereld te gaan dat zo nieuw voor ons was en waar wij ook nieuw waren. Ik was zo opgewonden als een kind om wat er te gebeuren stond.

Mijn eerste halte was Monrovia, de hoofdstad van Liberia, waar ik de gast van president Tubman was. Liberia's sociale en economische élite leefde in ongelooflijke luxueuze omstandigheden, vaak grenzend aan het fantastische, terwijl de rest van de bevolking in uiterste armoede verkeerde. Maar ik was niet naar Afrika gekomen om te preken, me ergens mee te bemoeien of te bekeren. Ik was gekomen om de Afrikanen te ontmoeten en ik wist heel goed dat president Tubman een toegewijd vriend van de joden genoemd kon worden. Dat kwam, zoals ik me herinner, in hoofdzaak doordat in de lange geschiedenis van zijn ingewikkelde verhouding met Amerika, hij bevriend was geraakt met een joods lid van het Amerikaanse Congres, die indrukwekkende man Emanuel Celler, die – als enige van al Tubmans contacten in Washington – de eenzaamheid van een zwarte leider had begrepen op een tijdstip toen het niet modern of nodig was de gevoelens van een neger te sparen. Liberia wás de eerste zwarte staat ter wereld geboren uit een drang die niet zo heel veel van het zionisme verschilde. Ik kon er niets aan doen, maar ik moest wel reageren op Tubmans duidelijke affectie voor Israël en zijn sterke gevoel dat wij veel gemeen hadden. Maar wat me het meeste trof en interesseerde was niet het Liberia van Monrovia, maar het Afrika dat ik in het binnenland zag.

We reisden kilometers ver Liberia in. Ik sprak met honderden mensen en beantwoordde duizenden vragen over Israël, vele over Israël als het land van de Bijbel. Een heel aardige jonge vrouw van het Liberiaanse ministerie van buitenlandse zaken vergezelde ons en ik weet nog dat ze op de laatste dag van mijn bezoek heel verlegen zei: 'Ik heb een oude moeder tegen wie ik gezegd heb dat ik de hele week erg druk zou zijn met een bezoeker uit Jeruzalem. Mijn moeder keek me verschrikt aan en zei: "Weet je dan niet dat er geen stad is die Jeruzalem heet. Jeruzalem is in de Hemel." Denkt u dat u haar even zou kunnen opzoeken, mevrouw Meir, en haar iets over het werkelijke Jeruzalem vertellen?' Natuurlijk ging ik die dag mee naar haar moeder en ik gaf haar een flesje met water uit de Jordaan. De oude dame liep om me heen, maar ze raakte me niet aan. 'U komt uit Jeruzalem', zei ze maar steeds weer. 'Bedoelt u dat het een échte stad is, met straten en huizen waar échte mensen wonen?' 'Ja, ik woon er', antwoordde ik, maar ik denk niet dat ze me ook maar een ogenblik geloofde. Het was een vraag die me overal in Afrika gesteld werd en dan vertelde ik de Afrikanen dat het enige dat hemels aan Jeruzalem was, het feit was dat het nog bestond!

Voor mij was het hoogtepunt van dat bezoek aan Liberia de plechtigheid waarmee ik tot opperhoofd van de Gola-stam in Noord Liberia werd verklaard, een eer die zelden een vrouw te beurt valt. Toen ik later het verhaal in Israël vertelde, werd het als een merkwaardig toeval beschouwd dat het Hebreeuwse woord voor de diaspora ook Gola is. Het was in elk geval een van de meest buitengewone dingen die me ooit zijn overkomen en ik moet bekennen dat toen ik daar zo stond, in de brandende zon, terwijl de stamleden zingend om me heen dansten, ik nauwelijks kon geloven dat deze grote eer mij, Golda Meir, uit Pinsk, Milwaukee en Tel Aviv te beurt viel. Twee gedachten overheersten me. 'Ik moet doen alsof een inwijdingsceremonie middenin Afrika iets is waar ik mijn hele leven al aan gewend ben' hield ik me voor, en 'Ik wou dat mijn kleinkinderen me nu eens konden zien'. Toen het dansen voorbij was, werd ik door ongeveer 200 vrouwen van de stam naar een kleine strohut geleid waar ik de helgekleurde gewaden van een opperhoofd aan kreeg en een geheime inwijding onderging. De details daarvan ben ik niet van plan te vertellen. Maar ik zal nooit de blik in de ogen van mijn Israëlische geleide vergeten, ook die van Ehud en mijn lijfwacht-officieren, toen ik onder begeleiding van het geluid van Afrikaanse trommels en het gezang van de vrouwen in een duistere hut verdween, en hun opluchting toen ik er weer uit te voorschijn kwam, nog heelhuids en erg tevreden. Wat ik wel over die plechtigheid mag zeggen is dat ik erg onder de indruk en verrukt was van al die kleuren, de natuurlijkheid en de onbevangenheid van de hele ceremonie. Dat alles ademde een hartelijkheid en vreugde die maakte dat ik me meteen thuis voelde waar ik in Afrika ook heenging. Ik heb datzelfde gevoel nooit in die mate ergens anders gekend, zeker niet in Azië.

Van Liberia reisden we naar Ghana, Afrika's eerste onafhankelijke staat die zich van de kolonisatie bevrijd had. Daar ontmoette ik Dr Kwame Nkrumah, de charmante halfgod van het Afrikaanse nationalisme uit die tijd. Het was onmogelijk Nkrumah niet aardig te vinden en te bewonderen, maar het lange gesprek dat ik onmiddellijk na mijn aankomst in Akkra met hem had, maakte toch dat ik de nodige reserves over zijn betrouwbaarheid en oprechtheid kreeg. Er was iets heel onrealistisch en zelfs naars in zijn retoriek en zijn heel duidelijke gretigheid om hét symbool van de Afrikaanse bevrijding te blijven. Hij had het over heel andere dingen dan ik. Hij sprak over de problemen van Afrika alsof het enige dat er toe deed de formele onafhankelijkheid was en hij scheen veel minder geïnteresseerd in discussies over de ontwikkeling van Afrika's natuurlijk hulpbronnen of zelfs over maatregelen hoe hij de levensstandaard van zijn volk kon verhogen. Hij sprak over de glorie van de vrijheid – en ik had het over onderwijs, volksgezondheid en de noodzakelijkheid dat Afrika zijn eigen onderwijzers, technici en doktoren opleidde. We spraken uren, maar ik geloof dat geen van beiden de ander overtuigde.

Ik was nu eenmaal zakelijk en probeerde de nadruk op techniek en kennis te leggen, terwijl Nkrumah, geloof ik, niet anders dan bloemrijk kon praten. Op een zeker ogenblik bijvoorbeeld legde hij me uit waarom hij een enorm standbeeld van zichzelf voor het parlementsgebouw in Akkra had laten plaatsen en waarom de nieuwe munten in Ghana een borstbeeld van hem als beeldenaar droegen. 'Ziet u, onafhankelijkheid betekent niet veel voor de mensen in de rimboe. Ze weten niet wat dat woord betekent. Maar als ze een munt oppakken en daar het portret van Nkrumah op zien in plaats van dat van de koningin van Engeland, dán zullen ze de betekenis van onafhankelijkheid begrijpen,' zei hij. Het was een fundamenteel verschil van benadering van de dingen, maar het stond de uiteindelijke totstandkoming van een nauwe band tussen Ghana en Israël niet in de weg. Die kwam tot uiting in tientallen trainingsprogramma's die we in Israël én Ghana opzetten en bouwwerken en technische hulp uitgevoerd door Israëlisch personeel daar. We hielpen ook met het stichten en exploiteren van Ghana's 'Black Star' scheepvaartlijn. Er zijn in feite tegenwoordig honderden Israëli's waarvoor Ghana een tweede vaderland werd en voor wie de toekomst van Ghana bijna even belangrijk was als die van Israël.

Later heb ik andere Afrikaanse leiders ontmoet, bijvoorbeeld president Houphouet-Boigny van de Ivoorkust wiens persoonlijke opvatting van wat het belangrijkste was meer met mijn beginselen overeenkwam. Houphouet-Boigny behoorde overigens tot dezelfde stam als Nkrumah en kon met hem alleen in hun stamtaal spreken, omdat Nkrumah geen Frans kende en Houphouet-Boigny sprak geen Engels. De leider van de Ivoorkust was er in 1958 van overtuigd dat ontwikkeling even belangrijk als onafhankelijkheid was. Veel duidelijker dan Nkrumah zag hij de gevaren waaraan de Afrikanen zouden blootstaan als ze doorgingen op onafhankelijkheid zonder voldoende voorbereiding aan te dringen: het extremisme van de moslims, de nog gevaarlijker combinatie van communisme, Russisch of Chinees, mét de Islam, de terugkeer in slechts weinig veranderde gedaante van de vroegere heersers van Afrika en de verzwakking van de gematigde progressieve elementen overal op het continent; hij speelde het klaar om de vleitaal en dreigementen van Nasser vele jaren te weerstaan. Maar in november 1973 bezweek ook Houphouet-Boigny en hij verbrak de relaties met ons en vertelde ons triest dat hij moest kiezen 'tussen zijn Arabische "broeders" en zijn Israëlische "vrienden" '. Maar dat lag in 1958 nog allemaal in de schoot van de toekomst en dat was maar goed ook.

Hoewel ik nogal neerslachtig was na mijn eerste ontmoeting met Nkrumah, bleek mijn bezoek aan Ghana toch nog boeiend, en ook kritiek voor onze gehele Afrikaanse initiatief. Als onderdeel van de verjaardagviering was Ghana gastheer voor de eerste 'All-African Peoples Conference', een bijeenkomst van de vertegenwoordigers van alle Afrikaanse bevrijdingsbewegingen, met inbegrip van de Algerijnse. Ik had Dr George Padmore, een briljante Westindische ex-communist, al eens ontmoet; hij was toen de belangrijkste ideoloog van het progressieve Pan-Afrikanisme en de geestelijke vader van een Afrikaans ontwikkelingsplan dat o.a. voor een groot deel afhing van de massale financiële steun van de Amerikaanse negermaatschappij, ongeveer — zoals hij zei — als ons Verenigd Joods Appel. Hij had een grote belangstelling voor Israël en stond erop dat ik de andere Afrikaanse leiders zou ontmoeten die nu in Akkra verzameld waren. Het was een buitenkans voor mij en voor hen, zei hij. De conferentie zou om 4 uur n.m. beginnen en wel in het Ambassador Hotel, Ghana's enige gloednieuwe moderne hotel, maar er werd een speciale bijeenkomst voor 3 uur n.m. uitgeschreven en toen ik met Padmore de conferentiezaal betrad, zaten daar al een zestig man.

Het was een merkwaardige en dramatische confrontatie. Daar waren we met z'n allen in het eerste Afrikaanse land dat onafhankelijkheid had verworven, afgezien dan van Liberia en Ethiopië. Ik, de minister van buitenlandse zaken van een joodse staat die al tien hele jaren bestond —

284

en zestig mannen uit landen die binnen slechts twee of drie jaar hun vrijheid zouden verkrijgen. We hadden allemaal zoveel beleefd, allemaal zo hard om onze vrijheid gestreden: zij die nog ongetelde miljoenen en miljoenen mensen vertegenwoordigden die over het uitgestrekte Afrika verspreid waren, en wij in ons ene kleine landje dat zo lang slagen had moeten opvangen en een beleg had doorstaan. Die middag scheen het mij toe dat dit een werkelijk historische ontmoeting was, zo een als Herzl misschien zelf overwogen zou hebben. Ik kende de meeste Afrikanen niet bij naam, maar Padmore vertelde me wie het waren: de leiders van het strijdende Algerije, van alle andere Franse kolonies, van Tanganyika, van Noord- en Zuid-Rhodesië. De atmosfeer in de zaal was erg geladen. Ik voelde de spanning en de achterdocht en geen van beide werd er minder op door de openingswoorden van Padmore. 'Ik heb deze vergadering bijeengeroepen', zei hij, 'opdat u de minister van buitenlandse zaken van een jong land kunt ontmoeten dat zo juist zijn onafhankelijkheid heeft verkregen en dat enorm veel bereikt heeft op elk gebied waar menselijke krachtsinspanning voor nodig is.'

Een paar sekonden heerste er een gespannen stilte; toen stond de vertegenwoordiger van Algerije op. Met een ijskoude stem stelde hij mij de meest provocerende, maar wel terzake doende vraag die hij stellen kon: 'Mevrouw Meir', zei hij, 'uw land wordt door Frankrijk bewapend, de aartsvijand van allen die hier om deze tafel zitten, een regering die een meedogenloze en wrede strijd tegen mijn volk voert en die terreur tegen mijn zwarte broeders gebruikt. Hoe rechtvaardigt u uw uitstekende verhouding met een mogendheid die de belangrijkste vijand is van het zelfbeschikkingsrecht van het Afrikaanse volk?' En hij ging zitten. Ik was niet bepaald verrast door die vraag, alleen door het feit dat daarmee de bijeenkomst geopend werd. Op de een of andere wijze had ik meer woorden en meer tijd verwacht. Maar ik was blij dat we ons niet te buiten gingen aan allerlei beleefdheden en schijngevechten.

Ik stak een sigaret op en keek de tafel rond. Toen beantwoordde ik de vraag. 'Onze buren', zei ik tegen de zestig Afrikaanse leiders die me zo koud en vijandig aankeken, 'zijn erop uit ons met de wapenen te vernietigen, wapenen die zij gratis van de Sovjet Unie krijgen of voor heel weinig geld uit andere bronnen. Het enige land ter wereld dat bereid is om ons voor harde valuta, en heel veel daarvan, enkele van de wapens te verkopen die wij nodig hebben om ons te verdedigen, is Frankrijk. Ik deel uw haat voor de Gaulle niet, maar laat ik u de waarheid zeggen, of u het prettig vindt of niet. Al was de Gaulle de duivel zelf, dan zou ik het nog als de plicht van mijn regering beschouwen om bij de enige bron die ons beschikbaar is wapens te kopen. En mag ik nu ú een vraag stellen? Als ú in die positie was, wat zou ú doen?'

Ik kon bijna de zucht van opluchting die in de zaal opging, horen. De spanning was voorbij. De Afrikanen wisten dat ik ze de waarheid gezegd had, en dat ik niet probeerde ze iets wijs te maken; ze werden direct meer ontspannen. Nu was er geen houden meer aan de stortvloed van vragen over Israël. Ze hongerden naar inlichtingen, over kibboetsiem, over de *Histadroet,* het leger – en ze overstelpten me met vragen. Zij waren op hun beurt ook heel openhartig. Een jonge man uit Noord Nigeria dat een bijna uitsluitend mohammedaanse bevolking heeft, stond zelfs op en zei: 'We hebben geen joden in Noord Nigeria, maar we weten dat er van ons verwacht wordt dat we ze haten!'

De gesprekken met de Afrikaanse revolutionairen gingen tijdens mijn hele verblijf in Ghana door en het legde de basis voor ons Internationale Samenwerkingsprogramma. Ik had het respect en de vriendschap van de Afrikaanse leiders gewonnen, en zij waren verlangend om andere Israeli's te ontmoeten en met ze samen te werken. Ze waren niet gewend aan blanken die met hun eigen handen werkten, of aan buitenlandse deskundigen die bereid waren hun kantoren te verlaten en op het terrein van het project eraan meezwoegden. Het feit dat wij, wat zij noemden 'kleurenblind' waren, was bijzonder belangrijk. Dingen die ik heel natuurlijk vond, vervulden de Afrikanen met verbazing – of het nu mijn niet erg sierlijke maar wel oprechte pogingen waren om de Afrikaanse dansen te leren, of mijn enthousiasme om de stijve, jonge ambtenaren van het ministerie van Buitenlandse zaken van Ghana te leren hoe ze Israëls 'hora' moesten dansen. Bovenal moesten ze wel merken hoe zeer ik op ze gesteld was. Ik weet nog dat ik op een morgen onder een enorme mangaboom zat en mijn haar kamde toen opeens een stuk of tien kleine meisjes uit het niets opdoken; ze hadden blijkbaar nog nooit lang haar gezien. Een meisje dat dapperder dan de anderen was, kwam naar me toe. Ik kon zien dat ze mijn haar wilde aanraken en daarom liet ik ze een half uurtje om beurten mijn haar kammen; ik merkte niets van de menigte met ontzag vervulde Afrikanen die zich achter me verzameld had.

Door ons niet te gedragen zoals zij geleerd hadden dat buitenlanders zich gedroegen, geloof ik dat wij hielpen met veel meer dan het bouwen van boerderijen, fabrieken voor de industrie, hotels, jeugdcentra en het opzetten van politiemachten voor zo veel Afrikaanse landen. Wij bewezen ze, door met ze mee te werken, dat ze chirurgen, piloten, citrusplanters, gemeenschapswerkers en bosbouwers konden worden en dat technische bekwaamheid niet het blijvende voorrecht van de blanken was, zoals hun tientallen jaren lang was voorgehouden.

Natuurlijk deden zelfs toen al de Arabieren hun best om de Afrikanen te overtuigen dat wij niet anders waren dan de andere 'koloniale machten' maar de meeste Afrikanen wisten wel beter. Ze wisten dat als Zambia Israëlische pluimvee experts aannam, de Zambiaanse kippen niet in 'koloniale' kippen veranderd werden en dat het visconserverings-programma dat de Israëli's in Mali ontwikkelden geen 'imperialistische' vis opleverde. Ze wisten ook dat de honderden Afrikanen die in Israël landbouwkunde studeerden, niet in uitbuiting werd getraind. Wij stelden eigenlijk drie fundamentele criteria voor ons programma vast en ik geloof dat het niet onbescheiden is te beweren dat deze criteria een nieuwe benadering waren. We stelden onszelf én de Afrikanen drie vragen voor elk voorgesteld project. Is het wenselijk? Is het werkelijk nodig? Kan Israël op dit speciale gebied helpen? En we begonnen alleen aan projecten als het antwoord op alle drie vragen 'ja' was, zodat de Afrikanen wisten dat we onszelf niet beschouwden automatisch in staat te zijn om al hun problemen op te lossen.

Ik ging vele malen naar Afrika terug en wende eraan dat me voor elke tocht verteld werd dat ik 'te veel' van mezelf vergde. Ik leerde te wennen aan de hitte, aan het vaak voorkomende gebrek aan reinheid, aan het tanden poetsen met gekookt water, – en als dat er niet was, met koffie – en aan uren zoekbrengen met dingen die ik me zelfs in mijn wildste dromen nooit had voorgesteld te moeten doen. Bij voorbeeld voorzitster zijn bij de verkiezing van een schoonheidskoningin bij het Onafhankelijkheidsdagfeest in Kameroen en met een groep Afrikaanse leiders aan de Ivoorkust uit eten gaan waarbij een Afrikaanse band een ontroerende vertolking van '*Die Yiddische Mama*' gaf toen ik binnenkwam. Hoe meer ik in Afrika rondreisde, hoe meer ik ervan ging houden, en gelukkig waren de Afrikanen ook op mij gesteld. Nog steeds correspondeer ik met sommigen van de vele Afrikaanse ouders die hun dochter naar mij genoemd hebben. Kort geleden kreeg ik nog een brief uit Nigeria. 'Met veel dank bevestig ik de ontvangst van uw vriendelijke brief', schreef een vader, 'waarbij u een halsketting voor de kleine Golda insloot. Hierbij sturen we u een foto van de kleine Golda als bewijs van erkentelijkheid voor uw goede werk bij het helpen van de mensheid.' Ik voelde me erg gevleid door de vele andere manieren waarop de Afrikanen me van hun genegenheid deden blijken.

In december 1958 bezocht ik Kameroen, ging naar Ghana terug, reisde voor het eerst naar Togo (waar we, afgezien van andere projecten, hielpen met het stichten van een nationale jeugdbeweging en het organiseren van een coöperatief dorp), bezocht weer president Tubman in Monrovia en reisde in Sierra Leone en Gambia rond. Ik ging ook naar Guinea en ontmoette voor het eerst Sekou Touré. Dat was echter geen groot succes; hij was een van de weinige Afrikaanse leiders waarmee ik geen persoonlijke vriendschap kon sluiten, al was ik wel diep onder de indruk van zijn intellectuele gaven. Evenals Nkrumah en, al was het dan in mindere mate, Nyerere van Tanzania, was Sekou Touré bezorgder voor het internationale aanzien van zijn land dan voor het welzijn ervan. Hoewel hij radicaal links was, leek het alsof hij geen werkelijke sociale opvattingen had en er was dus weinig dat wij hem konden aanbieden, al hielpen we Guinea wel en er is een prachtige hogere beroepsopleidingschool in Conakry die ten dele door ons gesticht is. Maar Guinea was nooit echt met Israël bevriend en toen ze na de Zesdaagse Oorlog de relaties met ons verbraken, de enige Afrikaanse staat die dat toen deed, was ik niet werkelijk verbaasd. Niet dat ik geloof dat de houding van een zekere staat tegenover Israël onvermijdelijk een afdoend bewijs is van de kwaliteiten van de leiders van die staat, maar het was wel een feit dat hoe meer een Afrikaanse leider zich bezighield met de vooruitgang van zijn land in plaats van het ene machtsblok tegen het andere uit te spelen, hoe meer zo'n staat onze hulp nodig had en hoe beter we met elkaar konden opschieten.

Sommige gevoelens in dit opzicht en ook andere aspecten van mijn Afrikaanse ervaringen verwerkte ik in een toespraak die ik eind 1960 in de Algemene Vergadering hield. Omstreeks dat tijdstip waren al zestien onafhankelijke Afrikaanse staten daarin vertegenwoordigd. Terwijl ik sprak zag ik de mannen, vrouwen en kinderen voor me die ik overal in Afrika ontmoet had; met velen kon ik zelfs niet praten zonder tolk, maar met allen had ik steeds een hechte band van werkelijke broederschap gevoeld, van gedeelde aspiraties. En ik zag ook in mijn verbeelding de berooide, niet bevoorrechte, slecht ontwikkelde massa's joden die naar Israël waren gekomen, met honderdduizenden, die daar een paradijs op aarde hadden verwacht. Waar ik het werkelijk over had was de valstrik van onrealistische verwachtingen en van politieke fantasieën over het verleden of de toekomst, dingen waar we ons zelf ook wel schuldig aan maakten en dus kon ik heel natuurlijk spreken in termen van 'ons' en niet van 'zij'.

Er zijn twee gevaren die wij, pas onafhankelijke staten, onder ogen moeten zien: ten eerste te lang blijven stilstaan bij het verleden, en ten tweede, de illusie dat politieke onafhankelijkheid een onmiddellijke oplossing van al onze problemen inhoudt. Wat bedoel ik met te lang blijven stilstaan bij het verleden? Het is natuurlijk dat vele nieuwe volkeren nare en soms bittere herinneringen hebben. Het is begrijpelijk dat velen van hen een grief tegen hun vroegere overheersers koesteren en dat ze hun tegenwoordige moeilijkheden als een erfenis van het verleden beschouwen. Het is een pijnlijke paradox voor ze dat sommige landen problemen hebben met overschotten en overproduktie en zij in armoede zijn achtergelaten. Als ze om zich heen zien naar hun landen, rijk aan delfstoffen en vegetatie: goud en diamanten, bauxiet, ijzer en koper, cacao en katoen, suiker en rubber, dan moeten ze tot de slotsom komen dat het niet Gods wil was dat ze honger zouden lijden.

Hoe kunnen we verwachten dat de Afrikanen onder de indruk raken van de prestaties in dit ruimtevaarttijdperk terwijl zovelen van hun eigen volk nog analfabeten zijn? U kunt niet verwachten dat een moeder in een Afrikaans dorp dolblij is over de vooruitgang van de medische wetenschap in de wereld als ze haar eigen kinderen ziet lijden aan trachoma, tuberculose en malaria. Dat moeten we allemaal begrijpen. Het is natuurlijk dat deze nieuwe, vrije volkeren hun vroegere leed en vernederingen niet vergeten. Geen volk kan aan zijn toekomst bouwen als het zich zijn verleden niet herinnert. Maar een volk kan er niet van leven als het te veel bij zijn verleden blijft stilstaan en daarover piekert; het moet zijn hele energie en bekwaamheid in de toekomst investeren.

En daarna sprak ik over de uitdaging van de toekomst.

Wij, de nieuwe landen, hebben onze onafhankelijkheid veroverd in een tijdperk dat de mens zijn grootste prestaties levert. In sommige delen van de wereld hebben de levensstandaard en de ontwikkeling een fantastische hoogte bereikt. Men moet ons niet vertellen dat we ons niet moeten overhaasten in onze ontwikkeling; men moet ons niet vertellen dat de vooruitgang van de ontwikkelde landen generaties en eeuwen heeft geduurd. We kunnen niet wachten. We moeten snel tot ontwikkeling komen. Zoals een vriend uit Kenya bij zijn bezoek aan Israël opmerkte: 'Moet ik lopen in de eeuw van de straalvliegtuigen alleen omdat degenen die nu straalvliegtuigen hebben generaties geleden ook nog liepen?'

Deze uitdaging is er niet een alleen voor de nieuwe volkeren, maar voor de hele wereld. Er is veel gezegd en gedaan aan wat ik 'eerste hulp' zou willen noemen: het delen van voedsel; het brengen van de overschotten naar de hongerigen. Maar ik zou willen zeggen dat we nooit werkelijk vrij zijn zolang onze kinderen door anderen gevoed moeten worden. Onze vrijheid is pas volkomen als we geleerd hebben het voedsel dat we nodig hebben aan onze eigen bodem te onttrekken. De roep die heden ten dage van de Afrikaanse en Aziatische continenten uitgaat is: Deel niet uw voedsel met ons, maar ook uw kennis hoe dat te produceren. De angstaanjagende ongelijkheid in de huidige wereld ligt in de kloof tussen degenen die letterlijk naar de maan grijpen en zij die niet weten hoe ze met succes in hun eigen bodem moeten grijpen om hun dagelijkse benodigheden te produceren.

Behalve het Internationale Samenwerkingspatroon van Israël, richtte de *Histadroet*, met behulp van het AFL, een Afro-Aziatisch Instituut op en wij namen deel aan de verschillende gespecialiseerde instellingen van de Verenigde Naties die zich met de ontwikkelingslanden bezighouden. Voorts waren er — en zijn er nog — twee Israëlische activiteiten die mij bijzonder boeien en dat was, in zeker opzicht althans, een antwoord op de vraag die ik in de Verenigde Naties had gesteld.

In de zomer van 1960 was Abba Eban zo juist teruggekomen van zijn bijzonder succesvolle dienstjaren als Israëls ambassadeur in Washington en als vertegenwoordiger bij de Verenigde Naties; in 1966 werd hij mijn opvolger als minister van buitenlandse zaken van Israël. Maar in die zomer van 1960 leidde hij de eerste Internationale Conferentie over de Wetenschappelijke Vooruitgang van de Nieuwe Staten die in Rehovot op het prachtige terrein van het Wetenschappelijk Weizmann Instituut plaatsvond. Het doel was om te trachten een werkelijke brug tussen de ontwikkelde en ontwikkelingslanden te bouwen en na te gaan op welke manier wetenschap en technologie het best konden worden aangewend ten behoeve van staten en volkeren die net onafhankelijk waren geworden. De helft van de deelnemers waren Afrikanen en Aziaten, de andere helft vooraanstaande Europese en Amerikaanse geleerden. Voor vrijwel alle deelnemers – en voor mij ook – was het een innig ontroerende en bijzonder stimulerende bijeenkomst, de eerste in zijn soort die ergens werd gehouden.

Sommige toespraken waren te lang, sommige wetenschappelijke documenten te diepzinnig, sommige vragen en antwoorden hoorden daar niet thuis, maar het was een reusachtige stap in de richting van een werkelijk internationale samenwerking, een stap die in zekere zin zelfs meer betekende dan de formele gelijkheid ontleend aan het lidmaatschap van de Verenigde Naties. In Rehovot ontmoetten elkaar de vertegenwoordigers van twee beschavingen om samen de speciale paden in kaart te brengen waardoor één deel van de mensheid het andere het best kon helpen. Ik kon er maar niet genoeg van krijgen de Afrikaanse staatslieden gade te slaan. Velen van hen waren in hun stamgewaden en ik had ze al eens in Afrika ontmoet: nieuwe ministers van onderwijs, van volksgezondheid en van techniek, die allen in ernstig gesprek gewikkeld waren met winnaars van Nobelprijzen en andere wereldberoemde leden van de internationale wetenschappelijke wereld waarmee ze langzaam maar zeker aanknopingspunten vonden. Die eerste conferentie in Rehovot zou een traditie worden. Sinds 1960 heeft er elke twee jaar zo'n bijeenkomst op de terreinen van het Weizmann Instituut plaatsgevonden en daar werden onderwerpen behandeld zoals openbare gezondheidszorg, economie, onderwijs en landbouw en elk van die conferenties heeft de deelnemers iets gegeven dat geld alleen zeker niet kan kopen: het gevoel dat dit tenslotte werkelijk één wereld is.

Het andere project dat ik zo bijzonder interessant vond en dat nog steeds mijn volle aandacht heeft als toen het in 1960 werd opgezet is het 'Mount Carmel Centre'. De formele naam is Internationaal Trainingscentrum voor Gemeenschapsdienst. Dit centrum concentreert zich op het trainen van vrouwen uit de ontwikkelingslanden van Azië, Afrika en Zuid-Amerika in sociaal werk. In de afgelopen vijftien jaar heb ik gezien hoe het Centrum het mogelijk maakte dat honderden vrouwen een belangrijke rol in de ontwikkeling van hun eigen land spelen, of het nu een kleuterschoolonderwijzeres uit Nepal was, een voedseldeskundige uit Lesotho, een sociaal werkster uit Kenya, of een leesonderwijzeres uit Malawi. Voor al deze vrouwen was Israël een levende onderwijsinstelling, want, zoals een studente uit Kenya eens tegen me zei: 'Als ik naar Amerika was gegaan om te studeren, dan had ik misschien de ontwikkelingsgeschiedenis geleerd, maar hier in Israël heb ik de ontwikkeling kunnen zien terwijl die zich voltrekt.'

Het Centrum heeft altijd een speciaal plekje in mijn hart gehouden, niet alleen omdat ik het samen met Inga Thorsson uit Zweden en Mina Ben-Zwi uit Israël heb helpen stichten, maar ook omdat ik die vrouwen uit de ontwikkelingslanden zo bewonder die hun steden en dorpen en en hun familie verlaten en zo'n verre reis naar een vreemd land ondernemen om iets te leren dat tenslotte hun eigen volk het leven gemakkelijker en beter zal maken. Ik vind dat er iets heldhaftigs is – en dat is een woord dat ik niet vaak gebruik – in de poging die dergelijke vrouwen doen om voor zichzelf, voor hun kinderen en hun kindskinderen een beter en voller bestaan te krijgen via de lange en moeilijke weg van eigen opvoeding. Onder de vrouwen die ik in het Centrum ontmoet heb, herinner ik me het best een opvallende vrouwelijke rechter uit Ghana, een verlegen jonge vroedvrouw uit Swaziland, een indrukwekkende vrouwelijke dokter van middelbare leeftijd die de geboortenbeperking in Nigeria had geleid, en een welbespraakte en toegewijde diëtiste uit Ethiopië. Allemaal waren het vrouwen en moeders die pioniers op hun speciale gebied waren geworden en wier grootste hoop het was dat de vrouwen van Afrika eens hun rechtmatige plaats in de Afrikaanse samenleving zouden krijgen als volwaardige medewerkers aan Afrika's toekomst, zoals ze bij de vrouwen van Israël in de joodse staat gezien hadden. Ik geloof niet dat ik ooit een hardwerkender, enthousiaster en leuker groep vrouwen heb ontmoet dan die waarmee ik in Haifa vaak urenlang praatte. Oppervlakkig beschouwd leken onze levenservaringen totaal verschillend, maar in werkelijkheid vochten we voor vrijwel dezelfde zaken. Onze hulp aan de Afrikaanse landen werd echter niet beperkt tot activiteiten in Israël en mijn bezoek aan de opleidingsschool voor sociale werksters die met de steun en hulp van het Centrum was gesticht – oorspronkelijk als een gezamenlijke onderneming van Kenya en Israël – in Machakos, Kenya, was een van de hoogtepunten van mijn eerste rondreis door Oost-Afrika toen ik in 1963 duizenden kilometers door Kenya, Tanganyika, Oeganda en Madagascar vloog in meestal heel kleine vliegtuigjes.

Af en toe landden we bij een of ander dorpje waar een Israëlische adviseur hard aan het werk was en dan bracht ik een paar uur met hem en zijn gezin door en zag zelf met welk vertrouwen en vriendschap ze door de Afrikanen werden behandeld; dan was ik verwonderd over de vastbeslotenheid en het persoonlijk enthousiasme dat die jonge Israëli's onder zulke onbekende en primitieve omstandigheden vasthielden aan hun zelf ondernomen taak.

Niet dat er geen Israëli's faalden, of dat alles altijd rozegeur en maneschijn was. Het duurde vaak maanden voor een Israëlisch gezin zich kon aanpassen aan het klimaat, het voedsel, de langzamer traditionele Afrikaanse manier om de dingen te doen, voor ze begrepen wat er aan Afrikaanse gevoeligheid en bijgeloof ten grondslag lag; het was vaak moeilijk om het ongeduld, zelfs de arrogantie te bedwingen die al het goede werk teniet had kunnen doen. Er waren twisten, projecten die misliepen en soms voelde men zich aan beide zijden gekwetst, maar hoofdzakelijk omdat de Afrikanen én Israëli's volkomen de waarde van hetgeen ze trachtten te doen beseften verliep de samenwerking goed. En niets gaf me meer voldoening dan Afrikanen te ontmoeten die in Israël opgeleid waren en die me nu hun Afrikaanse klinieken, boerderijen of scholen lieten zien en me alles vrolijk in vloeiend Hebreeuws uitlegden. Om nog niets te zeggen van de Afrikaanse 'sabra's' die ik overal tegenkwam – de zwarte kinderen die in Israël geboren waren en die begonnen waren met Hebreeuws te leren. Die Afrikaanse kinderen, hoe zeer ze ook werden 'geradicaliseerd', zullen volgens mij nooit de vrienden die ze in Beersjeba, Haifa of Jeruzalem maakten, of zelfs mij, als hun 'vijand' zien ongeacht hetgeen ze in het openbaar mogen zeggen.

Een van de leerzaamste dingen die ik op de *grand tour* opstak – al was het dan niet een van de belangrijkste – was dat wij zelf de wijze waarop we officiële gasten in Israël bezighielden moesten veranderen. Evenals de Israëli's stonden de Afrikanen erop tochten te maken om van alles te bezichtigen die vaak twaalf uur of langer per dag duurden en dat werd dan genadeloos gevolgd door een volledig banket, compleet met toespraken waarbij iedereen zonder ophouden iedereen geluk wenste. Bij die banketten zat ik vaak volkomen uitgeput aan tafel en wist dat ik binnen een paar uur opnieuw op zo'n snikhete rondreis zou zijn die gedoemd was weer in een feestmaal met de nodige toespraken te eindigen. Ik nam me heilig voor dat als ik weer in Israël terug was, ik ervoor zou zorgen dat wíj onze overijverige gastvrijheid zouden beknotten; helaas kan ik niet zeggen dat mijn pogingen in die richting erg geslaagd zijn.

Tenslotte werd ik ziek en ik moest die tocht afbreken hoewel dat inhield dat er een receptie die Milton Obote, die bezadigde, intelligente president van Oeganda me aanbood, voor afgezegd moest worden; hij zou later zo meedogenloos door Idi Amin worden verwijderd. Het komt nu bij me op dat Obote en Idi Amin in zeker opzicht misschien de twee uitersten van het huidige Afrikaanse dilemma vertegenwoordigen. Obote was alles dat Amin niet is — rationeel, ernstig, hardwerkend en efficiënt en ik vrees dat de vooruitgang van Oeganda jaren achterop is gekomen doordat iemand als Idi Amin aan de macht is gekomen. Hij kan er niet tegen in een positie van praktisch onbeperkte macht geplaatst te zijn in een land dat nog maar zo kort onafhankelijk is. Ik had Idi Amin niet gekend toen hij in Israël zijn opleiding als parachutist kreeg (Israëlische 'vleugeltjes' worden niet alleen door hem maar ook door een aantal andere Afrikaanse leiders, inclusief Zaire's president Moboetoe, vol trots gedragen) maar ik had gehoord dat hij zelfs toen, als hij dacht dat de zon boven Israël op- en onderging, zich zeer excentriek gedroeg om het beleefd uit te drukken. Mijn laatste ontmoeting met hem in Jeruzalem, toen ik premier was, heeft me ervan overtuigd dat hij werkelijk volkomen krankzinnig was.

'Ik kom u opzoeken', zei hij heel ernstig, 'omdat ik een paar Phantoms van u nodig heb.' 'Phantoms! Wij maken geen Phantoms', antwoordde ik. 'We kopen ze van Amerika als we dat kunnen, en dat is lang niet altijd of vaak genoeg. Dat zijn geen dingen die we kunnen kopen en verkopen. Overigens, waarom hebt u Phantoms nodig?' 'O', zei hij rustig, 'om tegen Tanzania te gebruiken.'

Toen stuurde hij me een boodschap. 'Ik heb onmiddellijk tien miljoen pond nodig.' Die kon ik hem ook niet geven, dus hij verliet overhaast Israël, ging naar kolonel Kaddafi van Lybië, en Oeganda verbrak de diplomatieke banden met ons in 1972, anderhalf jaar voor de Oktoberoorlog. Maar Idid Amin is *niet* Oeganda — en zelfs hij kan niet eeuwig een diktator blijven; dat is in elk geval een troost.

Als ik zo terugdenk aan de Afrikaanse leiders die ik ontmoet heb: Kenya's fijne oude man, Jomo Kenyatta en wijlen Tom Mboyo, Zambia's Kenneth Kaunda, Senegals dichter-president Senghor, en generaal Moboetoe Sese Seko van Zaire, om er maar een paar op te noemen, dan moet ik zeggen dat ze hun volk en de Afrikaanse vrijheidsbeweging tot eer strekten, afgezien van de tragedie dat ze met ons braken. Een van de redenen dat ik zo goed met ze kon opschieten — al waren we het niet altijd over alles eens — was volgens mij dat ik in praktijk bracht wat ik predikte, en dat zagen ze. Ik woonde, bijvoorbeeld in 1964 de feestelijkheden op de Onafhankelijkheidsdag van Zambia bij, het vroegere Noord-Rhodesië, en dat betekende dat alle belangrijke gasten een bezoek aan de Victoria Watervallen zouden brengen; deze watervallen liggen gedeeltelijk in Zambia, gedeeltelijk op het gebied van het land dat toen nog Zuid-Rhodesië werd genoemd.

We gingen er met bussen heen en toen we de grens tussen de twee landen bereikten, had de politie van Zuid-Rhodesië de brutaliteit te weigeren dat de negers uit mijn bus uitstapten, hoewel het allen heel hoge Afrikaanse functionarissen waren en persoonlijke gasten van president Kaunda. Ik kon mijn oren niet geloven toen ik een politieman hoorde zeggen: 'Alleen blanken.' 'In dat geval spijt het me dat ik ook niet in staat zal zijn Zuid-Rhodesië te betreden', zei ik. Er heerste grote consternatie en de Rhodesiërs probeerden uit alle macht me de bus te doen verlaten, maar ik wilde er niets van horen. 'Ik ben niet van plan me van mijn vrienden te laten scheiden', herhaalde ik. Onze hele bus vol reed toen vrolijk terug naar Loesaka waar Kaunda me ontving alsof ik Jeanne d'Arc was in plaats van een vrouw die rassendiscriminatie niet kon en wilde verdragen, in welke vorm dan ook.

Op die tocht werd ik nog bij een ander incident betrokken dat nog meer hielp om de Afrikanen duidelijk te maken dat wij werkelijk meenden wat we zeiden, een eigenschap die ze vroeger met reden niet aan Europeanen hadden toegekend. Op de thuisreis van Zambia zou ik Nigeria bezoeken. Onderweg bleef ik in Nairobi over waar een speciaal vliegtuig was gehuurd om me naar Lagos te brengen. Er was geen andere manier om daar vanuit Oost-Afrika te komen tenzij ik over het gebied van een Arabische staat vloog of daar landde. In Nairobi wachtte onze ambassadeur in Nigeria me op en hij zag er heel bezorgd uit. Hij vertelde me dat ik in Lagos met anti-Israël demonstraties zou worden begroet. De vrouwen van alle ambassadeurs van de Arabische landen hadden de hoofden bij elkaar gestoken om een protest tegen mijn bezoek te organiseren. Het was misschien verstandig om mijn voorgenomen bezoek af te zeggen. Nigeria bevond zich aan de vooravond van verkiezingen en vele ministers waren toch al niet aanwezig in Lagos; het was niet de beste tijd voor een bezoek. En wat als mij eens iets overkwam? Ik was toen net erg moe en het trok me niet bijzonder aan het voorwerp van gewelddaden in de straten van een Afrikaanse stad te zijn, maar – aan de andere kant – was ik niet van plan me door Arabische ambassadeurs die zich achter de rokken van hun vrouwen verscholen, in het nauw te laten brengen, vertelde ik hem. 'Ik wil me niet bij de Nigeriaanse regering opdringen', zei ik, 'maar als de regering de uitnodiging aan mij niet herroept, dan ga ik.'

Toen we het vliegveld van Lagos bereikten, zag ik massa's mensen op de grond wachten, honderden en honderden Afrikanen. 'Nou, dat is het dan', dacht ik. 'Dat kan heel vervelend worden.' Maar in plaats van door hysterische demonstraties werd ik door een grote menigte mannen en vrouwen ontvangen die óf in Israël een opleiding hadden ontvangen óf door Israëli's in Nigeria waren getraind. Allemaal zongen ze 'Hevenu

Sjalom Aleichem' (We brengen u vrede, het lied van het Israëlische Internationale Samenwerkingsprogramma) dat ik wel duizenden keren gehoord heb, maar het heeft me nooit zo ontroerd als die avond. De volgende morgen werd ik door president Azikwe ontvangen. 'Wij respecteren en begroeten u als een ambassadeur van werkelijk goeden wille', zei hij, en die tocht naar Nigeria bleek tenslotte een groot succes te zijn. Ik ben niet zo vaak in Azië geweest, hoewel ik me daar ook altijd welkom heb gevoeld. Toch miste ik de levendigheid en het drama dat ik nog altijd met Afrika associeer. Misschien kwam het omdat ik nooit die ingewikkelde gedragsvoorschriften van het Verre Oosten heb begrepen – of misschien kwam het ook omdat joden, het joodse erfgoed en de joodse ethiek in Azië alle minder bekend zijn dan in Afrika waar het christendom een werkelijke kennis van de Bijbel meebracht. Zelfs de namen van plaatsen in Israël: Galilea, Nazaret, Bethlehem, betekenen iets voor ontwikkelde Afrikanen en ik heb bijna evenveel 'Mozes', 'Samuels' en 'Sauls' in Afrika ontmoet als in mijn eigen land. Maar Azië was heel anders – het lag buiten de tradities van het Oude Testament en het was daar vaker nodig om uit te leggen wie we waren en waar we vandaan kwamen. Zelfs een beschaafd man als de vroegere Birmaanse premier U Nu zei eens tegen onze ambassadeur in Rangoon, David Hacohen, dat hij niets van ons bestaan had afgeweten totdat hij 'toevallig eens een boek tegenkwam' en pas toen, na het lezen van de Bijbel als volwassene, had hij ontdekt dat er joden bestonden. Misschien was de verhouding van U Nu met Ben-Goerion zo hartelijk omdat Ben-Goerion ook pas vrij laat in zijn leven het boeddhisme leerde kennen.

Maar voordat ik iets over mijn eigen reizen in het Verre Oosten schrijf, wil ik nog eens zeggen dat de enige Aziatische natie waar we nooit verder mee zijn gekomen, helaas China is, een feit dat ik in het kort al eerder noemde. Er zijn Israëli's, o.a. David Hacohen, die vinden dat we gewoon niet intensief genoeg geprobeerd hebben om met de Chinezen bevriend te raken, maar ik ben er helemaal niet van overtuigd dat we meer hadden kunnen doen dan we deden. In 1955 stuurden we een handelsmissie onder leiding van David Hacohen naar China en natuurlijk nodigden we de Chinezen uit ons een missie te sturen. Die uitnodiging hebben ze zelfs niet beantwoord en op de Bandoengconferentie, later dat jaar, begon de Chinees-Egyptische toenadering die uitliep op een heftig Chinese reactie op de Sinaï-campagne en uiteindelijk in het openlijk de zijde kiezen door China voor de Arabische anti-Israël terreur. In feite is de Chinese regering het in alle opzichten eens met de Arabische oorlog tegen Israël en Mr Arafat en zijn kameraden krijgen voortdurend wapens, geld en morele steun van Peking. Ik heb nooit goed begrepen waarom en ik heb jaren de illusie gehad dat als we maar eens met de Chinezen konden práten, ze ons beter zouden begrijpen.

Als ik China noem, komen twee beelden bij me boven: het eerste is de afschuw waarmee ik eens een mijn opraapte die in China gemaakt was, zo oneindig ver van ons weg, maar die toch het leven had gekost aan een zes jaar oud meisje in een grensnederzetting in Israël. Ik stond daar bij dat kleine doodskistje omringd door huilende en woedende familieleden, en dacht aan die mijn. 'Ze kénnen ons zelfs niet', dacht ik maar steeds. En dan moet ik aan de viering van Kenya's onafhankelijkheid denken waar ik met Ehud Avriel aan een tafel dichtbij die van de Chinese delegatie had gezeten. Het was een informeel, vrolijk feest en ik dacht bij mezelf: 'Misschien als ik nu naar ze toe ga en bij ze ga zitten, kunnen we wat praten.' Dus vroeg ik Hacohen zich aan de Chinezen voor te stellen. Hij liep erheen en stak zijn hand naar het hoofd van de delegatie uit terwijl hij zei: 'Mijn minister van buitenlandse zaken is hier en zou u graag ontmoeten.' De Chinezen wendden alleen maar hun blikken af. Ze namen zelfs niet de moeite om: 'Nee, dank u, we wensen haar niet te ontmoeten' te zeggen.

Maar Israëli's nemen niet gauw met 'nee' genoegen, vooral ik niet. Niet lang geleden werd mijn dierbare vriend en mede-socialist, de Italiaanse staatsman Pietro Nenni voor een bezoek aan China uitgenodigd. Voor hij ging, zocht hij mij in Jeruzalem op. We zaten daar op de veranda voor mijn huis, dronken koffie en praatten – als oude socialisten altijd doen – over de toekomst. Onvermijdelijk kwam in dit verband het gesprek op China. 'Hoor eens', zei ik tegen hem. 'De Chinezen zullen naar u wel luisteren. Probeer alsjeblieft eens met ze over Israël te praten.' Hij deed het, hij probeerde aan verschillende belangrijke Chinese staatslieden uit te leggen wat voor land Israël is, hoe het bestuurd wordt, wat zijn doelstellingen zijn – maar ze hadden geen belangstelling. Ze zeiden niet tegen Nenni wat ze meestal zeggen: dat Israël slechts een 'marionet van Amerika' is; iemand zei alleen maar dat als elke groep van drie miljoen mensen probeerde een eigen staat te grondvesten, waar ging het dan met de wereld heen.

Ik heb verschillende keren geprobeerd een van mijn kinderen over te halen mij op mijn reizen te vergezellen, maar Sarah wilde zich niet van Revivim losmaken en Menachem voelde er net zo weinig voor om van Aya en de jongens gescheiden te worden (ze hadden inmiddels drie zonen: Amnon, Daniel en Gideon) of van zijn cello. Elke keer dat ik naar Afrika ging, kwam ik terug met mandenvol maskers, houtsnijwerk, handgeweven kleden en anecdotes over alles wat ik gezien had, maar het was natuurlijk niet hetzelfde als deze dingen werkelijk met ze delen toen ze gebeurden. Ik wilde zo graag dat de kinderen tenminste één keer met me zouden meegaan – niet omdat ze niet genoeg gereisd hadden, daarvan hadden we allemaal meer dan ons deel gehad – maar ik wilde dat ze ook eens dingen zouden zien die ik zag en dat ze de mensen ontmoetten die ik ontmoette. In die jaren en nog meer later toen ik premier was, vroeg ik me vaak af hoe zij en ook mijn kleinkinderen werkelijk dachten over mijn manier van leven. Het was iets waar ze niet veel over spraken, maar ik geloof niet dat een van ze het erg leuk vond om 'familie van Golda Meir' te zijn. We praatten altijd veel samen en heel openhartig, zowel over binnenlandse als buitenlandse politiek, en mijn kleinkinderen werden nooit van die gesprekken buitengesloten zelfs toen ze nog heel klein waren. Maar ik geloof niet dat ze in enig opzicht verschilden van andere kinderen; alleen was ik een prachtige bron voor waardevolle handtekeningen voor klasgenootjes en toen ze groter werden wisten ze dat alles wat ze bij mij aan tafel hoorden, niet doorverteld mocht worden. Ze behandelden me in elk geval verder precies als een doodgewone grootmoeder. Bezoekers waren altijd verbaasd dat de zoontjes van Menachem zo vrij bij mij in- en uitholden en ze vonden het vermakelijk dat ze veel meer geïnteresseerd waren in de inhoud van mijn ijskast dan in de wereldbekende bezoekers die ik zo vaak had. Wat mij betreft maakte ik net zoveel werk van ze als alle andere grootmoeders, en dat doe ik nog, maar mijn vijf kleinkinderen zijn ook de grootste vreugde in mijn leven en niets is te goed voor ze volgens mijn opvatting. Ik wilde alleen maar dat ik zeker kon weten dat ze niet nog meer oorlogen hoeven te beleven, maar dat is natuurlijk het enige dat ik ze niet kan beloven.

Ik vond het altijd een groot gemis dat ik zo vaak bij hen allen weg moest gaan en ik heb net zo lang bij Menachem en Sarah aangehouden totdat zij beloofden, elk op hun beurt, eens een reis met me mee te gaan. In 1962 ging Sarah met mij naar Kenya en Ethiopië waar ik haar aan Haile Selassie voorstelde. We bezochten de grote gemeenschap Israëli's die in dat land in de landbouw, visserij en verkeer werkzaam waren en hielpen politie en leger op te leiden; ook onderwijzen ze aan de universiteit van Addis Abeba. Zelfs Ethiopië waarmee we jarenlang zo'n heel speciale band hadden, verbrak die in 1973, maar in de tijd waar ik nu over schrijf was de verhouding nog erg hartelijk, al geven de bewoners van Ethiopië er nooit veel bekendheid aan en wij dus ook niet. Voor mij was Haile Selassie bijna een figuur uit een sprookje, een man uit een ver exotisch land die zich in 1936 tegen de Italiaanse invasie durfde verweren en er de aandacht van een onverschillige wereld op vestigde. Tijdens de Italiaanse bezetting hadden hij en zijn gezin een jaar als vluchtelingen in Jeruzalem doorgebracht en ik zag hem toen wel eens met zijn keizerin door de straat lopen, een kleine donkere man met een baard en grote, trieste ogen, gevolgd door zijn aanbeden hondjes.

Hij was niet zo maar een van de vele vluchtelingen voor het fascisme; hij stamt af uit de lijn van Ethiopische koningen die beweren dat hun voorvader de zoon van koning Salomo en de koningin van Sjeba was en dat ze daarom in de verte aan ons verwant zijn. Het symbool van de Ethiopische monarchie is altijd de Leeuw van Juda geweest en de banden tussen de joden en Ethiopië waren altijd uniek.

Maar al is Ethiopië een christelijk land, het is een deel van Afrika en als zodanig was het jarenlang onderhevig aan sterke anti-Israëlische druk door de Arabieren. Heel lang speelde Haile Selassi het klaar behoedzaam te koorddansen; vele van zijn zaken met Israël werden geheim gehouden en pas in 1961 stuurden we een ambassadeur. De Sinaï-campagne, omdat die de Straat van Tiran opende, was het begin van nog nauwere banden en Israëlische schepen en vliegtuigen hielpen een gestadig handelsverkeer tussen de Ethiopiërs en onszelf te onderhouden. Tegelijkertijd deden wij veel om de onderwijsfaciliteiten in Ethiopië te ontwikkelen en verschillende Israëlische professoren vestigden zich een paar jaar in Addis Abeba. Sarah was veel te jong om voor Haile Selassie hetzelfde te voelen als ik, denk ik; voor haar was hij alleen de heerser over een boeiend land maar voor mij heeft hij altijd meer betekend. Ik kan niet zeggen dat wij bijzonder goede vrienden werden, maar als ik hem zag, in zijn eigen paleis, en me de eenzame bannelingfiguur herinnerde die ik in de jaren dertig wel in Jeruzalem had gezien, dan voelde ik dat dit keer de rechtvaardigheid had gezegevierd en ik was hevig teleurgesteld toen zelfs Haile Selassie, ondanks zijn eigen ervaring met verzoening door concessies, in oktober 1973 niet achter ons bleef staan. Het bewees me weer eens – al had ik niet veel bewijzen meer nodig – dat je nooit op iemand kunt rekenen.

Hoe dan ook, datzelfde jaar stemde Menachem er tot mijn grote vreugde ook in toe een reis met me te maken en wij gingen samen naar het Verre Oosten. Het was werkelijk erg aardig van Aya en hem, want Gidi was nog maar net geboren. We brachten meer dan een week in Japan door waar ik door de keizer, de premier en de minister van buitenlandse zaken werd ontvangen. Ik weet niet hoe ik gedacht had dat Hirohito eruit zou zien, maar ik was zeker niet voorbereid op de bescheiden, heel prettige man waar ik beleefdheden mee uitwisselde – nooit helemaal zeker, vermoed ik, dat we elkaar begrepen. Ik vond de Japanners heel beleefd, maar bijzonder vaag. Ik wist dat ze uiterst voorzichtig in hun verhouding tot ons waren. Ze behandelden die alsof het Midden-Oosten een bloemenarrangement was waarin alle elementen slechts op één manier precies met elkaar in evenwicht konden blijven.

Er was een grappig voorval bij die reis naar Japan: de Japanse autoriteiten waren uitermate bezorgd omdat ik een geishahuis wilde bezoeken. Aan boord van het vliegtuig naar Japan vertelde Yaakov Shimóni, het toenmalige hoofd van onze afdeling Verre Oosten die ons begeleidde, aan Menachem dat 'omdat Golda zowel een vrouw als een minister van buitenlandse zaken is, hebben de Japanners niet voorgesteld haar de traditionele geisha-party aan te bieden zoals meestal aan belangrijke gasten uit het buitenland. In haar geval vinden ze dat het niet is zoals het hoort.' Toen we in Tokyo aankwamen, zei ik tegen Menacheni het de Japanners duidelijk te maken dat in elk geval zo'n geisha-party wilde meemaken en ik niets tegen geisha's had. Tenslotte werd er een bijzonder aardige geisha-party voor me georganiseerd in Kyoto door de gouverneur en zijn vrouw en iedereen was tevreden, hoewel ik geloof dat Shimoni er nooit overheen is gekomen mij daar op kussens te zien zitten terwijl de geisha's als vlinders om me heen dartelden.

Als de meeste mensen was ook ik bijzonder onder de indruk van de schoonheid van Japan en nog meer door het vermogen van de Japanners ook in hun dagelijkse omgeving schoonheid te scheppen. En natuurlijk ontmoetten we daar ook joden, vooral sommigen van de vele Japanners die tot het jodendom bekeerd zijn, met inbegrip – tot mijn verbazing – een lid van de keizerlijke familie die vlot in het Hebreeuws met me praatte. In de laatste jaren, tussen haakjes, hebben we geregeld in Israël bezoek gehad van grote, fel pro-Israël groepen uit Japan en ik sta niet meer zo verbaasd te kijken als eerst wanneer ik tientallen Japanners 'Jeruzalem, the Golden', in perfect Hebreeuws bij de Klaagmuur zie staan zingen.

Van Japan vlogen we naar de Filippijnen waar ik een eredoctoraat van de katholieke universiteit van Manilla kreeg aangeboden. Daar liep ik in een plechtige processie door een zaal vol prachtig geklede kerkelijke hoogwaardigheidsbekleders, met priesters die aan weerszijden van me een kruis droegen. Ik wist dat het een grote eer was die deze katholieke instelling aan een joodse vrouw uit een joodse staat bewees, en terwijl ik daar liep, dacht ik bij mezelf dat joden niet altijd op alle universiteiten welkom waren en dat er nog instellingen voor hoger onderwijs waren, zelfs in de vrije wereld, die maar een klein aantal van ons in hun midden duldden. Terwijl ik sprak moest ik – en niet voor het eerst – aan een brief denken die Sheyna me eens geschreven had omdat ze altijd bezorgd was dat ik het te hoog in mijn hoofd zou krijgen. Ze had me gewaarschuwd: 'Vergeet nooit wie je bent.' Maar ze had zich niet bezorgd hoeven te maken. Ik ben nooit vergeten dat ik uit een arme, niet erg geletterde familie voortkwam en ik heb mezelf ook nooit wijs gemaakt dat ik ergens werd geëerd – Manilla incluis – om mijn schoonheid, wijsheid of geleerdheid.

Manilla, Hong Kong, Thailand, Cambodja – ik zou bladzijden vol kunnen schrijven met mijn indrukken van de mensen die we ontmoetten en alles wat ik in die landen gezien heb, maar het middelpunt van die tocht naar het Verre Oosten was ons bezoek aan Birma, een land waar we al sinds 1952 nauwe banden mee hadden gehad toen een delegatie Birmaanse socialisten voor het eerst Israël had bezocht. Sjarett was toen een jaar later naar Rangoon gegaan om het eerste Aziatische socialistencongres bij te wonen en in 1955 bestonden er al volledige diplomatieke betrekkingen tussen Birma en Israël. David Hacohen opende de Israëlische ambassade in Rangoon en Birma's premier U Nu kwam als gast van Ben-Goerion naar Israël.

Ik geloof niet dat er enig ontwikkelingsland ter wereld was — zelfs niet Ghana of Kenya — waar we zo'n vurige vriendschap mee onderhielden. Jarenlang scheen er niets van Israël te zijn dat de Birmanen niet bewonderden of wilden nastreven. Als Aziës enige socialistische staat was het natuurlijk voor ze om hevig geïnteresseerd te zijn in ons speciale soort socialisme, in de *Histadroet,* de kibboetsbeweging en de manier waarop wij een leger van burgers hadden opgezet en er een van onze doelmatigste onderwijsinstellingen van hadden gemaakt met een Onderwijs Corps dat duizenden cultureel achtergestelde kinderen van immigrantengezinnen (en in veel gevallen ook hun moeders) lezen en schrijven leerde. De Birmanen waren ook geboeid door de methoden die we gebruikt hadden om militaire dienst te combineren met pioniersdienst op het land en ze namen bijna in zijn geheel van ons het idee over dat mensen als boeren konden werken en toch tegelijkertijd getraind worden zichzelf te verdedigen. Voor de Birmanen wier grens met China een voortdurende bron van onrust was en die geen groot staand leger konden handhaven, was Israëls *Nahal* (de initialen van de Hebreeuwse woorden voor 'Strijdende Jongere Pioniers') het antwoord dat ze nodig hadden. Het gaf idealistische jongeren de kans om tegelijkertijd landbouw en militaire training te krijgen binnen het kader van bestaande kibboetsiem zodat ze later konden beginnen hun eigen collectieve nederzetting te stichten. Ik had aan de Birmanen voorgesteld dat ze op die manier hun eigen grensnederzettingen zouden stichten en ik nodigde ze uit om een grote groep gedemobiliseerde Birmaanse soldaten met hun gezinnen omstreeks een jaar lang naar Israël te sturen en ze in de kibboetsiem en vooral in de *mosjaviem,* de coöperatieve dorpen, te laten werken. Zodoende konden ze wennen aan het gemeenschapsleven of aan een coöperatieve leefwijze. Dan zouden wij Israëli's naar Birma zenden om daar te helpen met de plannen voor *mosjaviem* volgens Birmaanse stijl. En dat was nu net gebeurd. De *mosjaviem* schenen beter bij het Birmaanse temperament te passen.

Er waren vele andere gezamenlijke Birmaans-Israëlische ondernemingen, o.a. het oprichten van een belangrijke farmaceutische industrie in Birma, het opleiden van tientallen Birmaanse doktoren en verpleegsters en het aanleggen van uitgebreide irrigatiesystemen maar, voor mij persoonlijk, zijn de Birmaanse mosjaviem in het gebied van Namsang in het noorden van Birma interessanter dan al het andere. Ik had hun ontwikkeling natuurlijk met bijzonder veel belangstelling gevolgd, maar ik kon nog nauwelijks aannemen dat we niet droomden toe we op een vliegveld in het noorden landden en alle Birmaanse vrouwen en kinderen die eens in Israël geweest waren me met Hebreeuwse liederen en Israëlische vlaggen begroetten. Ik denk niet dat ik ooit zal vergeten hoe ik daar naar een van die huisjes in Namsang liep en in het Hebreeuws tegen een jonge Birmaan die op de drempel stond, zei: *'Sjalom, ma nish 'mah?'* (Sjalom, hoe gaat het?) en toen van hem, als een werkelijke Israëli, als antwoord kreeg: *'Beseder, aval ein maspeek maiyim'.* (Uitstekend, maar er is niet genoeg water). Ik had in Revivim kunnen zijn.

Ik reisde door heel Birma, samen met Ne Win, de toenmalige Birmaanse chef staf. Een paar weken later nam Ne Win in Birma de macht over en introduceerde een nieuwe politiek die pro-Russisch en anti-Amerikaans was en die de nadruk legde op het zich niet inlaten met niet-Birmaanse belangen. Het eindigde de handelsrelaties tussen Birma en Israël niet, maar wel de vriendschapsband.

Ik had erg veel met de Birmanen op en ik voelde me bij ze thuis, hoewel ik niet kan zeggen dat de Birmaanse lekkernijen míjn opvattingen van heerlijk eten zijn. Er was maar weinig dat ik in 1963 niet voor Birma gedaan zou hebben, maar ik kon de vispasta waar de Birmanen op leven niet eten, of zelfs het geroosterde luipaard dat ze me in Namsang aanboden, ook maar *proeven,* laat staan soep eten die van vogelnestjes gemaakt was en die geserveerd werd bij een diner dat ik in Rangoon gaf ter ere van U Nu. Menachem legde me alles over het subtiele oosterse voedsel uit, maar ik dacht niet dat het de betrekkingen tussen Israël en Birma ernstig zou schaden als ik een duizendjarig ei onaangeroerd op mijn bord liet liggen. Ik had het niet door mijn keel kunnen krijgen al had mijn leven ervan afgehangen. Natuurlijk hadden wij ook dingen die de Birmanen maar moeilijk begrepen. Ik herinner me nog U Nu's eerste bezoek aan Israël. Ben-Goerion reed met hem door de jonge bossen die een deel van de weg Tel Aviv-Jeruzalem omzomen en waar we zo trots op zijn omdat het zo enorm veel moeite heeft gekost het rotsige land daar te bebossen. U Nu keek heel bezorgd. 'U moet wel erg oppassen', zei hij tegen Ben-Goerion. 'Geloof me maar dat die bossen zullen groeien!' Zijn probleem was natuurlijk om de jungle op een afstand te houden en hij kon zich niet voorstellen dat voor ons elke boom een kostbaar kleinood was dat we koesterden!

Tegen de tijd dat we naar Israël terugkeerden had ik voor járen genoeg rijstvelden en *rickshaws* gezien, desnoods voor mijn hele leven, en ik had erg behoefte aan rust, maar in 1964, 1965 en 1966 moest ik weer op reis. Ik ging naar Europa, Afrika en Zuid-Amerika en ik was vaak ziek. Ik begon de druk van het altijd op reis zijn te voelen; het leek of ik altijd ergens naar op weg was of ergens vandaan terug kwam — of ik was ziek. Bovendien was ik niet zo jong meer. In 1963 had ik mijn vijfenzestigste verjaardag gevierd. Ik voelde me nog helemaal niet oud of energieloos, maar ik begon wél te bedenken hoe fijn het zou zijn eens een dag voor mezelf te hebben, of oude vrienden op te zoeken zonder een lijfwacht om me heen te hebben die me overal volgde; de kinderen en mijn dokter zeiden me steeds dat het tijd werd dat ik het wat rustiger aan moest doen. Ik probeerde het, maar ik ben er nooit in geslaagd te leren hoe je dat doet. Er was altijd iets dringends te doen — in Israël of in het buitenland — en hoe vroeg ik mijn werk ook begon, het was nooit klaar voor de prille uren van de volgende morgen. Soms tracteerde ik mezelf er echter op om eens te doen wat ik wilde, al was dat zelden.

Een zo'n gelegenheid was het feest dat ik in juli 1961 gaf voor de vrienden waarmee ik veertig jaar geleden aan boord van de Pocahontas naar Palestina was gekomen. Ik weet nu niet meer hoe ik op dat idee kwam om die aankomst nog eens te vieren, maar ik was erg verlangend die groep nog eens te ontmoeten, uit te vinden wie zich in Israël had gevestigd en wie naar Amerika was teruggegaan en ik wilde hun kinderen zien. Een van de onderwerpen van gesprek en debat tussen mij en mijn collega's in de *Mapai* in die dagen was waarom er betrekkelijk weinig immigratie van joden uit het westen was. Eén uitleg was: 'Ze hebben het te goed. Ze zullen allen naar ons toekomen als ze elders eens met werkelijk antisemitisme te maken krijgen.' Maar ik had het gevoel dat het een onrechtvaardige vereenvoudigde opvatting van de feiten was en had vaak urenlange twistgesprekken met Ben-Goerion over de niet erg indrukwekkende cijfers van de immigratie uit landen als Amerika, Canada en Engeland. 'Ze komen wel, als we maar geduld hebben', zei ik altijd tegen hem. 'Het is niet meer zo eenvoudig om jezelf en je gezin over te planten als vroeger. De mensen zijn ook niet zo idealistisch, zo romantisch of zo toegewijd meer. Er is heel wat vastbeslotenheid en moed voor nodig als zionist uit Pittsburg, Toronto of Leeds om op een dag te besluiten om je voorgoed in Israël te vestigen. Het betekent veel meer dan gewoonweg naar een ander land verhuizen. Je moet een nieuwe taal leren, een andere levensstanddaard aanvaarden en een andere manier van leven, wennen aan spanningen en onveiligheid die wij als vanzelfsprekend beschouwen.' Ik verlangde even hard als

Ben-Goerion dat joden uit het westen zich met honderdduizenden, zelfs miljoenen, bij ons zouden aansluiten, maar ik begreep hun aarzeling en ik was zeker niet bereid – op dit tijdstip in de geschiedenis van Israël – om van joden die de staat Israël steunden zonder daar werkelijk te wonen, te vragen dat ze zich niet langer als zionisten beschouwden maar eerder als 'vrienden van Zion' – een verwaterde uitdrukking die Ben-Goerion boos voorstelde.

Maar de negentien mannen en vrouwen die in 1921 met Morris en mij aan boord van de *Pocahontas* hadden gereisd, hádden die grote beslissing genomen en ik kreeg opeens het idee dat ik ze wilde terugzien. Ik had hun adressen niet meer. Maar ik zette een advertentie in de krant: 'De minister van buitenlandse zaken nodigt alle leden van het contingent van de *Pocahontas* uit een avond bij haar thuis door te brengen; niet alleen de oorspronkelijke groep, maar ook mannen, vrouwen, kinderen en kleinkinderen.'

De meesten van de negentien mannen en vrouwen die in 1921 met mij die vreselijke reis op de *Pocahontas* hadden meegemaakt, kwamen niet. Ze waren óf dood óf te zwak en een was voorgoed naar Amerika teruggegaan. Maar zeven à acht van de oorspronkelijke groep verschenen heel trouw en bovendien brachten ze hun kinderen en kleinkinderen mee. We hadden een erg leuk feest, haalden oude herinneringen op, zongen en aten cake en vruchten in mijn tuin. Er werden geen formele toespraken gehouden en ik weigerde de pers om ook te verschijnen – hoewel de journalisten me smeekten ze 'maar een paar minuutjes' binnen te laten. Maar het was een persoonlijke belevenis die ik wilde vieren en ik wenste dat het een privé bijeenkomst zou zijn.

Ik denk dat sommige van de liederen die we zongen (het waren dezelfde waarmee we aan boord van dat ellendige schip hadden geprobeerd de moed erin te houden) erg sentimenteel en naïef moeten hebben geklonken, misschien zelfs wel banaal in de oren van onze kinderen. Het ging allemaal over land ontginnen en pionieren. Niettemin herinnerden ze ons aan de dagen toen we geloofden dat we alles konden doen en we zongen urenlang. Naderhand, toen het feest was afgelopen en alle gasten naar huis waren, zat ik nog even in de donkere tuin en dacht na over die veertig jaar. Ik wilde dat Morris nog bij ons had kunnen zijn. Die nacht wist ik één ding zeker: Geen van ons had er een ogenblik spijt van gehad aan boord van de *Pocahontas* te zijn gebleven totdat ze tenslotte uit Boston wegvoer om ons een heel eind op weg naar Palestina te brengen.

Eind 1965 begon ik zelf te beseffen dat ik een verandering nodig had. De verkiezingscampagne in de zomer van dat jaar had me uitgeput. Ik voel me nooit echt goed in de hitte en nu waren de migraine hoofdpijnen waar ik al jaren bij tussenpozen aan leed, erger aan het worden.

Ik moest wel tot de slotsom komen dat de verantwoordelijkheden die ik al dertig jaar lang op mijn schouders had genomen, te zwaar begonnen te wegen. Ik wilde niet altijd door blijven leven, maar het lokte me ook niet aan om half invalide te worden. Maar het was niet alleen mijn gezondheid waar ik me zorgen over maakte; het was ook de noodzaak om mijn emotionele batterijen op te laden. Het scheen dat ze uitgeput raakten nu mijn lichaam zo moe was. En de interne toestand in Israël was niet goed. Er heerste een ernstige economische depressie, emigratie – die wij *jerida* (afvloeiing) noemden als het tegenovergestelde van de 'toeneming' van immigratie – en de nasleep van de Lavon-affaire die het publiek demoraliseerde en verwoestingen aanrichtte in de gelederen van de arbeidersbeweging. Mijn eigen gevechten met Ben-Goerion waren natuurlijk niet de minste van mijn moeilijkheden. Er zou niets rampspoedigs gebeuren als ik het openbare leven verliet – de partij zou de wonden laten helen en ik kon niet veel doen om Israëls slechte economische toestand te verbeteren. Die werd in hoofdzaak veroorzaakt omdat de Duitse herstelbetalingen ten einde kwamen terwijl ons defensiebudget (noch de Arabische boycot) niet minder werd.

Om alles voor mij persoonlijk erger te maken, was Sheyna helemaal niet goed. Ook zij werd oud en, net als vroeger mijn moeder, verouderde ze naar lichaam en geest. Esjkol, die in 1963 premier werd, en Pinchas Sapir, die minister van financiën was, probeerden dapper me ervan te weerhouden om af te treden, maar ik wist dat Abba Eban achter de coulissen wachtte om minister van buitenlandse zaken te worden en ik kon geen redenen zien, onder deze omstandigheden, waarom ik me aan het ministerie zou vastklemmen. Esjkol bood me het waarnemend premierschap aan, maar dat lokte me totaal niet aan. Ik vond dat ik beter een volledige grootmoeder dan een halve minister kon zijn en ik zei tegen Esjkol dat ik me werkelijk wilde terugtrekken. 'Ik zal niet in een politiek klooster gaan', verzekerde ik hem, 'maar ik wil wel eens een keer een boek kunnen lezen zonder me schuldig te voelen, of naar een concert gaan wanneer ik daar opeens zin in heb, en ik wil in jaren geen vliegveld meer zien.'

12
We staan alleen

Het duurde enige tijd, in feite enkele maanden, om mijn aftreden en mijn terugtrekking te regelen. Om te beginnen was daar de verhuizing van Jeruzalem naar het kleine twee-onder-één-dak huis dat ik aan een rustige straat met bomen in een buitenwijk van Tel Aviv gekocht had, vlak naast Menachem en Aya. Het was niet alleen een kwestie van verhuizen van de ene stad naar de andere, ik had uren nodig om alles uit te zoeken en te beslissen wat van mij en wat van de regering was, wat ik mee wilde nemen en wat ik zou weggeven. Ik had de laatste vijfentwintig jaar zo veel gereisd en zo veel souvenirs van mijn tochten meegenomen dat alleen het uitzoeken daarvan al een heel werk was – en daarbij geen werk dat ik leuk vond. Maar Clara kwam uit Amerika om me op te zoeken en zij, Lou en ik ruimden tenslotte alles op. Gelukkig ben ik van nature geen verzamelaarster en het is zeker niet mijn opvatting van comfort om in een particulier museum te wonen; dus vond ik het niet zo moeilijk om van de meeste van mijn bezittingen en cadeaus afstand te doen. Ik hield alleen de boeken, schilderijen, perkamentrollen en stadssleutels die een bijzondere betekenis voor me hadden. Natuurlijk was ik er op dat tijdstip van overtuigd dat ik die beproeving om alles uit te zoeken niet nog eens zou hoeven te beleven, dat inpakken en weer uitpakken – en het gevoel dat dit gelukkig de laatste keer was, hielp.

Mijn nieuwe huis, waar ik nog altijd woon, had waarschijnlijk een kwart van de omvang van de residentie van de minister van buitenlandse zaken waar ik negen jaar had gewoond, maar het was precies wat ik nodig had en wilde hebben en vanaf de eerste dag voelde ik me er helemaal thuis. Ik had plannen voor de inrichting gemaakt die aan mijn eisen voldeden: een gecombineerde zit-eetkamer, langs de wanden boeken, en openslaande deuren naar het tuintje dat ik met het gezin van Menachem deelde, een keuken die groot genoeg was dat ik er gemakkelijk in kon werken en boven een slaapkamer en een werkkamer die ook als logeerkamer kon dienen. Ik hoop dit jaar eindelijk nog een kamer aan het huis te laten aanbouwen, maar zelfs zonder die extra kamer is het altijd genoeg voor me geweest, en het was heerlijk in 1965 het gevoel te hebben dat ik me nu ergens voorgoed vestigde.

Zelfs mijn naaste familie geloofde niet werkelijk dat ik van de overgang naar een leven als gewoon burger zou genieten, maar ik was heel blij en dat had ik van tevoren al geweten. Voor het eerst in jaren was ik vrij, vrij om zelf boodschappen te gaan doen, om van het openbaar vervoer gebruik te maken in plaats van overal rondgereden te worden en me druk te maken dat er altijd buiten een chauffeur op me stond te wachten, en vooral was ik nu baas over mijn eigen tijd. Ik voelde me helemaal als een gevangene die uit de gevangenis is ontslagen. Ik maakte lange lijsten van boeken die ik wilde lezen, belde oude vrienden op die ik in jaren niet gezien had en maakte plannen voor een reeks bezoeken aan Revivim. Ik kookte, streek en maakte met enorm veel plezier mijn eigen huis schoon. Ik was precies op de goede tijd opgehouden met werken, uit vrije wil en voor iemand kon zeggen 'wanneer zal die oude vrouw nou in Godsnaam eens beseffen dat het tijd is dat ze opstapt', en ik voelde me alsof ik weer voor een paar jaar had 'bijgetekend'.

Het publiek raakte bijna even snel als ik aan mijn nieuwe rol gewend, hoewel ik moet bekennen dat ik af en toe op een speciale manier werd behandeld. Winkeliers in de buurt boden vaak uit zichzelf aan de bestelling bij mij thuis te brengen, omdat ze het niet goed vonden dat een vroegere minister van buitenlandse zaken met een tas vol kruideniersswaren liep, en buschauffeurs waren altijd erg aardig en bereid ergens te stoppen waar geen officiële halte was zodat ik dichter bij mijn plaats van bestemming kon uitstappen – en een paar keer werd ik zelfs in alle staatsie tot voor mijn huis gereden. Maar het kon mij totaal niet schelen wat ik mee droeg of hoe ver ik moest lopen; mijn vrij-zijn van verplichte afspraken en officiële recepties was nog dagelijks een wonder voor me. Ik voelde me ook geen ogenblik geïsoleerd of uitgerangeerd alsof ik niet meer wist wat er in het land gebeurde. Ik was lid van de Knesset gebleven en van het dagelijks bestuur van de *Mapai* en op beide posten deed ik zoveel werk als ik wilde – maar niet meer dan dat. Alles bij elkaar was ik erg tevreden met mijn lot.

Ik had kunnen weten, denk ik, dat die pas gevonden rust die me zo beviel, niet lang zou duren. Er was een opeenvolging van onderbrekingen en de dringendste daarvan was het beroep dat mijn collega's in de partij op me deden om weer hele dagen terug te komen, al was het maar tijdelijk. Dan kon ik de éénwording tot stand brengen van alle, of de meeste van de verschillende secties van de arbeidersbeweging die nog pas zo ernstig verstoord was door de Lavon-affaire. Als éénwording ooit nodig geweest was, dan was het nu wel. De economische situatie in Israël en de nationale stemming waren zodanig dat het voor het eerst mogelijk was zich voor te stellen dat het leiderschap van de arbeiders-partij in het land ten einde zou komen tenzij er op korte termijn een verenigd arbeidersfront tot stand kwam en doelmatig kon optreden. De *Mapai* zelf was ernstig verzwakt door de afscheiding van de *Rafi*, de splinterpartij onder leiding van Ben-Goerion en Dajan, en was, om de waarheid te zeggen, nooit helemaal hersteld van de al eerdere afschei-ding, in 1944, van *Achdoet Ha-awoda* of van de vorming, vier jaar later, van de anti-westerse Marxistische *Mapam*; zij werden in hoofdzaak ge-steund door de leden van de radicalere kibboetsiem en een aantal jonge intellectuelen die nog altijd het idee koesterden dat een Israëlische Sov-jet toenadering mogelijk was: dat die best bereikt kon worden als Israëls wil maar sterk genoeg was!

Het ideologische verschil tussen de *Mapai, Rafi* en *Achdoet Ha-awoda* was echter niet zo groot dat er van de vorming van een verenigde arbeiderspartij geen sprake kon zijn, maar iemand moest de taak op zich nemen om bruggen te bouwen, de verschillende standpunten en perso-nen met elkaar te verzoenen, oude wonden te helen zonder nieuwe te maken en een nieuwe, levensvatbare structuur te scheppen. Wie die persoon ook was, het zou iemand moeten zijn die zonder enig voor-behoud geloofde in het bestaan van één enkele arbeiderspartij, in staat alle politieke fracties in zich op te nemen die al jaren met elkaar over-hoop lagen en die iemand zou ook onvoorwaardelijk moeten geloven in de dringende noodzaak van een arbeiderscoalitie. Mijn collega's die om beurten met me kwamen praten, zeiden dat er maar één persoon was die al de nodige eigenschappen – en tijd – had. Als ik om zuiver egoïstische redenen niet bereid was de taak op me te nemen, dan zou die nooit worden uitgevoerd. Ze vroegen me alleen maar om algemeen secretaris van de *Mapai* te worden totdat de éénwording erdoor was – en op vaste benen stond. Dan kon ik me weer terugtrekken.

Het was het enige beroep dat ik niet kon afwijzen. Niet omdat ik er zo van overtuigd was dat ik zou slagen of omdat ik zo hevig verlangde weer middenin een kritieke strijd te zitten, evenmin omdat ik me verveelde zoals vele mensen waarschijnlijk dachten, maar om een veel eenvoudiger en belangrijker reden: ik geloofde werkelijk dat de toekomst van de arbeidersbeweging op het spel stond, en dus, voor zover wat mij betreft, was het belangrijk voor Israël. En hoewel ik nauwelijks het idee kon verwerken om de vrede en rust die ik eindelijk bereikt had, weer op te geven – al was het maar voor een paar maanden – ik kon in deze fase van mijn leven mijn collega's de rug niet toekeren en ik zei dus 'ja' en ging weer aan het werk, weer reizen, vergaderen zonder ophouden, weer gebonden door een afspraken-agenda. maar ik beloofde mezelf, en mijn kinderen, dat dit het laatste werk was dat ik ooit zou doen.

Intussen had zich in het Midden-Oosten een aantal gebeurtenissen voorgedaan die Israël toekomst in veel groter gevaar zouden brengen dan onenigheid binnen de arbeidersbeweging in het land ooit zou kunnen doen. In 1966 werden er door de Arabieren al voorbereidingen getroffen voor een nieuwe oorlog. De symptomen waren alle bekend. Eigenlijk was het voorspel van de Zesdaagse Oorlog in zeker opzicht gelijk aan dat van de Sinaï-campagne: terroristen-bendes, even daadwerkelijk aangemoedigd en gesteund door president Nasser als de *fedayeen* in de jaren vijftig, opereerden nu vanuit de Gazastrook en Jordanië tegen Israël. Hierbij was thans een nieuwe organisatie die in 1965 was opgericht en bekend stond als El Fatah. Deze werd, onder leiding van Yassir Arafat, het machtigste en bekendste element in de Palestijnse Bevrijdingsorganisatie. Er was ook een gezamenlijk Egyptisch-Syrisch opperbevel ingesteld en tijdens een Arabische Topconferentie werden er grote sommen geld toegewezen alleen en uitsluitend voor het doel om wapenvoorraden te vormen die tegen Israël zouden worden gebruikt. Natuurlijk pompte de Sovjet-Unie nog steeds wapens én geld in de Arabische staten. Het leek of de Syriërs erop uit waren het conflict op te voeren; ze bombardeerden onophoudelijk de Israëlische nederzettingen onderaan de Hoogten van Golan, en Israëlische vissers en boeren stonden soms praktisch dagelijks bloot aan aanvallen van sluipschutters. Ik ging destijds die nederzettingen af en toe bezoeken en zag hoe de mensen aan het werk waren alsof het niets bijzonders was om onder militaire begeleiding te ploegen, of elke nacht kinderen weer in ondergrondse schuilkelders naar bed te brengen. Maar ik geloofde ze nooit als ze zeiden dat ze er helemaal aan gewend waren geraakt om onder voortdurend vuur te leven. Ik geloof toch niet dat ouders er ooit aan wennen dat het leven van hun kinderen in gevaar verkeert.

Toen begon in de herfst van 1966 de Sovjet-Unie plotseling Israël te beschuldigen dat wij onze strijdkrachten in gereedheid brachten voor een volledige aanval op Syrië. Het was een belachelijke beschuldiging, maar de zaak werd naar behoren door de Verenigde Naties onderzocht en het bleek natuurlijk dat er geen enkele grond voor bestond. Doch de Russen bleven dezelfde beschuldigingen herhalen en spraken over de 'agressie' van Israël die ongetwijfeld een derde Arabisch-Israëlische oorlog zou veroorzaken terwijl de Syriërs, die van de Sovjet-Unie geld en wapens ontvingen, doorgingen met hun overvallen op onze grensnederzettingen. Als de Syrische terreur niet meer te verdragen was, kwam de Israëlische luchtmacht tegen de terroristen in actie en dan was het in de grensnederzettingen weer een paar weken rustig. Maar in de vroege lente van 1967 werden deze perioden van betrekkelijke ontspanning steeds minder en korter. In april 1967 werd de luchtmacht ingezet bij een actie die in een luchtgevecht veranderde; het gevolg was dat de Israëlische vliegtuigen zes Syrische Migs neerschoten. Toen dat gebeurde schreeuwden de Syriërs opnieuw, en daartoe opgehitst door de Sovjet-Unie, dat Israël voorbereidingen voor een groot offensief tegen Syrië trof en een desbetreffende officiële klacht werd namens Syrië door de Sovjet ambassadeur in Israël, Mr Chuvakhin, bij premier Esjkol ingediend. Dit was niet alleen een van de meest groteske incidenten uit die periode, maar het was mede aanleiding tot de oorlog die in juni uitbrak. Chuvakhin zei heel onaangenaam tegen Esjkol: 'Wij hebben vernomen dat ondanks al uw officiële verklaringen er in feite bijzonder grote concentraties van uw troepen langs de hele Syrische grens bestaan.' Dit keer deed Esjkol meer dan alleen maar deze bewering ontkennen. Hij vroeg Chuvakhin mee naar het noorden te gaan en zelf de situatie langs de grens op te nemen; hij bood zelfs aan Chuvakhin op die tocht te vergezellen. Maar de ambassadeur zei prompt dat hij andere dingen te doen had en sloeg de uitnodiging af, hoewel het maar om een paar uur rijden ging. Als hij gegaan was, dan had hij natuurlijk aan het Kremlin – en aan de Syriërs – moeten rapporteren dat er geen Israëlische soldaten bij de grens verzameld werden en dat de zogenaamde Syrische onrust volkomen ongerechtvaardigd was. Maar dat was nu precies wat hij niet wilde. Door te weigeren die tocht te maken, gaf hij weer eens nieuw leven aan de leugen die hielp om Nassers komst in het beeld te brengen – en daarmee de Zesdaagse Oorlog.

Begin mei en in reactie op wat hij noemde de 'wanhopige toestand' van de Syriërs, gaf Nasser Egyptische troepen en tanks bevel zich in de Sinaï te verzamelen en voor het geval iemand zijn bedoelingen misschien eens niet goed zou begrijpen, kondigde Radio Cairo gillend aan dat 'Egypte met al zijn krachten gereed is om zich in een totale oorlog te storten die het eind van Israël zal zijn'.

Op 16 mei kwam Nasser weer in actie. Maar nu gaf hij geen bevelen aan zijn eigen leger, maar aan de Verenigde Naties. Hij eiste dat de hulptroepen van de Verenigde Naties die sinds 1956 in Sharm el-Sheikh en de Gazastrook waren gestationeerd, onmiddellijk vertrokken. Wettig had hij het recht deze troepen te verdrijven, want het was slechts met Egyptes toestemming dat de internationale politiemacht op Egyptische bodem was gestationeerd, maar ik geloof geen ogenblik dat Nasser werkelijk verwachtte dat de Verenigde Naties hem gedwee zouden gehoorzamen. Het was tegen alle logica in dat een troepenmacht die gevormd was met het uitsluitend doel om controle op het staakt-het-vuren tussen Egypte en Israël uit te oefenen, op verzoek van een van de partijen verwijderd zou moeten worden op het eerste ogenblik dat dit staakt-het-vuren ernstig bedreigd werd. Ik ben ervan overtuigd dat Nasser een lange reeks discussies, twisten en onderhandelingen verwachtte. Hij verwachtte althans vrijwel zeker dat de Verenigde Naties zouden aandringen op een geleidelijke operatie bij een terugtrekken van hun strijdkrachten. Maar om redenen die niemand ooit begrepen heeft, ikzelf al helemaal niet, gaf de algemeen secretaris van de Verenigde Naties, U Thant, meteen aan Nassers wensen toe. Hij besprak de zaak met niemand. Hij vroeg de Veiligheidsraad niet om hun mening. Hij stelde zelfs geen uitstel van een paar dagen voor. Helemaal uit eigen beweging stemde U Thant in met onmiddellijke terugtrekking van de V.N. hulptroepen. Ze trokken zich terug uit Sharm el-Sheikh en uit de Gazastrook, en wel de volgende dag al, en op 19 mei, onder veel gejuich van Egyptische zijde, vertrok de laatste eenheid van de V.N. hulptroepen waardoor de Egyptenaren hun grens met Israël geheel konden beheersen.

Ik geloof niet dat iemand zo verbitterd was over die belachelijke overgave van U Thant aan Nasser als ik. Niet, God verhoede het, omdat ik de enige was die begreep wat er aan de hand was. Verre daarvan. Maar omdat het met ondraaglijke pijn en zorg de herinnering bij me wakker riep aan die vreselijke maanden in New York, na de Sinaï-campagne, toen de hele wereld erop uit leek te zijn om ons onze troepen uit de Sinaï en de Gazastrook te doen terugtrekken, ongeacht wat wij zeiden of wisten dat daar ongetwijfeld het resultaat van zou zijn. In gedachten beleefde ik die maanden opnieuw: de uren durende vruchteloze gesprekken met Mr Dulles, de even moeilijke en vruchteloze achter-de-schermen onderhandelingen die wij met de afgevaardigden van andere machtige staten voerden, de onophoudelijke pogingen die wij gedaan hadden – zonder enig succes – om uit te leggen dat er maar één manier was om de vrede in het Midden-Oosten te verzekeren: niet door voort te gaan de Arabieren tot verzoening te stemmen en wel ten koste van ons, maar door aan te dringen op een non-agressie pact tussen de Arabische staten en Israël, op ontwapening in zekere gebieden en op directe onderhandelingen. Waarom leek het ons toch zo eenvoudig en duidelijk terwijl alle anderen het onbereikbaar vonden? Hadden wij de werkelijke stand van zaken in ons deel van de wereld niet goed naar voren gebracht? Had *ik* een of andere verschrikkelijke fout gemaakt of iets uiterst belangrijks niet gezegd? Hoe meer ik over de maanden in 1956 en 1957 nadacht, hoe duidelijker het me nu werd dat er sindsdien niets veranderd was en dat de Arabieren weer werd toegestaan zichzelf wijs te maken dat ze ons van de aardbodem konden wegvagen.

Die waanvoorstelling werd op 22 mei nog versterkt toen Nasser, vreugdedronken over zijn wegsturen van de hulptroepen van de Verenigde Naties, nogmaals de wereldreactie beproefde met zijn verklaring het voornemen te hebben een totale oorlog met Israël te beginnen. Hij kondigde aan dat Egypte de blokkade van de Straat van Tiran hervatte, ondanks het feit dat een aantal landen waaronder Amerika, Engeland, Canada en Frankrijk Israëls recht op vrije doorvaart door de Golf van Akaba had gegarandeerd. Het was ongetwijfeld een nieuwe opzettelijke uitdaging en Nasser wachtte af hoe die zou worden opgevat. Hij hoefde niet lang te wachten. Niemand was van plan ook hier iets aan te doen. Natuurlijk waren er protesten en boze reacties. President Johnson beschreef de blokkade als 'onwettig' en als 'mogelijk rampzalig voor de zaak van de vrede'; hij stelde voor dat een internationaal konvooi waarbij zich een Israëlisch schip zou bevinden, door de Straat zou varen en zo Nassers uitdaging aan te nemen. Maar zelfs hij kon de Fransen en Britten niet overhalen zich bij hem aan te sluiten om achter onze eis te staan dat de blokkade zou worden opgeheven. De Veiligheidsraad kwam in spoedzitting bijeen, maar de Russen zorgden ervoor dat er geen besluiten konden worden genomen. De Britse premier, mijn goede vriend Harold Wilson, vloog naar Amerika en Canada om voor te stellen dat er een internationale marine gevechtsgroep werd georganiseerd die in de Straat van Tiran politiedienst zou moeten verrichten, maar ook zijn voorstel bereikte niets. Zelfs U Thant, die tenslotte begreep wat voor vreselijke fout hij gemaakt had, roerde zich eindelijk in zoverre dat hij naar Cairo ging en probeerde met Nasser te redeneren, maar het was te laat.

Nasser had zijn gevolgtrekkingen gemaakt: als de zogenaamde garanties die Israël na de Sinaï-campagne van de maritieme mogendheden had gekregen zo waardeloos waren als nu bleek, wat en wie zou de Egyptenaren er dan van weerhouden om die uiteindelijke, glorierijke en totale zege op de joodse staat te behalen die Nasser de topfiguur in de Arabische wereld zou maken? Voor zover hij nog enige twijfel had over dit avontuur waarin hij zichzelf en zijn land op het punt stond te storten, dan werd die door de Russen opzij geschoven. De Sovjet minister van defensie bracht Nasser een laatste aanmoedigingsboodschap van Kosygin: de Sovjet Unie zou achter Egypte staan in de strijd die voor hen lag. Het toneel was klaar. Wat het oorlogsdoel betrof, voor zover Nasser zich verplicht voelde iets aan het Egyptische volk uit te leggen, (ze bevonden zich toch al in de eerste fase van een staat van oorlogsopwinding) was het voldoende om steeds weer de zin te herhalen: 'We hebben de vernietiging van de staat Israël als einddoel' en aan de Egyptische Nationale Vergadering te zeggen, zoals hij in de laatste week van mei deed: 'Het gaat *niet* om Akaba, de Straat van Tiran of de hulptroepen van de Verenigde Naties. Het gaat om de agressie tegen Palestina die in 1948 heeft plaatsgevonden.' Met andere woorden, de oorlog die nu voorbereid werd, moest de *laatste* Arabische oorlog tegen ons zijn – en oppervlakkig beschouwd had Nasser alle redenen om te denken dat hij zou winnen. Op 1 juni waren er 100.000 Egyptische soldaten en meer dan 900 Egyptische tanks in de Sinaï plus zes Syrische brigades en bijna 300 Syrische tanks die in het noorden stonden te popelen. En na enkele weken van aarzeling had koning Hoessein van Jordanië tenslotte besloten het risico te nemen om zich bij Nassers grootse heldendaad aan te sluiten. Hoewel we hem voortdurend boodschappen hadden gestuurd om te beloven dat hem niets zou overkomen als hij zich buiten de oorlog hield (de laatste van die boodschappen werd via de bemiddeling van de V.N. Commissie belast met toezicht op de naleving door Esjkol van het Bestand aan Hoessein nog op de morgen dat de oorlog uitbrak, gestuurd), was de verleiding om deel te nemen aan de overwinning te groot voor Hoessein, en bovendien was hij bang om Nasser te trotseren. Hij maakte tenslotte gemene zaak met de Egyptenaren en dat voorzag de Arabieren van nog eens zeven brigades, ongeveer 270 tanks en een kleine maar uitstekende luchtmacht. De laatste die zich bij het verbond tegen Israël aansloot, was Irak dat een wederzijdse verdedigingspact met Egypte afsloot op de dag voordat de oorlog begon. Het was inderdaad een formidabele strijdmacht en daar het westen verlamd leek te zijn of er totaal onverschillig tegenover stond terwijl de Russen door dik en dun de Arabieren steunden, kan niemand het Nasser erg kwalijk nemen dat hij aannam dat hij eindelijk in staat was Israël de doodslag toe te brengen.

Tja, dat wat de Arabische stemming en de Arabische droom aangaat. Wat gebeurde er met ons? Ik ben niet van plan, en ik geloof ook niet dat het nodig is, om het verhaal van de Zesdaagse Oorlog tot in alle details weer te vertellen; er is al zoveel over geschreven. Maar niemand die in de weken die eraan voorafgingen in Israël woonde, zal volgens mij ooit de manier vergeten waarop wij het vreselijke gevaar waaraan we bloot stonden onder de ogen zagen. En niemand kan met enige mogelijkheid Israëls reactie op de huidige situatie begrijpen zonder eerst te beseffen wat wij over onszelf leerden, over de Arabische staten en over de rest van de wereld in die drie weken in de lente van 1967 die in het Hebreeuws bekend werden als de periode van *Konnenut* of gereedheid. Ik was geen lid van het kabinet meer, maar het was niet meer dan natuurlijk dat men in de zich thans ontwikkelende crisis een beroep op mij deed om te helpen bij sommige van de besluiten die om leven of dood gingen en waarin het kabinet een beslissing moest nemen. Ik geloof dat iedereen het vanzelfsprekend vond dat ik me weer beschikbaar moest houden.

Vanaf het begin was iedereen ervan overtuigd dat een oorlog vermeden moest worden – tot bijna elke prijs. Als we moesten vechten, dan zouden we dat natuurlijk doen – en winnen, maar eerst moesten alle uitwegen onderzocht worden.

Esjkols gezicht was grauw van vermoeidheid en spanning toen hij pogingen begon om enige diplomatieke interventie op touw te zetten. Dat was het enige dat hij verzocht; onnodig te zeggen dat wij nooit om militair personeel hebben gevraagd. Eban werd met opdrachten naar Parijs, London en Washington gestuurd en tegelijkertijd gaf Esjkol rustig het teken dat de natie zich gereed moest maken om, voor de derde keer in negentien jaar, haar bestaansrecht te verdedigen. Eban kwam met heel slecht nieuws terug. Onze ernstigste vrees werd bewaarheid. Londen en Washington waren ons gunstig gestemd en bezorgd, maar ze waren nog niet tot enige actie bereid. Het was heel erg, maar misschien zou deze Arabische opwinding nog wel bedaren. Ze raadden ons in elk geval aan ons geduld en zelfbeheersing te bewaren. Er was geen keus voor Israël dan af te wachten. De Gaulle was directer geweest; hij had tegen Eban gezegd dat wat er ook gebeurde Israël niet moest beginnen voordat de Arabische aanval inderdaad werd ingezet. Als dat gebeurde, dan zou Frankrijk ons te hulp komen. Op Ebans vraag: 'Maar wat gebeurt er als we dan niet meer gered kunnen worden?' had de Gaulle verkozen niet te antwoorden, maar hij maakte het Eban heel duidelijk dat de voortzetting van de Franse vriendschap voor ons geheel en al afhing van het feit of wij hem al dan niet gehoorzaamden.

Binnen een paar dagen stond toen plotseling ons voortbestaan op het spel. In de meest letterlijke zin van die vreselijke woorden stonden we alleen. De westerse wereld waarvan wij ons altijd een deel hadden beschouwd, had gehoord wat we te zeggen hadden, had geluisterd naar onze opvatting van het enorme gevaar waaraan we blootstonden en had ons afgewezen, hoewel overal het publiek voor ons was. Dus begonnen we ons voor de onvermijdelijke oorlog gereed te maken. Het leger zorgde op alle gebeurlijkheden voorbereid te zijn, Esjkol beval een algemene mobilisatie en de oudere mannen, vrouwen en kinderen van Israël gordden zich aan om kelders en souterrains leeg te maken zodat ze als noodschuilkelders dienst konden doen. Ze vulden duizenden zandzakken om de zielige loopgraven te omringen die hun vaders en grootvaders zelf in elke tuin en schoolspeelplaats hadden gegraven, overal in het land, en om de noodzakelijke werkjes in het burgerleven over te nemen terwijl de troepen onder hun camouflagenetten in het zand van de Negev wachtten, wachtten, trainden en weer wachtten. Het leek alsof een of andere reusachtige klok ons allen regeerde en de minuten wegtikte, maar niemand – behalve Nasser – wist wanneer het uur nul zou zijn. Eind mei kwam het normale leven, zoals we dat in de daaraan voorafgaande maanden hadden gekend, ten einde. Het leek of elke dag dubbel zoveel uren had als gewoonlijk en elk uur leek eindeloos. In de hitte van de vroege zomer deed ik wat iedereen deed: ik pakte een klein koffertje met de nodigste dingen die ik in een schuilkelder zou moeten gebruiken en zette het neer waar ik het op een gegeven ogenblik gemakkelijk kon opnemen. Zodra de sirenes begonnen te loeien, hielp ik Aya om zeildoek identificatieplaatjes voor de kinderen te maken en verduisterde een kamer in elk huis zodat we 's avonds ergens het licht konden aandoen. Ik bakte cake voor de soldaten in de woestijn en op een dag ging ik naar Revivim om Sarah en de kinderen op te zoeken. Ik zag hoe de kibboets die ik van het begin af gekend had, zich kalm op de Arabische aanval voorbereidde die er misschien puin van zou maken en ik sprak met een paar van Sarahs kennissen, op hun verzoek, om samen te praten over wat er misschien zou kunnen gebeuren. Maar wat ze eigenlijk wilden weten was wanneer die wachtperiode ten einde liep, en dat was een vraag die ik niet kon beantwoorden. Dus de klok tikte door — en wij wachtten en wachtten.

Er waren ook grimmige voorbereidingen die geheim gehouden moesten worden: de parken in de steden die gewijd werden om eventueel als massagraven te dienen; de hotels waar de gasten uit moesten verdwijnen zodat ze in de grote eerste hulpposten veranderd konden worden; de noodrantsoenen die opgeslagen waren om te gebruiken als de bevolking misschien vanuit centrale punten gevoed moest worden; het verband, de verdovende middelen en draagbaren die gekocht en verspreid werden. En boven alles gingen natuurlijk de militaire voorbereidingen omdat, zelfs al waren we er nu van overtuigd dat we geheel alleen stonden, er geen mens in Israël was, zover ik weet, die zich enige illusie maakte over het feit dat we gewoon geen andere keus hadden dan de oorlog die ons werd opgedrongen, te winnen. Als ik aan die dagen terugdenk, treft mij weer het meest dat wonderbaarlijke gevoel van eenheid en vastberadenheid dat ons veranderde — binnen slechts twee weken — van een kleine, nogal afgesloten gemeenschap die met allerlei moeilijkheden op economisch, politiek en sociaal gebied kampte (en niet altijd even goed) in twee miljoen joden die zich allemaal persoonlijk verantwoordelijk voelden voor het voortbestaan van de staat Israël terwijl we ook allemaal wisten dat de vijand tegenover ons maar één doel voor ogen had: onze totale vernietiging.

Het was dus geen zaak, als misschien in andere landen, hoe we het best intact en het minst beschadigd bleven in een onvermijdelijke oorlog, maar veeleer hoe we als volk zouden voortbestaan. Het antwoord op die vraag was aan geen enkele twijfel onderhevig. We konden alleen voortbestaan door te zegevieren, en al het andere — alle klachten, kleingeestigheid en onenigheid — viel van ons af en we werden, om het heel simpel uit te drukken, één gezin dat vastbesloten was zich niet te laten verdringen. In die vreselijke weken van wachten verliet niet één jood Israël. Niet één moeder in de nederzettingen onderaan de Hoogten van Golan of in de Negev nam haar kinderen op en vluchtte. Niet één overlevende uit de nazi-vernietigingskampen waarvan velen hun kinderen in de gaskamers hadden verloren, zei: 'Ik kan er niet aan denken nog meer te moeten lijden.' En honderden en nog eens honderden Israëli's die net in het buitenland waren, kwamen terug al had niemand ze teruggeroepen. Ze kwamen terug, omdat ze gewoon niet weg konden blijven.

Meer dan wie ook keek het wereldjodendom toe, zag ons doodsgevaar en onze isolatie en vroeg zich af, voor de eerste keer, denk ik: wat gebeurt er als de staat Israël zou ophouden te bestaan? En op deze vraag was maar één kort antwoord mogelijk: geen jood ter wereld zou zich ooit weer vrij voelen als de joodse staat vernietigd zou worden. Na de oorlog — om het accurater te zeggen: op de laatste dag ervan — vloog ik voor enkele dagen naar Amerika en ik sprak op een grote bijeenkomst die in Madison Square Garden georganiseerd was door het Verenigd Joods Appel. Mijn programma was erg vol en ik had haast weer naar huis te gaan, maar ik wilde erg graag sommigen van die duizenden jonge Amerikaanse joden ontmoeten die de Israëlische consulaten overal in Amerika gewoon belegerd hadden en er luide op hadden aangedrongen ons in de oorlog terzijde te staan. Ik wilde weten wat ze daartoe had aangezet, wat ze had bewogen om hun hoofd in de strop te steken die al zo vast om onze hals zat. Hetzelfde gold voor de jonge Britse joden die rellen schopten op London Airport omdat El Al (de enige luchtlijn die tijdens de oorlog naar Israël bleef doorvliegen) onmogelijk alle vrijwilligers kon vervoeren die wilden komen. Het was tenslotte geen romantisch avontuur dat ze in Israël wachtte. Er was een reusachtig apparaat langs onze grenzen opgebouwd dat er uitsluitend op gericht was om ons te doden, verminken en vernietigen en elke dag kwam dat apparaat naderbij, dichter en dichter naar ons toe. Ze waren net als wij getracteerd op het weerzinwekkende televisiebeeld dat elke avond terugkwam van menigten overal in de Arabische wereld die hysterisch om het bloedbad tierden dat het einde van Israël zou betekenen. Dus ze wisten wat er op het spel stond. Tenslotte waren de meesten er niet in geslaagd Israël te bereiken. Het Amerikaanse ministerie van buitenlandse zaken had ze tegengehouden en bovendien waren de gevechten in zes dagen voorbij. Maar ik had er enorme behoefte aan om zelf te horen wat Israël eigenlijk voor ze betekende en ik vroeg mijn vrienden in New York een vergadering voor mij te organiseren met althans enkelen van de

2500 jonge joden uit die stad die zich tijdens de oorlog als vrijwilliger voor Israël hadden aangeboden.

Het was niet gemakkelijk zo'n vergadering binnen vierentwintig uur te regelen, maar het gebeurde toch, en meer dan duizend van die jongeren kwamen met me praten. 'Zeg me eens', vroeg ik ze, 'waarom wilden jullie komen? Was het omdat jullie opvoeding je dat zei? Of was het omdat je dacht dat het een avontuur zou zijn? Of omdat jullie zionisten zijn? Wat dacht je toen je vorige maand in de rij stond en vroeg of je naar Israël mocht gaan?' Daar kreeg ik natuurlijk geen eensluidend antwoord op, maar volgens mij sprak een jongeman voor allen toen hij opstond en zei: 'Ik weet niet hoe ik u dat moet uitleggen, mevrouw Meir, maar ik weet één ding. Mijn leven zal nooit meer zo zijn als het was. De Zesdaagse Oorlog – en het feit dat Israël er zo na aan toe was vernietigd te worden – heeft voor mij alles veranderd, mijn gevoelens over mezelf, mijn familie en zelfs mijn buren. Niets zal voor mij ooit meer hetzelfde zijn.' Het was geen erg samenhangend antwoord maar het kwam uit zijn hart en ik wist wat hij bedoelde. Het ging om zijn identiteit als jood en om de grotere familie waartoe hij opeens besefte dat hij hoorde, ondanks al onze verschillen. Om het ronduit te zeggen zagen we een bedreiging tot vernietiging onder de ogen en daarop reageren joden allemaal hetzelfde, of ze nu al dan niet naar de synagoge gaan, of ze in New York, Buenos Aires, Parijs, Moskou wonen of in Petach Tikvah. Het is een dreigement dat de hele familie aangaat en toen Nasser en zijn kameraden die uitten, doemden ze hun oorlog al tot mislukking omdat wij hadden besloten – wij allemaal – dat er geen herhaling van Hitlers 'Endlösung' zou zijn, geen tweede algemene slachting.

In zeker opzicht was dit enorme samengaan van een natie om met z'n allen een gemeenschappelijke bedreiging het hoofd te bieden er ook de oorzaak van dat er in Israël een roep opging om een totale coalitie van al onze politieke partijen te vormen (behalve de communisten) en om de portefeuille van defensie door iemand met meer praktische militaire ervaring te doen overnemen van Levi Esjkol. Ik moet zeggen dat ik van beide voorstellen geen voorstandster was. Nationale coalities – waar ik later zelf ook nog enige ervaring mee zou opdoen – zijn allemaal goed en wel onder normale omstandigheden als er tijd is voor uitvoerige discussies die de tegengestelde standpunten weergeven, maar ze werken – volgens mij – absoluut niet snel en grondig, zelfs het tegengestelde daarvan, op ogenblikken als werkelijk uiterst belangrijke beslissingen moeten worden genomen; dan maken alleen gemeenschappelijke ideologieën, houding en achtergrond het voor een kabinet mogelijk om zo doelmatig en harmonieus mogelijk zijn taak te verrichten. Als het nodig was om in die laatste paar dagen voor de oorlog de regering van Esjkol te versterken — waar ik mijn twijfels over had — dan kon dit gedaan worden en moest dat plaatsvinden zonder te veel ingrijpende veranderingen aan te brengen en zonder belangrijke persoonswijzigingen. Ik wist — al wisten velen in Israël dat toen niet — dat Esjkol in zijn dubbelrol als premier en minister van defensie van Israël ervoor gezorgd had, zonder fanfare of op enige manier de aandacht op zich te vestigen, dat de Israëlische Verdedigingsstrijdkrachten klaar waren voor de taak die voor hen lag. Zijn verhouding tot het leger, zijn begrip voor de behoeften daarvan en zijn vermogen om het te verschaffen wat het nodig had, waren aan geen enkele twijfel onderhevig.

Ik zag even goed als de anderen dat Esjkol soms wat aarzelend optrad. Tijdens de ergste dagen van de *Konnenut* wendde hij zich enkele keren tot de natie en hij zei alles dat een ander kon of zou hebben gezegd, maar hij zei het aarzelend en zonder flair, en wat het land nodig had was een dynamischer leider. Persoonlijk vond ik niet dat een van die dingen belangrijk was, en dat vind ik nog. Hij was een heel verstandig en toegewijd man die zo'n enorme taak opgelegd had gekregen als vrijwel geen staatsman nog ooit had gehad en hij ging eronder gebukt. Alleen iemand die niet doorhad waar het om ging, zou het anders hebben aangevoeld en al stotterde hij dan enigszins als hij sprak over het de oorlog insturen van zijn mensen, dan strekte hem dat alleen eeuwig tot eer.

Ik heb sindsdien zelf ervaren hoe dat gevoel is en ik heb tijdens de Oktoberoorlog meer dan eens aan Esjkol gedacht toen ik op de televisie moest verschijnen en dat ook deed terwijl ik me voelde als de dood zelf — en er ook zo uitzag — omdat wat ik te zeggen had, en wat niemand voor me kon zeggen, zó ernstig was dat ik me niet om mijn woordenkeus bezorgd kon maken, of over de manier waarop ik mijn toespraak hield. Maar zoals met zoveel dingen: als je het zelf nooit hebt hoeven te doen is het moeilijk je iets voor te stellen en veel Israëli's wier zenuwen tot het uiterste gespannen waren, voelden zich door Esjkols toespraken in de steek gelaten, evenals door zijn voortdurende wanhopige pogingen om een manier te vinden, die de impasse zou doorbreken en een oorlog vermijden. Wat had het voor zin om Eban weg te sturen om weer ergens anders aan te kloppen? Hoe veel langer kon die onzekerheid duren? Zouden we eeuwig zo doorgaan — gemobiliseerd en wachtend? Esjkol scheen te onzeker, te aarzelend te zijn om in actie te komen. Het waren heldhaftige tijden — maar waar was de held?

Bij deze hele storm van kritiek was geen eis dat Esjkol zou aftreden; er bestond alleen een groeiende, al was het dan onredelijke ontevredenheid over hem. Die veranderde in een groeiende druk om een andere minister

317

van defensie te benoemen, een stoutmoediger iemand die meer iets van de geboren leider had. En tegen eind mei was het duidelijk dat duizenden Israëli's naar Mosje Dajan opzagen om de nationale vastbeslotenheid tot uithouden en zegevieren tot uitdrukking te brengen. Het leek erop of de Israëli's (niet allemaal, maar wel veel) op Dajan rekenden om ze iets te geven dat Esjkol ze niet kon bieden. Zelfs nu kan ik nog niet precies definiëren wat ze zochten. Misschien was het de zekerheid dat ze in een tijd vol spanning geleid werden door een vechter, of misschien had het ook iets te maken met die eigenschap van onbevreesdheid die in Dajan zo sterk tot uiting komt. Wat het ook was, de druk kon niet weerstaan worden. Eindelijk gaf Esjkol diep gegriefd toe en omdat ik besefte dat het uiterst belangrijk was de grootste eenheid te bewaren, hield ik maar op me af te vragen hoe het kwam dat, als Dajan zo duidelijk de kandidaat was om aan het hoofd van het ministerie van defensie te staan, Ben-Goerion hem deze portefeuille nooit had toevertrouwd.

Dajan bleef tot 1974 Israëls minister van defensie; hij was de enige minister van defensie waar ik in mijn kabinet mee te maken heb gehad en we hebben uitstekend samengewerkt. Toch — en ik hoop dat hij me wil vergeven dat ik dit zeg — geloof ik niet dat zijn benoeming in 1967 fundamenteel de loop van de Zesdaagse Oorlog heeft veranderd, of dat hij de hoofdfiguur was die onze zege bewerkstelligde. De Israëlische strijdkrachten hadden niet tot 1 juni gewacht om de plannen voor hun strategie vast te leggen of om manschappen te trainen — en de werkelijke helden van die overwinning waren de mannen en vrouwen van Israël. Ik kan nauwelijks geloven dat de oorlog anders was afgelopen als Dajan geen deel van de regering had uitgemaakt. Na deze opmerkingen moet ik er wel eerlijkheidshalve aan toevoegen dat, al vond ik dan dat Esjkol onrechtvaardig was behandeld, het Israëlische volk nu eindelijk de dynamische en geweldige militaire leider had gekregen die ze zo graag wilden hebben en misschien ook wel nodig hadden gehad en ook ik was dankbaar dat de zaak nu geregeld was.

Er zijn nog twee algemene opmerkingen die ik over de Zesdaagse Oorlog zou willen maken. De eerste is eigenlijk vanzelfsprekend, maar ik heb ervaren om niets als vanzelfsprekend te beschouwen en misschien zijn er nog altijd mensen die niet begrijpen dat wij die oorlog zo vol succes voerden niet alleen omdat we daartoe gedwongen werden, maar ook omdat we innig hoopten dat we een dérgelijke overwinning zouden behalen dat we nooit meer ten strijde zouden hoeven te trekken. Als de nederlaag van de Arabische legers die massaal tegen ons ingezet werden totaal zou worden gemaakt, dan zouden onze buren misschien eindelijk hun 'heilige oorlog' tegen ons opgeven en beseffen dat vrede voor hen even noodzakelijk was als voor ons. Dat het leven van hun zonen even kostbaar was als het leven van onze zonen. Maar daar vergisten we ons enorm in. De nederlaag wás totaal en de Arabische verliezen wáren verschrikkelijk, maar de Arabieren konden en wilden nog steeds niet tot het besef komen dat Israël ze niet de dienst wilde bewijzen om van de kaart te verdwijnen. Het tweede punt waar ik mijn lezers aan zou willen herinneren is dat in juni 1967 de Sinaï, de Gazastrook, de westelijke oever van de Jordaan, Hoogten van Golan en Oost-Jeruzalem alle in Arabisch bezit waren – en het is dus belachelijk thans te beweren dat Israëls aanwezigheid in die gebieden *sinds* 1967 de oorzaak is van de spanning in het Midden-Oosten, of dat die de Oktoberoorlog heeft veroorzaakt. Als Arabische staatslieden erop aandringen dat Israël zich terugtrekt op de linies van vóór juni 1967, kan je eigenlijk alleen vragen: als die linies voor ze zijn, waarom werd dan de Zesdaagse Oorlog begonnen om ze te vernietigen?

De oorlog begon op de vroege ochtend van maandag, 5 juni. Zodra we de sirenes hoorden loeien, wisten we dat het wachten voorbij was hoewel de omvang van Israëls aanval pas heel laat die avond aan het volk werd bekend gemaakt. De hele dag vloog de ene golf vliegtuigen na de andere over de Middellandse Zee om de Egyptische vliegvelden te bombarderen en de vliegtuigen daar die klaar stonden om ons aan te vallen te vernietigen. Wij popelden naar nieuws, zaten met de oren aan de transistor radio's geplakt die we allemaal bij ons hadden. Maar daar was niet veel op te horen behalve muziek, Hebreeuwse liederen en de codewoorden die gebruikt werden om de reservisten op te roepen die nog steeds niet gemobiliseerd waren. Pas na middernacht werd de officiële en bijna ongelooflijke lezing van de eerste van die zes dagen door de chef van de luchtmacht aan de bevolking bekend gemaakt. In hun verduisterde kamers hoorde het volk van Israël dat ze van de bedreiging met vernietiging bevrijd waren binnen de zes uur die de Israëlische luchtmacht had nodig gehad om meer dan 400 vijandelijke vliegtuigen buiten gevecht te stellen, met inbegrip van de toestellen op Syrische en Jordaanse vliegvelden; in die tijd had de Israëlische luchtmacht zich van de volledige heerschappij in de lucht meester gemaakt, van de Sinaï tot de Syrische grens. Ik was de hele dag op de hoogte gehouden van de algemene toestand, maar zelfs ik had niet de gevolgen van alles wat er gebeurd was onmiddellijk begrepen. Pas bij dat radiobericht drong het tot me door en ik bleef even alleen bij de deur van mijn huis staan, keek op naar de wolkenloze, rustige hemel en begreep dat we bevrijd waren van die vreselijke angst voor luchtaanvallen die ons allen dagenlang vervolgd had. Inderdaad, de oorlog was nog maar net begonnen. Er zouden nog vele doden vallen, rouw en ellende wachtten ons maar de vliegtuigen die gereed gemaakt waren om ons te bombarderen, waren nu alle buiten gevecht gesteld en de vliegvelden vanwaar ze hadden moeten opstijgen, stonden nu in brand. Ik stond daar en ademde de nachtlucht in alsof ik wekenlang niet meer diep had kunnen ademhalen.

Maar niet alleen in de lucht hadden we een beslissende overwinning behaald; diezelfde dag waren onze grondstrijdkrachten, gesteund door de luchtmacht, snel over de drie routes getrokken die ze ook in 1956 gevolgd hadden en tot diep in de Sinaï doorgedrongen. Zij kregen al de overhand in de tankslagen waarbij meer materiaal betrokken was dan in de Tweede Wereldoorlog bij de slagen in de westelijke woestijn; ze waren al een eind op weg naar het Suezkanaal. Israëls hand die zo lang vreedzaam uitgestrekt was geweest, had zich nu tot een vuist gebald en aan het oprukken van de strijdkrachten was geen halt toe te roepen. En Nasser was niet de enige Arabische heerser wiens plannen op 5 juni vernietigd werden.

Daar was ook Hoessein die Esjkols belofte dat Jordanië niets zou overkomen als hij buiten de oorlog bleef, had verworpen tegen de boodschap die hij net die morgen van Nasser had gekregen en waarin gezegd werd dat Tel Aviv door de Egyptenaren werd gebombardeerd, al had Nasser op dat ogenblik geen enkele bommenwerper die hij zijn eigen kon noemen. Evenals vroeger zijn grootvader had Hoessein alle kansen afgewogen, en een fout gemaakt. Op 5 juni gaf hij zijn troepen bevel om een artillerie-beschieting van Jeruzalem en de joodse nederzettingen langs de Jordaans-Israëlische grens te beginnen. Zijn leger zou de oostelijke arm van de tangbeweging moeten zijn die ons moest fijnknijpen, maar kreeg niet de kans de opdracht uit te voeren. Zodra de Jordaniërs begonnen te schieten, vielen de Israëlische grondstrijdkrachten ook Hoessein aan. De gevechten aan het front in Jeruzalem kostten helaas het leven aan vele jonge Israëli's, want het werden man tegen man gevechten, en er werd om elk nauw straatje gestreden, maar toch werd hieraan de voorkeur gegeven boven het gebruik van mortieren en tanks die de stad zwaar hadden kunnen beschadigen evenals de heilige plaatsen van de christenen en de mohammedanen. Die avond werd het al duidelijk dat Hoesseins hebzucht hem op zijn minst zijn greep op Oost-Jeruzalem zou gaan kosten. Ik wil er hier ook nog eens de nadruk op leggen, ook al deed ik dat misschien al eerder, dat net zoals de Arabieren in 1948 op Jeruzalem hadden losgebeukt zonder enige consideratie voor de veiligheid van de kerken en heilige plaatsen daar, ook de Jordaanse troepen in 1967 niet aarzelden om kerken en zelfs de minaretten van hun eigen moskeeën als emplacements voor hun geschut te gebruiken. Dit verklaart misschien waarom wij ons beledigd voelen als men soms uitdrukking geeft aan vrees voor de onschendbaarheid van Jeruzalem onder Israëlisch bestuur. Om nog niets te zeggen van hetgeen wij ontdekten toen we tenslotte Jeruzalem bevrijdden: de joodse begraafplaatsen waren ontwijd, de oude synagoges in de joodse wijk van de Oude Stad waren met de grond gelijk gemaakt en joodse grafzerken van de Olijfberg waren gebruikt om wegen in Jordanië en latrines van het Jordaanse leger mee te plaveien. Laat niemand dus ooit trachten mij te overtuigen dat Jeruzalem beter af is in Arabische handen of dat de zorg ervoor ons niet kan worden toevertrouwd.

Het duurde drie dagen voor de Egyptenaren verslagen waren en twee dagen waren nodig om Hoessein voor zijn onjuiste beoordeling van de toestand te laten boeten. Op donderdag, 8 juni, had de gouverneur van de Gazastrook zich overgegeven, Israëlische strijdkrachten hadden zich toen aan de oostelijke oever van het Suezkanaal genesteld, de Straat van Tiran was weer onder Israëlische controle en 80%, zo niet meer, van de Egyptische militaire uitrusting was vernield. Zelfs Nasser, die nooit zo accuraat was, gaf toe dat 10.000 Egyptische soldaten en 1500 Egyptische officieren op de lijst van verliezen stonden en wij hadden bijna 6.000 Egyptische krijgsgevangenen. De hele Sinaï en de Gazastrook waren weer in Israëlische handen gevallen. Ook de Oude Stad van Jeruzalem en praktisch de helft van het koninkrijk Jordanië. Maar we wisten nog niet hoe veel van onze jongens bij de gevechten gedood waren, en met één aanvaller waren we nog niet klaar. Op vrijdag, 9 juni, wendden de Israëlische strijdkrachten hun aandacht naar Syrië om de Syrische fout te herstellen die eruit bestond dat ze geloofden dat de stukken geschut bovenop de Hoogten van Golan die maar onophoudelijk op de joodse dorpen onderin het dal beukten, onoverwinnelijk waren. Ik moet bekennen dat er enige rechtvaardiging voor dit Syrische zelfvertrouwen bestond. Na de oorlog, toen ik de Hoogten van Golan bezocht en zelf zag hoeveel kilometers bunkers van gewapend beton met stalen daken daar lagen omgeven door bossen prikkeldraad en vol anti-tank geschut en artillerie, begreep ik waarom de Syriërs zo vol zelfvertrouwen waren geweest en waarom het twee bloedige dagen en een vreselijke nacht duurde voor de Israëlische Defensieve Strijdkrachten de Hoogten van Golan centimeter voor centimeter hadden schoongemaakt en zich daarna een weg in die bunkers hadden gestoten. Maar ze deden het — het leger, de luchtmacht, de parachutisten en die dappere genie in bulldozers, — en op 10 juni smeekten de Syriërs de Verenigde Naties om een staakt-het-vuren tot stand te brengen. Generaal David Elazar, onze chef staf tijdens de Zesdaagse Oorlog, was destijds commandant aan het noordelijk front. Toen de gevechten voorbij waren, stuurde hij een boodschap aan de Israëlische nederzettingen in het dal: 'Pas vanaf deze Hoogten kan ik overzien hoe bijzonder dapper u bent.'

321

Het was allemaal voorbij. De Arabische staten en hun Sovjet bazen hadden hun oorlog verloren. Maar dit keer zou de prijs voor ons terugtrekken heel hoog moeten zijn, hoger dan in 1956. Dit keer moest de prijs vrede zijn, blijvende vrede, vrede met een verdrag gebaseerd op vastgestelde en veilige grenzen. Het was een bliksemoorlog geweest, maar ook een wrede. Overal in Israël vonden weer militaire begrafenissen plaats en vele daarvan waren van jongens waarvan de vaders of oudere broers in de Onafhankelijkheidsoorlog gevallen waren of in de gevechten die ook daarna steeds door hadden plaatsgevonden. Wij wilden die hel niet weer door als we het enigszins konden verhelpen. We wilden niet dat men zei: wat een fantastisch volk zijn die Israëli's. Elke tien jaar winnen ze een oorlog. En nu weer. Enorm! Nu ze deze ronde gewonnen hebben, kunnen ze weer naar hun oude plaatsen teruggaan, zodat de Syrische artilleristen weer vanaf de Hoogten van Golan de kibboetsiem kunnen beschieten, zodat de Jordaanse legioensoldaten op de torens van de Oude Stad Jeruzalem met granaten kunnen bestoken wanneer ze dat willen, zodat de Gazastrook weer een broeinest voor terroristen kan worden, en zodat de Sinaï woestijn weer de verzamelplaats van Nassers divisies kan worden.

Op die bijeenkomst na de Zesdaagse Oorlog in New York vroeg ik: 'Is er iemand die het durft te wagen tegen ons te zeggen: "Ga naar huis! Begin jullie kinderen van negen en tien jaar voor de volgende oorlog klaar te maken." Ik weet zeker dat elk behoorlijk mens in deze wereld "nee" zal zeggen en me vergeven dat ik zo rond voor de dingen uitkom, maar het belangrijkste is dat wij zelf "nee" zeggen.'

We hadden alléén gestreden, om ons bestaan en om onze veiligheid en we hadden er een prijs voor betaald. De meesten van ons dachten dat er nu een nieuw tijdperk zou aanbreken, dat de Arabieren, die op het slagveld een hevig pak slaag hadden gekregen, er nu eindelijk in zouden toestemmen met ons om de tafel te gaan zitten om onze geschillen te bespreken. Wij vonden dat geen van die onenigheden onoplosbaar was. Er was geen triomfgevoel, alleen een enorme golf van hoop. En door deze opluchting over de zege, onze blijdschap dat we nog in leven waren en er betrekkelijk goed waren afgekomen, en tijdelijk verblind door het vooruitzicht op vrede, ging heel Israël op een soort vakantie die vrijwel die ganse zomer duurde. Ik geloof niet dat er één gezin was, ook het mijne, dat niet een paar dagen vrij nam na de Zesdaagse Oorlog; het zal vreemdelingen geleken hebben of we er massaal op uittrokken om bezienswaardigheden te bekijken, maar het was in werkelijkheid een soort pelgrimstocht naar die delen van het Heilig Land waar we bijna twintig jaar van waren afgesloten. In de eerste plaats stroomden de joden natuurlijk naar Jeruzalem; duizenden en duizenden verdrongen zich dagelijks in de Oude Stad, deden hun gebeden bij de Klaagmuur en dwaalden door de ruïnes van wat eens de joodse wijk was geweest. Maar we gingen ook naar Bethlehem, Jericho, Hebron en naar Gaza en Sharm el-Sheikh. Kantoren, fabrieken en scholen deden allemaal mee met deze eindeloze uitstapjes en honderden auto's, bussen, vrachtauto's en zelfs taxi's, hoog opgeladen, reden maandenlang kriskras door het land, van de berg Hermon in het noorden tot de berg Sinaï in het zuiden. Overal waar we heengingen in die heerlijke, bijna zorgeloze zomer ontmoetten we de Arabieren uit de gebieden die we nu bestuurden, we glimlachten tegen ze, kochten hun produkten en spraken met ze, deelden met hun — al was het niet altijd in zoveel woorden — het beeld van de vrede dat plotseling werkelijkheid scheen te worden. We probeerden onze vreugde dat we nu in staat zouden zijn allemaal normaal samen te leven, op hen over te brengen.

Iedereen reed rond in die dagen, want de Arabieren in de gebieden die wij nu bestuurden reisden bijna evenveel als wij; ze dromden Tel Aviv binnen, gingen naar het strand en de dierentuin, vergaapten zich aan de etalages in West-Jeruzalem en zaten in alle cafés langs de hoofdstraten. De meesten waren even opgewonden en nieuwsgierig als wij, en ze waren ook weg van landschappen die de volwassenen waren vergeten en die de kinderen nooit gezien hadden. Dit kan allemaal klinken alsof het te mooi is om waar te zijn en ik wil ook niet de indruk wekken dat de Arabieren zich vijf keer per dag tot Mekka wendden om Allah te bedanken voor hun geluk om verslagen te zijn — of dat er geen joden waren die liever thuis bleven dan deel te nemen aan iets dat zij een onbehoorlijke viering van een vrede vonden voordat de littekens van de oorlog tijd hadden gehad om te helen. Maar iedereen die in de zomer van 1967 Israël bezocht, heeft het merkwaardige behaaglijke gevoel dat zich toen van de joden meester maakte, kunnen zien en het scheen ook zijn uitwerking op de Arabieren te hebben. Kortom, het was alsof een doodvonnis was ingetrokken, en eigenlijk was dat ook letterlijk waar.

Als ik een speciaal aspect van die onmiddellijk naoorlogse periode moet kiezen van de algemene atmosfeer, dan zou ik zeker willen wijzen op het afbreken van de betonnen barricade en prikkeldraad versperringen die al vanaf 1948 Jeruzalem in twee delen had gesplitst. Meer dan iets anders hadden die monsterlijke barricaden voor ons de abnormaliteit van ons leven gesymboliseerd en toen bulldozers die weghaalden en Jeruzalem opeens weer één stad werd, leek dat het teken dat er een nieuw tijdperk begonnen was. Iemand die toen voor het eerst in Jeruzalem kwam, zei tegen me: 'Het lijkt of die stad licht afgeeft' en ik begreep precies wat hij bedoelde. Tegen mijn kleinkinderen zei ik: 'Nu komen de soldaten weer gauw thuis en dan is er vrede; we zullen weer

323

naar de Jordaan kunnen gaan, en naar Egypte, en alles zal heerlijk zijn.'
Ik geloofde dat oprecht, maar zo mocht het niet gaan.

In augustus 1967 kwamen de Arabische Leiders in Chartoem voor een topconferentie bijeen en kwamen tot een heel andere conclusie. Ze publiceerden hun beruchte drie keer 'géén': er zou géén vrede met Israël komen, géén erkenning van de joodse staat en géén onderhandelingen. Niets daarvan! Israël moest zich compleet en onvoorwaardelijk terugtrekken uit de gebieden die in de Zesdaagse Oorlog gewonnen waren — en de Arabische terroristen die op de conferentie waren uitgenodigd, voegden daar nog een vierde verklaring van henzelf bij: Israël moet vernietigd worden, zelfs binnen de grenzen van vóór 1967. Dat was hun antwoord op het verzoek van de Israëlische regering: Laten we elkaar niet als overwinnaar en overwonnene tegemoet treden, maar als gelijken die zonder voorwaarden vooraf over vrede gaan onderhandelen. Het deed er niet toe wie de oorlog begonnen was en wie hem gewonnen had. Wat de Arabieren betrof, was er niets veranderd. En zo veranderden de zogenaamde 'vruchten van de overwinning' in as voor ze rijp konden worden en de heerlijke droom over een snelle vrede vervaagde. Maar al hadden de Arabieren dan niets geleerd, wij wel. Wíj waren niet bereid de oefening van 1956 te herhalen. Discussiëren, onderhandelen, compromis sluiten, toegeven — allemaal goed en wel. Maar we gingen niet terug naar de plaatsen waar we op 4 juni 1967 waren geweest. We konden ons niet veroorloven zo vriendelijk te zijn, zelfs niet om Nassers prestige te redden of om de Syriërs te vergoeden dat ze ons niet hadden kunnen vernietigen! Het was erg jammer dat de Arabieren zich zo vernederd voelden omdat ze de oorlog die zij begonnen waren, hadden verloren en dat ze zich daarom niet zo ver konden krijgen om met ons te praten, maar aan de andere kant kon toch van óns niet verwacht worden ze te belonen omdat ze getracht hadden ons in zee te dringen. We waren diep teleurgesteld, maar er was maar, één antwoord mogelijk: Israël zou zich niet uit enig gebied terugtrekken voordat de Arabische staten eens en voor al het conflict beëindigd hadden. Wij besloten — en geloof me, het was geen pijnloze beslissing — dat wat het ons ook zou kosten aan openbare mening, geld of energie, en ongeacht de druk die op ons uitgeoefend zou worden, dat wij op de bestandslinies stand zouden houden. Wij wachtten totdat de Arabieren zouden aanvaarden dat het enige alternatief voor oorlog vrede was — en dat de enige weg naar vrede via onderhandelingen liep.

Intussen zouden de bijna één miljoen Arabieren die woonden in de gebieden aan onze kant van de staakt-het-vuren linies, — d.w.z. ongeveer 600.000 op de westelijke oever van de Jordaan en omstreeks 365.000 in de Gazastrook en de Sinaï plus de dorpelingen uit de Droezen-nederzettingen die er de voorkeur aan gaven op de Hoogten van Golan te blijven nadat het Syrische leger weg was, – vrijwel net zo doorgaan te leven als ze vóór de Zesdaagse Oorlog hadden gedaan. Het is nooit een plezier om rekenschap aan een militair bestuur verschuldigd te zijn en geen van de Arabieren in de gebieden vond het leuk dat Israëlische patrouilles bij ze rondliepen, maar het leger hield zich heel rustig en het militair bestuur, in hoofdzaak dank zij Dajans opvatting van de rol daarvan, bemoeide zich zo min mogelijk met het dagelijks leven. Plaatselijke wetten bleven van kracht en ook de plaatselijke leiders werden gehandhaafd. De bruggen over de Jordaan waren open en de Arabieren op de westelijke oever dreven gewoon verder handel met de Arabische staten, studeerden in de Arabische staten en bezochten hun verwanten daar, terwijl die hen eveneens vrij konden bezoeken. Dat deden ze dan ook met duizenden. Het was in ieder geval toch maar een tijdelijke regeling; geen verstandige Israëli heeft ooit gedacht dat al die gebieden onder Israëlisch bestuur zouden blijven. Jeruzalem moest natuurlijk één stad blijven, maar er kon een regeling getroffen worden over moslem beheer over de mohammedaanse heilige plaatsen. Er zou een nieuwe grens tussen Jordanië en Israël moeten worden vastgesteld en het was niet erg waarschijnlijk dat de Hoogten van Golan in hun geheel aan de Syriërs zouden worden teruggegeven of dat de hele Sinaï dadelijk weer aan Egypte zou worden afgestaan. De Gazastrook was helemaal een probleem, maar het had totaal geen zin om kaarten te tekenen hoe het Midden-Oosten er zou gaan uitzien of zelfs onderling in Israël te twisten welke gebieden er aan wie zouden worden teruggegeven totdat die kwesties met de enige andere mensen die dat werkelijk aanging, konden worden opgenomen, i.c. onze buren. Tenslotte kan je een stuk grondgebied niet als pakketpost terugsturen en dus wachtten we verder op een reactie op onze herhaalde verzoeken om besprekingen.

Inmiddels nam de Veiligheidsraad een resolutie aan: de bekende resolutie 242, krachtig voorgestaan door de Britten, en daarin werd een opzet gemaakt voor de vreedzame regelingen van het 'Arabisch-Israëlische geschil'. Er werd een speciale vertegenwoordiger aangesteld, Dr Gunnar V. Jarring, die belast werd met het toezicht op het bereiken van een 'vreedzame en aanvaarde regeling'. Er is heel veel over resolutie 242 geschreven en gezegd en de inhoud is door de Arabieren en de Russen zo grondig verwrongen dat ik geloof dat het nuttig is als ik die resolutie aanhaal, vooral omdat de bewoording ervan niet te lang is:

De Veiligheidsraad,

Geeft uitdrukking aan zijn voortdurende bezorgdheid over de ernstige situatie in het Midden-Oosten.

Gelet op de ontoelaatbaarheid van het verwerven van grondgebied door oorlogshandelingen en de noodzaak een rechtvaardige en duurzame vrede te bewerkstelligen waardoor elke staat in het betrokken gebied veilig kan leven,

Gelet eveneens op het feit dat alle lid-staten door de aanvaarding van het Handvest van de Verenigde Naties zich hebben verbonden om overeenkomstig artikel 2 van het Handvest te handelen,

1. bevestigt dat de verwezenlijking van de beginselen van het Handvest van de VN vereist de vestiging van een rechtvaardige en duurzame vrede in het Midden-Oosten die moet inhouden de toepassing van de volgende beginselen:

a. terugtrekking van Israëlische strijdkrachten uit gebieden die bezet zijn tijdens het jongste conflict;

b. beëindiging van alle aanspraken op belligerentie en alle daden van belligerentie, erkenning van de soevereiniteit, territoriale integriteit en politieke onafhankelijkheid van alle staten in het betrokken gebied en hun recht op het leven in vrede binnen veilige en erkende grenzen, vrij van bedreigingen of daden van geweld;

2. bevestigt de noodzakelijkheid van:

a. de gegarandeerde vrijheid van scheepvaart door internationale waterwegen in het betrokken gebied;
b. het tot stand brengen van een rechtvaardige regeling van het vluchtelingenvraagstuk;
c. de garantie van de territoriale onschendbaarheid en politieke onafhankelijkheid van iedere staat in het betrokken gebied door maatregelen die onder meer inhouden het vestigen van gedemilitariseerde zones.

Het verdient aanbeveling op te merken dat er *niet* gezegd wordt dat Israël uit alle gebieden moet terugtrekken, en evenmin wordt er gezegd dat Israël uit *de* gebieden moet terugtrekken, maar er wordt *wel* in vermeld dat alle staten in het betrokken gebied het recht hebben om binnen 'veilige en erkende grenzen' te leven en het specificeert *wel* de 'beëindiging van de belligerentie'. Bovendien wordt er *niet* gesproken over een Palestijnse staat, maar *wél* over een vluchtelingenprobleem. Maar het was niet alleen resolutie 242 die moedwillig anders werd uitgelegd. Ook onze houding werd fout uitgelegd. Na de Zesdaagse Oorlog publiceerde Israëls vooraanstaande satirische schrijver Ephraim Kishon samen met de Israëlische spotprententekenaar Dosh een boek getiteld *So Sorry We Won*. (Het spijt ons dat we gewonnen hebben). Het was een verbitterde titel — maar ondubbelzinnig voor Israëlische lezers. In feite vertolkte het kort en bondig hoe we ons in 1968 begonnen te voelen, en dat was dat het enige recept om Israëls snel verslechterend 'image' te verbeteren inhield de vrede maar te vergeten. Het scheen dat we een misdaad hadden begaan door de Arabieren te zeggen: 'Laten we onderhandelen.' Niet dat we zeiden — zoals we het volste recht hadden gehad — : 'Dit is de nieuwe kaart; ondertekenen maar', doch alleen: 'Laten we onderhandelen.'

Op een of andere vreemde manier stempelde ons dit tot schurken. Ik heb nooit kunnen begrijpen, hoe graag ik het ook wilde, dat toen Willy Brandt de Oder-Neisse grens erkende omdat de tijd rijp was het kwaad dat Duitsland Polen in de Tweede Wereldoorlog had berokkend te herstellen, hij daar de Nobelprijs voor kreeg (en verdiende) en als een groot staatsman werd geprezen, een man die de vrede wilde, terwijl Esjkol, en later ik, als voorstanders van expansie werden gebrandmerkt toen we precies dezelfde grensaanpassingen tussen Israël en zijn buren tot stand wensten te brengen. En niet alleen onze critici noemden ons zo, maar we werden voortdurend door onze *vrienden* gevraagd of we ons niet bezorgd maakten dat Israël in een militaristisch land veranderde ('een klein Sparta' was de betiteling die het meest gebruikt werd) dat op zijn niets ontziende bezettingstroepen moest vertrouwen om orde en de wet te handhaven. En natuurlijk kwamen ze weer aandragen met de bewering dat ik 'intransigent' was. Maar Esjkol noch ik, noch de overgrote meerderheid van de andere Israëli's konden er een geheim van maken dat we helemaal geen belangstelling hadden voor een fraaie, liberale, antimilitaristische *dode* joodse staat of in een 'schikking' waardoor we complimenten zouden krijgen omdat we zo redelijk en intelligent waren geweest, maar die ons leven in gevaar zou brengen. Dr Weizmann zei altijd dat hij president van een land was geworden waar iedereen president is; de Israëlische democratie is zo levendig dat er bijna evenveel 'duiven' als 'haviken' zijn, maar ik moet de eerste Israëli nog tegenkomen die vindt dat we ons blijvend in kleiduiven moeten veranderen. Zelfs niet om ons 'image' te verbeteren.

Ik had in elk geval nog een taak af te maken: de éénwording van de arbeidersbeweging die me de hele winter van 1967 en begin 1968 bezighield. Hoewel ik natuurlijk ook tot beschikking van Esjkol was als er een nieuwe crisis uitbrak óf in verband met de verhoogde activiteiten in de beheerde gebieden van el Fatah en de andere, kleinere, Arabische terroristengroepen die nu verklaarden de enige werkelijke vertegenwoordigers van het Arabische volk te zijn, óf in verband met de onophoudelijke pogingen die gedaan werden om resolutie 242 te gebruiken als een middel om Israël te dwingen zich uit alle bezette gebieden terug te trekken op een tijdstip en een manier die voor ons onaanvaardbaar was. In januari 1968 werd de Israëlische Arbeiderspartij gevormd: een overkoepeling van de *Mapai, Achdoet Ha-awoda* en *Rafi,* en in februari werd ik tot algemeen secretaris daarvan gekozen. Op dat ogenblik was het eigenlijk nog maar een gedeeltelijke éénwording, een federatie van drie partijen, en pas het volgend jaar werd de grotere groepering, de *Maarach* zoals die in het Hebreeuws genoemd wordt, geschapen. Ondanks de losse banden die de drie partijen samenstelden, waren ze nu onder één politiek dak en dat was hetgeen ik op me had genomen om te bereiken. Ik vond dat ik me nu kon veroorloven me eindelijk terug te trekken, en dat deed ik in juli.

Ik was toen 70; het is geen zonde om 70 te zijn, maar het is ook geen grapje. Ik was in 1967 weer ziek geweest en noch de Zesdaagse Oorlog noch de vorming van de *Ma'arach* was nu precies wat de dokter had voorgeschreven. Ik voelde dat ik mezelf enige vrede en rust moest toestaan, en dit keer zou niets en niemand me van mening doen veranderen. Ik ging verder waar ik gebleven was, sliep 's morgens wat langer, ging naar *bar-mitswahs* en huwelijken van de kinderen van mijn vrienden toe zonder direct weer te moeten weghollen, en begon rustig mijn papieren te ordenen. Ik ging ook naar Amerika voor een campagne voor Israël-obligaties en bezocht Menachem, Aya en de kinderen in Connecticut waar Aya met een beurs van een universiteit aan een wetenschappelijk onderzoek werkte en Menachem cellolessen gaf. Ik ging zelfs een paar weken naar Zwitserland, gewoon niets doen − behalve lezen, vermageren en mezelf elke dag wegen − en ik geloof dat dat de eerste 100% vakantie was die ik ooit heb genomen. Ik kwam terug en voelde me beter dan ooit.

De toestand in Israël was er niet erg op vooruitgegaan; ondanks het staakt-het-vuren woedde er nog steeds een soort oorlog aan het Suez-kanaal. De Egyptenaren voelden zich veilig in de wetenschap dat de Russen reeds alle kanonnen, tanks en vliegtuigen hadden vervangen die ze in de Zesdaagse Oorlog waren kwijt geraakt en ze onderhielden een voortdurend spervuur hetgeen wel wees op hun verlangen om de vijandelijkheden weer op grote schaal te hervatten, zo gauw ze maar durfden. 'Als de tijd rijp is, zullen we toeslaan', brulde Nasser en hij herhaalde wat hij 'de grondbeginselen van de Egyptische politiek' noemde. Géén onderhandelingen met Israël, géén vrede met Israël, géén erkenning van Israël. En in de lente van 1969 begon hij met de strijd die bekend zou worden als zijn 'Uitputtingsoorlog'. Ik denk dat van een afstand het voortdurend bombarderen van de posities van de Israëlische strijdkrachten misschien gewoon een langdurig 'incident' leek, iets dat al sinds mensenheugenis in het Midden-Oosten aan de gang was, weer een demonstratie van de zogenaamde onmogelijkheid dat joden en Arabieren samen zouden kunnen opschieten. Ik neem aan dat aanvankelijk niemand in het buitenland de rapporten over die eindeloze schendingen van het staakt-het-vuren heel ernstig opnam. Maar wij deden dat wel, omdat we wisten wat die schendingen wilden zeggen en wij begonnen een versterkte verdedigingslinie aan te leggen, de Bar-Lev linie, om onze troepen aan de oever van het Suezkanaal te beschermen.

Tegelijkertijd besloten de Arabische terreurorganisaties die ontdekten dat ze niet in staat bleken de bevolking van de beheerde gebieden over te halen of te verlokken tot grootscheepse acties tegen de Israëli's – meer dan af en toe een niet ernstige protestmars in Hebron of staking in Jenin – duizenden kilometers buiten Israël hun terreurdaden te bedrijven. Dat was duidelijk veel veiliger voor ze en veel doelmatiger en er was een brede kans van mogelijke doelen, o.a. vliegtuigen van burgerluchtvaartmaatschappijen en onschuldige passagiers op buitenlandse luchthavens. Bovendien hoefden de terroristen hun terreur niet tot de joden te beperken. De Saoedi-Arabieren zorgden ervoor dat het el Fatah niet aan geld ontbrak; Nasser gaf ze zijn officiële zegen ('el Fatah', verklaarde hij, 'vervult een enorm belangrijke taak door de vijand ader te laten') en koning Hoessein begon weer het slappe koord op te lopen. Hoewel de terroristen hem al gauw uit alle macht zouden bestrijden, om het beheer van Jordanië over te nemen en hem in nog groter gevaar te brengen dan ze ons ooit hadden gedaan, gaf Hoessein ze toch enthousiast zijn steun met hetzelfde gebrek aan inzicht dat hij in de Zesdaagse Oorlog getoond had. Toen hij zich in 1970 in ontzaglijke moeilijkheden met de zogenaamde Palestijnse terreurorganisaties bevond en overal rondkeek om hulp, moest ik onwillekeurig denken aan een man die zijn vader en moeder vermoord heeft en nu om genade smeekt omdat hij een wees is!

Ook in het noorden was er geen vrede. Zuidelijk Libanon werd langzamerhand in een speelplaats voor terroristen veranderd; geregeld werden Israëlische steden, dorpen, boerderijen, zelfs schoolbussen vol kinderen, vanuit wat we nu spottend 'Fatahland' noemden, beschoten. Terwijl de Libanese regering krokodilletranen huilde en zei dat ze 'niets' aan de activiteiten van de terroristen konden doen, ook niet aan het feit dat ze in Libanon werden opgeleid en van daaruit opereerden. Maar wij hadden besloten dat we de bestandslijnen zouden verdedigen zonder ons iets van Nasser of el Fatah aan te trekken en bovendien voort te gaan met trachten een vrede tot stand te brengen, hoe ontmoedigend die pogingen ook geworden waren. Op de een of andere manier speelden we het klaar dat alles onder de ogen te zien zonder de hoop te verliezen, hoofdzakelijk omdat onze jonge mannen bereid waren, terwille van Israëls toekomst, wekenlang op de berg Hermon te zitten, of in de Sinaï, of in het dal van de Jordaan waar ze bij de bestandslijnen stand hielden hetgeen geen groot genoegen was. Laten er geen misverstanden bestaan over de omvang van die opoffering. Ons leger was een leger van reservisten: boeren, kelners, studenten, eigenaren van stomerijen, doktoren, vrachtautochauffeurs enzovoort. Het waren geen beroepssoldaten die een behoorlijke betaling voor hun militaire dienst kregen. Het waren mannen die aan de wapenoproep hadden gehoor gegeven, hun plicht voorbeeldig hadden gedaan en dolgraag naar huis wilden. Ze hadden andere dingen te doen, andere verplichtingen en ik geloof niet dat er in de geschiedenis ooit een triester overwinning is geweest omdat de oorlog waarin die behaald was nooit tot een werkelijk einde kwam. De reservisten gingen naar huis doch slechts voor een paar weken of maanden en ze werden opnieuw opgeroepen. Ze gromden en mopperden, maar niemand trok de noodzaak in twijfel om bij die linies te blijven totdat een blijvende vrede was bereikt.

Toen kreeg op 26 februari 1969 mijn dierbare vriend Levi Esjkol, de man met wie ik zo vele jaren had samengewerkt en die ik zo graag had mogen lijden en bewonderd had, een hartaanval en stierf. Ik was alleen thuis toen het nieuws mij bereikte en ik was letterlijk verslagen. Ik zat een paar minuten in een 'shock' toestand bij de telefoon, niet in staat me genoeg te beheersen om iemand te zoeken die me naar Jeruzalem kon rijden. Het leek zo onmogelijk dat Esjkol was heengegaan. Ik had de vorige avond nog met hem gesproken en we zouden elkaar de volgende dag ontmoeten. Ik kon me niet voorstellen wat er nu zou gebeuren — of wie zijn plaats als premier zou moeten innemen. In Jeruzalem ging ik naar het huis van Esjkol. Terwijl het kabinet in spoedzitting bijeenkwam, zat ik in het kantoor van de een of ander te wachten tot het voorbij was om te horen welke regelingen er voor de begrafenis getroffen waren. Terwijl ik daar zat, kwam er een Israëlische verslaggever binnen.

'Ik weet hoe u zich moet voelen', zei hij tegen me. 'Maar ik kom net van de Knesset vandaan. Iedereen zegt dat er maar één oplossing is. Golda moet terugkomen.'

'Ik weet niet waar u het over hebt', antwoordde ik woedend. 'Val me nu alstublieft niet lastig. Dit is geen tijd om over politiek te praten. Ga alstublieft weg, alstublieft.'

'Tja', zei hij, 'mijn hoofdredacteur wil weten waar u vanavond bent. Hij wil met u spreken.'

'Luister eens', zei ik. 'Ik wil nu met niemand spreken. Ik weet niets en ik wil ook niets weten. Ik wil alleen maar dat u me met rust laat.'

De zitting van het kabinet was ten einde. Yigal Allon, die plaatsvervangend premier was, nam voorlopig als premier waar. Ik ging met een groep ministers Miriam Esjkol weer opzoeken. Daarna, tegen de avond, keerde ik terug naar Tel Aviv. Om ongeveer 10 uur n.m. belde de redacteur aan mijn voordeur. 'Ik kom u zeggen', zei hij, 'dat iedereen vindt dat u Esjkols plaats moet innemen. U bent de enige met genoeg gezag, ervaring en vertrouwen binnen de partij om bij praktisch iedereen aanvaardbaar te zijn.'

Als ik in een andere stemming was geweest zou ik hem er misschien meteen aan herinnerd hebben dat bij een opinie-onderzoek kort geleden het publiek was gevraagd wie het als volgende premier zou kiezen en ik precies 3% van de stemmen had gekregen. Ik vond dat prima, maar niet bepaald iets dat je een grote stembusoverwinning kon noemen! Mosje Dajan had het grootste aantal stemmen gekregen, en Yigal Allon had ook geen gek figuur bij dat opinie-onderzoek geslagen. Maar ik was niet in de stemming om over de kwestie te praten. 'Esjkol is nog niet eens begraven', zei ik tegen die redacteur. 'Hoe kunt u nu tegen mij over die dingen spreken', en ik stuurde hem weg.

Maar binnen een paar dagen begon de partij druk op me uit te oefenen. 'De nationale verkiezingen zijn voor oktober vastgesteld; er moet een interim premier benoemd worden; het is maar een kwestie van een paar maanden! En er is niemand anders.' Zelfs Allon smeekte me gewoon het terwille van de partij te doen, de partij die nog zo pas één geworden was; en ook terwille van het land dat nog steeds zo in gevaar verkeerde moest ik deze laatste dienst op me nemen. Niet de héle Arbeiderspartij wilde me zo dolgraag hebben. De ex-*Rafi* fractie onder Dajan en Peres, was er niet zo op gesteld mij als premier te zien en ik begreep de aarzeling van de andere mensen in het land die dachten dat een zeventig jaar oude grootmoeder toch nauwelijks de geschiktste kandidate was om het hoofd van een twintig jaar oude staat te zijn.

Wat mezelf betreft, ik kon tot geen beslissing komen. Aan de ene kant begreep ik dat − tenzij ik toestemde − er onvermijdelijk een enorm touwtrekken tussen Dajan en Allon zou ontstaan en dat was iets dat Israël op dat tijdstip echt niet nodig had. Het was al erg genoeg dat we nog steeds met de Arabieren in oorlog waren. We moesten liever wachten totdat die teneinde was voor we een onderlinge oorlog begonnen. Aan de andere kant wilde ik werkelijk liever die verantwoordelijkheid niet op me nemen, niet aan die vreselijke druk van het premierschap blootgesteld zijn. Ik wilde met mijn kinderen praten. Dus belde ik Menachem en Aya in Connecticut op en daarna belde ik Sarah en Zechariah in Revivim op en zei dat ik ze moest spreken, maar dat ik te moe was om naar Negev te gaan. Konden zij misschien naar mij toekomen? Ze speelden het klaar met een vrachtauto te komen en arriveerden om middernacht; daarna hebben we de hele nacht zitten praten, roken en koffie drinken. 's Morgens vertelde Sarah me dat Zechariah en zij hún beslissing hadden genomen. Ze waren het eens met Menachem en Aya; ik had geen keus. 'Ima, we weten dat het heel moeilijk voor u zal zijn. Maar er is gewoon geen uitweg − u móet "ja" zeggen.'

En dat deed ik. Op 7 maart stemde het Centrale Comité van de Arbeiderspartij over mijn voorstelling als premier; er werden zeventig stemmen vóór uitgebracht; geen tegen en de *Rafi*-fractie onthield zich van stemming. Mij is vaak gevraagd hoe ik me op dat ogenblik voelde en ik wilde dat ik een poëtisch antwoord op die vraag kon geven. Ik weet dat er tranen over mijn wangen stroomden en dat ik mijn hoofd in mijn handen verborg toen de stemming voorbij was, maar het enige dat ik me van mijn gevoelens herinner is dat ik versuft was. Ik was nooit van plan geweest premier te worden; in feite had ik nooit voor een of andere positie gewerkt. Ik had plannen gemaakt om naar Palestina te gaan, om naar Merhavia te gaan, om actief in de arbeidersbeweging bezig te zijn. Maar de positie die ik nu moest innemen? Daarover had ik nooit nagedacht. Ik wist alleen dat ik nu elke dag beslissingen zou moeten nemen die het leven van miljoenen mensen zouden beïnvloeden en ik denk dat ik daarom huilde. Maar er was niet veel tijd voor bespiegelingen; gedachten aan de weg die in Kiëv begonnen was en die me naar het kantoor van de premier in Jeruzalem gebracht had, moesten uitgesteld worden. Tegenwoordig, nu ik tijd voor bespiegelingen heb, heb ik er geen lust in. Ik werd premier omdat het nu eenmaal zo liep, en op dezelfde manier als mijn melkman bevelvoerend officier van een voorpost op de berg Hermon werd. Geen van ons beiden had nu bepaald voorkeur voor die taak, maar we deden beiden onze plicht — zo goed we konden.

13
Premier

Dus verhuisde ik weer, dit keer naar de grote, niet bijzonder aantrekkelijke residentie van de premier in Jeruzalem waar Ben-Goerion, Sjarett en Esjkol ook al hadden gewoond. Ik begon te wennen aan de voortdurende tegenwoordigheid van politie en lijfwacht, aan een dagtaak van minstens zestien uur en aan een minimum van privacy. Natuurlijk was de ene dag gemakkelijker, korter en minder spannend dan de andere en ik wil niet beweren dat ik als een martelares leefde tijdens de vijf jaar van mijn premierschap van Israël, of dat ik nooit eens plezier had. Maar mijn ambtstermijn begon met een oorlog en eindigde met een volgende en ik beschouw het onwillekeurig als een symbool dat de eerste instructie, die ik in mijn hoedanigheid als premier gaf, was mijn militaire secretaris, Yisraël Lior, te zeggen dat ik gewaarschuwd moest worden zodra er rapporten over militaire acties binnenkwamen, ook al zou dat midden in de nacht zijn.

'Zodra de jongens terugkomen, wil ik het weten', zei ik tegen hem, 'en ik wil dan ook horen hoe ze eraan toe zijn.' Ik gebruikte het woord 'verliezen' niet, maar Lior begreep mijn verzoek en schrok ervan. 'U wilt toch niet werkelijk dat ik u om 3 uur in de nacht opbel!' zei hij. 'Tenslotte kunt u niets aan verliezen doen, als die er mochten zijn. Ik beloof u dat ik u onmiddellijk morgenochtend bel.' Maar ik wist dat ik die nacht niet rustig zou kunnen slapen als ik niet wist of er soldaten gedood of gewond waren, en ik dwong die arme Lior me te gehoorzamen. Als de berichten slecht waren, kon ik natuurlijk niet meer slapen en ik denk liever niet meer aan al die nachten waarin ik door dat grote, lege huis rondliep en wachtte tot het morgen werd zodat ik gedetailleerder rapporten kon krijgen. Soms zag de lijfwacht buiten dat om vier uur in de nacht het licht in de keuken aan was en dan kwam een van ze naar binnen om zich te overtuigen dat er niets met me aan de hand was. Dan zette ik voor ons beiden een kop thee en we spraken over alles wat er bij het Suezkanaal of in het noorden gebeurde totdat ik voelde dat ik weer verder zou kunnen slapen.

De Egyptische Uitputtingsoorlog was begin maart 1968 begonnen en ging in steeds heviger mate door tot de zomer van 1970. De Russen onthielden zich er niet alleen van om druk op Nasser uit te oefenen om de gewelddadigheden en moorden te beëindigen; ze vervoerden snel duizenden Sovjet instructeurs naar Egypte om te assisteren bij de hernieuwde training van het gehavende Egyptische leger en het een handje te helpen in hun strijd tegen ons, én voerden ijlings een toevloed van militaire uitrusting het land in die voorzichtig geschat ongeveer drie en half miljard dollar waard was. Egypte was niet de enige die van de Sovjet vrijgevigheid profiteerde; ook Syrië en Irak kregen hun deel. Maar Nasser was zeker degene die het meest bevoorrecht werd. Twee derde van de honderden tanks en gevechtsvliegtuigen die Rusland onmiddellijk na de Zesdaagse Oorlog over het gebied uitstortte, waren voor gebruik door Egypte bestemd in de hoop dat wij — gezien het onophoudelijk spervuur en onze steeds stijgende verliezen — niet in staat zouden zijn onze posities langs het Suezkanaal in stand te houden. Er werd gehoopt dat wij, gebroken naar lichaam en geest, er tenslotte in zouden toestemmen ons uit de Suezkanaalzone terug te trekken zonder dat er vrede gesloten was of dat er op een of ander manier een eind aan het conflict gekomen was.

Ik denk dat Nasser en de Russen het in theorie doodeenvoudig vonden dat, als zij maar konden doorgaan met onze versterkingen langs het Suezkanaal te bestoken waardoor ze het leven van de Israëlische troepen daar tot een hel maakten, wij vroeg of laat — en bij voorkeur vroeg — de zaak zouden moeten opgeven. Tenslotte was het voor de Egyptenaren noch voor de Sovjet-Unie een geheim dat elk Israëlisch verlies, elk van de vele Israëlische militaire begrafenissen die tijdens die hele periode plaatsvonden, elk rouwend Israëlisch gezin, als een mes was dat in het hart van het hele volk werd omgedraaid. Ik kan me heel goed voorstellen dat Nasser en zijn beschermheren ervan overtuigd waren dat wij uiteindelijk zouden moeten opgeven. Maar dat deden we niet. We konden het ons gewoon niet veroorloven. We waren er helemaal niet op gesteld onze gevechten tegen iedereen te moeten voortzetten, tegen de Egyptenaren en nog minder tegen de Russen, maar we hadden absoluut geen keus. De enige manier waarop we misschien de totale oorlog konden voorkomen waarvan Nasser dag en nacht verkondigde dat die het einddoel van zijn Uitputtingsoorlog was, was om terug te slaan tegen de Egyptische militaire installaties, en hard. En we moesten de Egyptische militaire doelen bombarderen, niet alleen langs de bestandslijn maar ook in Egypte zelf. Als het nodig was, moesten we zelfs onze boodschap tot op de drempel van de Egyptenaren afleveren door tot diep op Egyptisch grondgebied aanvallen te doen. Het was geen gemakkelijk besluit dat genomen moest worden, vooral omdat we wisten dat de Russen hun hulp aan Egypte misschien zelfs nog verder zouden uitstrekken. Tussen haakjes, dit was de eerste werkelijke Sovjet inmenging sinds de Tweede Wereldoorlog die plaats vond buiten de aanvaarde sfeer van Sovjet invloed. Maar je kunt niet altijd je tegenstanders kiezen. Dus begonnen wij aarzelend aan onze strategische 'diepte' vergeldingsbombardementen waarbij we onze vliegtuigen als vliegende artillerie gebruikten. Wij vertrouwden erop dat het Egyptische volk, als ze die vliegtuigen boven het militaire vliegveld bij Cairo hoorden, zou begrijpen dat ze niet alles konden hebben: oorlog voor ons en vrede voor henzelf.

Sindsdien is er zoveel gebeurd dat vele mensen zich geen erg levendig beeld van alles kunnen maken als ze lezen over die Uitputtingsoorlog. Zelfs het vreselijke verhaal van de Sovjetschepen die in het geheim naar Egypte voeren, beladen met de SA-3 oppervlakte-luchtraketten die door Sovjet specialisten overal in de Suezkanaalzone zouden worden opgezet, bemand en bediend, is niet zo belangwekkend meer, nu we allemaal weten hoe die raketten in de herfst van 1973 tegen Israël werden gebruikt. Maar voor ons was de Uitputtingsoorlog een werkelijke oorlog en het vroeg heel veel van de vastbeslotenheid, moed, kracht en vaardigheid van onze soldaten en piloten om zich aan de bestandslijnen te houden. Ze moesten, ongeacht de offers, trachten de voorwaartse beweging tegen te houden van de lanceerplatformen voor de raketten die de Egyptenaren en de Russen zo druk bezig waren vlak naast de bestandslijn aan te leggen. Toch was er ook een grens aan ons vermogen alles alleen te doen. We móesten steun en hulp hebben, vliegtuigen en wapenen, en wel gauw.

Er was maar één grote mogendheid tot wie we ons konden wenden: Amerika, onze traditionele grote vriend die ons vliegtuigen verkocht, maar die toch op dat tijdstip onze toestand niet helemaal scheen te begrijpen. We vreesden dat ze hun hulp elk ogenblik zouden kunnen stopzetten. President Nixon was meer dan alleen maar vriendelijk. Doch hij noch zijn minister van buitenlandse zaken, William Rogers, stonden sympathiek tegenover onze weigering om enige oplossing voor het Midden-Oosten te accepteren die ons door anderen zou worden opgelegd. Evenmin tegenover mijn intens verzet tegen de gedachte van Mr Rogers dat de Russen, Amerikanen, Fransen en Engelsen ergens rustig bij elkaar zouden gaan zitten om een 'aanvaardbaar' compromis voor de Arabieren en ons uit te werken. Ik had herhaaldelijk aan Rogers uitgelegd dat zo'n compromis misschien kon voldoen aan de eisen van de Amerikaans-Russische ontspanning, maar het zou zeker geen bindende garanties voor de veiligheid van Israël ten gevolge hebben. Hoe kon dat ook? De Russen verzorgden en manipuleerden de hele oorlogsvoering van Egypte; de Fransen waren bijna even pro-Arabisch als de Russen; de Britten kwamen niet ver achter de Fransen aan; alleen de Amerikanen maakten zich enige zorgen over het voortbestaan van Israël. Op z'n best was het één tegen drie en ik kon me niet voorstellen dat er onder zulke omstandigheden een aanvaardbare oplossing zou kunnen worden gevonden. Aan de andere kant zouden we misschien totaal geen wapens meer krijgen als we ons het ongenoegen van president Nixon en Rogers op de hals haalden. Er moest onmiddellijk iets gedaan worden om de impasse te doorbreken.

Ik moet vooropstellen dat ik persoonlijk altijd erg op William Rogers gesteld ben geweest. Het is een heel aardige, heel beleefde en uiterst geduldige man en uiteindelijk was hij degene die het staakt-het-vuren in augustus 1970 voorstelde en zorgde dat het tot stand kwam. Maar (en ik hoop dat hij me zal vergeven dat ik dit neerschrijf) ik vermoed dat hij nooit werkelijk de achtergrond van de Arabische oorlogen tegen Israël heeft begrepen en ook nooit beseft heeft dat de betrouwbaarheid van mondelinge beloftes gedaan door de Arabische leiders totaal verschilde van de zijne. Ik herinner me hoe enthousiast hij mij over zijn eerste bezoeken aan de Arabische staten vertelde en hoe enorm hij onder de indruk was van de 'dorst naar vrede' van Feisal. Zoals bij vele mannen die ik gekend heb het geval was, nam ook Rogers, helaas verkeerd, aan dat de hele wereld alleen bestond uit heren als hij.

Al mijn eigen pogingen om direct contact met de Arabische leiders tot stand te brengen waren hopeloos mislukt, ook de smeekbede die ik gedaan had op de eerste dag dat ik mijn ambt aanvaard had. Toen had ik verklaard dat 'wij bereid zijn om met onze buren over vrede te spreken, wanneer zij dat wensen en over alle gewenste zaken'. Doch ik las alleen binnen tweeënzeventig uur het antwoord van Nasser dat 'er geen stem is die het krijgsrumoer kan overstemmen' en 'dat er geen heiliger roep dan die tot de oorlog' was. De reacties van Damascus, Amman of Beiroet waren evenmin bemoedigend. Om maar één voorbeeld aan te halen van de reactie van de Arabische wereld op mijn smeekbede om onmiddellijk tot onderhandelingen over te gaan, laat ik hier een uittreksel volgen van een artikel dat in juni 1969 in een vooraanstaande Jordaanse krant werd gepubliceerd:

Mevrouw Meir is bereid om naar Cairo te gaan om daar met president Nasser te spreken, maar zij is tot haar spijt niet uitgenodigd. Zij gelooft dat er op een goede dag een wereld zonder kanonnen in het Midden-Oosten zal ontstaan. Golda Meir gedraagt zich als een grootmoeder die haar kleinkinderen voor het naar bed gaan verhaaltjes vertelt...

Ik had het gevoel alsof ik in een klem zat. De hele tijd ging de oorlog maar door. Mensen in het buitenland vroegen of het werkelijk niet onze bedoeling was om Nasser ten val te brengen, alsof wij hem daar hadden neergezet en nu bezig waren met plannen om hem te vervangen. Maar wat mij het meest woedend maakte was dat ons ook gevraagd werd of onze diepte-bombardementen 'werkelijk' nodig waren, of dat wel een kwestie van zelfverdediging was. Alsof je moet wachten totdat een moordenaar je huis helemaal bereikt heeft voordat het moreel verantwoord is te proberen hem ervan te weerhouden je te doden, vooral wanneer − zoals in het geval met Nasser − ons geen enkele twijfel bleef wat zijn doel eigenlijk was.

Kortom, het was een moeilijke periode, en het werd er voor mij niet gemakkelijker op gemaakt doordat ik van Esjkol de Nationale Eenheidsregering had geërfd waar het anti-socialistische blok dat als *Gahal* bekend staat, deel van uitmaakte. De *Gahal* bestond uit de uiterst rechtse *Heroet* partij en de veel minder felle maar kleinere Liberale partij; leider was Menachem Begin. Afgezien van de diepliggende en fundamentele ideologische verschillen die blijkbaar altijd tussen de linker- en rechterzijde van Israëls politieke spectrum bestaan hebben, was er ook een ernstig en onmiddellijk verschil in benadering van de situatie waarin Israël zich nu bevond. In juni stelde de Amerikaanse minister van buitenlandse zaken, Rogers, voor dat Israël besprekingen met Egypte en Jordanië zou voeren onder de auspiciën van Dr Jarring; het doel was om een rechtvaardige en duurzame vrede te bereiken. Deze besprekingen zouden gebaseerd moeten zijn op 'wederkerige erkenning van elkaars soevereiniteit, territoriale integriteit en politieke onafhankelijkheid' en op 'Israëlische terugtrekking uit gebieden die tijdens het conflict van 1967 bezet waren', in overeenstemming met resolutie 242. Hij stelde ook voor dat het staakt-het-vuren met Egypte dat door de Uitputtingsoorlog ondermijnd was, voor een periode van minstens negentig dagen zou worden vernieuwd. Maar de *Gahal* stond echter onvermurwbaar op het standpunt dat de politiek van de Israëlische regering sinds 1967 steeds geweest was − en voor zover het hen betrof, nog steeds was − dat de Israëlische grondstrijdkrachten op de bestandslijn zouden blijven totdat een vrede tot stand kwam. Natuurlijk zat er formeel iets in dit standpunt. Ik wist dat ik deze verandering van de politiek aan de Knesset ter goedkeuring moest voorleggen. Maar het deed er niet toe hoe hard ik ook beweerde dat de toestand veranderd was. Al hadden ze dan het staakt-het-vuren voorstel aanvaard, de *Gahal* weigerde in te stemmen met onderhandelingen over de terugtrekking uit de gebieden in kwestie voor een vrede tot stand was gekomen.

'Maar we zullen geen staakt-het-vuren verkrijgen tenzij we enkele van de minder gunstige voorwaarden ook accepteren', probeerde ik herhaaldelijk aan Mr Begin uit te leggen. 'En nog erger, dan krijgen we geen wapens meer van Amerika.' 'Wat bedoelt u met die opmerking over geen wapens meer?' zei hij dan. – 'We zullen ze van de Amerikanen *eisen*.' Ik kon hem er niet van overtuigen dat, al was er Amerika zeker veel aan gelegen dat Israël voortbestond, wij toch Nixon en Rogers veel meer nodig hadden dan zij ons. En de Israëlische politiek kon toch niet totaal gebaseerd zijn op de veronderstelling dat het Amerikaanse jodendom Nixon zou willen of kunnen dwingen een standpunt tegen zijn wil of overtuiging in te nemen. Maar de *Gahal*, dat totaal opging in eigen retoriek, had zichzelf ervan overtuigd dat we alleen maar moesten doorgaan Amerika te zeggen dat we aan geen enkele druk wilden toegeven. En als we dat maar lang en luid genoeg deden, dan zou die druk op een zekere dag gewoon verdwijnen. Ik kan dit geloof alleen als mystiek beschrijven, want het was zeker niet op de werkelijkheid gebaseerd zoals ik die kende en ik moet er niet aan denken wat er in oktober 1973 gebeurd zou zijn als we ons in 1969 en 1970 zo uitdagend en zelfvernietigend hadden opgesteld als de *Gahal* dat wenste. Er had wel eens totaal geen militaire Amerikaanse hulp kunnen zijn en de Oktoberoorlog had dan wel eens heel anders kunnen eindigen.

Toen in augustus 1970 de vier *Gahal*-ministers aftraden en zich uit het kabinet terugtrokken om de belachelijke reden dat het aanvaarden door de Israëlische regering van het staakt-het-vuren het begin was van een grote onvoorwaardelijke terugtrekking van de bestandslijnen, was ik niet bijzonder verrast. Om nog meer problemen te vermijden, vroegen we ze aan te blijven, maar ze waren onverbiddelijk en traden af.

De andere, hoewel minder belangrijke, vloek van mijn leven tijdens de periode van mijn premierschap, was de vrijheid waarmee verschillende ministers mededelingen aan de pers deden, om het zachtjes uit te drukken. Ik had maandenlang nodig om daaraan, zelfs maar ten dele, te wennen. Het voortdurende uitlekken van zaken die binnen het kabinet besproken werden, maakte me woedend. Ik had zo mijn eigen vermoedens over de bron van sensationele onthullingen door zogenaamde diplomatieke correspondenten die me vaak vanuit de morgenbladen begroetten. Maar ik heb nooit iets kunnen bewijzen, en dus heb ik er ook niet veel aan kunnen doen. Mijn staf wende er snel aan om mij de dag na een kabinetszitting 's morgens vroeg op kantoor te zien verschijnen met een gezicht als een donderwolk, omdat ik bij het ontbijt weer een of ander verdraaid verslag in de krant had gelezen dat daar helemaal niet had moeten staan, verdraaid of niet.

Toch waren dit niet de belangrijkste zorgen. De werkelijke problemen waren dezelfde die we al zo lang kenden: voortbestaan en vrede, in die volgorde.

338

Toen, een paar maand nadat ik mijn ambtstermijn was begonnen, nam ik een besluit. Ik zou zelf naar Washington gaan en, als dat geregeld kon worden, met president Nixon spreken, en met leden van het Congres en senatoren om precies uit te vinden wat het Amerikaanse volk van ons dacht, hoe het ten opzichte van ons voelde en wat ze bereid waren te doen om ons te helpen. Niet dat ik zelf ook maar één ogenblik geloofde dat ik magische overtuigingskracht had. Tenslotte was ik er ook niet in geslaagd Rogers van mening te doen veranderen over de noodzaak dat de Russen moesten deelnemen in de regeling in het Midden-Oosten, al had ik daar mijn uiterste best voor gedaan. Ook verwachtte ik niet meer te bereiken dan begaafde mannen als onze minister van buitenlandse zaken, Abba Eban, of onze nieuwe ambassadeur in Washington, generaal Yitzhak Rabin, in staat waren geweest te doen. Maar ik had er intense behoefte aan zelf vast te stellen hoe onze verhouding tot Amerika er nu precies bij stond en het kabinet vond het een heel goed idee dat ik zou gaan. Zodra de officiële uitnodiging van het Witte Huis kwam, begon ik me voor mijn reis klaar te maken.

Natuurlijk had ik de nodige twijfel over de resultaten. Ik had Richard Nixon nog nooit ontmoet en ik kende zelfs de meeste mannen om hem heen niet. Ik had er geen idee van wat de president over mij verteld was; voor zover ik wist kon hij me best beschouwen als een premier die een tijdelijke leemte moest opvullen en die in haar eigen land weinig invloed had en waarschijnlijk niet herkozen zou worden; deze gedachtengang zou heel begrijpelijk zijn geweest. Maar één ding wist ik zeker: wat voor indruk ik ook op hem zou maken, ik zou de president al onze problemen en moeilijkheden heel openhartig moeten voorleggen en trachten hem er zonder enige twijfel van te overtuigen dat er heel wat op het gebied van een compromis en concessies van ons gevraagd kon worden, maar dat men niet van ons moest verwachten dat wij onze droom over de vrede zouden opgeven of dat wij ook maar één enkele soldaat uit een vierkante centimeter grondgebied zouden terugtrekken voordat er een overeenkomst tussen de Arabieren en onszelf bereikt was. En dat was nog niet alles. Wij hadden wanhopig behoefte aan wapens, en ik vond dat ik hem daar zelf om moest vragen. Oppervlakkig beschouwd waren het geen erg ingewikkelde boodschappen, maar ik geloof dat ik nauwelijks menselijk was geweest, of gek, als ik niet doodzenuwachtig geweest was bij het vooruitzicht over dit alles te moeten spreken.

Mijn persoonlijke voorbereidingen waren niet ingewikkeld. Ik kocht twee avondjaponnen, o.a. die van beige kant en fluweel die ik op het diner in het Witte Huis droeg. Verder een nieuw gebreid pakje, een paar hoeden die ik nooit heb gedragen, en een paar handschoenen die ik alleen in mijn hand droeg. Met de consideratie die zijn hele houding ten opzichte van mij kenmerkte, zorgde president Nixon ervoor dat ook Clara en Menachem en hun gezin voor het diner in het Witte Huis werden uitgenodigd dat op mijn eerste avond in Washington gegeven zou worden. We spraken af dat we elkaar op 24 september in Philadelphia zouden ontmoeten; om de een of andere reden, misschien omdat hij historisch zo belangrijk is, is die stad de gebruikelijke eerste verblijf-plaats voor presidentiële gasten uit het buitenland. Vanaf Philadelphia zouden we per helicopter naar het grasveld van het Witte Huis worden overgevlogen. Nadat al deze regelingen achter de rug waren, was ik vrij om de weken voor mijn vertrek vele uren extra te werken met mijn adviseurs, vooral met Dajan en de chef staf, Chaim Bar-Lev, om de 'boodschappenlijst' in orde te krijgen die ik naar Washington zou mee-nemen. Behalve een speciaal verzoek om vijfentwintig Phantoms en tachtig Skyhawk straalvliegtuigen, was ik van plan de president te vra-gen om leningen tegen lage rente tot een bedrag van 200 miljoen dollar per jaar, vijf jaar lang, om ons te helpen de vliegtuigen te betalen die wij hoopten te kunnen kopen.

Ik moet hier wel even opmerken dat de eerste Amerikaanse president die de verkoop van Phantoms en Skyhawks aan Israël goedkeurde, presi-dent Johnson was. Esjkol had hem destijds in Texas bezocht en hij had beloofd het verzoek 'welwillend' te zullen overwegen. Maar het had wel vrij lang geduurd voordat die eerste Skyhawks inderdaad aan ons afge-leverd waren en ik was ervan overtuigd dat zelfs al zou president Nixon erin toestemmen ons Phantoms te verkopen, wij ze niet snel zouden kunnen krijgen tenzij ik erin slaagde hem te overtuigen van de moeilijke situatie waarin wij verkeerden, en van de onevenwichtige toevloed van wapenen naar het Midden-Oosten. Wat het geld betreft, ik dacht dat we wel zouden krijgen wat we wilden, hoewel geld ook iets is waar je nooit zeker van kunt zijn; maar onze credietwaardigheid was uitstekend, en dat was belangrijk. Israël is namelijk nog nooit in gebreke gebleven bij één enkele betaling, aan wie dan ook. Ik sprak mezelf moed in door te denken aan 1956/57, na de Sinaï-campagne, toen we een grote lening moesten afbetalen die we van de Amerikaanse In- en Uitvoerbank had-den gekregen. Dat was in een periode dat de officiële Amerikaanse houding ten opzichte van ons heel erg koel was. We waren toen enorm in de verleiding geweest om uitstel van betaling te vragen met betrek-king tot het grote bedrag dat verviel. Israël bevond zich toen in een recessie en het viel ons erg moeilijk het geld dat we schuldig waren bij elkaar te schrapen. Maar we wogen de voor- en nadelen tegen elkaar af en besloten uiteindelijk dat − hoe moeilijk het ons ook viel − wij de betalingstermijn zelf niet met één dag wilden overschrijden. En ik zal nooit Ebans beschrijving vergeten van de verbazing op de gewoonlijk zo beheerste gezichten van de mensen van de In- en Uitvoerbank in Washington toen hij binnenwandelde, precies op het afgesproken uur en datum, en onze cheque overhandigde.

Aan boord van het vliegtuig naar Amerika was ik in gedachten verzonken en trachtte me voor te stellen hoe mijn bezoek aan Nixon zou verlopen en of wij met elkaar zouden kunnen opschieten. Ook over de ontvangst die ik verder in Amerika zou krijgen had ik eigenlijk geen idee. Na de Zesdaagse Oorlog was ik hartelijk, liefderijk en trots door het Amerikaanse jodendom ontvangen, maar sindsdien waren er twee jaar voorbijgegaan en het was niet uitgesloten dat het enthousiasme voor Israëls lot intussen enigszins bekoeld was. Maar wat beide zaken betreft had ik me geen zorgen hoeven te maken.

Op het vliegveld van Philadelphia werd ik door een duizendkoppige menigte opgewacht; honderden en nog eens honderden schoolkinderen zongen *Hevenoe Sjalom Aleichem*. Ze hadden spandoeken bij zich en wuifden daarmee. Ik weet nog dat op een van die spandoeken stond 'We houden van je, Golda' (*We dig you, Golda*) en ik vond dat het een van de aardigste uitdrukkingen van medeleven met Israël was, en misschien met mij, die ik ooit gezien had. Maar ik had er geen flauw idee van hoe ik anders dan door te lachen en te wuiven die jongeren duidelijk kon maken dat ik ook van hén hield. Dus lachte en wuifde ik maar en was opgetogen toen ik mijn eigen familie ontdekte. Op 'Independance Square' werd ik door een nog grotere menigte verwelkomd: 30.000 Amerikaanse joden van wie velen daar uren hadden gestaan om me te zien. Ik kon maar niet over de aanblik van al die mensen die daar tegen de politie-afzetting stonden te dringen en in de handen te klappen, heenkomen. Ik sprak maar heel kort tegen ze, maar het was zoals iemand tegen me zei: 'Je had een bladzijde uit de telefoongids voor ze kunnen oplezen en die menigte had toch nog gejuicht.'

Die nacht bleven we in Philadelphia en de volgende morgen vlogen we door naar Washington. Het had de hele nacht geregend en de hemel was nog grijs en bewolkt; het leek of de regen zou aanhouden. Doch het scheen alsof het Witte Huis dat ook geregeld had: vlak na mijn rit van twee minuten in een limousine van de helicopter naar het heldergroene grasveld van het Witte Huis kwam de zon te voorschijn. President Nixon stelde me dadelijk op mijn gemak. Hij hielp me uitstappen en mevrouw Nixon overhandigde me een groot boeket rode rozen. Er was iets in de manier waarop de Nixons me ontvingen waardoor ik me meteen bij ze thuis voelde en ik was ze beiden erg dankbaar.

De formele plechtigheid was inderdaad erg formeel met veel militair vertoon. De president en ik stonden op een verhoogd platform dat met een rood tapijt bedekt was en een marine muziekcorps speelde de twee volksliederen. Ik luisterde naar *'Hatikwa'* en hoewel ik erg mijn best deed om er heel kalm uit te zien sprongen me de tranen in de ogen. Daar was ik, premier van de joodse staat die ondanks alle moeilijkheden ontstaan was en nog steeds voortbestond, en stond in de houding met de president van Amerika terwijl aan mijn land volledige militaire eer werd bewezen. Ik herinner me nog dat ik dacht: 'Konden de jongens in de Suezkanaalzone dit maar zien', maar ik wist in elk geval dat die avond duizenden in Israël de plechtigheid op de televisie zouden zien en er even innig door ontroerd en bezield zouden zijn als ik. Misschien vinden andere naties dergelijke plechtigheden vanzelfsprekend, maar wij nog niet. Het was eigenlijk net een droom, een droom zoals ik die jaren geleden met mijn vrienden beleefde als we het erover hadden hoe het zou zijn als we niet alleen een eigen staat zouden hebben, maar ook alles dat daarbij behoorde.

De toespraak van Nixon was kort en zakelijk. Hij sprak over het belang dat Amerika bij het Midden-Oosten had en gaf me een paar aardige complimenten. Hij zei dat niets in één ontmoeting of zelfs een paar bereikt kon worden, maar de strijd om vrede tot stand te brengen ging voor alles. Ik sprak ook heel kort. Ik had een paar woorden opgeschreven, eveneens over vrede en vriendschap, en die las ik voor. Maar ik was niet naar het Witte Huis gekomen om toespraken aan te horen of zelf af te steken, zelfs niet om troepen te inspecteren hoewel ik geloof dat ik het vrij goed deed, alles welbeschouwd.

Mijn besprekingen met de president verliepen even hartelijk als zijn oorspronkelijk welkom geweest was. We brachten samen enkele uren door en spraken ronduit en openhartig over allerlei zaken, net zoals ik gehoopt had. We waren het er volkomen over eens dat Israël moest blijven waar het was totdat er een of ander aanvaardbare overeenkomst met de Arabieren bereikt was en dat een Grote Mogendheid die hulp aan een klein land belooft als het in moeilijkheden verkeert, zijn woord moet houden.

We spraken ook over de Palestijnen en over dit onderwerp sprak ik even openhartig als over de ander zaken. 'Tussen de Middellandse Zee en de grenzen van Irak, daar waar eens Palestina lag, bevinden zich nu twee landen; het ene is joods en het andere Arabisch, en er is geen plaats voor een derde land', zei ik. 'De Palestijnen moeten de oplossing voor hun probleem samen met dat Arabische land, Jordanië, vinden, want een 'Palestijnse staat' tussen ons en Jordanië kan alleen maar een basis worden vanwaar het nog gemakkelijker zal zijn om aanvallen op Israël te doen en het te vernietigen.' Nixon luisterde aandachtig naar wat ik over het Midden-Oosten te zeggen had en het leek alsof hij niets anders te doen had dan daar te zitten luisteren naar Golda Meir die over Israëls problemen sprak, maar hij wilde nog steeds graag dat de Grote Twee en de Grote Vier besprekingen voortgang zouden vinden, ondanks het feit dat het scheen dat hij mijn argumenten aanvaardde. Ik vond het namelijk bijzonder onwaarschijnlijk dat Rusland ergens mee zou instemmen waar hun Arabische cliënten bezwaren tegen hadden. Ik moet zeggen dat ik het prettig vond te weten dat, terwijl president Nixon en ik besprekingen voerden, de Sovjet minister van buitenlandse zaken, Andrei Gromiko, en Rogers elkaar in New York ontmoetten en ik moest eraan denken hoe geprikkeld Gromyko geweest moet zijn over de keuze van het tijdstip voor zijn gesprekken met de Amerikaanse minister van buitenlandse zaken.

Wat de andere essentiële kwesties betreft die ik met Mr Nixon besprak, kan ik alleen zeggen dat ik destijds zijn woorden niet wilde herhalen en dat wil ik nog niet. De pers viel me enorm lastig maar al hetgeen ik zeggen wilde was dat mijn indruk, mijn persoonlijke opvatting, van het resultaat van onze besprekingen was 'dat de Amerikaanse regering van plan is haar politiek tot het handhaven van de militaire kracht in het gebied te handhaven'. Omdat er na mijn besprekingen met de president geen officieel communiqué werd uitgegeven, namen sommige journalisten aan dat ik met lege handen terugkwam. De waarheid is dat ik het nut van communiqués niet inzag. Ze geven meestal niets weer en president Nixon huldigde dezelfde opvatting hierover als ik. Dus besloten we samen dat er geen formele verklaring zou worden uitgegeven. Wat mijn boodschappenlijstje betreft, tja, dat is afgegeven, zoals de bedoeling was.

Die avond gaven president en mevrouw Nixon een galadiner te mijner ere. De mensen in Washington zeiden later dat het een van de beste feesten in het Witte Huis geweest was tijdens de regeringsperiode van Nixon, hoewel niemand me kon zeggen hoe dat nu kwam. Voor mij was het van het begin tot het einde een van de mooiste avonden van mijn leven. Ik denk dat dit ten dele kwam omdat ik bij president Nixon zoveel begrip had gevonden en ook omdat ik nu zeker wist dat Amerika achter ons zou staan; voor het eerst sinds maanden voelde ik me weer wat ontspannen. Voorts was alles voortreffelijk geregeld en zo dat ik er plezier in had, vanaf de aanwezigheid van mijn familie tot het dessert *Parfait Revivim* waardoor zo tactvol werd bewezen dat ook Sarah en Zechariah in de huldiging waren begrepen. Van de 120 gasten waren velen oude vrienden van me uit beide politieke partijen. Onder hen waren de vroegere Amerikaanse ambassadeur bij de Verenigde Naties, Arthur Goldberg, en senator Jacob Javits. En natuurlijk waren Rogers, Dr Kissinger, Eban en Rabin alsmede verschillende hoge regeringsfunctionarissen aanwezig. Tijdens het diner werd Israëlische muziek gespeeld en daarna, als een speciale eer, traden Leonard Bernstein en Isaac Stern op die de ene *encore* na de andere gaven. Ik zag en hoorde hoe intens ontroerd beiden waren en ging zo in hun muziek en hun aanwezigheid op dat ik vergat waar ik was toen ze ophielden; ik sprong overeind en omarmde beiden.

Voor het diner hadden de Nixons en ik cadeaus uitgewisseld: zij gaven mij een Griekse urn met een deksel, in goud en met prachtige inscripties, en een heel mooi middenstuk voor op tafel van blauwe en goudopaalachtige bloemen. Ik had voor hen enige antiquiteiten uit Israël meegebracht: een halsketting van cornalijn kralen in de vorm van lotusbloemen, daterend uit de elfde eeuw vóór Chr. voor mevrouw Nixon, een antieke joodse olielamp voor de president, zilveren kandelaars voor Julie en David Eisenhower en een zilveren Jemenitische halsketting en oorbellen voor Tricia Nixon. Na het diner werden er toosts ingesteld en wederom was de president heel vriendelijk tegenover Israël.

'Het volk van Israël heeft vrede verdiend', zei hij. 'Niet de broze vrede verbonden aan een document waar geen der beide partijen belang bij heeft zich aan te houden, maar een duurzame vrede. Wij hopen dat wij, als gevolg van onze besprekingen, een belangrijke stap hebben gedaan om een dergelijke vrede te bereiken, een vrede die zoveel voor het volk van Israël, het volk van het Midden-Oosten en ook voor andere volkeren ter wereld kan betekenen.'

Ik had het gevoel dat de woorden uit zijn hart kwamen en ik weet dat het bij mij het geval was toen ik antwoordde:

Mijnheer de President. Ik dank u, niet alleen voor uw gastvrijheid, niet alleen voor deze grote dag en voor elk ogenblik daarvan, maar ik dank u in de allereerste plaats voor het feit dat u mij in staat stelt naar huis terug te gaan en mijn volk te vertellen dat wij een vriend hebben, een groot vriend in het Witte Huis. Dat zal ons helpen. Het zal ons helpen vele moeilijkheden te overwinnen.

Om ongeveer 11 uur n.m. verlieten de president, mevrouw Nixon en ik het feest en bij mijn auto kusten mevrouw Nixon en ik elkaar welterusten alsof we al jarenlang vrienden waren. Maar de rest van de gasten bleef nog tot lang na middernacht dansen.

Totaal bracht ik vier dagen in Washington door. In de pas (en dat was niet een van de gemakkelijkste opdrachten die ik ooit vervuld heb) naast de plv. chef staf van het Amerikaanse leger, die een borst vol medailles had, legde ik een krans van blauwe en witte bloemen op het graf van de Onbekende Soldaat op de Nationale Begraafplaats van Arlington; we werden voorafgegaan door vaandeldragers die Israëlische vlaggen droegen en er klonken negentien saluutschoten. Ik bezocht

Mr Rogers op het ministerie van buitenlandse zaken en werd door hem op de lunch gevraagd; ook legde ik een bezoek bij Melvin Laird van het departement van defensie af en ontmoette leden van de officiële commissie van buitenlandse zaken en 'verscheen' op de Nationale Persclub waar ik de gehardste en meest ervaren verslaggevers van Amerika te woord stond; aanvankelijk had ik het gevoel dat ik een bokswedstrijd met ze moest leveren. Maar ook zij waren erg aardig tegen me en schenen het op prijs te stellen dat ik hun vragen zo kort en eenvoudig mogelijk beantwoordde, hoewel ik niet kan zeggen dat ze me vragen stelden die ik niet ettelijke keren eerder had gehoord.

Er waren maar twee totaal nieuwe verzoeken. Een kranteman vroeg: 'Zou Israël van kernwapenen gebruik maken als haar voortbestaan op het spel stond?' waarop ik alleen maar, en naar waarheid, kon antwoorden dat wij volgens mij met conventionele wapens niet zo'n gek figuur hadden geslagen, een antwoord dat met gelach en applaus werd begroet. Het andere was een verzoek van de voorzitter van de persclub waar ik om moest lachen. 'Uw kleinzoon Gideon (Menachems jongste zoon) zegt dat u de beste *gefillte fisch* (gevulde vis) in Israël maakt', zei hij — 'Zou u ons uw recept willen onthullen?' 'Ik zal iets nog beters doen', antwoordde ik. 'Als ik weer hierheen kom, beloof ik drie dagen vroeger te arriveren en dan zal ik *gefillte fisch* als lunch voor u allemaal maken.' Tussen haakjes, maanden later werd ik in Los Angeles geïnterviewd en ze vroegen me of ik goede kippesoep kon maken. 'Natuurlijk', antwoordde ik. Wilde ik het recept opsturen? 'Graag', zei ik, maar ik had nooit gedacht dat de interviewer binnen een week 40.000 vragen daarvoor zou ontvangen. Ik kan alleen maar hopen dat het resultaat 40.000 pannen goede joodse soep is geworden.

Maar het was niet alleen mijn bekwaamheid in het koken die in Washington van belang was; het was de vriendschapsband tussen Amerika en Israël en de Amerikaanse houding ten opzichte van onze contrauitputtingspolitiek. Voor ik vertrok gaf Nixon een verklaring namens ons beiden aan de pers; volgens mij vatte die de resultaten van mijn bezoek goed samen, al werden er geen details in vermeld.

Hij zei: 'Ik geloof dat we elkaars standpunten goed begrijpen en dat deze ontmoeting tot vooruitgang kan leiden, tot een of andere oplossing van de uiterst moeilijke problemen waar we in het Midden-Oosten tegenover staan. Wij verwachten niet dat onmiddellijke diplomatieke stappen enige zin hebben. Aan de andere kant moeten we trachten een weg naar de vrede te vinden en ik was verheugd bij de premier en haar collega's bereidheid daartoe te vinden. We hebben geen nieuwe initiatieven aan te kondigen, maar we zijn wel van mening dat er nu een beter begrip is over de stappen die thans gedaan moeten worden.'

Van Washington ging ik naar New York waar de ontvangsten elkaar zo snel opvolgden dat ik niet eens tijd had me moe te voelen: ik werd op een fantastische manier op het stadhuis verwelkomd, lunchte met U Thant, had een reeks besprekingen in mijn suite in het Waldorf-Astoria hotel, was aanwezig bij een diplomatenreceptie waarbij Eban als gastheer optrad en ging naar een groot banket dat georganiseerd werd door het Verenigd Joods Appel, de Israël-Obligaties en vijftig andere joodse organisaties, en dat alles op de eerste dag dat ik in de stad was. Daarna door naar Los Angeles, Milwaukee en tenslotte terug naar de oostkust. Ik was van plan geweest om op 5 oktober terug naar huis te vliegen, maar er lag een uitnodiging die ik niet kon weigeren en ik bleef nog een dag extra om de tweejaarlijkse conventie van AFL-CIO (American Federation of Labor and Congress of Industrial Organizations) in Atlantic City toe te spreken. De AFL-CIO had jarenlang Israël heel na gestaan, vooral de *Histadroet*, en de voorzitter ervan, George Meany, een goede oude vriend van me, was erevoorzitter van de Amerikaanse Vakbondsraad voor de *Histradoet*. Terwijl ik dat immens grote gehoor van vakbondsmensen toesprak, voelde ik me voor het eerst sinds ik Israël verlaten had weer werkelijk thuis op mijn eigen gebied. Ik sprak over precies dezelfde zaken als in Philadelphia, Washington, Milwaukee, Los Angeles en New York, de kwesties waar ik nog steeds over spreek: vrede tussen ons en de Arabieren. 'Het zal een grootse dag zijn als de Arabische boeren de Jordaan oversteken, niet met vliegtuigen of tanks, maar met tractoren, en met hun handen in vriendschap uitgestrekt, van boer tot boer, van mens tot mens', zei ik tegen mijn vrienden, de arbeiders en vakbondsleiders van Amerika. 'Misschien is het een droom, maar ik ben ervan overtuigd dat die eens werkelijkheid zal worden.'

Hoewel ik bij mijn terugkomst in Israël nog geen verklaring over de Phantoms kon afleggen, wist ik dat we ze zouden krijgen en mijn hart was veel lichter dan toen ik vertrok. Doch de Uitputtingsoorlog ging nog steeds door, de terroristen bleven actief, het aantal militaire Sovjetpersoneelsleden in Egypte nam met sprongen toe en daaronder waren vele gevechtspiloten en bemanningsleden voor de opppervlakte-lucht raketten. Kortom: vrede was verder weg dan ooit. Eigenlijk was er niets wezenlijks veranderd sinds ik mijn ambt aanvaard had. Dezelfde redenen die er toen waren voor mijn premierschap, bestonden helaas nog steeds aan de vooravond van onze nationale verkiezingen, de zevende sinds de staat was opgericht. In de afgelopen maanden was de waardering voor mij echter toegenomen en hoewel ik er niet op uit was om populariteitswedstrijden te winnen, was het toch wel een heel veel prettiger gevoel bij een opiniepeiling vijfenzeventig of tachtig te krijgen dan drie! In elk geval waren de verkiezingsresultaten niet bepaald onvoorspelbaar. De *Ma'arach* kreeg zesenvijftig van de 120 zetels in de Knesset en ik bood de Knesset dat alles overkoepelende kabinet aan waar die zomer de *Gahal* zich uit zou terugtrekken.

Nu ik een gekozen premier was, hoopte ik van harte in staat te zijn om iets te kunnen doen aan de oplossing van Israëls groeiende sociale en economische problemen die bezig waren een werkelijke kloof tussen de verschillende lagen van de bevolking te veroorzaken. Jarenlang had ik in de *Histradoet* en in de partij gepleit dat — al konden we helaas niets doen aan het feit dat we een enorm defensiebudget moesten handhaven — we in elk geval moesten samenwerken om te proberen de zich verbredende kloof te doen verdwijnen tussen de mensen die alles bezaten dat ze nodig hadden, al was dat dan ook niet alles dat ze wílden hebben, en die tienduizenden die nog steeds slecht gehuisvest en slecht gekleed waren, te weinig onderwijs genoten en soms zelfs ondervoed waren. Voor het grootste deel behoorde dit deel van onze bevolking tot de groep die zo bitter als 'het tweede Israël' werd betiteld, joden die in 1948, 1950 en 1951 naar ons toe waren gekomen vanuit Jemen, het Midden-Oosten en Noord-Afrika. Hun levensstandaard liet aan het eind van de jaren zestig en in het begin van de jaren zeventig nog steeds heel veel te wensen over. We konden onszelf natuurlijk blijven gelukwensen dat we tussen 1949 en 1970 meer dan 400.000 eenheden voor openbare huisvesting hadden gebouwd, of trots zeggen dat er geen enkele plaats in het land bestond, hoe geïsoleerd ook, waar geen school, kleuterschool en in de meeste gevallen ook een crèche aanwezig was. Maar al die gerechtvaardigde trots in hetgeen we gepresteerd hadden kon op generlei wijze de andere, minder plezierige feiten uitschakelen. Er wás armoede in Israël, en er was ook rijkdom. De armoede noch de rijkdom was groot, maar beide bestonden.

Er waren — en er zijn nog — Israëli's die met z'n tienen in een huis van twee kamers wonen en wier kinderen van school wegblijven alhoewel ze hoogstwaarschijnlijk ontheven zouden worden van schoolgeldbetaling voor middelbaar onderwijs, en er zijn misdadigers, hoofdzakelijk als gevolg van hun ongunstige achtergronden, en zij beschouwen alle andere latere immigranten als onvermijdelijke oorzaak voor de verergering van hun eigen toestand, omdat ze geloven in het gevaar dat zij een soort blijvende, niet-bevoorrechte, tweedeklas burgers zullen worden. Er bestaan ook Israëli's, al zijn het er niet veel, die in betrekkelijke weelde leven, die in grote auto's rondrijden, dure feesten geven, zich hoogst modern kleden en die een levensstijl hebben aangenomen die uit het buitenland is geïmporteerd en die niets te maken heeft met onze werkelijke nationale economische capaciteit of met de werkelijke omstandigheden van ons nationale leven. Tussen deze twee groepen in bevinden zich de massa's geschoolde arbeiders en kantoormensen die vaak slechts met moeite de eindjes aan elkaar kunnen knopen, die hun levensstandaard niet kunnen handhaven, hoewel die totaal niet onbescheiden is, als ze dat op één salaris moeten doen. Zij hebben al tientallen jaren bewezen in staat te zijn tot een uiterst opmerkelijke zelfdiscipline, vaderlandsliefde en opofferingsgezindheid, maar toch waren zij, geloof ik, verantwoordelijk voor de stakingen die ons geplaagd hebben. Zij waren schuldig omdat elke keer dat de laagstbetaalde arbeiders opslag kregen, zij erop stonden dat iedereen tot aan de top van de ladder ook een verruiming van het inkomen moest ontvangen.

Met deze lagen heb ik getracht te redeneren, maar ik boekte niet veel succes. Er gebeurde iets in de gelederen van de *Histadroet*, in het gezond verstand van de Israëlische arbeider, en dat joeg me vrees aan. Ik kon en wilde er niet over zwijgen. Niemand geloofde vaster dan ik dat een vakbond niet alleen bevoegd maar ook verplicht was om de belangen van de arbeiders te behartigen en om stakingen uit te roepen als besprekingen te lang werden gerekt of wanneer overeenkomsten niet werden nagekomen. Maar overeenkomsten die getékend waren, moesten worden uitgevoerd zonder dat er onmiddellijk weer nieuwe eisen op tafel kwamen. Degenen die zich niet onderaan de economische ladder bevonden, moesten het feit begrijpen en aanvaarden dat de inkomensverhogingen die konden worden toegekend, verstrekt moesten worden aan degenen die het het hardst nodig hadden. Er is niets heiligs aan het principe van loonverschillen. Ik had het jaren geleden in de *Histadroet* bestreden en was bereid dit weer te doen, maar ergens was een grens waar we ons aan moesten houden. God weet dat de doktoren, verpleegsters en onderwijzers in Israël het economisch niet gemakkelijk hadden, maar ze konden rondkomen terwijl lager betaalde groepen ondergingen in de toenemende inflatie en de hogere kosten van levensonderhoud; zij moesten loonsverhogingen hebben, want anders zouden ze tenonder gaan. Zo eenvoudig lag de zaak.

Ik stond ook heel onsympathiek tegenover stakingen in essentiële takken van dienst, vooral in een land dat zich in oorlogstoestand bevond. Ik geloof niet dat ik iemand hoef te vertellen wat het voor mij persoonlijk betekende om beperkende bevelen te moeten uitvaardigen als het personeel van ziekenhuizen in staking ging. Maar er was geen andere uitweg om zeker te zijn dat er geen levens verloren zouden gaan, dus zette ik mijn tanden op elkaar en deed het.

Ik hield de natie het volgende voor: 'De regering kan niet alles ineens doen. Ik kan geen toverstaf opheffen en aan ieders wensen tegelijkertijd voldoen: armoede uitwissen zonder belastingen te heffen, oorlogen winnen, doorgaan met het opnemen van immigranten, de economie ontwikkelen en toch ieder zijn deel geven. Geen enkele regering kan dat allemaal tegelijkertijd doen.' Maar het was niet alleen een kwestie van geld. Sociale gelijkheid wordt niet alleen met materiële hulpmiddelen bereikt. Om armoede en de nasleep ervan uit te wissen zijn twee partners nodig die beiden evenzeer bereid zijn een poging in het werk te stellen, en ik maakte daar ook geen geheim van.

'In de eerste plaats moeten degenen onder ons die werkelijk arm zíjn zich niet passief tot het voorwerp van de zorg van anderen laten maken', zei ik. 'Ze moeten zelf actief meehelpen. En de meer gezeten en welvarender lagen van de bevolking moeten meedoen aan een grootscheepse vrijwillige beweging die ten doel heeft om sociale integratie te bereiken. De kloof tussen degenen die goed onderwijs hebben gehad en ontwikkeld zijn en degenen die niet zo bevoorrecht zijn, is minstens even groot en tragisch als de kloof tussen degenen die zich economisch kunnen redden en de anderen die dat niet kunnen.'

Er werd enige vooruitgang geboekt, maar niet half genoeg. Ik vormde een premier-commissie om de problemen betreffende de niet-bevoorrechte jeugd aan te pakken. Daar hadden eminente opvoeders, psychologen, doktoren, reklasseringsambtenaren en dergelijken zitting in en zij allen werkten op een basis van vrijwilligheid. Hoewel het twee jaar duurde in plaats van, zoals ik gehoopt had, een paar maand voor ze met aanbevelingen kwamen, pasten wij vele daarvan toe zelfs nog voor ze gepubliceerd werden. Toen we de prijzen van de belangrijkste produkten moesten verhogen, kregen de groepen met de laagste inkomens belastingverlaging. We gingen door met de bouw van zoveel mogelijk huizen voor mensen met een laag inkomen terwijl ik zelf onophoudelijk streed voor de bouw van huurhuizen die gesubsidieerd zouden worden, indien nodig. En natuurlijk moest dit alles geschieden terwijl we ons nog steeds in oorlog bevonden of aan terroristenaanvallen blootstonden. We hadden nooit genoeg tijd of geld om ons zelf op de meest dringende binnenlandse problemen te concentreren, en dat − afgezien van alle andere overwegingen − vond ik iets dat ik onze buren onmogelijk kon vergeven. Als ons vrede gegund was, dan wéét ik dat we een betere gemeenschap hadden kunnen opbouwen, al waren we misschien nooit in staat geweest een ideale samenleving te scheppen. Maar waar was die vrede?

Toen kwam in augustus 1970 het staakt-het-vuren van Mr Rogers tot stand. Nasser zei dat het, zover het hem betrof, slechts drie maand zou duren, maar de keuze van het tijdstip leek symbolisch, want hij overleed in september; daarna werd Anwar Sadat president van Egypte. Niet alleen scheen Sadat op het eerste gezicht een redelijker man die nuchter de voordelen voor zijn eigen volk zou overwegen verbonden aan het beëindigen van de oorlog, maar er waren ook aanwijzingen dat hij niet al te best met de Russen kon opschieten. En in Jordanië, waar koning Hoessein vrolijk en wel de Palestijnse terroristen maandenlang onderdak had verschaft, veranderde de zaak. In september werd Hoessein zódanig door de terroristen bedreigd dat hij zich tegen ze keerde en ze de mond snoerde. Misschien was het een Zwarte September voor el Fatah, maar mij leek het alsof eindelijk het Amerikaanse initiatief en Dr Jarring een heel klein kansje op succes zouden krijgen. De Arabische leiders wijzigden hun verklaringen omtrent Israël op geen enkele wijze, noch veranderden ze hun eisen om een totale terugtrekking van onze troepen, maar er wérd gesproken over de heropening van het Suezkanaal en de wederopbouw van de verwoeste Egyptische steden langs de oevers zodat het normale leven daar hervat kon worden. Dat alles veroorzaakte enig optimisme in Israël. Maar het staakt-het-vuren bleef van kracht; wij bleven waar we waren; de Arabieren hielden zich aan hun weigering om besprekingen of onderhandelingen met ons te voeren – en het optimisme in Israël stierf langzaam weg, maar het verdween niet helemaal en in 1971 of 1972 brak er geen oorlog uit! Doch er kwam ook geen vrede en de Arabische terreurdaden namen in felheid en onmenselijkheid toe.

Natuurlijk keurde niemand in de beschaafde wereld het neermaaien van katholieke pelgrims uit Porto-Rico en een van Israëls meest vooraanstaande geleerden op de vlieghaven van Lydda goed, evenmin als het afschuwelijke openbare kidnappingsdrama en de moord op Israëlische atleten bij de Olympische Spelen in München, noch de slachtpartijen op Israëlische kinderen die in hun school in het stadje Ma'alot opgesloten waren. Niemand keurde dat goed en elke gewelddaad bracht mij een vloed van officiële condoleances en uitdrukkingen van medeleven. Toch werd van ons verwacht – en velen verwachten dat nog steeds – dat wij het met de moordenaars op een akkoordje gooien, net zoals andere regeringen deden, alsof deze moordzuchtige fanatiekelingen toegestaan kon worden ons te chanteren en op de knieën te brengen. Het is steeds opnieuw bewezen dat toegeven aan terreur slechts tot verhoging daarvan leidt. Niemand zal echter ooit weten wat het de regering van Israël kostte om 'nee' tegen de eisen van de terroristen te zeggen, of hoe het was te weten dat geen Israëlische ambtenaar die in het buitenland werkte ooit helemaal tegen de dood via een bombrief beveiligd kon worden, om nog niets te zeggen van het feit dat elk rustig grensstadje in Israël in het toneel van een bloedbad herschapen kon worden – zoals verschillende nederzettingen overkwam – door een paar half krankzinnige mannen die van haat doordrenkt waren en die was bijgebracht dat ze Israël konden beroven van ons vermogen om standvastig te blijven ondanks al het verdriet en pijn.

Wij leerden ons tegen terreur te verdedigen, onze vliegtuigen en de passagiers ervan te beschermen, onze ambassades in kleine forten te veranderen en op onze schoolpleinen en stadsstraten te patrouilleren. Ik liep achter doodkisten en bezocht de getroffen gezinnen van de slachtoffers van het Arabisch terrorisme en ik was vervuld van trots tot een volk te behoren dat in staat was zulke slagen te verwerken, die laffe en lage slagen, zonder te zeggen: 'Genoeg. We hebben genoeg gehad. Geef de terroristen wat ze maar willen, want wij kunnen niet meer hebben.' Andere regeringen gaven toe aan de eisen van terroristen, stelden vliegtuigen tot hun beschikking en lieten ze uit de gevangenis vrij. De buitenlandse pers en Nieuw Links noemden hen 'guerrillas' en 'vrijheidsstrijders'. Maar voor ons bleven het misdadigers, geen helden, en al was elke begrafenis een marteling voor me, toch kon ik niet onder de indruk komen van de 'glorie' verbonden aan het verbergen van mijnen in supermarkten en bussen, of de valse glans van een heilige oorlog die eiste dat zeven oude joden in een bejaardentehuis vermoord werden. Ik werd er letterlijk misselijk van toen de Arabieren die elf Israëlische atleten bij de Olympische Spelen in 1972 te München hadden vermoord, met een overvloed aan publiciteit werden vrijgelaten en naar Lybië overgevlogen, slechts zes weken later. De Arabische staten gingen door met het verstrekken van geld, wapens en steun aan de terroristen, maar ze schreeuwden moord en brand als wij het door aanvallen op de terroristenbases in Syrië en Libanon duidelijk maakten dat wij de regeringen van die staten verantwoordelijk stelden voor wat er gebeurde.

De énige oplossing, de enige mogelijke oplossing, was vrede – niet alleen een eervolle vrede, maar een duurzame vrede. En de enige manier om die te bereiken was door te gaan om te trachten onze vrienden te overtuigen dat ons standpunt juist was – omdat onze vijanden niet met ons wilden spreken – en elke mogelijkheid te onderzoeken die tot onderhandelingen zou kunnen leiden.

Menige reis die ik maakte en menig gesprek dat ik voerde, moet geheim blijven, maar ik geloof dat ik thans wel over één daarvan kan schrijven. Begin 1972 kwam de plaatsvervangend minister van buitenlandse zaken van Roemenië in Israël op bezoek, ogenschijnlijk alleen maar om met enkele ambtenaren van ons ministerie van buitenlandse zaken te spreken. Maar hij deed een speciaal verzoek: hij vroeg of hij mij kon opzoeken en hij legde er de nadruk op dat hij mij alléén wilde spreken. Er mocht niemand bij ons gesprek aanwezig zijn. We hadden heel goede relaties met Roemenië. Het was het enige Oosteuropese land dat na de Zesdaagse Oorlog de diplomatieke banden met ons niet verbroken had en dat consequent weigerde aan de boosaardige anti-Israël propagandacampagne van de Sovjet-Unie deel te nemen of zich te voegen bij de veroordelingen van het Sovjet blok van onze 'agressie'. We waren wederzijds voordelige handelsovereenkomsten met de Roemenen aangegaan, hadden kunsttentoonstellingen met ze uitgewisseld, evenals musici, koren en toneelgroepen en er bestond enige immigratie uit Roemenië. Ik had de aardige en energieke president van Roemenië, Nicolas Ceauçescu, in 1970 ontmoet en vond hem prettig; ik bewonderde hem omdat hij niet aan de Arabische druk toegaf en het toch klaarspeelde om zowel met ons als met de Arabische landen diplomatieke banden te behouden ik wist dat Ceauçescu graag een vredesovereenkomst in het Midden-Oosten wilde bevorderen en ik was niet erg verbaasd toen zijn plaatsvervangende minister van buitenlandse zaken mij, zodra we alleen waren, vertelde dat hij eigenlijk alleen naar Israël was gekomen om me het volgende te zeggen:

'Ik ben door mijn president gezonden om u mede te delen dat toen hij onlangs Egypte bezocht, hij met president Sadat heeft gesproken. Als gevolg van hun gesprek heeft mijn president een heel belangrijke boodschap voor u. Hij zou u die het liefst zelf gebracht hebben, maar omdat hij daartoe niet in staat is, (hij ging net naar China) stelt hij u voor dat u naar Boekarest komt. U kunt *incognito* komen, of – als u dat liever wilt – zullen wij u graag een officiële uitnodiging sturen.' Ik accepteerde niet dat zijn gaan naar China automatisch een bezoek aan Israël uitsloot, maar ik zei natuurlijk dat ik zo gauw mogelijk naar Boekarest zou komen. Niet *incognito;* dat leek me geen goede manier van reizen voor de premier van Israël, tenzij het absoluut noodzakelijk was, maar ik zou komen zodra ik een uitnodiging ontving. Ceauçescu's invitatie kwam kort daarop aan en ik vloog naar Roemenië.

Veertien uur, in twee lange zittingen, bracht ik met Ceauçescu door en hij vertelde me dat hij van Sadat zelf begrepen had dat de Egyptische leider bereid was een Israëli te ontvangen, misschien zelfs mij, misschien een ander; misschien moest de ontmoeting op een iets lager niveau dan van staatshoofden zijn, maar er kon een of andere bijeenkomst plaatsvinden. Ik zei: 'Mijnheer de president, dit is het beste nieuws dat ik in jaren gehoord heb', en dat was het ook inderdaad. Wij spraken er uren over en Ceauçescu was bijna net zo opgewonden als ik. Het was duidelijk dat de Roemeense president zelf vond dat hij een historische en absoluut oprechte boodschap overbracht. Hij besprak zelfs details met me. 'We zullen niet via ambassadeurs of ministers van buitenlandse zaken werken', zei hij. 'Niet die van mij en niet die van u', en hij stelde voor dat zijn plaatsvervangende minister van buitenlandse zaken persoonlijk via Simcha Dinitz in contact met mij zou blijven. Die was destijds mijn secretaris voor politieke zaken en was met mij mee naar Boekarest gereisd.

Na zovele jaren leek het alsof eindelijk het ijs zou breken. Maar dat was niet zo. Toen ik in Israël terugkwam, wachtten we – lang en tevergeefs. Er werd verder niet op doorgegaan. Wat Sadat ook aan Ceauçescu verteld had – en hij moet toch iets gezegd hebben – het bleek van geen betekenis te zijn en ik vermoed dat de reden waarom ik nooit meer iets over de ontmoeting met Sadat van Ceauçescu hoorde, was dat hij het moeilijk over zich kon krijgen te bekennen, zelfs tegenover mij, dat Sadat hem voor de mal had gehouden.

Voor zover het het publiek en de pers in Israël en Roemenië betrof, was dit gewoon een standaardbezoek geweest; Ceauçescu bood me een lunch aan, de premier een diner en ik nodigde hem voor een diner uit. Maar het enige zinvolle resultaat van mijn bezoek aan Boekarest waar ik zulke hoge verwachtingen over had gekoesterd, was dat ik in staat bleek de vrijdagavonddiensten in de Chorale synagoge in Boekarest bij te wonen waar ik vele honderden Roemeense joden ontmoette die oneindig veel vrijer waren dan de joden in Moskou waren – of zijn – maar ze waren bijna net zo overstelpt door mijn aanwezigheid bij hen. Ze begroetten me met zo'n stroom van liefde voor Israël dat ik er letterlijk tegenin moest worstelen, en ik geloof niet dat ik ooit de Hebreeuwse gezangen mooier en tederder heb horen zingen dan op die vrijdagavond. Toen ik naar mijn auto liep, zag ik dat een grote menigte doodstil op me wachtte; 10.000 joden waren uit alle delen van Roemenië gekomen om mij te zien. Ik draaide me om, liep naar ze toe en zei: *Sjabbat sjalom* en ik hoorde 10.000 stemmen *Sjabbat sjalom* terugroepen. Die ontmoeting op zichzelf was me de reis meer dan waard. Maar het enige tastbare ding dat ik met me mee terugbracht, al wist ik het toen nog niet, was de grote zwarte berehuid die de premier van Roemenië, bekend jager, me gaf. Later heb ik de huid aan de kinderen in Revivim 'geleend'. Ze vonden hem prachtig en voor hen zaten er niet de bittere herinneringen aan vast die het zien ervan mij opleverde.

Er waren ook andere reizen naar andere plaatsen en eens had ik zelfs in het buitenland een avontuur waar ik uit leerde dat niets van hetgeen ik deed ooit meer onopgemerkt zou blijven. In de lente van 1971 maakte ik een reis van tien dagen naar Denemarken, Finland, Zweden en Noorwegen. Tussen mijn bezoek aan Helsinki en aan Stockholm viel een weekeind en ik kreeg de zelden voorkomende kans om, als ik alles goed regelde, dan buiten bereik van telefoon, telex, telegrammen en verslaggevers te blijven. Maar het is niet zo gemakkelijk om een eenzaam plaatsje te vinden waar rust mogelijk is en je toch te houden aan de veiligheidsmaatregelen die steeds meer bepaalden waar en hoe ik zou reizen. Mijn kantoor in Jeruzalem vroeg de Israëlische ambassadeur in Stockholm om eens naar een geschikte plek rond te kijken, niet te ver van de Zweedse hoofdstad, en ons tijdig te berichten. Vlak voordat ik Israël verliet, kwam er een telefoontje: een van de ministers wilde zeggen dat het hem erg speet dat hij mij niet kon wegbrengen, maar hij had me wel iets interessants te vertellen. We babbelden even en toen vertrok ik naar het vliegveld.

In Helsinki ontving ik bericht van onze ambassade in Stockholm dat ze niets hadden kunnen vinden; ik kon het beste die twee of drie dagen besteden met naar Stockholm te gaan en het rustig aan doen in mijn hotel totdat mijn officiële bezoek begon. Plotseling moest ik aan dat telefoontje vlak voor mijn vertrek denken en ik vroeg Lou Kaddar, die heel verbaasd keek, of ze iets voelde voor een weekeind in Lapland. 'Lapland?' Ze kon nauwelijks geloven dat ik het ernstig meende. Ik legde het haar uit. 'Ik was het helemaal vergeten', zei ik, 'maar we zijn uitgenodigd om in een mooi jachthuis middenin de wildernis van Fins Lapland te logeren. Het behoort aan een heel goede vriend van me in Israël. Hij beloofde het ons daar naar de zin te maken en ik zou er best heen willen gaan.' Er waren van allerlei bezwaren: mijn lijfwacht zei dat het veel te afgelegen en te ver weg was; Lou zei dat we geen geschikte kleren bij ons hadden en we dood zouden vriezen; de Finse en Zweedse mensen van de veiligheidsdienst schrokken zich dood dat ik naar een plek zou gaan die op maar 150 kilometer van de Russische grens lag, en iedereen vond dat het te gek was: achttienhonderd kilometer reizen voor een vakantie van twee dagen! Maar ik wilde gaan, en we gingen.

Natuurlijk werd onze reis strikt geheim gehouden. We gingen naar Stockholm en vlogen vandaar met een klein vliegtuigje naar Lapland. Bij aankomst in Rovaniemi, de hoofdstad van Fins Lapland, scheen de zon heerlijk en het was nog maar vroeg in de middag. Bij het vliegveld dat ongeveer de afmetingen van een kleine tennisbaan had, stonden een paar taxi's op ons te wachten plus de burgemeester van Rovaniemi en zijn vrouw. Men had hem alleen verteld dat er een paar belangrijke gasten kwamen, maar er niet bij gezegd wie het waren. Het bleek dat er toevallig net één verslaggever in de buurt was die zag, ook bij toeval, dat de vrouw van de burgemeester een roos in de hand hield. Wie ziet er nu rozen in Lapland? Hij keek nog eens goed naar de mensen die uit het vliegtuigje stapten, staarde naar de kleine vrouw in de dikke mantel die blijkbaar de belangrijke reizigster was voor wie die kostbare roos bestemd was, hield zich voor dat het onmogelijk was en toen, terwijl wij al door de sneeuw op weg naar de jachthut waren, besefte hij plotseling dat ik het wérkelijk was, en hij stuurde meteen een telegram aan zijn redactie.

Ik heb het heerlijk gehad in Rovaniemi en ik kwam helemaal uitgerust en in goede vorm in Stockholm terug alleen om te ontdekken dat de hele wereld wilde weten waarom ik een geheime ontmoeting met de Russen had gehad. Waarom zou Golda Meir anders naar Fins Lapland zijn gegaan? Waar hadden we over gesproken? Wie had ik ontmoet? Niemand in Scandinavië en ook elders geloofde de waarheid totdat Tsarapkin, de plaatsvervangende Sovjet minister van buitenlandse zaken, de dag voor ik zou weggaan in Oslo aankwam, zónder mij op te zoeken. Toen berustte de pers eindelijk in het doodgewone feit dat ik alleen maar achtenveertig uur in Lapland was geweest om te eten, te slapen, souvenirs van rendierbont voor mijn kleinkinderen te kopen en rondom die prachtige, stille, bevroren meren te rijden.

Gedurende die vijf jaren waren er wel tijden dat ik graag alles de rug had willen toekeren als ik de vrijheid gehad zou hebben het te doen. Niet omdat ik aan kracht tekortschoot of omdat het me allemaal te snel ging, maar in hoofdzaak omdat ik er zo moe van werd steeds weer hetzelfde te moeten zeggen, alles te herhalen, zonder iets te bereiken. Ik kreeg er ook genoeg van om over mijn zogenaamde complexen te horen van mensen die vonden dat wij moesten handelen op een wijze die erop neerkwam dat Israël óf aan president Sadat werd aangeboden, of nog beter, aan Mr Arafat. Ik nam aan dat ze bedoelden dat ik de lessen van het verleden maar moest vergeten en proberen de bevolking van Israël te overtuigen om te verhuizen en ergens anders heen te gaan omdat er een, twee, drie keer in ons nationaal thuis was ingebroken. Dat moesten we doen in plaats van ijzeren stáven voor de vensters aan te brengen en extra sterke sloten op de deuren te zetten. Ja, ik had complexen. Als ze niet in Kiëv ontstaan waren, dan wel op die conferentie in 1938 en Evian en niets dat sindsdien gebeurd was, droeg ertoe bij om ze te verminderen. Zelfs ín Israël waren er mensen die dachten — en luidkeels zeiden — dat de regering niet 'genoeg' deed om een gemeenschappelijke grondslag met de Arabieren te vinden, hoewel ze er nooit in geslaagd zijn iets te noemen dat wij niet zelf al hadden geprobeerd.

Er was ook een voortdurende herrie veroorzaakt door een in aantal klein maar bijzonder luidruchtig deel van de bevolking over dingen als de regeringsbeslissing, na de Zesdaagse Oorlog, om een aantal joden toe te staan zich in Hebron te vestigen, een Arabische stad op de westelijke oever van de Jordaan, ongeveer vijfendertig kilometer ten zuiden van Jeruzalem, waar volgens joodse traditie de Bijbelse aartsvaders zijn begraven; het was ook de hoofdstad van koning David voordat hij naar Jeruzalem trok. De kruisvaarders hadden de joden uit Hebron verdreven, maar tijdens de Turkse overheersing in Palestina waren enkele joden daar teruggekeerd en de stad had een joodse gemeenschap gehad totdat in 1929 een verschrikkelijke Arabische moordpartij de overlevende joden uit de stad verdreef. Na 1948 wilden de Jordaniërs zelfs niet toestaan dat de joden de heilige Grot van Machpela bezochten om aan het graf van de aartsvaderen te bidden. Maar Hebron bleef voor de joden een heilige plaats en tijdens het joodse Paasfeest in 1968, nadat de stad onder Israëlisch bestuur was gekomen, had een groep jonge en strijdbare orthodoxe joden het militaire verbod om zich op de westelijke oever te vestigen getrotseerd; zij betrokken het erf om het politiebureau van Hebron en bleven daar zonder vergunning. Natuurlijk was dat een heel onjuiste daad en in zeker opzicht bracht het veel schade aan Israëls 'image' toe. De Arabieren begonnen meteen luidkeels te schreeuwen over de 'joodse annexatie' van Hebron en de openbare mening in Israël was nogal verdeeld over deze zaak. Aan de ene kant probeerden deze jonge joden blijkbaar een *fait accompli* te scheppen en de Israëlische regering te dwingen een voorbarige beslissing te nemen omtrent de toekomst van de westelijke oever en joodse vestiging daar. Aan de andere kant vond ik dat het er in wezen weinig toe deed wat ze gedaan hadden, en zelfs hóe ze het gedaan hadden, al betreurde ik wel de manier waarop ze zichzelf recht hadden verschaft.

Ik vroeg mezelf en mijn collega's of het logisch was dat de wereld, en ook onze eigen overgelovige 'duiven', van een joodse regering eisten dat ze wetten aannamen die de joden nadrukkelijk verboden zich ergens ter wereld te vestigen?

Ik wist niet beter dan anderen wat er uiteindelijk met Hebron zou gebeuren. Maar laten we nu eens veronderstellen, zei ik, dat wij op een dag — God geve het — een vredesverdrag met Jordanië ondertekenen en Hebron 'teruggeven'. Zou dat inhouden dat wij erin zouden toestemmen dat joden nooit meer daar zouden mogen wonen? Het was toch duidelijk dat geen enkele Israëlische regering zich ooit kon verplichten om joden blijvend de toegang tot delen van het Heilige Land te ontzeggen. En Hebron was niet een gewoon marktplaatsje; het betekende veel voor gelovige joden.

Maandenlang debatteerden we erover, redeneerden, onderzochten het pro en het contra en toen stonden we in 1970 toe dat er een beperkt aantal wooneenheden voor joden werd gebouwd in een gebied aan de rand van Hebron dat de joden die zich daar vestigden Kiryat Arba noemden, 'De Stad van de Vier', hetgeen de andere Hebreeuwse naam voor Hebron is. En daarmee ging die storm liggen. Maar volgende pogingen tot onwettige vestiging werden steviger aangepakt, al was het dan ook nog zo pijnlijk voor de regering om Israëlische soldaten te moeten bevelen joden van plaatsen op de westelijke oever weg te slepen waar zij zich wilden vestigen. We stonden joden wel toe zich op zekere plaatsen in de beheerde gebieden te vestigen, maar alleen als dat geheel in overeenstemming met onze politieke en militaire belangen was.

Een ander punt van voortdurende internationale belangstelling werd gevormd door de christelijke heilige plaatsen op de westelijke oever en in Jeruzalem. Daarom was ik vanzelfsprekend erg verheugd dat ik in januari 1973 naar het Vaticaan kon gaan waar ik door paus Paulus VI voor een audiëntie van tachtig minuten werd ontvangen. Het was de eerste keer dat een premier van Israël door de paus in audiëntie werd ontvangen, al had de hoogste kerkvorst in 1964 tijdens zijn ééndaagse bezoek aan Israël – toen hij als pelgrim het Heilige Land bezocht – premier Sjazar, Esjkol en praktisch het hele Israëlische kabinet ontmoet. Het was niet zo'n erg plezierige ontmoeting geweest. De paus had het heel duidelijk gemaakt dat zijn bezoek in geen enkel opzicht volledige erkenning door het Vaticaan van de staat Israël inhield; hij had er de voorkeur aan gegeven drie dagen lang zijn hoofdkwartier in Jordanië in plaats van in Israël op te slaan en de afscheidsboodschap die hij ons vanuit zijn vliegtuig had gestuurd was omzichtig aan Tel-Aviv gericht, niet aan Jeruzalem.

De relaties tussen het Vaticaan en de zionistische beweging waren altijd moeilijk geweest, al sinds Theodor Herzl, die in 1904 door Pius X in audiëntie was ontvangen, door de paus verteld was: 'Wij kunnen de joden niet beletten naar Jeruzalem te gaan, maar we kunnen dat nooit goedkeuren... de joden hebben onze Heer niet erkend; wij kunnen de joden niet erkennen.' Andere pausen waren vriendelijker geweest. Sjarett was twee maal door Pius XII ontvangen waarvan één keer als minister van buitenlandse zaken van Israël. Paus Johannes XXIII had heel sympathiek tegenover Israël gestaan, zelfs hartelijk, en men had ons een uitnodiging voor een vertegenwoordiger bij zijn begrafenis zowel als voor de kroning van Paulus VI gestuurd. In 1969 had Paulus Abba Eban voor een officiële audiëntie ontvangen, en onze ambassadeur in Rome onderhield altijd goede en vrij warme betrekkingen met verschillende hoge persoonlijkheden uit het Vaticaan. Maar al heeft het Vaticaan alle Arabische staten erkend, toch wordt Israël nog steeds die erkenning onthouden; het precieze standpunt van het Vaticaan ten aanzien van de kwestie Jeruzalem moet nog steeds opgehelderd worden. Maar het schijnt mij toe dat het Vaticaan zich tenslotte inderdaad met de werkelijkheid van de joodse staat verzoend heeft.

Het verhaal van mijn audiëntie bij de paus begint niet in Rome maar in Parijs. Jarenlang heb ik de jaarvergaderingen van de Socialistische Internationale, waar ik vice-presidente van ben, bijgewoond waar ze ook gehouden werden. In 1973 zou een vergadering van socialistische leiders in Parijs plaatsvinden, ongeveer anderhalve maand voor de Franse nationale verkiezingen. Natuurlijk maakte ik plannen erheen te gaan, evenals de socialistische hoofden van andere regeringen, o.a. van Oostenrijk, Denemarken, Finland en Zweden én de hoofden van de partijen die net in oppositie waren. Tot ieders verbazing beschuldigde Georges Pompidou mij er dadelijk van in hoofdzaak naar Parijs te komen om 'de joodse stemmen', die er in Frankrijk vrijwel niet zijn, ten gunste van de socialisten te krijgen. Als gevolg daarvan ontstond er een hevig tumult in Frankrijk, de Socialistische Internationale – die gewoonlijk helaas weinig aandacht krijgt – ontving een maximum aan publiciteit evenals de blijkbaar oncontroleerbare vijandigheid van de Franse regering ten aanzien van Israël. En omdat ik toch naar Frankrijk ging, stelde onze ambassadeur in Rome, Emil Najjar, voor dat het misschien een goede gelegenheid was om eens aan de raad te denken die zijn vrienden in het Vaticaan hem verschillende malen gegeven hadden: ik moest de paus bezoeken. Ik zei dat ik het natuurlijk heel graag zou doen en na een tijdje werd ons gezegd dat we een audiëntie voor mij moesten aanvragen. Binnen een paar dagen arriveerde er een aan mij geadresseerde brief bij onze ambassade in Rome. Die was afkomstig van de *Prefettura* van het Vaticaan en luidde als volgt: 'Excellentie. Ik heb de eer u mede te delen dat de Heilige Vader u op maandag, 16 januari 1973, in audiëntie zal ontvangen.'

Ik was enorm onder de indruk – daar ontkomt niemand aan, denk ik – niet alleen van het Vaticaan, of in hoofdzaak daarvan, maar ook van de paus zelf, van zijn eenvoud en hoffelijke manieren en de doordringende blik van zijn diepliggende, donkere ogen. Ik denk dat ik veel zenuwachtiger over ons gesprek was geweest als hij niet was begonnen met me te zeggen dat hij zo moeilijk kon aanvaarden dat de joden – die toch meer dan alle volkeren tot genade tegenover anderen in staat zouden moeten zijn omdat ze zelf zo vreselijk hadden geleden – in hun eigen land zo ruw waren opgetreden. Nu is dat net het soort opmerkingen dat ik niet verdragen kan, en vooral omdat het gewoon niet waar is dat wij de Arabieren in de beheersgebieden mishandeld hebben. Er bestaat nog steeds geen doodstraf in Israël en het ergste dat we ooit gedaan hebben is terroristen in de gevangenis zetten, huizen opblazen van Arabieren die ondanks herhaalde waarschuwingen terroristen hebben verborgen gehouden en soms, als we geen andere keus hadden, hebben we Arabieren verdreven die openlijk terroristen aanzetten en aanmoedigden. Maar ik tart een ieder om feiten te geven over wreedheid of onderdrukking. Ik kwam heel erg in de verleiding de paus naar zijn informatiebron te vragen omdat die zo duidelijk van de mijne verschilde, maar ik deed het niet. In plaats daarvan zei, en ik kon zelf horen hoe mijn stem enigszins van woede trilde: 'Uwe Heiligheid, weet u wat mijn vroegste herinnering is? Dat is wachten op een pogrom in Kiëv. Laat ik u verzekeren dat mijn volk alles van werkelijke "wreedheid" afweet en ook dat we alles over werkelijke genade leerden begrijpen toen we naar de gaskamers van de nazi's werden geleid.'

Misschien was het geen conventionele manier om tegen de paus te spreken, maar ik had het gevoel dat ik namens alle joden overal sprak, voor diegenen die leefden en voor degenen die omgekomen waren terwijl het Vaticaan tijdens de Tweede Wereldoorlog zijn neutraliteit handhaafde. Ik had het gevoel dat ik deel uitmaakte van een werkelijk historische confrontatie. De paus en ik staarden elkaar even aan. Ik geloof dat mijn woorden hem verbaasden, maar hij zei niets. Hij keek me alleen maar aan, strak in mijn ogen, en ik keek op dezelfde manier terug. Toen vertelde ik hem heel eerbiedig maar heel vastbesloten en vrij uitvoerig dat – nu we een eigen staat hadden – het voor ons voor eeuwig afgelopen was met 'op de genade' van anderen aangewezen te zijn. 'Dit is werkelijk een historisch ogenblik', zei hij alsof hij mijn gedachten had gelezen.

Daarna begon hij over andere zaken te spreken, de status van Jeruzalem en het Midden-Oosten in het algemeen. Er zouden bijzondere voorzorgen voor de heilige plaatsen moeten worden getroffen en ik begreep dat zoiets opgenomen kon worden in de 'voortdurende tweespraak' tussen de kerk en onszelf waar hij vol enthousiasme naar verwees. Hij gaf zich veel moeite om zijn innige erkentelijkheid uit te drukken voor de zorg die Israël aan de christelijke heilige plaatsen had besteed. Ik van mijn kant verzekerde de paus dat wij alle nodige regelingen zouden treffen voor het beheer van niet alleen de christelijke maar ook de heilige mohammedaanse plaatsen, doch Jeruzalem zelf zou de hoofdstad van Israël blijven. Ik vroeg de paus ook zijn invloed aan te wenden om te trachten een regeling in het Midden-Oosten tot stand te brengen en al het mogelijke te doen opdat de Israëlische krijgsgevangenen die al sedert de Uitputtingsoorlog in Egyptische en Syrische gevangenissen zaten, naar Israël terug te brengen; de Arabische staten hadden geweigerd ze vrij te laten.

Na de paar moeilijke punten aan het begin, was de sfeer heel ontspannen en hartelijk. We zaten in de privé bibliotheek van de paus, op de tweede etage van het apostolische paleis, en we spraken zonder enige terughoudendheid. Dat maakte de onplezierige episode die onmiddellijk op mijn bezoek volgde, des te moeilijker te begrijpen. Samen met de gebruikelijke verklaring waar al overeenstemming over was bereikt, gaf de woordvoerder van de paus, professor Alessandrini, een ongebruikelijke 'mondelinge notitie' aan de pers door. Het was duidelijk een poging om de Arabische staten tevreden te stellen omtrent de stilzwijgende gevolgtrekkingen van mijn bezoek aan de paus. Professor Alessandrini kondigde aan dat 'het geen gebaar van voorkeur of bijzondere behandeling' was en zei verder: 'De paus aanvaardde het verzoek van mevrouw Meir omdat hij het zijn plicht acht geen enkele gelegenheid onbenut te laten om in het belang van de vrede te handelen, ter verdediging van alle religieuze belangen, vooral die van de zwaksten en meest weerlozen, en voor alles die van de Palestijnse vluchtelingen.'

Najjar belde onmiddellijk het Vaticaan op en protesteerde heftig tegen de uiterst misleidende verklaring. En ik hield ook mijn mond niet. Ik was niet bij het Vaticaan ingebroken en dat vertelde ik aan de verslaggevers op de persconferentie die ik die middag op de Israëlische ambassade in Rome hield. Ongeacht het feit dat het Vaticaan trachtte het belang van mijn audiëntie bij Paulus VI te kleineren 'werd die zeer op prijs gesteld' zei ik, 'door mij en mijn volk. In ons streven naar vrede en goede wil overal ter wereld bestaat er een totale overeenstemming van inzicht tussen de paus en de joden.'

De volgende dag ontving ik prachtige geschenken van het Vaticaan: een bijzondere mooie zilveren vredesduif met een inscriptie aan de premier van Israël van de paus, een mooie Bijbel en, waarschijnlijk als een gebaar om de onnauwkeurige 'notitie' van professor Alessandrini goed te maken, een catalogus van alle Hebreeuwse publikaties in de bibliotheek van het Vaticaan; verder nog een medaillon voor Lou en Simcha. Alles bij elkaar genomen was het een heel interessante en bijzonder zinvolle ervaring voor me, en ik hoop dat het toch het Vaticaan enigszins dichter bij begrip voor Israël, het zionisme en de gevoelens van joden als ik omtrent onszelf, gebracht heeft.

Als ik nu aan die lente en zomer van 1973 terugdenk, moet ik zeggen dat ik het met maar weinig vreugde doe. Er waren dagen dat ik pas om 2 uur in de nacht in bed neerviel en daar lag terwijl ik me voorhield dat ik stapelgek was. Op vijfenzeventigjarige leeftijd werkte ik langer dan ik ooit gewerkt had en reisde meer binnen en buiten Israël dan voor iemand goed kon zijn. Hoewel ik werkelijk mijn best deed om mijn afspraken te beperken en meer werk te láten doen, was het toch veel te laat voor me om mezelf nog helemaal te veranderen. Ongeacht alle goede adviezen van mensen die me na stonden, de kinderen, Clara – die nu vrij geregeld uit Bridgeport overkwam en dan een paar weken bleef –, Galili, Simcha en Lou, was er toch maar één manier waarop ik premier kon zijn, als ik dat dan moest zijn, en dat was door met mensen te spreken die met mij wilden spreken en luisteren naar mensen die mij iets te vertellen hadden.

Ik kon bijvoorbeeld niet alleen maar naar de opening van een syposium gaan dat door de Onderwijzersvakbond werd gehouden zonder mij daar van te voren op te prepareren en het oplezen van memoranda was niet mijn opvatting hoe huiswerk goed gedaan moet worden. Memoranda lieten altijd vragen in mijn geest onbeantwoord die vaak de belangrijkste kwesties bleken te zijn. Ik maakte me erg bezorgd over het aantal leerlingen dat in de nieuwe steden van school wegbleef en geen verder onderwijs volgde en vond dat zoiets een goed onderwerp kon zijn voor de toespraak waarom de onderwijzers me gevraagd hadden. Maar ik kon het *juiste* aantal van niemand gewaar worden, niet van de voorzitter van de onderwijzersvakbond, niet van het ministerie van onderwijs en dat hinderde me. Hoe kwam het dat niemand precies wist hoeveel kinderen in elke stad van school waren weggebleven? Als de onderwijzers de absenten aan het hoofd rapporteerden en die hoofden rapporteerden weer aan het ministerie van onderwijs, waarom waren dan geen gespecificeerde cijfers beschikbaar? Hoe meer vragen ik stelde, hoe meer ik van de situatie begon te begrijpen, van de manier waarop scholen en het ministerie beheerd werden en nog het meest van de leefwijze in de nieuwe steden en de onderwijsnormen daar. Toen ik naar dat symposium toeging, had ik iets te zeggen, veel vragen te stellen en de kans dat ik antwoorden zou krijgen die me tenslotte zouden helpen om iets te doen aan een probleem dat van levensbelang voor de toekomst van Israël was.

Ik was ook niet van plan me voor anderen onbereikbaar te maken. Als ik joden uitnodigde die pas uit de Sovjet-Unie waren geïmmigreerd, na maanden, vaak jaren van vervolging en lijden, en die graag met de premier wilde spreken en dat ook verdienden, dan probeerde ik zoveel mogelijk tijd aan ze te geven. En als partijleiders 's avonds over dringende, plaatselijke politieke kwesties met me kwamen praten, dan wilde ik ook die gesprekken de nodige tijd gunnen. Ik wás het hoofd van de arbeiderspartij, of ik was dat niet, maar áls ik het was dan wilde ik niet alleen maar hoofd in naam zijn. Ik wilde ook de tijd niet beperken die ik besteedde met delegaties 'oosterse' joden of studenten of huiseigenaren of ieder ander die me wilde vertellen hoe slecht (of soms zelfs, hoe goed) ik de zaken van de natie behartigde. Dan waren er ook voortdurend bezoekers uit het buitenland die − volkomen gerechtvaardigd − vonden dat ze recht hadden op een half uurtje bij mij. Sommigen waren Amerikaanse joden die Israël al jaren enorme morele en financiële steun hadden gegeven; sommigen waren toekomstige beleggers uit Europa die we broodnodig hadden; anderen waren mensen die door derden gezonden werden die ik ontmoet had of die ons in Amerika, Afrika of Zuid-Amerika hadden geholpen.

Ik vond het prettig met mensen te spreken en ik voelde dat het mijn plicht was het te doen. Maar hoe meer mensen ik op kantoor of thuis sprak, hoe meer papieren en post ik 's avonds moest verwerken. Als het enigszins mogelijk was, probeerde ik thuis te lunchen; soms waren er officiële lunches, maar soms ook kon ik net met Lou naar huis rijden, zo omstreeks twee uur, snel iets eten en weer om drie uur op kantoor terug zijn voor een nieuwe ronde van besprekingen en telefoontjes. Als ik bofte en er waren geen afspraken voor de avond, dan ging ik om zeven of acht uur naar huis, nam een douche, verkleedde me en at een hapje. Natuurlijk had ik huishoudelijke hulp. Zij ging dadelijk na het afwassen van de lunchborden weg, tenzij er een officiële lunch was, maar dan hadden we hulp van buitenaf. Meestal liet ze iets in de ijskast staan voor mijn avondmaaltijd. Af en toe kon ik 's avonds thuis blijven en dan kwam er iemand van kantoor met stapels correspondentie die behandeld moest worden. En soms ook, doch maar heel zelden, kon ik zo maar in een fauteuil gaan zitten en een oude film op de televisie bekijken of wat rondhannesen met van alles en nog wat, zoals mijn boekenplanken opruimen; dat fleurde me altijd helemaal op.

Nu en dan kwamen allerlei leden van het kabinet binnenvallen zodat we het een of ander in alle rust konden bespreken. Dat waren natuurlijk geen officiële gesprekken en er werden ook geen beslissingen genomen. Maar ik ben ervan overtuigd dat ze ertoe bijdroegen om het regerings-proces efficiënter te maken, alleen al omdat we over die dingen konden praten bij een kopje koffie of een hapje aan mijn keukentafel.

Elke twee of drie weken kwam Pinchas Sapir, mijn minister van financiën (nu voorzitter van het Joods Agentschap) zodat we uitvoerig de voorstellen konden bespreken die hij het kabinet wilde voorleggen. Sapir is een man die enorme hoeveelheden werk kan verzetten en hij is ook de beste figuur in Israël om geld bijeen te brengen, al zijn zijn methodes wel eens weinig orthodox. Als Sapir in het buitenland een jood ontmoet, zegt hij: 'Hoeveel geld heb je?' En het vreemde is dat de man het hem zegt! Een van de dingen waar hij zich veel mee bezig houdt is de verbetering van de levensomstandigheden, en vooral het onderwijs, in de nieuwe steden waar hij veel meer voor gedaan heeft dan de meeste mensen weten. We hebben altijd erg prettig samengewerkt, ondanks het feit dat we volkomen anders over politieke kwesties denken. Persoonlijk kan ik me niet voorstellen dat ik zonder hem premier had kunnen zijn.

Een andere onmisbare figuur uit mijn kabinet was Yisrael Galili, een minister zonder portefeuille aan wiens advies ik veel waarde hechtte. Galili is niet alleen een verstandig en ongewoon bescheiden mens, maar hij heeft ook een unieke gave om tot de kern van ingewikkelde zaken te komen en de dingen zo duidelijk mogelijk te formuleren. Ik denk dat ik Galili nog heel lang zijn opinie over belangrijke zaken zal vragen.

In het algemeen gesproken bofte ik dat ik zoveel goede mensen om me heen had: de directeur-generaal van mijn ministerie, wijlen Yaacov Herzog, was een van de meest intellectuele en levenswijze mannen die ik ooit ontmoet heb. En niemand had toegewijder assistenten kunnen verlangen dan Mordechai Gazit (die na Herzogs vroegtijdige dood zijn werk overnam), Yisrael Lior, Eli Mizrachi en, natuurlijk, Simcha en Lou.

In 1973 gebeurde er iets prettigs: Sarah besloot een jaar verlof van de kibboets te nemen en aan de Hebreeuwse universiteit Engelse literatuur te gaan studeren, en dat betekende dat ik 's avonds niet meer alleen was. Maar de keerzijde ervan was dat zij en ik vaak tot heel laat bleven praten, meestal over de vraag of ik weer lijsttrekster zou worden – en me beschikbaar stellen voor een nieuwe ambtstermijn (voor zover iemand van vijfenzeventig zich 'beschikbaar' kan stellen!). De verkiezingen zouden die herfst plaats vinden. Ik dacht vaak aan aftreden, maar tot wie ik me ook wendde, steeds hoorde ik dezelfde argumenten als in 1969: het probleem van Esjkols opvolging was geweest: de drie elementen waar de arbeiderspartij uit bestond, waren nog heel moeilijke partners; de militaire situatie – al was het dan vrij rustig sinds de Uitputtingsoorlog – kon zeker elk ogenblik ernstiger worden; mijn verhouding tot president Nixon was uitstekend en een ander zou niet zo snel zo'n goede verstandhouding opbouwen, enzovoort, enzovoort. Ik haatte het om het onderwerp van allerlei speculaties te zijn: doet ze het of doet ze het niet? Maar ik kon werkelijk geen van die argumenten met steekhoudende redeneringen van mezelf beantwoorden, alleen maar zeggen dat ik het nu toch aan mijzelf verplicht was me terug te trekken. Die hele lente gingen de gesprekken met mijn collega's in de partij door en ze werden nauwlettend door de pers gevolgd alsof Israël geen andere zorgen had. Tenslotte zei ik: 'Goed. Het heeft geen zin de beslissing steeds weer uit te stellen en er zijn andere dingen waar aan gedacht moet worden.' Later heb ik vaak verbitterd bedacht dat zelfs als ik geweigerd had weer lijsttrekker te zijn, ik toch in oktober 1973 nog premier zou zijn geweest, want de verkiezingen waren vastgesteld voor november.

In maart bracht ik weer een bezoek aan Washington. Er was net iets heel vervelends gebeurd dat best verkeerde invloed op mijn bezoek had kunnen hebben: de Israëlische luchtmacht had een Lybische Boeing 727 neergeschoten die boven het schiereiland Sinaï rondvloog en 106 mensen hadden het leven verloren. Het was een van die tragedies die gewoon niet vermeden kunnen worden als een volk steeds op zijn hoede tegen terrorisme moet zijn, dag en nacht. We waren gewaarschuwd dat er een soort zelfmoordaanval ergens in Israël door terroristen tegen ons in gereedheid werd gebracht en ze zouden proberen een vliegtuig, beladen met explosieven, te doen landen; wij waren niet in de stemming om risico's te lopen, hoewel we het gedaan zouden hebben als we ook maar het geringste vermoeden hadden gehad dat er passagiers aan boord van dat vliegtuig waren. Maar de piloot had al onze pogingen om hem te identificeren genegeerd hetgeen later werd bewezen door 'de zwarte doos' die intact werd teruggevonden. President Nixon en de commissie van buitenlandse zaken van het huis van afgevaardigden luisterden vol sympathie naar mijn uitleg van hetgeen er gebeurd was en waarom. In de negentig minuten die ik met de president doorbracht, verzekerde hij me wederom hartelijk dat Amerika zijn hulp aan Israël zou voortzetten en dat we Amerikaanse steun zouden krijgen bij onze eis voor onderhandelingen met onze buren. Maar ik was even verlangend om onze positie aan de volkeren van Europa uit te leggen en toen de president van de Raad van Europa mij uitnodigde om de vergadering van de commissie van overleg van de Raad in Straatsburg bij te wonen, zei ik dat ik graag zou komen. Dit keer zou ik echter niet naar Parijs gaan. Ik vroeg onze ambassadeur alleen om het Franse ministerie van buitenlandse zaken te verwittigen dat ik Frankrijk zou bezoeken en de Fransen op geen enkele wijze, direct noch indirect, de indruk te geven dat ik naar Parijs wenste uitgenodigd te worden. Dus ging ik regelrecht naar Straatsburg.

Maar vlak voordat ik Israël zou verlaten, kreeg ik een verschrikkelijk bericht. De Arabische terroristen waren erin geslaagd de Oostenrijkse regering te 'overtuigen' het doorgangskamp van het Joods Agentschap in kasteel Schönau bij Wenen te sluiten. Dit slot had een aantal jaren gediend als een onmisbaar tussenstation voor joden die de Sovjet-Unie verlaten hadden en naar Israël op weg waren. Voor ik nader inga op dit verhaal van toegeven aan chantage en wat ik probeerde daaraan te doen, wil ik even iets zeggen over de functie van Schönau. De meeste mensen weten nu wel dat die dappere Sovjet joden die het gewaagd hebben om een uitreisvergunning te vragen om naar Israël te kunnen immigreren, meestal gedwongen zijn daar jarenlang op te wachten. En, áls eindelijk vergunning verstrekt wordt, dan wordt dat niet van tevoren medegedeeld; dan komt er alleen de korte eis dat de ontvanger binnen een week of ten hoogste tien dagen de Sovjet-Unie moet verlaten. Er zijn natuurlijk uitzonderingen geweest; sommige joden is zelfs gezegd dat als ze weg wilden, ze binnen enkele uren moesten vertrekken. Maar meestal krijgen toekomstige emigranten een paar dagen om hun persoonlijke zaken in orde te maken, te regelen dat de bezittingen die ze naar Israël mee mogen nemen ingepakt worden, door de douane komen en verzonden worden, hun eigen passage te regelen, hun Sovjetburgerschap op te geven en nog een heleboel andere formaliteiten te vervullen terwijl ze ook nog tijd moeten zien te vinden om afscheid te nemen van mensen die ze vermoedelijk nooit meer zullen terugzien. Het is niet de manier waarop de meeste emigranten hun land verlaten; het is ook niet menselijk of fatsoenlijk; maar het is de enige manier waarop joden de Sovjet-Unie kunnen verlaten – alsof het misdadigers zijn die gedeporteerd worden.

De eerste halte van de treinen die ze, meestal via Praag, naar de vrijheid brengen is een kleine spoorwegovergang bij de Tsjechisch-Oostenrijkse grens waar de plaatselijke Oostenrijkse autoriteiten de belangrijke doorreisvisa verstrekken die het de immigranten mogelijk maken om de vrije wereld te betreden. Daar horen ook de mensen van het Joods Agentschap in Oostenrijk die ze ter plaatse verwelkomen, het aantal en de namen van de joden die zich in een gegeven trein bevinden. Vanaf de grens rijden de treinen, met hun speciale afdeling voor joodse immigranten, door naar Wenen waar bussen gereed staan om de immigranten naar het doorgangskamp te brengen. Schönau, een groot, wit gepleisterd *Schloss* dat door een Oostenrijkse gravin aan het Joods Agentschap is verhuurd, was echter veel meer dan alleen maar een rustplaats voor de immigranten, een plaats om te beseffen dat ze eindelijk op weg waren naar de joodse staat. Het was een plaats waar de verwarde en uitgeputte immigranten inlichtingen over Israël konden krijgen, volgens hun beroep geclassificeerd konden worden en, al was het maar minimaal, voorbereid konden worden op het nieuwe leven dat ze in een nieuw land zouden gaan leiden.

Niemand bleef lang in Schönau. Het gemiddelde immigrantengezin bleef er maar twee of drie dagen voor ze met de bus naar het vliegveld van Wenen werden gebracht en naar de vliegtuigen van El Al die ze, nog enigszins versuft maar in extase, naar ons toe brachten. Ik had het jaar daarvoor Schönau bezocht en had zelf gezien in welke geestes- en lichamelijke toestand die mensen uit de Sovjet-Unie waren gekomen, en ik kende het belang van die poort naar de vrijheid. Ik wist ook dat er praktisch geen andere weg voor de joden bestond om de Sovjet-Unie te verlaten dan via Oostenrijk en ik wist bovendien dat voor miljoenen Russische joden die daar nog waren, Schönau het symbool van vrijheid en hoop was.

Maar de Arabische terroristen wisten dat allemaal ook en eind september 1973 drongen twee gewapende bandieten een van die treinen binnen, net toen die Oostenrijk binnenreed, ontvoerden zeven Russische joden (o.a. een eenenzeventigjarige man, een zieke vrouw en een kind van drie jaar) en deelden de Oostenrijkse regering onbeschaamd mede dat – tenzij men onmiddellijk een einde maakte aan de hulp die aan de joodse Sovjet immigranten werd verstrekt en Schönau sloot – de gijzelaars niet alleen gedood zouden worden, maar dat er ook vreselijke vergeldingsmaatregelen tegen Oostenrijk zouden worden ondernomen. Tot onze schrik en verbazing gaf het Oostenrijkse kabinet onder voorzitterschap van Bruno Kreisky onmiddellijk toe onder luide toejuichingen van de bandieten (die meteen naar Lybië waren afgevoerd) en van de hele Arabische pers die nauwelijks hun voldoening konden verbergen over wat zij noemden 'de succesvolle commando slag aan de overbrenging van Russische joden die naar Israël emigreerden'.

Ik kende Kreisky al heel lang en vrij goed. Hij was enkele jaren minister van buitenlandse zaken in Oostenrijk geweest en we zagen hem altijd in de Verenigde Naties. Hij was ook een socialist en ik had hem in feite het laatst gezien tijdens de Socialistische Internationale die twee jaar tevoren in Wenen had plaatsgevonden. Ik herinner me nog dat ik hem eens uitnodigde om naar Israël te komen en hij begon meteen te hummen en kuchen terwijl hij er wat ongelukkig uitzag. 'Ik weet precies wat u wilt zeggen', merkte ik op. 'U wilt zeggen dat, als u naar Israël komt, dan moet u eerst naar Egypte en de andere Arabische landen. Doe dat. Het kan ons niet schelen wie waar het eerst naar toe gaat, maar kom ons toch opzoeken.' Ik kon zien dat hij erg opgelucht was dat ik het voor hem gezegd had. 'Ja, ik kom', zei hij, en dat deed hij ook. Als jood had Kreisky nooit veel interesse voor Israël getoond, hoewel hij ons in 1974 als hoofd van een delegatie Europese socialistenleiders zou bezoeken.

Er waren veel socialisten in Oostenrijk, joden en niet-joden, waarmee we een veel engere band hadden. Maar ik wilde met Kreisky zelf praten en hem alle gevolgen van het sluiten van Schönau uitleggen, verklaren wat dat niet alleen voor Oostenrijk maar ook voor de joden uit Rusland zou betekenen. Ik vroeg onze ambassadeur in Wenen Kreisky te verzoeken of hij een gesprek met mij kon voeren tijdens mijn heenreis naar Straatsburg.

Om heel eerlijk te zijn, moet ik opmerken dat – hoewel er volgens mij geen enkel excuus goed genoeg is om aan terrorisme toe te geven – de Oostenrijkse beslissing niet helemaal onredelijk was. Om te beginnen was Schönau veel te bekend geworden, hoewel wij altijd ons uiterste best hadden gedaan om bezoekers niet aan te moedigen, integendeel. De pers schreef er te veel over en er waren de hele tijd geruchten dat de terroristen het zouden aanvallen. De Oostenrijkse veiligheidsdienst was heel goed; de treinen werden opgevangen, de immigranten werden naar Schönau begeleid, het kasteel zelf was goed bewaakt. In dat opzicht waren de Oostenrijkers uiterst behulpzaam en heel efficiënt. Maar als Schönau gesloten werd, dan zou elke andere plaats die we zouden kiezen ook bedreigd worden. Ik had het gevoel dat, als ik dit alles met Kreisky kon bespreken, hij misschien van mening zou veranderen. Ik wachtte gespannen op een antwoord; toen het kwam hoorde ik dat Kreisky mij niet op de heenweg naar Straatsburg kon ontvangen, maar wel op mijn terugreis.

Ik had een toespraak geprepareerd om tot de Raad van Europa te richten. Daarin bedankte ik de Raad, en eveneens de Europese parlementen en politieke partijen, dat ze hun stem hadden doen horen om te eisen dat het de Sovjet joden vergund zou worden te emigreren. Bovendien roerde ik een aantal andere onderwerpen aan, onder andere de weigering van de Arabische staten om met ons te onderhandelen en de vooruitzichten, zoals wij die zagen, van een Arabisch-Joodse coëxistentie. Ik had de toespraak geëindigd met een beroep op de Raad om het Midden-Oosten te helpen in staat te zijn om 'het model na te streven dat de Raad zelf had gesteld' en mijn laatste woorden zouden een aanhaling van die grote Europese staatsman Jean Monnet zijn die eens zei: 'Vrede is niet alleen van verdragen en beloftes afhankelijk. Vrede hangt in hoofdzaak af van het scheppen van omstandigheden die, als ze de aard van de mensen niet veranderen, dan toch minstens hun gedrag ten opzichte van elkaar in een vreedzame richting leiden.' Ik vond dat die woorden beter dan welke woorden die ik zelf had kunnen vinden, samenvatten hetgeen de staat Israël werkelijk van de Arabieren wilde, en van de rest van de wereld.

Maar tegen de tijd dat ik in Straatsburg aankwam, leek het krankzinnig die toespraak te houden. Er waren nu dringender zaken die ik aan de Raad moest vertellen.

'Ik heb een toespraak opgeschreven', zei ik, 'en ik geloof dat die voor u ligt. Maar op het laatste ogenblik heb ik besloten om het papier waarop mijn toespraak opgeschreven staat niet tussen u en mij te plaatsen, vooral niet in verband met hetgeen in de loop van de laatste dagen is voorgevallen.' En ik ging door met een bespreking van de Oostenrijkse beslissing:

Nu de Arabische organisaties geholpen door Arabische regeringen in Israël zelf gefaald hebben, hebben ze hun terreur naar Europa overgebracht. Ik kan ten volle de gevoelens begrijpen van een premier en andere leden van de regering van een land die zeggen 'Wij hebben niets met dat conflict te maken. Waarom werd ons grondgebied voor deze handelingen uitgekozen?' Ik begrijp eveneens dat zo'n regering tot de gevolgtrekking kan komen dat de enige manier om zich van deze moeilijkheid te ontdoen is hun land tot verboden verbied te verklaren voor de joden (en dan natuurlijk voor Israëli's) of voor de terroristen. Het is een keus die elke regering tegenwoordig moet maken. *Maar er kan geen sprake zijn van transacties met het terrorisme.* Hetgeen in Wenen gebeurd is, is dat − voor het eerst − een regering een afspraak, een overeenkomst, met terroristen heeft aangegaan. Een fundamenteel principe van de bewegingsvrijheid van de mensen is aangevallen − in elk geval voor joden − en dit is op zichzelf een grote zege voor het terrorisme en de terroristen. Geloof me, wij zijn de Oostenrijkse regering heel dankbaar voor alles dat zij voor de tienduizenden joden hebben gedaan die vanuit Polen, Roemenië en de Sovjet-Unie door Oostenrijk zijn gekomen. Maar als zij nu besloten hebben dat zij liever terroristen vrijlaten en ze geven wat ze vragen in plaats van terrorisme te vernietigen, dan hebben ze nu de kwestie naar voren gebracht of énig land zich kan veroorloven joden toe te staan om hun grondgebied voor transito te gebruiken...

Ik bleef twee dagen in Straatsburg en woonde de nodige lunches en diners bij, maar mijn gedachten waren de hele tijd bij Schönau en toen ik in Wenen aankwam, ging ik regelrecht naar het kantoor van Kreisky. De premier noemde me alle redenen op die zijn regering ertoe hadden doen besluiten voor de Arabieren te capituleren. Hij vroeg waarom Oostenrijk het enige land moest zijn dat met het probleem van de Russische joden moest worstelen? Waarom Holland niet? Daar kon men toch ook wel immigranten in transito toelaten? Ik zei hem dat ik ervan overtuigd was dat de Hollanders bereid waren deze last met hem te delen. Maar het hing niet van hen af; het hing van de Russen af. En de Russen hadden erin toegestemd de joden via Oostenrijk te laten vertrekken. Toen zei Kreisky iets dat ik werkelijk niet kon aanvaarden: 'We behoren tot twee verschillende werelden', vertelde hij me. Onder normale omstandigheden zou er voor mij niets meer te zeggen zijn geweest, maar ik was daar niet voor mezelf en ik moest het gesprek voortzetten. Kreisky was onverbiddelijk wat het sluiten van Schönau betrof. 'Ik wil nooit verantwoordelijk zijn voor bloedvergieten op Oostenrijkse grond', herhaalde hij. 'Er moet een andere regeling getroffen worden.' 'Maar als u Schönau sluit', pleitte ik, 'dan zult u de Russen een volmaakt excuus geven om de joden niet te laten gaan, omdat ze zeker zullen zeggen dat ze geen emigranten zullen toestaan Rusland te verlaten als er geen transito-mogelijkheid is.' 'Tja', zei Kreisky, 'daar kan ik niets aan doen. Laat de joden door uw mensen oppikken zodra de treinen arriveren.' 'Dat is onmogelijk', zei ik. 'Wij weten nooit hoeveel joden er in elke trein zitten. Bovendien geloof ik niet dat het veiliger is om tientallen mensen op het vliegveld op een El Al vliegtuig te laten wachten dat ze komt ophalen.' Maar ik zag dat het allemaal nutteloos was. Niets dat ik zei maakte enig verschil. Bovenal wenste Kreisky te vermijden nog meer moeilijkheden met de Arabieren te krijgen. Ik bedankte hem dat hij mij ontvangen had en vertrok.

Er was een persconferentie bijeen geroepen zodat Kreisky en ik vragen konden beantwoorden, maar toen we de kamer passeerden waar de pers op ons wachtte en Kreisky de deur voor me openhield, schudde ik mijn hoofd. – 'Nee', zei ik. 'Ik heb niets tegen de pers te zeggen. Ik wil niet naar binnen.' Tot nu toe weet ik nog steeds niet of hij alleen tegen de pers gesproken heeft of dat hij de conferentie heeft afgelast; ik weet alleen dat ik het gevoel had dat mijn mond kurkdroog was. *Wij* behoorden tot verschillende werelden? De dingen die Kreisky net tegen me gezegd had, draaiden maar in mijn hoofd rond. Natuurlijk had ik er geen idee van wat me in Israël te wachten stond.

14
De Oktoberoorlog

Van alle gebeurtenissen die ik in dit boek heb aangeroerd, is er niet één zo moeilijk voor me om over te schrijven als de Oktoberoorlog die wij de *Jom Kippoeroorlog* noemen. Maar hij wás er en dus hoort hij erbij, niet als een militair verslag, want dat laat ik aan anderen over, maar als bijna een ramp, een nachtmerrie die ik zelf beleefde en die me altijd zal bijblijven. Zelfs als een persoonlijk verhaal is er nog veel dat niet vermeld kan worden en hetgeen ik schrijf, is verre van definitief. Maar het is de waarheid zoals ik die aanvoelde en kende in de loop van die oorlog die de vijfde was die Israël in de zeventwintig jaar werd opgedrongen die voorbij zijn gegaan sinds de staat werd gegrondvest.

Er zijn twee punten die ik onmiddellijk duidelijk zou willen stellen. Het eerste is dat wij de Oktoberoorlog gewonnen hebben en ik ben ervan overtuigd dat de politieke en militaire leiders van Syrië en Egypte in hun binnenste weten dat zij wederom verslagen werden, ondanks hun oorspronkelijke winst. Het andere is dat de wereld in het algemeen en Israëls vijanden in het bijzonder dienen te weten dat de omstandigheden die meer dan 2.500 Israëli's het leven hebben gekost omdat ze in de Oktoberoorlog gedood werden, zich nooit meer zullen voordoen.

De oorlog begon op 6 oktober, maar als ik er nu aan denk, gaan mijn gedachten terug naar mei toen wij inlichtingen ontvingen over de versterkingen van de Syrische en Egyptische legers aan onze grenzen. De mensen van onze inlichtingendienst dachten dat het hoogst onwaarschijnlijk was dat er een oorlog zou uitbreken, maar toch besloten we de zaak ernstig op te vatten. Ik ging destijds zelf naar het algemene hoofdkwartier. Zowel de minister van defensie als de chef staf, David Elazar, die overal in het land bij zijn bijnaam 'Dado' wordt genoemd, gaven me een uitgebreid verslag over de staat van paraatheid van de strijdkrachten en ik was overtuigd dat het leger tegen elke gebeurlijkheid opgewassen was, zelfs in geval van een volledige oorlog. Ook werd ik gerust gesteld wat de kwestie van een waarschuwing geruime tijd vooraf betreft. Toen werd de spanning om een of andere reden minder.

In september kregen we voor het eerst inlichtingen over Syrische troepenconcentraties op de Hoogten van Golan, en op de 13de van die maand vond er een luchtgevecht met de Syriërs plaats dat eindigde met het neerschieten van dertien Syrische Migs. Ondanks dit voorval waren onze mensen van de inlichtingendienst heel geruststellend: ze zeiden dat het heel onwaarschijnlijk was dat er een of andere belangrijke Syrische reactie zou komen. Maar dit keer bleef de spanning, en die verspreidde zich nu ook naar de Egyptenaren. Toch bleef het oordeel van onze inlichtingendienst hetzelfde. De voortdurende Syrische troepenversterkingen werden veroorzaakt door de vrees van de Syriërs dat wij zouden aanvallen, zeiden ze, en de hele maand door, ook op de vooravond van mijn vertrek naar Europa, werd deze uitleg voor de Syrische bewegingen steeds herhaald.

Op maandag 1 oktober beide Yisrael Galili, minister zonder portefeuille, die jarenlang een van mijn meest gewaardeerde adviseurs is geweest, mij in Straatsburg op. Onder andere vertelde hij me dat hij met Dajan gepraat had en ze vonden beiden dat we een ernstig gesprek over de situatie op de Hoogten van Golan moesten hebben zodra ik terug was. Ik zei dat ik definitief de volgende dag zou terugkeren en dat we die bespreking dan de daarop volgende dag moesten voeren.

Woensdagmorgen laat ontving ik Dajan, Allon, Galili, de commandant van de luchtmacht, de chef staf en, omdat het hoofd van de inlichtingendienst die dag ziek was, het hoofd van de militaire inlichtingen- en naspeuringsdienst.

Dajan opende de vergadering. Daarna beschreven de chef staf en het hoofd van de militaire inlichtingendienst de situatie aan beide fronten tot in alle details. Er waren dingen die hen verontrustten, maar het militaire oordeel was dat we geen gevaar liepen om een gezamenlijke Syrische-Egyptische aanval onder de ogen te zien. Bovendien was het heel onwaarschijnlijk dat Syrië ons alleen zou aanvallen. De troepenconcentraties en troepenbewegingen van de Egyptische strijdkrachten in het zuiden waren waarschijnlijk toe te schrijven aan de manoeuvres die altijd omstreeks deze tijd van het jaar werden gehouden; en in het noorden werd het versterken en de nieuwe opstellingen van de troepen nog steeds als tevoren uitgelegd. Het feit dat verscheidene Syrische legereenheden net een week geleden van de Syrisch-Jordaanse grens waren overgebracht, werd geïnterpreteerd als deel van de recente ontspanning tussen de twee landen en een Syrisch gebaar van goede wil tegenover Jordanië. Niemand op de vergadering vond dat het nodig was de reserves op te roepen, en niemand dacht dat er onmiddellijk een oorlog dreigde. Maar er werd wel besloten een verdere bespreking van de situatie op de agenda voor de kabinetszitting van zondag te plaatsen.

Zoals gewoonlijk op donderdag ging ik ook ditmaal naar Tel Aviv. Jarenlang had ik donderdag en vrijdag op mijn kantoor in Tel Aviv doorgebracht, 's zaterdags thuis in mijn huis in Ramat Aviv, en dan keerde ik zaterdagavond laat of zondagmorgen vroeg naar Jeruzalem terug. Er scheen geen reden te zijn om mijn gewoonte die week te veranderen. Het was in feite toch al een korte week, want *Jom Kippoer* (Grote Verzoendag) zou op vrijdagavond beginnen en de meeste mensen in Israël namen een lang weekeind.

Ik denk dat nu, ten dele door deze oorlog, zelfs veel niet-joden die nog nooit van *Jom Kippoer* hadden gehoord, weten dat dit de plechtigste en heiligste van alle joodse feestdagen is. Het is de enige dag van het jaar dat joden over de hele wereld, zelfs al zijn ze niet erg gelovig, zich in een zekere viering verenigen. Godsdienstige joden, die totaal geen voedsel of drank tot zich nemen en niet werken, brengen *Jom Kippoer* (dat, evenals alle joodse feestdagen en de sabbat zelf, op de avond van de ene dag begint en eindigt op de avond van de daaropvolgende dag) in de synagoge door, bidden en doen boete voor zonden die ze misschien in de loop van het afgelopen jaar hebben begaan. Andere joden, onder andere degenen die niet werkelijk vasten, vieren *Jom Kippoer* op hun eigen manier: door niet te werken, door niet in het openbaar te eten en door naar de synagoge te gaan, al is het maar voor een paar uur, en daar het grootse openingsgebed *Kol Nidrei* op de vooravond van *Jom Kippoer* te horen of naar het rituele blazen op de *sjofar*, de ramshoorn, te luisteren dat het feest besluit. Voor de meeste joden overal ter wereld, onverschillig hoe ze het vieren, is *Jom Kippoer* geen dag als alle andere. In Israël is het een dag waarop het leven in het hele land praktisch stil ligt. Er zijn geen kranten voor joden, geen radio- of televisie-uitzendingen, geen openbaar vervoer en alle scholen, winkels, restaurants, cafés en kantoren zijn gesloten, vierentwintig uur lang. Doch omdat niets, zelfs *Jom Kippoer,* zo belangrijk voor de joden is als het leven zelf, wordt voor levensgevaar alles opzij gezet en alle essentiële openbare diensten functioneren die vierentwintig uur met een beperkt aantal personeelsleden, al moeten vele zich behelpen. Helaas is de meest essentiële openbare dienst in Israël het leger, maar zoveel mogelijk soldaten krijgen dan altijd verlof zodat ze op die dag thuis bij hun gezin of familie kunnen zijn.

Op vrijdag, 5 oktober, ontving ik een rapport dat me bezorgd maakte. De gezinnen van de Sovjetadviseurs in Syrië waren aan het inpakken en vertrokken in allerijl. Het herinnerde me aan hetgeen er vlak voor de Zesdaagse Oorlog gebeurd was en het deed me onprettig aan. Waarom die haast? Wat wisten die Russische gezinnen dat wij niet wisten? Was het mogelijk dat ze geëvacueerd werden? In de stroom van berichten die mijn kantoor bereikte, bleef dat kleine rapportje maar in mijn hoofd zitten en ik kon het niet van me afzetten. Maar omdat geen van de anderen er erg geschokt door leek te zijn, probeerde ik me niet van de wijs te laten brengen. Bovendien kan intuïtie heel veranderlijk zijn; soms moet je naar aanleiding daarvan meteen iets ondernemen, maar soms is het alleen een symptoom van zorg en dan kan het heel misleidend zijn.

Ik vroeg de minister van defensie, de chef staf en het hoofd van de inlichtingendienst of zij dit bericht erg belangrijk vonden. Nee, het had op geen enkele wijze hun oordeel van de toestand gewijzigd. Ze verzekerden mij dat we voldoende waarschuwing zouden krijgen als er werkelijk moeilijkheden op komst waren en er werden in elk geval genoeg versterkingen naar de fronten gestuurd om eventueel operaties uit te voeren nodig om stand te houden waar we waren. Al het vereiste was gedaan en de strijdkrachten waren in verhoogde staat van paraatheid gebracht, vooral de luchtmacht en het tankcorps. Toen hij bij me wegging, kwam het hoofd van de inlichtingendienst in de gang Lou Kaddar tegen. Later vertelde ze me dat hij haar op de schouder had geklopt, tegen haar had geglimlacht en gezegd: 'Maak je niet bezorgd. Er komt geen oorlog.' Maar ik was wél bezorgd, en bovendien kon ik niet begrijpen hoe hij zo overtuigd kon zijn dat alles in orde was. Als hij nu eens ongelijk had? Als er ook maar de geringste kans op oorlog bestond, dan zouden we toch minstens de reserves moeten oproepen. Ik wilde in elk geval de kabinetsministers bijeenroepen die het *Jom Kippoer* weekeind in Tel Aviv doorbrachten. Het bleek dat er maar weinig aanwezig waren. Ik aarzelde om de twee ministers van de Nationale Religieuze Partij, die in Jeruzalem woonden, aan de vooravond van *Jom Kippoer* te vragen naar een vergadering te komen. En verschillende andere ministers waren al naar hun respectievelijke kibboetsiem vertrokken die alle vrij ver weg waren. Maar er waren toch negen ministers in de stad en ik gaf mijn secretaris voor militaire zaken opdracht om voor vrijdag, 12 uur 's middags, een spoedzitting bijeen te roepen.

We kwamen in mijn kantoor in Tel Aviv bij elkaar. Behalve door de leden van het kabinet, werd de vergadering ook bijgewoond door de chef staf en het hoofd van de inlichtingendienst. We hoorden weer allé rapporten, ook dat over de snelle aftocht van de Russische gezinnen uit Syrië dat mij zo raadselachtig voorkwam. Maar weer scheen niemand er door te schrikken. Toch besloot ik te zeggen wat ik dacht. 'Luister eens', zei ik. 'Ik heb zo'n vreselijk gevoel dat dit allemaal al eens gebeurd is. Het doet me aan 1967 denken toen we beschuldigd werden troepen tegen Syrië te concentreren en dat is precies hetgeen de Arabische pers nu zegt. Ik geloof dat het allemaal wél iets betekent.' Als resultaat namen we die vrijdag een resolutie aan die door Galili was voorgesteld en die inhield dat – indien nodig – de minister van defensie en ik samen een algehele mobilisatie konden afkondigen, hoewel daarvoor gewoonlijk een kabinetsbeslissing vereist is. Ik zei ook dat we ons met de Amerikanen in verbinding moesten stellen zodat zij contact met de Russen konden opnemen en ze ronduit zeggen dat wij niet voor moeilijkheden in de stemming waren. De vergadering werd besloten, maar ik bleef nog even op kantoor zitten nadenken.

Hoe was het mogelijk dat ík maar zo bang bleef dat er een oorlog zou uitbreken terwijl de huidige chef staf, twee vroegere chefs staf (Dajan en Chaim Bar-Lev die nu mijn minister van handel en industrie was) en het hoofd van de inlichtingendienst allemaal zo overtuigd waren dat zoiets niet het geval was? Tenslotte waren het geen doodgewone soldaten. Het waren allen generaals met een grote ervaring, mannen die gevochten hadden en andere mannen naar spectaculaire overwinningen hadden gevoerd. Elk had een voortreffelijke staat van dienst en wat onze inlichtingendiensten betrof, ze stonden bekend als tot de besten ter wereld te behoren. Dat niet alleen, maar buitenlandse bronnen waarmee we voortdurend contact onderhielden, waren het absoluut met de opvattingen van onze deskundigen eens. Hóe kwam het dan dat ík maar zo slecht op mijn gemak bleef? Maakte ik mezelf misschien iets wijs? Ik kon mijn eigen vragen niet beantwoorden.

Nú weet ik wat ik had moeten doen. Ik zou mijn aarzelingen opzij hebben moeten zetten. Ik wist heel goed wat een algehele mobilisatie betekende en hoeveel geld het zou kosten en ik wist ook dat nog maar een paar maand geleden, in mei, we ook een staat van verhoogde paraatheid hadden gehad en dat de reserves toen inderdaad opgeroepen waren, maar er was niets gebeurd. Doch ik begreep eveneens dat er misschien in mei geen oorlog was uitgebroken, juist omdát we de reserves opgeroepen hadden. Die vrijdagmorgen had ik naar de waarschuwingen van mijn eigen hart moeten luisteren en mobilisatie moeten bevelen. Dat feit kan, wat mij betreft, nooit en te nimmer uitgewist worden en er is voor mij geen troost in al hetgeen 'men' kan zeggen of in alle verstandelijke rationalisatie waarmee mijn collega's hebben getracht me te bemoedigen.

Het doet er niet toe wat de logica dicteerde. Het doet er alleen toe dat ik, die er zo aan gewend was beslissingen te nemen en die dat ook de hele oorlog deed, faalde bij het nemen van die ene beslissing. Het is geen kwestie van schuldgevoelens. Ik kan ook verstandelijk redeneren en mezelf voorhouden dat het onredelijk van me geweest zou zijn op mobilisatie aan te dringen tegen de absolute overtuiging van onze militaire inlichtingendienst en de bijna even absolute aanvaarding van hun oor- ⁄

deel door onze meest vooraanstaande militairen in. Maar ik wéét dat ik het had moeten doen en met die vreselijke wetenschap zal ik mijn hele verdere bestaan moeten leven. Ik zal nooit meer zo zijn als ik voor de Oktoberoorlog was.

Maar toen zat ik in mijn kantoor, dacht na en martelde me af totdat ik daar gewoon niet meer kon blijven zitten en naar huis ging. Menachem en Aya hadden een paar vrienden gevraagd na het eten langs te komen. Joden dineren vroeg op de vooravond van *Jom Kippoer*, omdat het volgens de traditie hun laatste maal in vierentwintig uur is. Tegen de tijd dat de sterren verschijnen, is de vasten begonnen. We gingen aan tafel, maar ik was erg rusteloos en had totaal geen eetlust; ze wilden dat ik opbleef en met hun vrienden zou praten, maar ik verontschuldigde me en ging naar bed. Doch ik kon niet slapen.

Het was een stille, warme avond en door het open raam hoorde ik de stemmen van vrienden van Menachem en Aya die rustig in de tuin beneden zaten te praten. Een paar keer blafte de hond van de kinderen, maar verder was het een typisch stille *Jom Kippoer* avond. Ik lag uren wakker zonder de slaap te kunnen vatten, maar tenslotte moet ik toch weggedoezeld zijn. Toen, om ongeveer 4 uur 's nachts, begon de telefoon naast mijn bed te rinkelen. Het was mijn secretaris voor militaire zaken. Er waren inlichtingen ontvangen dat de Egyptenaren en de Syriërs 'in de late namiddag' een gezamenlijke aanval op Israël zouden inzetten. Er bestond geen twijfel meer. De inlichtingen kwamen uit gezaghebbende bron. Ik gaf Israël Lior opdracht om Dayan, 'Dado' en Galili te vragen voor 7 uur 's morgens in mijn kantoor te zijn. Op weg daarheen zag ik een oude man op weg naar de synagoge, zijn gebedsmantel over de schouder terwijl hij een kind aan de hand had. Ze zagen er als een symbool van het jodendom zelf uit en ik weet nog dat ik treurig bedacht dat overal in Israël vandaag vastende jonge mannen in de synagoge zaten en dat ze al gauw vanuit hun gebeden weg zouden worden geroepen om de wapenen op te nemen.

Om 8 uur begon de vergadering. Dajan en 'Dado' verschilden van mening wat de omvang van de mobilisatie betrof. De chef staf raadde aan de gehele luchtmacht en vier divisies te mobiliseren; hij zei dat als ze nu dadelijk opgeroepen werden, dan konden ze de volgende dag, dat wil zeggen zondag, in actie komen. Dajan, aan de andere kant, was ervoor de luchtmacht op te roepen en slechts twee divisies (een voor het noorden en een voor het zuiden) en hij beweerde dat als wij een algehele mobilisatie bevalen voor er nog één enkel schot gelost was, de hele wereld een excuus zou hebben om ons de 'agressors' te noemen. Bovendien was hij van mening dat de luchtmacht plus twee divisies de situatie wel aan konden en als tegen de avond de toestand zou verslechteren, dan konden we altijd binnen een paar uur meer oproepen. 'Dat is mijn voorstel', zei hij, 'maar ik zal niet aftreden als je een andere beslissing neemt.' 'God-nog-toe', dacht ik, 'moet ik beslissen wie van beiden gelijk heeft?' Maar ik zei slechts dat er maar één criterium was: als er werkelijk oorlog uitbrak, dan moesten we ons in de best mogelijke positie bevinden. Dat was belangrijk. Het oproepen zou geschieden zoals Dado had voorgesteld.

Maar natuurlijk was het net de enige dag van het jaar waarop zelfs ons legendarisch vermogen om snel te mobiliseren gedeeltelijk faalde.

'Dado' was ervoor om zelf de aanval in te zetten, vooral omdat het duidelijk bleek dat oorlog toch onvermijdelijk was. 'Ik wil dat je begrijpt dat onze luchtmacht om 12 uur vanmiddag gereed kan staan om aan te vallen', zei hij. 'Maar dan moet je me nu het groene licht geven. Als wij de eerste slag kunnen toebrengen, zal dat enorm in ons voordeel uitvallen.' Maar ik had al een besluit genomen. 'Dado', zei ik, 'ik ken alle argumenten vóór een eigen eerste aanval, maar ik ben ertegen. Wij weten niet, niemand van ons, wat de toekomst inhoudt, maar de mogelijkheid bestaat altijd dat we hulp nodig zullen hebben en als wij beginnen, geeft niemand ons iets. Ik zou graag "ja" zeggen, omdat ik weet wat het betekent, maar ik moet met een bezwaard hart "nee" zeggen. Daarna gingen Dajan en Dado naar hun eigen kantoor en ik zei tegen Simcha Dinitz, onze tegenwoordige ambassadeur in Washington, dat hij dadelijk naar Amerika moest vliegen; vervolgens riep ik Menachem Begin om hem te vertellen wat er aan het gebeuren was. Ik riep ook een kabinetsvergadering bijeen voor twaalf uur 's middags. Daarna belde ik de toenmalige Amerikaanse ambassadeur, Kenneth Keating, op en vroeg hem bij mij te komen. Ik vertelde hem twee dingen: dat volgens onze inlichtingendienst de aanvallen laat in de namiddag zouden beginnen en dat wij níet de eerste aanval zouden inzetten. Misschien kon er nog iets gedaan worden om de oorlog te voorkomen doordat Amerika bij de Russen intervenieerde of wellicht zelfs regelrecht bij de Syriërs en de Egyptenaren. In elk geval zouden wíj niet beginnen. Ik wilde dat hij dat wist en ik wilde die gegevens zo snel mogelijk aan Washington doorgeven. Ambassadeur Keating was altijd een goede vriend van Israël geweest, al jarenlang, in de Amerikaanse senaat en in Israël zelf. Hij was een man die ik graag mocht en vertrouwde, en op die verschrikkelijke morgen was ik hem dankbaar voor zijn hulp en begrip.

Toen het kabinet om twaalf uur bijeenkwam, hoorde het een volledige beschrijving van de situatie en ook onze beslissing tot mobilisatie van de reserves. Tevens werd mijn beslissing om zelf de eerste aanval niet in te zetten, medegedeeld. Niemand maakte enige bezwaren. Terwijl we nog in vergadering bijeen waren, stormde mijn secretaris voor militaire zaken de kamer binnen met het bericht dat het schieten begonnen was en vrijwel tegelijkertijd hoorden we de sirenes voor het eerste luchtalarm in Tel Aviv loeien. De oorlog was begonnen. We waren niet alleen niet tijdig gewaarschuwd, maar we moesten op twee fronten tegelijk vechten en dat tegen vijanden die zich jaren erop hadden voorbereid om ons aan te vallen. Ze hadden een enorme numerieke meerderheid: in kanonnen, tanks, vliegtuigen en mensen en wij waren psychologisch in het nadeel. Ik bevond me in een positie van hoogste verantwoordelijkheid op een tijdstip dat de staat de grootste bedreiging die we ooit gekend hadden, onder de ogen moest zien.

De schok betrof niet alleen de manier waarop de oorlog begon, maar ook het feit dat een aantal van onze fundamentele veronderstellingen fout gebleken was: de geringe waarschijnlijkheid van een aanval in oktober, de zekerheid dat wij in staat zouden zijn de Egyptenaren te beletten het Suezkanaal over te steken. De omstandigheden hadden niet erger kunnen zijn. In de eerste paar dagen van de oorlog stond er alleen maar een dunne lijn dappere jonge mannen tussen ons en een ramp. En geen woorden van mij kunnen ooit de schuld van het Israëlische volk uitdrukken ten opzichte van die jongens langs het Suezkanaal en op de Hoogten van Golan. Ze vochten — en vielen — als leeuwen, maar aanvankelijk hadden ze geen enkele kans.

Wat die dagen voor mij betekenden kan ik zelfs niet proberen te beschrijven. Ik geloof dat het volgende is om te zeggen dat ik zelfs niet meer kon huilen als ik alleen was. Maar ik was zelden alleen. Ik bleef vrijwel aldoor op kantoor, hoewel ik nu en dan naar de zaal ging van waaruit de operaties werden geleid en bijgehouden. Soms zei Lou dat ik naar huis moest en even gaan liggen, maar dan riep de telefoon me weer snel terug. Er waren dag en nacht vergaderingen, onophoudelijk onderbroken door gesprekken uit Washington en slecht nieuws van het front. Er werden plannen aangeboden, geanalyseerd en er werd over gedebatteerd. Ik kon er niet aan denken langer dan een uur van kantoor weg te blijven, want Dajan, 'Dado' en mensen van buitenlandse zaken en verschillende ministeries kwamen steeds binnenvallen om rapport aan me uit te brengen over de ontwikkeling of om mijn raad voor het een of ander te vragen.

Maar zelfs tijdens de ergste van die begindagen toen we al wisten wat voor verliezen we leden, had ik altijd volledig vertrouwen in onze soldaten en officieren, in de geest van onze strijdkrachten en hun vermogen elk gebeuren het hoofd te bieden en ik heb nooit het vertrouwen in onze eindoverwinning verloren. Ik wist dat we vroeg of laat zouden zegevieren, maar elk rapport dat de prijs vermeldde die we in mensenlevens moesten betalen was als een mes dat in mijn hart werd omgedraaid. Ik zal ook nooit de dag vergeten dat ik naar de meest pessimistische voorspelling luisterde die ik ooit gehoord had.

Op de middag van de 7de oktober kwam Dajan van een van zijn tochten naar het front terug en vroeg me onmiddellijk te mogen spreken. Hij vertelde me dat de toestand in het zuiden volgens hem zo slecht was dat we ons massaal zouden moeten terugtrekken en een nieuwe verdedigingslijn betrekken. Ik luisterde vol schrik en afschuw naar hem. Allon, Galili en mijn secretaris voor militaire zaken waren eveneens in de kamer aanwezig. Toen vroeg ik ook 'Dado' te komen. Hij had een ander voorstel: wij zouden in het zuiden tot een offensief moeten overgaan. Hij vroeg of hij naar het zuidelijk front mocht om daar zelf toezicht uit te oefenen; tevens wilde hij graag toestemming hebben om ter plaatse de nodige beslissingen meteen te kunnen nemen. Dajan vond het goed en 'Dado' vertrok. Die avond riep ik een kabinetszitting bijeen en kreeg toestemming van de ministers voor een tegenaanval tegen de Egyptenaren op 8 oktober. Toen ik weer alleen in de kamer zat, sloot ik mijn ogen en zat een minuut lang doodstil. Ik geloof dat als ik in al die jaren niet geleerd had hoe ik sterk moest zijn, ik toen ineengestort was. Maar dat gebeurde niet.

De Egyptenaren waren het Suezkanaal overgestoken en onze strijdkrachten in de Sinaï waren deerlijk gehavend. De Syriërs waren tot ver op de Hoogten van Golan doorgedrongen. Aan beide fronten was het aantal doden en gewonden al erg hoog. Een brandende kwestie was of wij op dit tijdstip het volk moesten zeggen hoe slecht de toestand eigenlijk was. Ik had sterk het gevoel dat we nog even moesten wachten. Het minste dat we voor onze soldaten konden doen, en voor hun familie, was de waarheid nog even onder ons te houden. Toch moest er een of andere mededeling nú gedaan worden, dus op die eerste oorlogsdag wendde ik me tot de burgers van Israël. Het was een van de moeilijkste taken in mijn leven omdat ik wist dat ik terwille van iedereen niet alle feiten kon vertellen. Ik sprak tegen een natie die er geen idee van had welke vreselijke prijs er in het noorden en zuiden betaald moest worden, of aan welk gevaar Israël blootstond totdat alle reserves volledig waren gemobiliseerd en in actie waren gekomen. Toch zei ik: 'Wij twijfelen niet aan een overwinning. Maar we zijn er ook van overtuigd dat deze hernieuwde Egyptische en Syrische agressie een krankzinnige daad is. We hebben ons best gedaan deze te verhinderen. We hebben een beroep gedaan op partijen met politieke invloed om die te gebruiken ten einde deze schandelijke stap van de Egyptische en Syrische leiders te verijdelen. Toen er nog tijd was hebben wij bevriende landen de vaststaande gegevens medegedeeld die wij omtrent de plannen voor een offensief tegen Israël hadden gekregen. Wij deden een beroep op hen om hun uiterste best te doen de oorlog te voorkomen, maar de Egyptische en Syrische aanval was al begonnen.'

Op zondag kwam Dajan me op kantoor opzoeken. Hij deed de deur dicht en bleef voor me staan. 'Wil je dat ik mijn ontslag aanbied?' vroeg hij. 'Ik ben bereid dat te doen als je vindt dat ik het moet doen. Tenzij ik je volle vertrouwen heb, kan ik niet verder gaan.' Ik zei tegen hem, en daar heb ik nooit berouw van gehad, dat hij als minister van defensie moest aanblijven. We besloten Bar-Lev naar het noorden te sturen om persoonlijk de toestand in ogenschouw te nemen. Daarna begonnen we onze onderhandelingen om militaire hulp van Amerika te krijgen. Er moesten snel beslissingen worden genomen en ze moesten juist zijn. Er was geen tijd en geen marge voor vergissingen.

Op woensdag, de vijfde dag van de oorlog, hadden we de Syriërs terug geslagen, over de staakt-het-vuren lijn van 1967 heen, en we waren onze aanval Syrië in begonnen terwijl de situatie in de Sinaï statisch genoeg was dat het kabinet ons oversteken van het Suezkanaal kon overwegen. Maar wat moest er gebeuren als onze troepen overstaken en dan in de val raakten? Ik moest ook de mogelijkheid onder de ogen zien dat de oorlog niet kort zou duren en dat misschien de vliegtuigen, tanks, munitie die we nodig hadden, niet ter beschikking stonden. We hadden wanhopig wapens nodig en in het begin kwamen ze maar heel langzaam.

Ik sprak op elk uur van de dag en nacht met Dinitz in Washington. Waar bleef de *airlift*? Waarom was er nog geen begin mee gemaakt? Ik herinner me dat ik hem eens om 3 uur 's nachts belde, Washington tijd, en hij zei: 'Ik kan nu niemand opbellen, Golda. Het is veel te vroeg.' Maar ik wilde niet naar rede luisteren. Ik wist dat president Nixon beloofd had ons te helpen en uit mijn ervaring in het verleden wist ik ook dat hij ons niet in de steek zou laten. Laat ik hier even iets herhalen dat ik al vaak gezegd heb en meestal tot ergernis van velen van mijn Amerikaanse vrienden. Hoe de geschiedenis Richard Nixon straks ook moge beoordelen, en het is mogelijk dat het oordeel erg hard zal uitvallen, het dient ook vermeld te worden dat hij nooit één enkele belofte aan ons gebroken heeft. Maar waarom die vertraging? 'Het kan me niet schelen hoe laat het is', ben ik woedend tegen Dinitz uitgevaren. 'Bel Kissinger nú op. Midden in de nacht. We hebben vandaag hulp nodig omdat het morgen misschien al te laat is.'

Het verhaal van die vertraging is intussen al bekend geworden; die was mede ontstaan door het feit dat het Amerikaanse departement van defensie aanvankelijk maar node militaire voorraden met Amerikaanse vliegtuigen wilde sturen en dat er steeds problemen rezen als wij koortsachtig rondzochten naar andere vliegtuigen, terwijl de hele tijd enorme voorraden Sovjet hulp over zee en door de lucht naar Egypte en Syrië werden gebracht, en wij verloren zorgwekkend veel vliegtuigen. Niet in luchtgevechten, maar door de Sovjet raketten aan beide fronten. Elk uur wachten dat voorbij ging, leek me een eeuw toe, maar er was geen andere keus dan vol te houden en te hopen dat het volgend uur beter nieuws zou brengen. Ik belde Dinitz en zei dat ik bereid was *incognito* naar Washington te vliegen om met Nixon te spreken als hij dacht dat zoiets te regelen was. 'Onderzoek dat meteen', zei ik. 'Ik wil zo gauw mogelijk gaan.' Maar het was niet nodig. Eindelijk beval Nixon zelf dat de reusachtige C-5 Galaxies gestuurd moesten worden en de eerste vlucht kwam op de negende dag van de oorlog aan, de 14de oktober. De *airlift* was van onschatbare waarde. Hij monterde ons niet alleen op maar diende ook om tegenover de Sovjet-Unie de Amerikaanse houding duidelijk te maken en hij heeft ongetwijfeld onze overwinning mogelijk gemaakt. Toen ik hoorde dat het toestel in Lydda geland was, heb ik voor het eerst sedert de oorlog begonnen was gehuild, hoewel het niet voor het laatst was. Het gebeurde ook op de dag waarop we de eerste verlieslijsten publiceerden: 656 Israëli's waren reeds in de gevechten gevallen.

Maar zelfs de Galaxies die ons tanks, munitie, kleding, medicamenten en licht-lucht raketten brachten, konden niet alles aanvoeren dat we nodig hadden. Hoe stond het met de vliegtuigen? De Phantoms en Sky-hawks moesten onderweg bijgetankt worden en dat gebeurde in de lucht. Maar ze kwamen, en ook de Galaxies die op Lydda landden, bleven komen, soms elk kwartier een. Toen het allemaal voorbij was, kwam de Amerikaanse kolonel die met de leiding van de *airlift* belast was geweest, in de lente met zijn vrouw Israël bezoeken. Ze zochten ook mij op – het was een stel alleraardigste, jonge mensen, vol enthousiasme voor het land en vol bewondering voor ons grondpersoneel dat zo verrassend snel geleerd had hoe ze met de speciale apparatuur waarmee die reuzen gelost moesten worden, hadden om te gaan. Ik herinner me dat ik een keer naar Lydda ging om te zien hoe de Galaxies binnen-kwamen. Ze zagen eruit als enorme, voorhistorische vliegende monsters en ik dacht bij mezelf: 'Goddank dat ik gelijk had met niet zelf een aanval in te zetten! Het had in het begin misschien levens gespaard, maar ik weet zeker dat we dan geen *airlift* gekregen zouden hebben en die redt nu zo vele levens.'

Intussen reisde 'Dado' van het ene front naar het andere. Bar-Lev kwam uit het noorden terug en wij stuurden hem naar het zuiden om de verwarring die daar ontstaan was, in orde te brengen. Generaals ter plaatse hadden diepgaande verschillen van mening over de toe te passen tactiek. We vroegen hem daar zo lang als hij nodig oordeelde te blijven. Op woensdag belde Bar-Lev me vanuit de Sinaï op. Het was vlak na een kolossale tankslag waarin onze strijdkrachten de opmarcherende Egyptische pantsertroepen hadden verpletterd. Hij heeft een langzame, heel weloverwogen manier van spreken en toen ik hem hoorde zeggen: 'Goooolda, het komt wel in orde. We zijn weer wat we waren en zij zijn weer zichzelf', wist ik dat het getij gekeerd was, al lagen er nog bloedige slagen voor ons waarin honderden jonge mannen, en ook oudere, hun leven verloren. Het was niet voor niets dat de mensen later verbitterd voorstelden dat deze oorlog niet als de Oktoberoorlog of *Jom Kippoeroorlog* bekend zou staan, maar als de Oorlog van Vader en Zoon, want maar al te vaak vochten ze zijde aan zijde aan beide fronten.

Dagenlang werd ik gemarteld door angst dat er een derde front zou worden geopend en dat Jordanië zich bij de aanval op ons zou aansluiten. Maar blijkbaar had koning Hoessein in de Zesdaagse Oorlog zijn les geleerd en gelukkig was zijn bijdrage aan de Oktoberoorlog alleen één Jordaanse pantserbrigade die werd gezonden om de Syriërs te helpen. Maar tegen die tijd waren wij reeds doelen diep in Syrië aan het aanvallen en onze artillerie had de buitenwijken van Damascus al binnen bereik liggen, dus waren Hoesseins tanks tenslotte niet meer van groot nut.

Op 15 oktober, de tiende dag van de oorlog, begonnen de Israëlische defensieve strijdkrachten op hun beurt het Suezkanaal over te steken om aan de andere kant een bruggehoofd te vestigen. Ik bracht die avond op mijn kantoor door en dacht dat hij nooit een einde zou nemen. De tijd voor de werkelijke oversteek was oorspronkelijk vastgesteld op 7 uur n.m. en ik besloot een kabinetszitting bijeen te roepen. Ik stelde die een uur eerder vast, zodat ik de ministers kon vertellen wat er gebeurde. Toen hoorde ik dat de oversteek vertraagd was tot 9 uur n.m. en wij stelden de kabinetzitting uit tot 8 uur n.m. Maar de oversteek werd weer uitgesteld, dit keer tot 10 uur n.m. en daarna was er weer vertraging omdat er moeilijkheden met de brug waren. Inmiddels waren de ministers echter al naar mijn kantoor gekomen en ze bleven daar de hele nacht bij me om op nieuws over de operatie te wachten. Elke tien of vijftien minuten kwam er dan iemand binnen en zei: 'Het gaat nu gauw gebeuren. Nog maar een kwartiertje.' Zo ging de nacht in afschuwelijk spannende onzekerheid voorbij. De parachutisten waren op tijd overgestoken, maar de oversteek van de infanterie, artillerie en tanks werd door felle gevechten opgehouden. Maar ik kon niet naar huis gaan totdat ik wist dat de oversteek had plaatsgevonden.

De volgende dag moest ik de Knesset toespreken. Ik was erg moe, maar ik sprak veertig minuten omdat ik veel te zeggen had, al was het meeste ervan geen prettig nieuws. Maar ik kon de Knesset tenminste vertellen dat terwijl ik sprak een gevechtsgroep al op de westelijke oever van het

Suezkanaal opereerde. Ik wilde ook onze dankbaarheid aan de president en het volk van Amerika bekend maken en tevens onze woede op die regeringen, vooral de Franse en Britse, die het hadden verkozen een embargo op wapenverschepingen naar ons te leggen terwijl wij voor ons naakte bestaan vochten. Maar in de allereerste plaats wilde ik dat de wereld zou weten wat er met ons gebeurd zou zijn als we ons voor de oorlog op de linies van vóór de Zesdaagse Oorlog van 1967 hadden teruggetrokken. Dezelfde linie overigens die het uitbreken van de Zesdaagse Oorlog zelf niet had voorkomen, maar dat schijnt niemand zich meer te herinneren.

Ik heb er nooit aan getwijfeld, geen ogenblik, dat het werkelijke doel van de Arabische staten altijd de totale vernietiging van de staat Israël is geweest, en dat is het nog. En dat zelfs als wij ver achter de linies van 1967 tot een miniatuur enclave waren teruggetrokken, zij toch zouden hebben geprobeerd die uit te roeien, en ons tegelijkertijd. Ik ben ook niet zo naïef om te geloven dat toespraken iemand ergens van kunnen overtuigen. Maar op 16 oktober 1973, toen Israël zich nog in zulk vreselijk gevaar bevond, voelde ik dat het mijn plicht was de lidstaten van de Verenigde Naties én de Arabische staten eraan te herinneren waaróm wij – hangende de vredesonderhandelingen – zo hardnekkig aan de grondgebieden vasthielden die wij in 1967 veroverd hadden. Ik zei die dag tegen de Knesset:

Er is geen overdreven verbeeldingskracht voor nodig om te beseffen wat de toestand in de staat Israël geweest zou zijn als wij ons op de linies van 4 juni 1967 hadden bevonden. Ieder die het moeilijk vindt zich dit nachtmerrieachtige beeld voor ogen te toveren, moet eens aandachtig nagaan wat er aan het noordelijk front, op de Hoogten van Golan, gedurende de eerste dagen van de oorlog gebeurd is. De aspiraties van Syrië beperken zich niet tot een stuk land; zij willen hun artillerie batterijen weer op de Hoogten van Golan kunnen opstellen ten einde ze te kunnen gebruiken tegen de nederzettingen in Galilea, daar raketbatterijen opzetten gericht tegen onze vliegtuigen en zich daarmee dekking verschaffen voor een doorbraak van hun legers naar het hart van Israël.

Er is niet veel verbeeldingskracht nodig om zich voor te stellen wat het lot van de staat Israël geweest zou zijn als de Egyptische legers erin geslaagd zouden zijn de Israëlische troepen in de uitgestrektheid van de Sinaï te overwinnen en in volle sterkte op te rukken naar de grenzen van Israël. Er is wederom een oorlog tegen ons begonnen die gericht was tegen ons bestaan als staat en volk. De Arabische heersers wenden voor dat hun doel zich beperkt tot het bereiken van de linies van 4 juni 1967, maar we kennen hun werkelijke doel: de totale onderwerping van de staat Israël. Het is onze plicht dat wij deze waarheid onder ogen zien; het is onze plicht dit aan alle mensen van goeden wille duidelijk te maken daar zij neiging hebben dit te negeren. We dienen de waarheid in alle ernst te beseffen zodat we kunnen

382

voortgaan om vanuit ons midden en vanuit het joodse volk alle kracht en middelen te mobiliseren die nodig zijn om onze vijanden te overwinnen, om terug te vechten totdat we onze aanvallers hebben verslagen.

Ik wilde ook de misdadige schuld van de Sovjet Unie vaststellen en de nadruk leggen op de onheilspellende rol die Rusland opnieuw in het Midden-Oosten speelde.

De hand van de Sovjet Unie is duidelijk te herkennen in de uitrusting, de tactiek en de militaire leer die de Arabische legers trachten te imiteren en over te nemen. Bovenal heeft de enorme hulp van de Sovjet Unie aan Israëls vijanden zich duidelijk gemanifesteerd in de *airlift* die de vliegvelden van onze vijanden bereikte en in de schepen die hun havens binnenliepen. De Sovjet vliegtuigen en schepen vervoeren militaire uitrusting, inclusief verschillende soorten raketten en men kan aannemen dat de vliegtuigen, ook adviseurs en deskundigen op operationeel gebied aanvoeren alsmede uitrusting en bewapening.

De Sovjet *airlift* omvatte tot en met 15 oktober naar Syrië: 125 Antonov-12 vliegtuigen; naar Egypte: 42 Antonov-12 vliegtuigen; naar Irak: 17 Antonov-12 vliegtuigen.

Rapporten van de inlichtingendienst wijzen aan dat de Sovjet Unie erin geslaagd is andere landen van het Sovjet blok in het verschaffen van hulp aan Egypte en Syrië te betrekken. Een dergelijk gedrag van de Sovjet Unie gaat de grenzen van een onvriendelijke politiek te buiten. Het is een politiek van onverantwoordelijkheid, niet alleen tegenover Israël maar tegenover het Midden-Oosten en tegenover de wereld.

Toen ging ik naar mijn kantoor terug waar mij waarschijnlijk de zwaarste taak uit mijn hele loopbaan wachtte: weer een van de vele ontmoetingen met de totaal van streek zijnde ouders van jongens die bij de gevechten vermist werden. Een van de vreselijkste aspecten van de Oktoberoorlog was dat we dagenlang het lot van soldaten die zich sinds het begin van de vijandelijkheden niet op een of andere manier met hun familie in verbinding hadden gesteld, onmogelijk konden vaststellen. Israël is een heel klein land en ons leger is, zoals een ieder weet, een leger van burgers; het bestaat uit een kleine beroepskern en verder reservetroepen. We hebben nooit een oorlog ver van onze grenzen gevoerd en het contact tussen onze soldaten en hun familie is altijd goed gehandhaafd. Maar deze oorlog duurde al langer dan enige andere oorlog die we hadden moeten voeren ooit geduurd had – met uitzondering dan van de Onafhankelijkheidsoorlog – én we waren erdoor verrast. Overal in het land waren de reservisten uit de synagoges en bij hen thuis weggeroepen. In de haast hadden sommigen zelfs geen tijd gehad hun identiteitsplaatje op te zoeken, anderen hadden hun eenheid niet kunnen vinden. Reservisten van het pantsercorps hadden zich bij geïmproviseerde tankbemanningen aangesloten, waren van de ene brandende tank in de andere gesprongen en als die explodeerde, renden ze naar een derde tank. En natuurlijk werd de oorlog tegen ons met angstaanjagende wapens gevoerd, de anti-tank raketten die vanaf de schouder werden afgevuurd en die de Russen aan de Egyptenaren en Syriërs hadden geleverd. Als ze daardoor getroffen werden, raakten de tanks in brand en hun bemanningen werden zodanig verminkt dat latere identificatie bijna onmogelijk was. Een van de beste tradities van het Israëlische leger is dat onze doden en gewonden nooit aan de vijand worden overgelaten, maar in de eerste dagen van de Oktoberoorlog was er geen keus, en nu werden honderden ouders door zorg en verdriet verteerd. 'Is hij dood? Zo ja, waar is zijn lichaam? Is hij krijgsgevangen gemaakt? Zo ja, waarom weet niemand dat dan?'

Ik had deze zelfde ellende meegemaakt met de ouders van de jongens die tijdens de Uitputtingsoorlog gevangen waren gemaakt, en er waren dagen in die winter van 1973 waarop ik er nauwelijks toe kon komen om weer een groep ouders onder ogen te komen, omdat ik wist dat ik ze niets te zeggen had en dat de Egyptenaren en Syriërs niet alleen geweigerd hadden het Rode Kruis maanden na het staakt-het-vuren lijsten te verstrekken van gevangen genomen Israëli's, maar het was ook onze aalmoezeniers niet toegestaan de slagvelden naar onze doden af te zoeken.

Maar hoe kon ik 'nee' zeggen tegen deze ouders en echtgenoten die dachten dat als ze míj maar bereikten, ik als een goochelaar een of ander antwoord voor ze zou klaar hebben, maar ik wist ook dat sommigen van ze me in hun hart de schuld gaven voor de oorlog en voor ons gebrek aan paraatheid. Dus ik ontving ze allemaal en meestal waren ze erg dapper. Het enige dat ze van me wilden was enige gegevens, een paar feiten — hoe vreselijk ook — waar ze zich aan vast konden houden, iets concreets om de pijn wat draaglijker te maken. Maar wekenlang kon ik niets zeggen. Na zo'n ontmoeting met ouders moest ik aan hún ouders in 1948 denken toen er 6000 man gevallen waren — één procent van de totale toenmalige *jisjoev* was er destijds in de loop van anderhalf jaar gedood.

Ik bracht tientallen uren met die arme ouders door, hoewel het enige dat ik ze aanvankelijk kon zeggen was dat we onze uiterste best deden om hun jongens te vinden en dat we in geen enkele regeling zouden toestemmen waarbij de terugkeer van de krijgsgevangenen niet was opgenomen. Maar hoeveel krijgsgevangenen waren er? Ik geloof niet dat ik ooit zo vurig naar iets verlangd heb als naar die lijsten met namen van gevangenen die ons zo lang en zo wreed steeds opnieuw beloofd en niet gegeven werden. Er is veel dat ik persoonlijk de Egyptenaren en Syriërs nooit vergeven kan, maar bovenal zal ik ze nooit vergeven dat ze die gegevens zo lang hebben vastgehouden, alleen maar uit haat; ze probeerden de doodsangst van de Israëlische ouders als een politieke troefkaart tegen ons uit te spelen.

Na het staakt-het-vuren en na maanden van onderhandelingen die tenslotte tot een troepenscheiding aan beide fronten leidden, kwamen eindelijk onze gevangenen uit Syrië en Egypte terug. En de wereld vernam tenslotte zelf wat wij al jaren wisten: dat voorzieningen zoals de Conventie van Genève overboord gegooid worden als joden in handen van Arabieren vallen, vooral van de Syriërs. Misschien begreep men nu beter onze angst om de krijgsgevangenen. Vaak als ik met die wanhopige ouders, vrouwen en zusters zat te praten en luisterde naar hun plannen voor weer een petitie of nog een demonstratie en het enige dat ik ze wekenlang kon zeggen was dat we al het mogelijke deden om de lijsten los te krijgen, dacht ik bij mezelf dat marteling door onze vijanden erger dan de dood was.

Op 19 oktober, de dertiende dag van de oorlog en hoewel de gevechten absoluut nog niet beëindigd waren, had Kosygin al een spoedbezoek aan Cairo gebracht. Zijn 'klanten' waren duidelijk bezig de oorlog die ze met zijn hulp begonnen waren, te verliezen en het was daarom niet alleen het Egyptische prestige dat gered moest worden, maar ook dat van de Sovjet Unie zelf. Het was erg genoeg dat de Egyptenaren er niet in geslaagd waren het Israëlische bruggehoofd op de westelijke oever van het Suezkanaal te vernietigen, maar nog erger was het dat ze nu aan hun 'beschermheer' moesten bekennen dat de Israëli's zich ten westen van het Suezkanaal hadden ingegraven, op een afstand van nog geen 100 kilometer van Cairo, en wel in een gebied dat al gauw bij de Israëli's als 'Afrika' bekend stond. Wat de toestand van de andere beschermeling van de Sovjet Unie betreft, Syrië, die was nog ernstiger. En daarom deden de Russen wat ze altijd hebben gedaan: ze begonnen een uitgebreide campagne voor een staakt-het-vuren op korte termijn. Het deed er niet toe wie de oorlog begonnen was en wie hem verloren had. Het belangrijkste was de Arabieren uit de nesten te helpen waar ze zich zelf in hadden gewerkt, en de Egyptische en Syrische strijdkrachten voor totale vernietiging te behoeden.

Maar al hadden we de Oktoberoorlog niet begonnen en ook niet gewild, we hádden gevochten en we hádden gewonnen en nu hadden we een eigen oorlogsdoel: vrede. Dit keer wilden we onze doden eens niet stilletjes begraven, en toekijken terwijl de Arabieren en hun aanhangers bij de Verenigde Naties troost voor hun vernedering zochten. Dit keer zouden de Arabieren ons tegenover zich moeten krijgen, niet alleen op de slagvelden maar aan de onderhandelingstafel en, samen met ons een oplossing zoeken voor een probleem dat in de afgelopen dertig jaar duizenden jonge levens had gekost, bij hen zowel als bij ons. Jarenlang hadden wij 'vrede' geroepen en alleen als echo van de andere kant 'oorlog' gehoord. Jarenlang hadden wij alleen moeten toezien hoe onze zonen werden gedood maar wij hadden ook een situatie geduld die zo grotesk was dat het aan het ongelooflijke grensde: de enige keer dat de Arabische staten bereid waren het bestaan van de staat Israël te erkennen was als ze die aanvielen om te vernietigen.

Ik herinner me dat ik op een van die avonden tijdens het overleg van Brezjnev en Kissinger in Moskou over een staakt-het-vuren door de verduisterde straten van Tel Aviv van kantoor naar huis reed en in stilte de eed aflegde dat – voor zover het van mij afhing – déze oorlog met een werkelijk vredesverdrag zou eindigen dat voorgoed een streep haalde door de beroemde drie keer 'geen' van de Arabieren (in Chartoem) na de Zesdaagse Oorlog. Hun antwoord op ons dringend verzoek om samen met ze aan de onderhandelingstafel te gaan zitten was: geen erkenning, geen onderhandelingen, geen vrede! Ik keek naar de donkere ramen van de huizen die ik voorbijreed en vroeg me af achter welke families *sjiwa* zouden zitten (de traditionele eerste week van rouw) en achter welke andere vensters families zouden proberen gewoon door te gaan, hoewel er nog geen antwoord was op de vraag: waar is hij? Dood ergens in de Sinaï, dood op de Hoogten van Golan, of krijgsgevangen? Die avond bezwoer ik dat ik alles zou doen dat in mijn macht lag om de vrede tot stand te brengen die het Arabische volk even hard nodig had als wij en die slechts op één manier bemachtigd kon worden: door onderhandelen.

Een paar dagen tevoren, op 13 oktober, had ik een persconferentie gehouden en een verslaggever had me gevraagd of Israël in een staakt-het-vuren zou toestemmen op basis van de grenzen die op 5 oktober hadden bestaan, een dag voor de Arabische aanval.

Ik had hem geantwoord: 'Het heeft geen zin zich erin te verdiepen waar Israël al dan niet in zal toestemmen zo lang onze buren in het zuiden en noorden nog geen enkele wens te kennen hebben gegeven om de gevechten te beëindigen. Als we tot een voorstel betreffende staakt-het-vuren komen, zullen we dat ernstig overwegen en beslissen, want wij willen deze oorlog zo spoedig mogelijk eindigen.'

'Maar', had ik eraan toegevoegd, 'al zijn we een heel klein volk en al bestaat er geen vergelijking tussen de aantallen in ons leger en in die van de landen die ons bestrijden, en al hebben we niet zo'n overvloed aan wapenen en munitie als zij, wij hebben twee dingen die ons een voordeel ten opzichte van hen geven: onze haat tegen oorlog en dood.'

386

Nu we op het punt stonden onder hevige druk te worden gezet om tot een staakt-het-vuren te komen, voelde ik sterker dan ooit dat we geen belangrijke concessies moesten doen die geen directe onderhandelingen inhielden, waar en wanneer de Arabieren dat verkozen. Niet dat ik het olie-embargo licht opvatte dat Saoedi Arabië, Lybië, Koeweit en andere verlichte Arabische staten de westerse wereld inclusief Amerika hadden opgelegd en dat als een soort chantage beschouwd kon worden, maar er moesten grenzen gesteld worden aan onze plooibaarheid.

Uiteindelijk berust — om het maar botweg te zeggen — het lot van kleine landen altijd bij de Grote Mogendheden; die moeten altijd met hun eigen belangen rekening houden. Wij hadden het staakt-het-vuren nog graag een paar dagen willen uitstellen, zodat de nederlaag van de Egyptische en Syrische legers nog duidelijker was en op die 21ste oktober was er alle reden om aan te nemen dat dit na nog heel korte tijd het geval zou zijn geweest. Ten noorden van Ismailia oefenden wij zware druk uit op het Egyptische Tweede leger. Ten zuiden van Suez waren we net bezig de omsingeling van het Egyptische Derde Leger te voltooien. Op de Hoogte van Golan waren de Syrische posities op de berg Hermon in handen van onze strijdkrachten gevallen. Aan beide fronten waren we in de lucht oppermachtig en we hadden duizenden krijgsgevangenen. Maar natuurlijk was Sadat diplomatiek in een veel sterkere positie dan wij en het aas dat hij Amerika voorhield was erg verlokkend: terugkomst in het Midden-Oosten en opheffing van het olie-embargo. En de Sovjet-Unie had zijn eigen overtuigingsmiddelen. Er stond in Moskou heel wat op het spel. Ik was dus helemaal niet verbaasd toen de Veiligheidsraad, die op 22 oktober in spoedzitting bijeenkwam, een resolutie aannam volgens welke het staakt-het-vuren binnen twaalf uur van kracht moest worden; het was te voorspellen geweest.

Het was heel duidelijk dat resolutie 338 die zo onbehoorlijk snel werd aangenomen, bedoeld was om te voorkomen dat de Egyptische en Syrische strijdkrachten door ons totaal zouden worden vernietigd. En in zekere zin was de pil verguld. De resolutie eiste 'onderhandelingen onder de juiste auspiciën die erop gericht dienden te zijn een rechtvaardige en duurzame vrede in het Midden-Oosten tot stand te brengen', maar er werd niet gezegd hoe dit zou moeten geschieden. De Amerikaanse minister van buitenlandse zaken vloog van Moskou naar Jeruzalem om mij te overtuigen dat we het staakt-het-vuren moesten aanvaarden en wij kondigden aan dat we het zouden doen. Desondanks accepteerden de Syriërs het absoluut niet en hoewel de Egyptenaren verklaarden dat ze accepteerden, hielden ze op 22 oktober níet op met schieten. De gevechten gingen door en wij voltooiden de omsingeling van het Derde Leger en kregen delen van de stad Suez in handen.

Op 23 oktober legde ik in de Knesset een verklaring af over het staakt-het-vuren. Ik wilde dat het volk van Israël wist dat wij het niet uit militaire zwakte hadden aanvaard en dat we er ook niet om hadden gevraagd. Als de Egyptenaren zich er niet aan hielden, zei ik, dan zouden wij ook niet blijven zwijgen. Onze positie aan beide fronten was beter dan die bij het uitbreken van de oorlog geweest was. Inderdaad hadden de Egyptenaren een smalle strook grond op de oostelijke oever van het Suezkanaal in handen, maar het Israëlische leger had zich stevig op een groot stuk grond op de westelijke oever van het kanaal vastgebeten, en in het noorden, op de Hoogten van Golan, hadden wij al het terrein bezet dat wij ook voor de oorlog beheerd hadden en we waren zelfs in een saillant in Syrië doorgedrongen. Toch zei ik – en ik meende elk woord van ganser harte: 'Israël wil dat de vredesonderhandelingen nu en gelijktijdig met het staakt-het-vuren beginnen. We kunnen de innerlijke kracht aan de dag leggen die nodig is om een eervolle vrede binnen veilige grenzen tot stand te brengen.' Maar tenzij de Egyptenaren en Syriërs dezelfde overtuiging waren toegedaan en daarnaar handelden, zouden dit natuurlijk lege woorden blijven.

Op de negentiende dag kwam de oorlog in een nieuwe crisis.

Sadat wist dat zijn verzoek geen enkele kans had om door ons aangenomen te worden en dus vroeg hij een Sovjet-Amerikaanse strijdmacht te belasten met het toezicht op de naleving van het staakt-het-vuren en de Russen zelf troffen actieve voorbereidingen om het gebied binnen te trekken. De geschiedenis van de daaropvolgende Amerikaanse staat van alarm hoef ik niet te vertellen. Er is maar één ding dat ik erover wil opmerken. Ik weet dat destijds in Amerika veel mensen aannamen dat de staat van alarm door president Nixon werd 'verzonnen' om de aandacht van de Watergate-affaire af te leiden, maar ik heb dat toen niet geloofd en doe dat nog niet. Ik heb nooit beweerd dat ik mensen bijzonder goed aanvoel, maar ik geloof toch dat ik in dit stadium van mijn leven waarschijnlijk wel weet wanneer iemand uit ware overtuiging spreekt.

Een van mijn levendigste herinneringen aan president Nixon is een gesprek dat wij in Washington hadden toen die twee Amerikaanse diplomaten in Chartoem door terroristen vermoord werden. De avond voor de moord dineerde ik op het Witte Huis. Voor wij aan tafel gingen, stonden president Nixon, mevrouw Nixon, Yitzhak Rabin, onze toenmalige ambassadeur in Amerika, en ik te praten over wat er in Chartoem voorviel en president Nixon zei heel kalm tegen me: 'U moet weten, mevrouw Meir, dat ik nooit aan chantage zal toegeven. Nooit. Als ik nu een compromis met die terroristen sluit, riskeer ik de levens van vele anderen in de toekomst.' En hij hield zich aan zijn woord. Op zijn bezoek aan Israël in 1974, toen we net die vreselijke schanddaad van het afslachten door terroristen van kinderen in Ma'alot achter de rug hadden, kwam Nixon op het onderwerp terug. Toen hij me in mijn huis in Jeruzalem kwam bezoeken, vertelde hij me: 'Ik ben grootgebracht met de gedachte dat de doodstraf iets vreselijks is. Ik stam uit een Quaker familie. Maar met terroristen kan je niet anders handelen. Je mag nooit aan chantage toegeven.'

Ik ben er absoluut van overtuigd dat de man bij beide gelegenheden, zonder pers of televisiecamera's om zich heen, volkomen openhartig sprak en ik ben er nog steeds zeker van dat president Nixon op 24 oktober 1973 de Amerikaanse staat van alarm afkondigde omdat hij — ontspanning of niet — niet van plan was aan Sovjet chantage toe te geven. Ik geloof dat het een moedig besluit was en ook het enig juiste.

Maar dit besluit voerde de crisis op en iemand moest betalen om een ontspanning teweeg te brengen. De prijs die natuurlijk Israël moest betalen, hield in dat wij ermee accoord moesten gaan dat er voorraden aan het ingesloten Egyptische Derde Leger werden gestuurd. En we moesten een tweede staakt-het-vuren aanvaarden dat onder toezicht van een strijdmacht van de Verenigde Naties van kracht zou worden. De eis dat wij het Derde Leger van voedsel moesten voorzien, het water moesten geven en in het algemeen die 20.000 soldaten moesten helpen bij te komen van hun nederlaag, berustte totaal niet op menslievendheid. We hadden ze dit alles graag gegeven als de Egyptenaren bereid waren geweest hun wapens neer te leggen en naar huis te gaan. Maar dat was nu precies hetgeen president Sadat wilde voorkomen. Hij wilde tot elke prijs voorkomen dat het in Egypte bekend werd dat Israël bij deze hernieuwde aanval op zichzelf weer had gezegevierd. Dit was des te belangrijker omdat die paar dagen in oktober de Egyptenaren vreugdedronken waren geweest over hun blijkbare zege over ons. Dus was er weer de gewone bezorgdheid voor de tedere gevoelens van de Arabische aanvallers in plaats van voor hun slachtoffers en er werd bij ons aangedrongen een compromis in de naam van de 'wereldvrede' te aanvaarden. Die week zei ik tegen het kabinet: 'Laten we tenminste de dingen bij hun naam noemen. Zwart is zwart en wit is wit. Er is maar één land tot wie we ons kunnen wenden en soms moeten we aan hun verlangens toegeven, zelfs al zouden we het eigenlijk niet moeten doen. Maar het is de enige werkelijke vriend die we hebben, en een héél machtige. We hoeven niet overal "ja" op te zeggen, maar we moeten de dingen nemen zoals ze zijn. We hoeven ons niet te schamen als een klein land als Israël soms aan Amerika moet toegeven, vooral in een situatie als thans. En als wij werkelijk "ja" zeggen, laten we ons dan in Godsnaam niet wijsmaken dat het anders is en dat zwart wit is.'

389

Maar we stemden niet overal in toe. We hadden zelf ook minimale eisen die ik op 23 oktober als volgt aan de Knesset had voorgelegd:

Het is onder andere onze bedoeling duidelijk te stellen en te verzekeren dat het staakt-het-vuren bindend zal zijn voor alle geregelde troepen die op het grondgebied van een staat gestationeerd zijn die het staakt-het-vuren heeft aanvaard, met inbegrip van de strijdkrachten van buitenlandse staten, zoals de legers van Irak en Jordanië in Syrië en eveneens de strijdkrachten van andere Arabische staten die aan de vijandelijkheden deelnamen.

Het staakt-het-vuren zal eveneens bindend zijn voor ongeregelde troepen die tegen Israël opereren vanuit het grondgebied van de staten die het staakt-het-vuren hebben aanvaard.

Het staakt-het-vuren zal een blokkade van of bemoeiing met de vrije scheepvaart voorkomen, met inbegrip van olietankers in de Straat van Bab El Mandeb op weg naar Eilat.

Het moet zeker gesteld worden dat de vertolking van de term verwijzend naar 'onderhandelingen tussen de partijen' betekent directe onderhandelingen en het moet natuurlijk zeker zijn dat de procedures, het opstellen van de kaarten en het toezicht op het staakt-het-vuren vastgesteld worden in gemeenschappelijk overleg.

Een onderwerp van groot belang is de vrijlating van krijgsgevangenen. De regering van Israël heeft besloten een onmiddellijke uitwisseling van krijgsgevangenen te eisen. We hebben dit met de Amerikaanse regering, die een van de initiatiefnemers van het staakt-het-vuren was, besproken.

Op deze lijst stond niets nieuws, niets onaanvaardbaars en niets dat ons niet volgens alle maatstaven toekwam.

Op dit tijdstip werd de markante persoonlijkheid in het Midden-Oosten niet president Sadat, of president Assad, of koning Feisal of zelfs mevrouw Meir. Nee, het werd de Amerikaanse minister van buitenlandse zaken, Dr Henry Kissinger wiens pogingen ten behoeve van de vrede in dit gebied alleen maar als bovenmenselijk kunnen worden beschreven. Mijn eigen verhouding met Henry Kissinger wisselde nogal eens. Soms werd het allemaal erg ingewikkeld en ik weet dat ik hem soms irriteerde en misschien zelfs boos maakte, en vice-versa. Maar ik bewonderde zijn intellectuele gaven, zijn geduld en zijn doorzettingsvermogen die altijd onbegrensd waren en tenslotte zijn we goede vrienden geworden. Ik heb ook zijn vrouw in Israël ontmoet en enige tijd met haar gesproken, en ook haar vond ik erg aardig en bewonderenswaardig. Ik geloof dat misschien een van de indrukwekkendste van de vele indrukwekkende eigenschappen van Kissinger is zijn fantastisch vermogen om de kleinste details te behandelen van elk probleem dat hij op zich heeft genomen om op te lossen. Hij heeft me twee jaar geleden eens verteld dat hij nog nooit van een oord gehoord had dat Koeneitra heette. Maar toen hij betrokken werd bij de onderhandelingen over de troepenscheiding van de Syrische en Israëlische strijdkrachten op de Hoogten van Golan, was er geen weg, geen huis of zelfs maar een boom daar in de buurt waar hij niet alles van wist wat er van te weten viel. En ik zei tegen hem: 'Behalve de vroegere generaals die nu leden van het Israëlische kabinet zijn, geloof ik niet dat wij één enkele minister hebben die zoveel van Koeneitra afweet als u.'

Toen we voor het eerst begonnen op de lange en moeilijke weg die ons moest leiden naar de troepenscheiding van de strijdkrachten op de Hoogten van Golan en wij zeiden dat we zekere posities op de heuvels bij Koeneitra niet konden opgeven omdat het zou betekenen dat wij de Israëlische nederzettingen daaronder aan gevaar zouden blootstellen, was hij erg sceptisch. 'U praat over die heuvels alsof het bergen in de Alpen of de Himalaya zijn', zei hij tegen me. 'Ik ben naar de Hoogten van Golan geweest en ik heb er geen Alpen kunnen ontdekken.' Maar, als altijd, luisterde hij heel aandachtig naar ons, leerde zelf elk detail van de topografie en toen hij absoluut overtuigd was dat hetgeen we zeiden zin had, was hij bereid er steeds opnieuw dagen aan te besteden om Assad ertoe over te halen dat de Syriërs op dat punt moesten toegeven. En tenslotte deden ze dat. Maar de hele tijd reisde Kissinger heen en weer alsof hij het woord 'vermoeidheid' nog nooit gehoord had.

Een paar keer werden de onderhandelingen met de Syriërs bijna afgebroken en Kissinger was al bezig ontwerp-verklaringen voor hen en ons op te stellen zodat tenminste gezegd kon worden dat de onderhandelingen uitgesteld en niet totaal beëindigd zouden worden. Toen, op de laatste dag, kwam hij naar ons toe met weer een eis van Assad en wij zeiden: 'Nee. Dat niet. Dát kunnen we niet accepteren.' En Kissinger zei: 'Goed. Dan is dit het einde. Sisco zal vandaag naar Damascus gaan met instructies om te zeggen dat er "geen verdere onderhandelingen" zullen plaatsvinden, en dat wij voorstellen om een gezamenlijk communiqué uit te geven.' Die middag kwam Kissinger me opzoeken, want hij zou die avond vertrekken. En weer zei hij: 'Tja, dit is dan het eind.' Toen keek hij me aan en zei: 'Vindt u misschien dat ik naar Damascus zou moeten gaan in plaats van Sisco?' 'Ik durfde het u niet te vragen', zei ik. 'U hebt me gezegd dat u Gromyko nooit in Damascus wilde ontmoeten en op het ogenblik is hij daar net.' Kissinger dacht even na en zei toen: 'ja, ik móet hem opzoeken, al is het maar voor een kort beleefdheidsbezoek. Wat denkt u ervan? Ik zal doen wat u voorstelt.' Dus zei ik: 'Kijk eens, ik weet één ding. Als u zélf gaat, is er een kleine kans dat u het dit keer zult bereiken. Anders is er helemaal geen kans.' Joseph Sisco, die zich bij ons in de kamer bevond, knikte en zei: 'Daar ben ik het helemaal mee eens.' 'O.K.', zei Kissinger, 'ik zal gaan. Misschien kan ik toch nog iets bereiken.' En hij vertrok meteen.

Om ongeveer 1.30 v.m. kwam hij terug in Israël en stuurde me een boodschap vanuit zijn vliegtuig om te zeggen dat hij me graag om 2.30 v.m. wilde spreken. Hij verscheen, zo fris alsof hij de afgelopen maand op vakantie was geweest, terwijl iedereen om hem heen er doodmoe uitzag. Hij kwam snel op me toe en zei: 'Het is in orde. We zijn zo ver.' Zelfs met dat werkelijk briljante verstand van hem en met zijn verbazingwekkende vermogen om hard te werken, was Kissinger natuurlijk nooit zo ver bij de Syriërs gekomen als hij de minister van buitenlandse zaken van Gabon was geweest, maar hij had alles: intelligentie, ijver, uithoudingsvermogen én het feit dat hij de grootste macht ter wereld vertegenwoordigde en dat was een bijzonder doeltreffende combinatie.

Wat zijn joods-zijn betreft, ik geloof niet dat hem dat tijdens al die onderhandelingsmaanden heeft gehinderd of geholpen. Maar als hij zich al emotioneel bij ons betrokken voelde, dat is dat toch nooit ook maar één ogenblik door iets wat hij tegen ons zei of namens ons deed, te merken geweest. De eerste keer dat hij naar Saoedi Arabië ging, werd hij door Feisal op een één uur durende lezing onthaald over 'communisten, Israëli's en joden'. Het was Feisals theorie – en hij aarzelde niet in detail aan Kissinger uit te leggen – dat de joden de communistische beweging hadden geschapen teneinde de hele wereld te veroveren. Een deel van de wereld was al van ze, maar in het deel dat de joden niet konden veroveren, zetten ze joden op belangrijke regeringsposten. En hij ging voort: 'Wist u dat Golda Meir in Kiëv is geboren?' 'Ja', antwoordde Kissinger. 'Zegt u dat niets?' vroeg Feisal. 'Nee', zei Kissinger. 'Eigenlijk niet.' 'Kiëv, Rusland, communisme, dat is de formule', verklaarde Feisal. Toen had Feisal getracht hem 'Het Protocol van de Ouderen van Zion' cadeau te geven, die bekende tsaristisch-Russische vervalsing, maar Kissinger had het natuurlijk niet aangenomen.

Ik had een paar heel moeilijke gesprekken met Kissinger betreffende de Sovjet en Egyptische beweringen dat wij het staakt-het-vuren geschonken hadden. Kissinger was blijkbaar geneigd dat te geloven en op zeker tijdstip telefoneerde Dinitz me vanuit Washington op en smeekte me Kissinger mijn persoonlijke verzekering te geven dat we het niet hadden gedaan. Die hele week had er een uitwisseling van boodschappen tussen ons plaats gehad waarbij president Nixon en Kissinger ons gevraagd hadden eerst in één kwestie toe te geven, toen op een volgend punt en daarna op een derde, en hoewel ik de Amerikaanse positie tegenover de Sovjet Unie maar al te goed begreep, vond ik deze stroom van verzoeken erg verontrustend. Ik schreef Kissinger een brief waarin ik hem vroeg ons alles wat hij wilde ineens te zeggen zodat we aan sommige verzoeken konden voldoen en zelf enige beslissingen nemen in plaats van elke paar uur nieuwe verzoeken te krijgen. Toen Dinitz me nu zo opgewonden opbelde, besloot ik zelf de telefoon te pakken en met Kissinger te praten in plaats van weer een brief te sturen. Ik zei: 'U kunt alles wat u wilt van ons zeggen, en doen wat u wilt, maar we zijn géén leugenaars. Die beweringen zijn *niet* waar.'

Op 31 oktober vloog ik naar Washington om te proberen de vrij gespannen verhouding die ontstaan was in betere banen te leiden en persoonlijk precies uit te leggen waarom sommige van de eisen die ons gesteld werden niet alleen oneerlijk maar ook onaanvaardbaar waren. De dag tevoren was ik zelf met Dajan en 'Dado' naar 'Afrika' gegaan om met de commandanten daar te praten, hun uitleg over het terrein aan te horen en een tijdje bij de troepen door te brengen. We stopten drie keer aan het front en ik moet zeggen dat de soldaten allemaal nogal verbaasd waren me daar midden in de woestijn te zien. Zelf had ik ook nooit verwacht om de vragen te beantwoorden waar Israëlische jongens me op Egyptisch grondgebied mee overstelpten. Eens sprak ik tegen een groep soldaten diep onder de grond, een andere keer in het zand voor een tent en ook nog eens in een zwaar gehavende Egyptische douanepost in Suez. De meeste vragen van de jongens gingen natuurlijk over het staakt-het-vuren. Waarom hadden wij toegestaan dat er voorraden naar het Derde Leger werden gebracht? Waarom hadden wij in een voortijdig staakt-het-vuren toegestemd? Waar waren onze krijgsgevangenen? Ik deed mijn best ze de feiten van het politieke leven uit te leggen en later vloog ik naar de Hoogten van Golan waar ik dezelfde gesprekken voerde.

Ik had zelf ook vragen die niet bevredigend beantwoord waren. Ik was nog steeds woedend over de weigering van mijn socialistische kameraden in Europa die de Phantoms en Skyhawks niet op hun grondgebied hadden willen laten landen om bij te tanken als onderdeel van de airliftoperatie. Op een dag, weken na de oorlog, belde ik Willy Brandt op die binnen de Socialistische Internationale zeer gerespecteerd is, en zei: 'Ik heb niemand eisen te stellen, maar ik wil met mijn vrienden praten. Voor mijn eigen geweten wens ik te weten wat voor betekenis het socialisme eigenlijk heeft als niet één socialistisch land in heel Europa bereid was de enige democratische natie in het Midden-Oosten te hulp te komen. Is het werkelijk mogelijk dat democratie en broederschap op ons geval niet van toepassing zijn? Ik wil in elk geval zelf, met mijn eigen oren, horen wat de hoofden van die socialistische regeringen ervan weerhouden heeft ons te helpen.'

De leidersvergadering van de Socialistische Internationale werd in Londen bijeengeroepen en iedereen kwam. Zulke vergaderingen bestaan uit de hoofden van socialistische partijen, degenen die net aan de regering zijn en die zich in de oppositie bevinden. Bij die gelegenheid opende ik de vergadering, omdat ik had gevraagd dat deze bijeengeroepen werd. Ik vertelde mijn mede-socialisten precies hoe de toestand geweest was, hoe we verrast waren, misleid door onze eigen wensdromen waardoor we de opvatting die ons van de rapporten van de inlichtingendiensten gegeven werd, geloofden. En hoe we de oorlog gewonnen hadden. Maar het was erop of eronder geweest, dagenlang. Toen zei ik:

In dit licht wil ik alleen maar begrijpen wat het socialisme tegenwoordig werkelijk betekent. U bent hier nu allemaal aanwezig. Geen centimeter van uw grondgebied werd ons ter beschikking gesteld om de vliegtuigen te laten bijtanken die ons voor algehele vernietiging hebben behoed. Stel dat Richard Nixon gezegd had: 'Het spijt me, maar we kunnen tenslotte niets voor u doen omdat we nergens in Europa kunnen bijtanken.' Wat had u allemaal dan gedaan? U kent ons en weet wie we zijn. We zijn oude kameraden, oude vrienden. Wat hebt u gedacht? Waarom hebt u besloten die vliegtuigen niet te laten bijtanken? Geloof me, ik ben de laatste om het feit te miniseren dat we maar een kleine joodse staat zijn en dat er meer dan twintig Arabische staten met een uitgebreid grondgebied bestaan, met oneindig veel olie en miljarden dollars. Maar wat ik van u wil weten is of deze feiten ook in het socialistisch denken beslissenden factoren zijn?

Toen ik klaar was, vroeg de voorzitter of iemand het woord wilde hebben. Maar niemand stond op. Toen zei iemand achter me, heel duidelijk: 'Natuurlijk kunnen ze niets zeggen. Ze zijn in de olie gestikt.' Ik wilde mijn hoofd niet omdraaien en naar hem kijken, omdat ik de man niet in verlegenheid wilde brengen. En hoewel er een discussie volgde, was er eigenlijk niet veel meer te zeggen. Het was allemaal door de man wiens gezicht ik nooit gezien heb onder woorden gebracht.
In Washington bracht ik anderhalf uur bij president Nixon door. Naderhand wilde de pers weten of Israël onder druk was gezet om de Arabieren nog meer concessies te doen. Ik verzekerde ze dat er van druk geen sprake was geweest. 'Als dat zo is, mevrouw', zei een van de verslaggevers, 'waarom bent u dan naar Washington gekomen?' 'Alleen om te ontdekken dat er geen druk wordt uitgeoefend', zei ik. 'Dat op zichzelf was de moeite waard.'
Het punt waar in mijn besprekingen met Kissinger alles om draaide had betrekking op de staakt-het-vuren linies en het waren geen prettige gesprekken, maar we spraken dan ook niet over prettige onderwerpen. Ik had een voorstel van zes punten meegenomen en ik herinner me dat Kissinger en ik praktisch de hele nacht in Blair House, waar ik logeerde, zijn opgebleven en op een gegeven ogenblik zei ik tegen hem: 'Weet u,

het enige dat we eigenlijk nog hebben, is onze levensmoed. Wat u me nu vraagt is naar huis te gaan en te helpen die levensmoed te vernietigen, en dan is er geen enkele hulp meer nodig.'

De tekst van de overeenkomst tussen Israël en Egypte werd op 11 november 1973 bij kilometerpaal 101 op de weg Cairo-Suez door Israëls generaal Aharon Yariv en Egyptes generaal Abdel Gamasy ondertekend. Hij luidde:

1. Egypte en Israël komen overeen het door de Veiligheidsraad van de Verenigde Naties vereiste staakt-het-vuren stipt na te komen.
2. Beide zijden stemmen erin toe dat de besprekingen tussen hen inzake de kwestie van de terugkeer naar de posities van 22 oktober in het kader van de overeenkomst met betrekking tot de troepenscheidingen onder de auspiciën van de Verenigde Naties, onmiddellijk zullen beginnen.
3. De stad Suez zal dagelijks voorraden voedsel, water en medicamenten ontvangen. Alle gewonde burgers in de stad Suez zullen geëvacueerd worden.
4. Het vervoer van niet-militaire voorraden op de oostelijke oever zal niet gehinderd worden.
5. De Israëlische controleposten op de weg Cairo-Suez zullen door controleposten van de Verenigde Naties vervangen worden. Aan het Suez-einde van de weg zullen Israëlische officieren met de Verenigde Naties kunnen deelnemen aan de controle op de aard van niet-militaire goederen aan de oever van het kanaal.
6. Zodra de controleposten van de Verenigde Naties op de weg Cairo-Suez zijn gevestigd, zal er een uitwisseling van alle krijgsgevangenen plaatsvinden, inclusief de gewonden.

Voor de eerste keer in een kwart eeuw was er regelrecht, simpel en persoonlijk contact tussen Israëli's en Egyptenaren. Ze zaten samen in tenten, brachten problemen over de troepenscheiding tot oplossing en schudden elkaar de hand. En onze krijgsgevangenen kwamen uit Egypte terug, zij die tijdens de Uitputtingsoorlog gevangen waren genomen en degenen die in de Oktoberoorlog in gevangenschap waren geraakt. Wonderlijk genoeg kwamen ze ongebroken van geest terug, ondanks alles wat ze hadden meegemaakt, al huilden sommigen als kinderen toen we ze terugzagen. Ze brachten zelfs cadeautjes mee, dingen die ze in de gevangenis gemaakt hadden, onder andere een blauw-en-witte Davidster. Die hadden ze zelf gebreid en tijdens hun lange gevangenschap had die als hun vlag dienst gedaan. 'Nu onze "eenheid" ontbonden is', zei een groep jonge officieren tegen me, 'zouden we u die vlag graag willen geven.' Ik heb hem ingelijst en hij hangt nu aan de muur van mijn zitkamer.

Maar we wisten nog steeds niets van onze krijgsgevangenen in Syrië, terwijl nu bijna dagelijks militaire begrafenissen plaatsvonden van jongens die in de Sinaï gevallen waren. Hun verkoolde lijken waren nu pas in het zand teruggevonden, geïdentificeerd en voor begrafenis overgebracht. Maar het ergste was dat de algemene stemming in Israël erg somber was, ondanks het groeiende gevoel dat de troepenscheiding dit keer misschien zou uitgroeien tot een werkelijke vrede. Uit alle lagen van de bevolking gingen stemmen op dat de regering moest aftreden, er werden beschuldigingen geuit dat de onvoldoende gereedheid van het leger te wijten was aan foutief leiderschap, aan zelfgenoegzaamheid en aan een totaal gebrek aan communicatie tussen de regering en het volk. Er ontstond een aantal protestbewegingen. Ze waren verschillend in de kracht van hun optreden en ze hadden verschillende programma's, maar ze deelden de eis tot verandering. Er namen reservisten aan deel die zich vaak haastig en soms op een voor mij pijnlijke wijze uitdrukten. Ik was het met veel van hetgeen zij over het verleden te zeggen hadden niet eens, maar een deel van hun kritiek was gerechtvaardigd. Ik moest altijd aanhoren wat ze te zeggen hadden en ik heb veel van de jongeren uit deze bewegingen ontmoet. Ik probeerde het ze gemakkelijk te maken met mij te praten en ik kreeg het gevoel dat ze vaak verbaasd waren door het verschil tussen de vrouw die zo aandachtig naar ze geluisterd had en het beeld dat ze zich van mij gevormd hadden. In die door achterdocht en beschuldigingen geladen atmosfeer geloofde ik dat ze ook vaak net zo verbaasd waren over wat ik hun te zeggen had.

Veel van dit luide protest was oprecht. Maar het meeste was in feite een natuurlijke woede-uitbarsting over de fatale reeks ongelukken die hadden plaatsgevonden. In die storm van protest werd er niet alleen om mijn aftreden of dat van Dajan geschreeuwd; het was een eis dat iedereen van het toneel zou verdwijnen die maar met enige mogelijkheid verantwoordelijk kon worden gesteld voor wat er gebeurd was en om dan helemaal opnieuw met andere, jongere mensen te beginnen, mensen die niet waren bezoedeld met de beschuldiging de natie op een dwaalspoor te hebben gebracht. Het was een extreme reactie op de extreme situatie waarin we ons bevonden, en daarom – al was het erg pijnlijk – was het begrijpelijk. Maar een deel van die uitbarsting was boosaardig, soms zelfs onverbloemd demagogisch; de oppositie wilde politieke munt slaan uit een nationale tragedie.

Bij het eerste politieke debat in de Knesset na de oorlog luisterde ik naar de toespraken van de oppositie, onder andere naar die door Menachem Begin en Shmuel Tamir en ze verscheurden me. Ze waren zo vol retoriek en zo theatraal dat ik het niet kon verdragen en toen ik opstond om het debat te sluiten, vertelde ik ze dat de aard van hun toespraken zodanig was dat ik er niet op wilde antwoorden. 'Ik wil nog maar één ding zeggen', zei ik. 'Ik zou een heel dierbare vriend van me, een Amerikaanse socialistische zionist, willen aanhalen die eens een debat over een heel ernstige zaak bijwoonde, hoewel die lang niet zo ernstig was als hetgeen waar wij hier en nu over spreken. Er stond toen iemand op en die sprak zo moeiteloos en gemakkelijk dat het enige dat mijn vriend kon zeggen was: "Had hij maar af en toe gestotterd en geaarzeld".' Dat was nu precies mijn gevoel over de vloeiende retoriek in de Knesset. Begin en Tamir spreken over iets dat als een ramp beschouwd kan worden over mannen die gedood of verminkt waren, over vreselijke dingen, maar ze spraken rustig, zonder maar één keer te haperen of te pauzeren en ik walgde ervan.

Het middelpunt van de storm van kritiek was Mosje Dajan. Het eerste openlijke verzoek om zijn aftreden kwam, voor zover ik me herinner, van een andere minister in mijn kabinet, Ya'akov Shimshon Shapiro, de minister van Justitie. Ik zal nooit over mijn woede heen komen over het feit dat hij verkoos dit verzoek op het hoogtepunt van de crisis die aan het tweede staakt-het-vuren voorafging, te doen en dat nog wel op een vergadering waar de pers het zou horen. Dat wist hij. Alsof dat nog niet genoeg was, hoorde ik dat hij in het Knessetrestaurant van de ene groep naar de ander was rondgelopen om te vertellen wat hij gedaan had. Ik vroeg hem bij me te komen. Dat deed hij en hij zei: 'Ik weet dat u Dajan niet zult vragen heen te gaan, dus kom ik nu mijn ontslag aanbieden.' Ik zei dat ik maar twee vragen had. Ik wilde hem niet vragen te blijven, want ik vond dat hij het mij onmogelijk had gemaakt dat te doen. Maar ik wilde wél weten waarom hij nu net die dag had gekozen, en hij antwoordde: 'Och, omdat vandaag het staakt-het-vuren ingaat.' 'Zo, zo', zei ik. 'Ik heb een nieuwtje voor u. Er wordt vandaag nog steeds gevochten. Sommigen van onze mensen zijn gedood, anderen gewond. Het is helemaal geen dag dat u een mede-minister zo'n verzoek kunt doen. En, ten tweede, waarom vraagt u mij niet af te treden? Ik ben eerste minister.' Hierop antwoordde Shapiro slechts: 'U bent niet verantwoordelijk hiervoor. U bent niet de minister van defensie.'

Naderhand kwam Dajan naar mijn kantoor en hij vroeg meteen: 'Wil je dat ik aftreed? Ik ben bereid dat te doen.' Opnieuw zei ik: 'Nee.' Ik wist dat er binnenkort een officiële commissie van onderzoek zou worden ingesteld. Dat gebeurde ook op 18 november onder voorzitterschap van de president van het hooggerechtshof, Sjimon Agranat. Totdat zij hun taak voltooid hadden en hun bevindingen hadden voorgelegd, bleef het principe van de collectieve kabinetsverantwoordelijkheid bestaan en dat was minstens even belangrijk als ministeriële verantwoordelijkheid. Het enige dat Israël op dat tijdstip bepaald kon missen was een kabinetscrisis. We hadden toch al de verkiezingen die oorspronkelijk voor

31 oktober waren vastgesteld tot 31 december uitgesteld en het volk zou dan in staat zijn aan zijn gevoelens goed en doelmatig lucht te geven. En hoewel ik zelf erg in de verleiding was om af te treden, vond ik dat ik nog een tijdje aan moest blijven, en hetzelfde gold volgens mij voor Dajan.

Van alle kabinetsleden was Dajan natuurlijk de meest omstreden figuur en waarschijnlijk ook de gecompliceerdste. Hij is een man die een sterke reactie bij het publiek oproept, en dat is altijd zo geweest. Hij heeft natuurlijk zijn fouten en die zijn net zo min onbetekenend als zijn deugden. Een van de dingen waar ik echt heel trots op ben is dat ik vijf jaar lang een kabinet bij elkaar heb gehouden waar niet alleen Dajan deel van uitmaakte, maar ook een aantal mannen die een hekel aan hem hadden of aanstoot aan hem namen. Maar vanaf het eerste begin wist ik al vrij goed welke problemen ik in dit verband onder de ogen zou moeten zien. Ik kende Dajan al jaren en ik wist dat hij er zich tegen verzet had dat ik eerste minister werd toen Esjkol overleed. De enige manier waarop ik dus kon werken was het juiste standpunt in te nemen, gebaseerd op de kern van elke zaak en het kabinet en Dajan zelf te bewijzen dat het niet mijn gewoonte was om de belangrijkheid van een voorstel te bepalen op grond van het belang van de persoon die het voorstel deed.

Tot zijn eer moet ik zeggen dat als ik Dajan ergens niet in steunde, hij dat altijd heel goed opnam, hoewel hij niet gemakkelijk met mensen samenwerkt en eraan gewend is zijn zin door te drijven. Tenslotte werden we goede vrienden en ik kan me niet beklagen dat hij ook maar één keer niet loyaal tegen me was. Niet één keer. Zelfs militaire zaken besprak hij altijd eerst met mij en dan kwam hij mét zijn staf chef. Soms zei ik tegen hem: 'Ik zal hier niet vóór stemmen, maar het staat je vrij je voorstel aan het kabinet voor te leggen.' Maar als ik het met een van zijn ideeën niet eens was, ging hij er nooit op door. Gezien Dajans reputatie die inhield dat hij niet in teamverband kon werken, en de mijne die zei dat ik niet in staat was gemakkelijk een compromis te aanvaarden, geloof ik dat we het over het geheel genomen goed deden. Het is ook niet waar dat hij een hard mens is. Ik heb hem ontredderd zien terugkomen van die hartverscheurende begrafenissen na de oorlog, waarbij kinderen door hun moeders naar hem toe werden geduwd terwijl die vrouwen schreeuwden: 'U hebt hun vader vermoord' en de treurenden balden de vuist tegen hem en noemden hem een moordenaar. Ik weet hoe ik me dan voelde en ik weet hoe Dajan zich voelde. In de eerste dagen van de Oktoberoorlog was hij erg pessimistisch en wilde het volk op het ergste voorbereiden. Hij riep een vergadering van krantenredacteuren bijeen om hun de situatie te beschrijven zoals hij die zag.

Gedurende de oorlog weerhield ik hem ervan af te treden, maar ik geloof dat hij dat onmiddellijk had moeten doen nadat de Agranat commissie van onderzoek het eerste voorlopige rapport op 2 april 1974 publiceerde. Dat rapport zuiverde Dajan (en mijzelf) van enige 'directe verantwoordelijkheid' voor het niet gereed zijn van Israël op *Jom Kippoer,* maar het oordeelde zo hard over de staf chef en de hoofden van de militaire inlichtingendienst dat 'Dado' onmiddellijk zijn ontslag aanbood. Ik heb altijd gedacht dat Dajan zijn 'stralenkrans' behouden had, of althans enigszins, als hij toen openlijk zijn krijgsmakkers trouw was gebleven. Hij las dat voorlopige (en slechts gedeeltelijke) rapport in mijn kantoor en vroeg me voor de derde keer of hij zou aftreden. 'Dit keer moet de partij beslissen', zei ik. Maar hij had zijn eigen logica en ik vond dat ik hem over zo'n gewichtige zaak geen raad moest geven. Nu heb ik spijt dat ik het niet deed, al had hij die misschien toch niet aangenomen.

Wat mij betreft zei de commissie dat op de morgen van *Jom Kippoer* 'zij wijs, snel en met gezond verstand ten gunste van de algehele mobilisatie besliste zoals door de chef staf werd aangeraden, ondanks gewichtige politieke overwegingen, waardoor zij een zeer belangrijke dienst aan de defensie van de staat bewees.'

Veel buitenstaanders dachten dat de situatie in Israël in de winter van 1973 beter was dan de Israëli's zelf oordeelden. Een van mijn bezoekers omstreeks die tijd was wijlen Richard Crossman die zo zeer bij de geboorte van de staat betrokken was geweest en hij kon de algemene somberheid en moedeloosheid niet begrijpen. 'Jullie zijn gek geworden', zei hij tegen me. 'Wat scheelt jullie toch?' 'Vertel mij eens wat de reactie in Engeland geweest zou zijn als de Britten iets dergelijks was overkomen?' vroeg ik hem. Hij was zo verbaasd over mijn vraag dat hij bijna zijn koffiekopje uit de hand liet vallen. 'Denk je dat ons nooit zoiets is overkomen?' zei hij. 'Dat Churchill in de oorlog nooit fouten heeft gemaakt? Dat wij geen Duinkerken hadden en nog heel wat meer tegenvallers? Maar we namen het alleen nooit zo ernstig op.' Doch wij zijn, geloof ik, anders en het woord 'trauma' lag die winter op ieders lippen; het beschrijft heel precies het overal aanwezige gevoel van verlies en onrecht dat Crossman zo overdreven vond.

15
Het einde van de reis

De weken gingen voorbij. De reserves waren in het zuiden en in het nu ijskoude noorden nog steeds gemobiliseerd. Er werd zelfs nog steeds geschoten en de stemming in Israël bleef somber, rusteloos en erg bezorgd. Kissinger zette zijn pogingen voort om een troepenscheiding tussen Syrië en Israël te bewerkstelligen, een lijst te krijgen van de Israëlische krijgsgevangenen in Syrië en in Genève besprekingen tussen de Egyptenaren, de Jordaniërs en ons tot stand te brengen. In december hadden de Syriërs aangekondigd dat zij er niet aan zouden deelnemen. Hoewel het oppervlakkig beschouwd leek alsof wij dichter bij de vrede waren dan ooit tevoren, geloofden de meeste Israëli's noch ikzelf werkelijk in ons binnenste dat wij met vredesverdragen in de hand uit Genève zouden terugkomen. We gingen er met weinig illusies en zeker niet met een behaaglijk gevoel heen. Maar de Egyptenaren en Jordaniërs hadden er nu eenmaal in toegestemd met ons in dezelfde zaal te zitten en dat was op zichzelf iets waar ze nog nooit mee akkoord waren gegaan.

Op 21 december vingen de besprekingen in Genève aan en zoals ik al gevreesd had, leidden ze tot vrijwel niets. Er was geen werkelijke dialoog tussen de Egyptenaren en ons. Integendeel, vanaf het eerste ogenblik was het maar al te duidelijk dat er niet veel veranderd was. De Egyptische delegatie weigerde letterlijk toe te staan dat hun tafel naast de onze werd geplaatst en de atmosfeer was verre van vriendelijk. Het was blijkbaar een noodzakelijkheid voor de Egyptenaren om een militaire overeenkomst te verkrijgen, maar vrede — dat beseften we weer eens — was niet iets dat ze nastreefden. Toch, al leverde deze bijeenkomst geen politieke oplossing op, werd binnen een paar dagen bij kilometerpaal 101 het troepenscheidingsverdrag getekend en wij bleven hopen dat er op een of andere manier een politieke oplossing gevonden kon worden. De Messias was toch niet helemaal naar kilometerpaal 101 gekomen en was toen te lui geweest om door te gaan?

Op 31 december hielden we onze verkiezingen. De resultaten wezen uit dat het land niet graag op dit moeilijke ogenblik van leiders wisselde en hoewel we enige stemmen verloren, evenals de Nationale Religieuze Partij, kwam de Ma'arach toch als het leidende blok naar voren. Maar de oppositie tegen de Ma'arach was krachtiger geworden, omdat de hele rechtervleugel nu een eigen blok had gevormd. Er zou weer een coalitie gevormd moeten worden en dat zou ongetwijfeld een uiterst moeilijke taak zijn omdat het religieuze blok, dat altijd een coalitie-partner van ons was, op zichzelf zeer verdeeld was over de vraag wie het zou leiden en wat de politiek in deze bijzonder moeilijke tijd zou zijn.

Lichamelijk en geestelijk begon ik de gevolgen te voelen van de spanningen van de afgelopen maanden. Ik was doodmoe en er helemaal niet zeker van dat ik in deze toestand er ooit in zou slagen een regering te vormen, zelfs twijfelde ik of ik wel moest trachten dat te doen. Er waren niet alleen problemen buiten de partij, maar ook erbinnen. Begin maart voelde ik dat ik niet kon doorgaan en ik vertelde de partij dat ik er genoeg van had. Maar ik werd gebombardeerd met delegaties die me smeekten van gedachten te veranderen. Er bestond nog steeds veel kans op dat de oorlog opnieuw zou uitbreken omdat er nog altijd geen troepenscheiding met Syrië was en de Syriërs schonden onophoudelijk het staakt-het-vuren. Men drukte ook angst uit dat de Ma'arach uit elkaar zou vallen als ik niet aanbleef.

Soms leek het me toe dat al hetgeen sinds de middag van de 6de oktober was gebeurd, op één eindeloze dag had plaatsgevonden – en ik wilde dat die dag maar ten einde kwam. Ik was ernstig bezorgd door de verminderde solidariteit binnen de partij. Mensen die ministers in mijn regering waren geweest, collega's met wie ik gedurende mijn ambtstermijn nauw had samengewerkt en die volledige partners waren geweest bij de opstelling van de regeringspolitiek schenen nu niet bereid om zich te verzetten tegen de stroom van ongerechtvaardigde kritiek, zelfs laster, die over Dajan, Galili en mijzelf werd uitgegoten. Als reden daarvan werd genoemd het feit dat wij drieën – zonder de anderen te consulteren – het gewaagd hadden kritieke beslissingen te nemen, die, naar beweerd werd, tot de oorlog hadden geleid. Ik nam ook aanstoot aan de onverantwoordelijke praatjes van mijn zogenaamd schaduwkabinet dat verondersteld werd in zekere zin de regering te hebben vervangen door als een besluitvormend lichaam op te treden. Deze beschuldiging was totaal ongegrond. Het was mijnerzijds toch natuurlijk dat ik advies zocht bij mensen wier oordeel ik waardeerde. Maar deze informele raadplegingen zijn nooit en op geen enkele wijze als regeringsbeslissingen opgevat.

Desondanks ging ik de hele maand maart door met mijn strijd om een regering te vormen, hoewel het een steeds moeilijker uitvoerbare taak leek. Vooral gezien de toenemende eisen om een overkoepelende coalitie, iets waartegen ik en de meesten van de partij steeds meer gekant waren. Het was nu niet de tijd voor politieke experimenten en ik had hetzelfde gebrek aan vertrouwen van altijd in het vermogen van de oppositie om een juist oordeel te vellen, gezond verstand te gebruiken of soepelheid te betrachten bij de pogingen van Israël om eindelijk een of andere schikking met onze buren te treffen. Ik wilde het kabinet niet belasten met een element dat zou weigeren onderhandelingen te voeren als het zover kwam; de oppositie toonde een totaal negatieve houding ten opzichte van een territoriaal compromis, vooral wat de westelijke oever van de Jordaan betrof. Ik wist dat er, om historische redenen, een verschil in de houding van de bevolking bestaat ten aanzien van een territoriaal compromis in bijvoorbeeld, de Sinaï, en op de westelijke oever, maar ik zelf had het gevoel dat de meeste Israëli's bereid zouden zijn om ook een redelijk compromis voor de westelijke oever te aanvaarden. Toch vond ik het nodig om in de verklaring over de regeringspolitiek een clausule op te nemen waarin stond dat, hoewel het kabinet volmacht had om over een territoriaal compromis met Jordanië te onderhandelen en beslissingen te nemen, de zaak in de vorm van nieuwe verkiezingen aan het volk zou worden voorgelegd voor een werkelijk verdrag getekend werd.

Toen gebeurden er twee dingen: Dajan trad af en al haalde ik hem over om in het kabinet terug te komen, toch bracht het voortdurend tumult om hem binnen de partij het gevaar van een splitsing in de gelederen gevaarlijk dichterbij. Het scheen dat er geen oplossing gevonden kon worden waarbij voldaan werd aan de toenemende druk binnen de partij om Dajan afstand te laten doen van het ministerie van defensie en toch de *Rafi*-fractie waarvan hij leider was, ervan te weerhouden de Maarach te verlaten. Er waren nog meer problemen: het religieuze blok dat er wekenlang sterk bij ons op had aangedrongen om een Nationale Eenheidsregering te vormen, besloot plotseling — als gevolg van eigen interne moeilijkheden — dat ze geen partner in een nauwere coalitie wilden worden en dat ze aan mijn kabinet niet zouden deelnemen. Dat betekende dat er een minderheidsregering gevormd moest worden, maar ik dacht niet dat het een ernstig probleem zou vormen omdat we de steun van verschillende kleinere partijen in de Knesset hadden. Het werkelijk kritieke punt bleef volgens mij het eventueel uiteenvallen van de Ma'arach. Ik slaagde erin een kabinet te vormen met Dajan als minister van defensie, maar de storm om hem raasde voort. Die concentreerde zich nu op het voorlopige Agranat rapport dat, zoals ik al eerder opmerkte, hem vrijsprak van enige directe verantwoordelijkheid voor de beoordelingsfouten die door de militaire autoriteiten aan de vooravond van de Oktoberoorlog gemaakt waren.

Het rapport had echter niet de kwestie van parlementaire of ministeriële verantwoordelijkheid behandeld en juist daarover uitte de openbare mening, zowel binnen als buiten de partij, zich nu heftig. Vele mensen in het land vonden dat de chef staf oneerlijk behandeld was en dat Dajan, als minister van defensie, minstens zoveel schuld had aan hetgeen er gebeurd was als 'Dado'. (Zonder dit op enigerlei wijze als commentaar op het Agranat rapport te bedoelen, wil ik echter in dit verband wel zeggen dat Dado's leiding tijdens de oorlog briljant en onberispelijk was.) Er heerste een enorme ontevredenheid over de wijze waarop Dajan in het rapport behandeld was en de gemoederen waren erg verhit.

Hoe meer ik met mijn collega's over het voortdurende conflict binnen de partij sprak en hoe meer ik het voor mezelf analyseerde, des te meer kreeg ik het gevoel dat ik niet verder kon gaan. Ik had een punt bereikt waar ik vond dat – zonder de steun van de gehele partij (de meerderheid had ik steeds op mijn hand) – ik niet meer als hoofd ervan kon functioneren. En het ogenblik kwam dat ik bij mezelf zei: 'Verder kan ik niet. Ik neem ontslag en dan moeten anderen maar zien hoe ze een coalitie tot stand brengen. Er is een grens aan mijn incasseringsvermogen en die heb ik nu bereikt.'

Gedurende al die weken van eindeloze gesprekken, argumenten en verbittering had ik veel ontroerende brieven van mensen overal in Israël ontvangen die me aanmoedigden en steunden; ik had die mensen nooit ontmoet, maar het scheen dat ze begrepen wat ik doormaakte. Sommige waren van gewonde soldaten die nog in het ziekenhuis lagen, andere van de ouders van jongens die gevallen waren. 'Houd u goed. Wees sterk. Alles komt terecht,' schreven ze me. Ik wilde ze echt niet teleurstellen, maar op 10 april zei ik tegen de leiders van de partij dat ik er genoeg van had.

'Vijf jaar zijn voldoende', zei ik. 'Het gaat mijn krachten te boven deze last nog verder te torsen. Ik behoor niet tot een of andere kring of fractie binnen de partij. Ik hoef maar een kring die uit één persoon bestaat, te consulteren – mijzelf. Ik verzoek u niet te trachten om me over te halen van mening te veranderen, om welke reden dan ook. Het helpt niets.' Natuurlijk werden er toch pogingen gedaan om mijn besluit ongedaan te maken, maar zonder resultaat. Ik stond op het punt om vijftig jaar openbare functies te besluiten en ik wist absoluut zeker dat ik juist handelde. Ik had het al veel eerder willen doen, maar nu zou níets me meer tegen houden, en dat gebeurde dan ook niet. Mijn politieke carrière was voorbij.

Toch moest ik nog aanblijven als het hoofd van een interim regering totdat er een nieuw kabinet gevormd kon worden. Voordat ik op 4 juni aftrad, was ik Goddank in staat de Knesset mede te delen dat er via de bemiddeling van Dr Kissinger een troepenscheidingsovereenkomst met Syrië gesloten was. Op 5 juni werd die overeenkomst in Genève ondertekend en onze krijgsgevangenen keerden terug. Het heeft meer voor me betekend dan ik ooit kan uitdrukken in staat te zijn geweest ze in het vaderland te verwelkomen, hoewel er minder uit krijgsgevangenschap thuiskwamen dan we gehoopt hadden.

En daarna ging ik zelf naar huis, dit keer voorgoed. De nieuwe premier van Israël is een *sabra*: Yitzhak Rabin. Hij is in Jeruzalem geboren in het jaar dat Morris en ik naar Merhavia gingen. Er zijn veel verschillen tussen zijn generatie en de mijne, verschillen in stijl, benaderingswijze en ervaring. En dat hoort ook zo, want Israël is een land in de groei waar alles voorwaarts gaat. Bovendien zijn de verschillen niet zo belangrijk als de overeenkomsten.

Evenals mijn generatie zal deze generatie *sabra's* vooruitstrevend zijn, strijden, fouten begaan en dingen bereiken. Evenals wij gaan ze geheel op in de ontwikkeling en de veiligheid van de staat Israël en in de droom van een rechtvaardige samenleving hier. Zij weten dat, als het joodse volk als volk wil voortbestaan, het van levensbelang is dat er een joodse staat is waar joden als joden kunnen leven, niet geduld en niet als minderheid. Ik ben ervan overtuigd dat zij het joodse volk overal evenzeer tot eer zullen strekken als wij trachtten te doen. En hier zou ik iets willen opmerken over het joods-zijn. Ik geloof niet dat het alleen maar een kwestie van religieuze beleving en praktijken is, Voor mij betekent het joods-zijn, en dat is altijd zo geweest, er trots op zijn deel uit te maken van een volk dat meer dan 2.000 jaar duidelijk zijn identiteit heeft gehandhaafd, ondanks alle pijn en martelingen waaraan we zijn blootgesteld. Degenen die niet in staat waren dit alles te verduren en getracht hebben zich van hun joods-zijn terug te trekken, hebben dat volgens mij ten koste van hun eigen fundamentele identiteit gedaan. Ze hebben zichzelf erbarmelijk verarmd.

Ik weet niet welke vormen de praktijk van het jodendom in de toekomst zal aannemen, of hoe joden – in Israël en elders – hun joods-zijn over duizend jaar zullen uitdrukken. Maar ik weet wél dat Israël niet alleen maar een of ander klein, belegerd landje is waarin drie miljoen mensen hardnekkig proberen te blijven voortbestaan; Israël is een joodse staat die tot stand gekomen is als het resultaat van het verlangen, het vertrouwen en de vastbeslotenheid van een oud volk. Wij in Israël zijn maar een deel van de joodse natie, en zelfs niet het grootste deel, maar omdat Israël bestaat is de joodse geschiedenis voor eeuwig veranderd. Het is mijn innige overtuiging dat er tegenwoordig slechts weinig Israëli's zijn die niet de verantwoordelijkheid begrijpen en volledig aanvaarden welke de geschiedenis op hun schouders als joden geplaatst heeft.

Wat mij betreft, mijn leven was heel gezegend. Ik heb niet alleen mogen beleven dat de staat Israël ontstond, maar ik heb ook meegemaakt hoe hij massa's joden van overal ter wereld heeft opgevangen en in zich opgenomen. Toen ik in 1921 hierheen kwam, bedroeg de joodse bevolking 80.000 zielen en het toelaten van elke jood hing af van de toestemming die de mandaatsregering moest verlenen. We hebben nu een bevolking van meer dan drie miljoen waarvan meer dan één miljoen joden zijn die na het vestigen van de staat en onder de Israëlitische Wet op de Terugkeer gekomen zijn, een Wet die de rechten van elke jood garandeert om zich hier te vestigen. Ik ben ook dankbaar in een land te wonen waar de bevolking geleerd heeft hoe ze temidden van een zee van haat moet leven zonder hen te haten die ze wensen te vernietigen en zonder hun eigen kijk op de vrede te verliezen. Dit geleerd te hebben is een kunst die nergens is vastgelegd. Het is een deel van onze levenswijze in Israël.

Tenslotte wil ik nog zeggen dat vanaf de tijd dat ik als jong meisje naar Palestina kwam, wij gedwongen waren te kiezen tussen hetgeen meer of minder gevaarlijk voor ons was. Er waren tijden dat we allen in de verleiding zijn gekomen om aan de op ons uitgeoefende druk toe te geven en voorstellen te aanvaarden die ons misschien een paar maanden enige rust hadden gegund, of misschien zelfs een paar jaar, maar dat kon uiteindelijk alleen maar tot nog groter gevaar leiden. Wij hebben altijd de vraag onder ogen moeten zien: 'Wat is het grootste gevaar?' En in die positie verkeren we nog steeds, misschien zelfs in een nog ernstiger. De wereld is hard, egoïstisch en materialistisch. Hij is ongevoelig voor het leed van de kleinere volkeren. Zelfs de verlichtste regeringen, democratieën die door fatsoenlijke leiders geleid worden die goede, eerlijke mensen vertegenwoordigen, zijn tegenwoordig niet geneigd zich bezorgd te maken over problemen betreffende de rechtvaardigheid in internationale verhoudingen. In een tijd waarin grote naties in staat zijn toe te geven aan chantage en besluiten worden genomen op basis van Grote Mogendheden-politiek, kan het niet altijd van ons verwacht worden dat wij hun raad opvolgen, en daarom moeten wij het vermogen en de moed bezitten om de dingen te blijven zien zoals ze werkelijk zijn en volgens ons eigen innerlijke instinct tot zelfbehoud te handelen. Dus heb ik op de vraag: 'En hoe staat het met de toekomst?' slechts één antwoord: Ik geloof dat we vrede met onze buren zullen bereiken, maar niemand zal met een zwak Israël vrede sluiten. Als Israël niet sterk is, dan zal er geen vrede komen.

Ik hoop dat ik nooit zal vergeten dat ik bevoorrecht ben door wat mij geschonken is vanaf de tijd dat ik over het zionisme hoorde, daar in een kamertje in het tsaristische Rusland, en een halve eeuw lang tot hier waar ik mijn vijf kleinkinderen heb zien opgroeien als vrije joden in een land dat hun eigen is. Laat niemand ooit eraan twijfelen: onze kinderen en de kinderen van onze kinderen zullen nooit met minder genoegen nemen.

Register